SV

Donald Davidson
Wahrheit, Sprache und Geschichte

Aus dem Amerikanischen
von Joachim Schulte

Suhrkamp

Titel der Originalausgabe:
Truth, Language, and History
Erstmals veröffentlicht in englischer Sprache 2005.
Die Übersetzung erscheint mit freundlicher Genehmigung
von Oxford University Press.

Truth, Language, and History was originally published in English in 2005.
This translation is published by arrangement with Oxford University Press.

Bibliografische Information der Deutschen Nationalbibliothek
Die Deutsche Nationalbibliothek verzeichnet diese Publikation
in der Deutschen Nationalbibliografie;
detaillierte bibliografische Daten sind im Internet
über http://dnb.d-nb.de abrufbar.

Erste Auflage 2008

Satz und Druck:
Memminger MedienCentrum AG
Printed in Germany
Erste Auflage 2008
ISBN 978-3-518-58506-1

1 2 3 4 5 6 – 13 12 11 10 09 08

Für unsere Enkel

Max und Natalie Boyer
Alex und Elizabeth Batkin

Inhalt

Wahrheit

Sprache

Anomaler Monismus

Philosophiegeschichtliche Überlegungen

Einleitung

Als mein Mann am 30. August 2003 völlig unerwartet starb, war der Vertrag über die Veröffentlichung des vierten und fünften Bands seiner gesammelten Abhandlungen mit Oxford University Press bereits abgeschlossen. Wenn man von den Einleitungen absieht, waren beide Bände – *Probleme der Rationalität* und *Wahrheit, Sprache und Geschichte* – so gut wie druckreif. Indem ich sie jetzt an Stelle meines Mannes herausbringe, folge ich seinem Beispiel bei der Herausgabe der ersten drei Bände, das heißt, ich werde einige einführende Worte zu dieser Sammlung insgesamt sagen und anschließend jeweils ein oder zwei Absätze zu den einzelnen Artikeln. Mag sein, daß ich den Akzent nicht immer richtig gesetzt und vielleicht sogar inhaltliche Fehler gemacht habe, aber ich hoffe, daß Donald den Eindruck hätte, daß ich nicht allzu weit vom Ziel abgekommen oder zumindest nahe genug dran bin, um seinen Lesern eine Hilfe zu sein. Was die Texte selbst betrifft, stimmen sie, außer einigen korrigierten Druckfehlern, genau mit den angegebenen Originalpublikationen überein.

Die Abhandlungen des vorliegenden Bandes sind in vier Gruppen eingeteilt. In ihnen geht Davidson weiter den Themen nach, die ihn über fünfzig Jahre lang beschäftigt haben: die Beziehung zwischen Sprache und Welt, zwischen Sprecherintention und sprachlicher Bedeutung, Sprache und Geist, Geist und Körper, Geist und Welt, Geist und Fremdpsychischem. Er fragt: Welche Rolle spielt der Wahrheitsbegriff bei diesen Untersuchungen? Hat eine wissenschaftliche Weltsicht Platz für das menschliche Denken, ohne es auf etwas Materielles und Mechanistisches zu reduzieren?
Das grundlegende Bild, das sich Davidson macht, kann vielen dieser Artikel entnommen werden: Wir lernen die Welt nicht

indirekt kennen – durch Vermittlungsinstanzen wie Sinnesdaten, Repräsentationen oder auch die Sprache –, sondern direkt. Zunächst kommt das Denken durch interpersonelle Kommunikation in einer gemeinsamen materiellen Welt zum Vorschein, und es entwickelt sich weiter, indem wir einander in Gespräche verwickeln. Sprache ist von Kommunikation abhängig, nicht umgekehrt. Dies ist die von Davidson an anderer Stelle geschilderte Situation der Triangulation: Zwei Lebewesen verständigen sich über eine gemeinsame Welt. Was das Verhältnis zwischen Geist und Körper betrifft, braucht unsere Ontologie nichts weiter als materielle Gegenstände und Ereignisse zu postulieren. Für unsere Erklärungen brauchen wir allerdings zwei Vokabulare, die nicht aufeinander zurückgeführt werden können – eines für Psychisches und eines für Physisches. In den letzten sechs Abhandlungen entdeckt Davidson Zusammenhänge zwischen seinen eigenen Ansichten und den Vorstellungen einiger bedeutender Philosophen der Vergangenheit.

Abhandlung 1: In »Rehabilitierung der Wahrheit« untersucht Davidson die skeptische Einstellung zum Wahrheitsbegriff, die im vorigen Jahrhundert in vieler Hinsicht zum Ausdruck gekommen ist. Den Wahrheitsskeptikern gesteht er zu, daß die Korrespondenz- und die Kohärenztheorie ebenso wie pragmatische und epistemische Theorien der Wahrheit allesamt gescheitert sind. Wie er darlegt, folgt daraus aber nicht, daß man sich der These einiger »Deflationisten« anschließen und den Wahrheitsbegriff als nutzlos abtun kann. Im Gegenteil, der Wahrheitsbegriff spielt eine Schlüsselrolle, wenn es darum geht, die Welt und die Psyche handelnder Lebewesen zu verstehen.
In der *2. Abhandlung*, »Die Torheit des Versuchs, den Wahrheitsbegriff zu definieren«, wird die These begründet, es sei unmöglich, den Wahrheitsbegriff und damit zusammenhängende Themen des philosophischen Fragens wie Wissen,

Glauben, Absicht und Erinnerung auf elementarere Begriffe zurückzuführen, denn sie selbst gehören zu den elementarsten, die wir kennen. Sodann geht Davidson auf Tarskis Wahrheitstheorie ein, um schließlich eine radikale Alternative zu den in der 1. Abhandlung betrachteten Wahrheitstheorien vorzuschlagen. Diese Alternative zielt darauf ab, die empirischen Verbindungen zwischen dem Wahrheitsbegriff und beobachtbarem menschlichen Verhalten aufzuspüren. Ein methodologisches Modell dieses Projekts ist Frank Ramseys Entscheidungstheorie zur Konstruktion subjektiver Wahrscheinlichkeiten.

Abhandlung 3: In »Methode und Metaphysik« macht Davidson geltend, daß die Semantik der Metaphysik als Methode dienen kann. Er zitiert Tarski, der seinerseits Aristoteles zitiert: »Vom Seienden zu sagen, daß es nicht sei, oder vom Nichtseienden, daß es sei, ist falsch, wogegen vom Seienden zu sagen, daß es sei, oder vom Nichtseienden, daß es nicht sei, wahr ist.« Wenn wir über eine richtige Semantik für eine Sprache verfügen, können wir wissen, daß die den Ausdrücken zugeordneten Gegenstände wirklich existieren. Davidson betrachtet zwei Probleme, die sich anscheinend im Hinblick auf diese Konklusion ergeben. Das erste ist die Unerforschlichkeit des Bezugs: die von Quine hervorgehobene Tatsache, daß ein Interpret zahllose gleich befriedigende Möglichkeiten hat, den Ausdrücken der Sprache eines Interpretanten Gegenstände zuzuordnen. Daraus ergibt sich jedoch, wie Davidson erwidert, keine wirkliche Bedrohung für die Objektivität unserer ontologischen Schlußfolgerungen. Denn um eine Sprache verständlich zu finden, müssen wir feststellen, daß sie über viele Dinge reden kann, über die wir ebenfalls reden. »Es mag sein, daß die Unerforschlichkeit des Bezugs eine sonderbare Zuordnung von Gegenständen zu Wörtern nach sich zieht; die Gesamtontologie, auf welche die Sprache aus unserer Sicht festgelegt ist, kann sie aber nicht tangieren.«

Das zweite Problem ist folgendes: Wenn wir die Semantik

und folglich auch die Ontologie einer Sprache beschreiben, müssen wir uns auf die Entitäten berufen, von denen *wir* glauben, daß sie existieren; und das sind eben die Entitäten, die zur Ontologie unserer Sprache gehören. Es gibt also offenbar keine Möglichkeit für uns, von unserer Semantik ausgehend zu Wahrheiten über eine objektive Welt voranzuschreiten. (Dieses Problem entspricht der folgenden, in den Abhandlungen 15 und 16 erörterten Frage: Wie kann uns der Dialog über den Versuch, unsere Meinungen konsistenter zu gestalten, hinaus- und zu der Entdeckung hinführen, welche unserer Überzeugungen wahr sind, oder sogar zu völlig neuen Überzeugungen?) Darauf antwortet Davidson, daß beim Interpretieren zwei methodologische Prinzipien zum Einsatz kommen, die uns, wenn wir sie miteinander verbinden, den Ausweg aus der scheinbaren Sackgasse zeigen: (1) Der Interpret muß in den Überzeugungen, die er einem Akteur zuschreibt, ein durchweg konsistentes Muster finden. (2) Der Interpret muß die kausalen Zusammenhänge zwischen Geist und Welt respektieren, die aus den Mitteilungen des Interpretanten hervorgehen – Zusammenhänge, die den Sprecher, den Hörer und das gemeinsame Außenwelt-Objekt, auf das sie beide reagieren, miteinander verbinden. Tarski braucht, wie er feststellt, keine Entitäten, die ganzen Sätzen entsprechen, sondern nur Entitäten, die zum Gegenstandsbereich der Variablen gehören. Nach Davidson wird eine akkurate Semantik einige dieser Entitäten richtig ausfindig machen, denn »direkte Konditionierung von Wörtern auf Gegenstände muß die Grundlage korrekter Interpretationen bilden«. (Das heißt bei Davidson »Triangulation«.)

Die Ausgangsfrage der *4. Abhandlung* – »Bedeutung, Wahrheit und Belege« – lautet: Hat Quine recht, wenn er meint, der proximale Reiz an den Nervenenden sei ausschlaggebend für die Bedeutung? Oder ist es vielmehr der distale Reiz – der Gegenstand oder das Ereignis in der gemeinsamen, öffentlichen Welt, auf den sich der Interpret und der Interpretierte bei der Triangulation beziehen? Wie Davidson darlegt, gibt nur die zweite Auffassung Aufschluß über die Möglichkeit der Kommunikation und stützt Quines eigene These, mit der Bedeutung könne es nicht mehr auf sich haben, als was eine zureichend ausgestattete Person – der Interpret – erfahren und beobachten kann.

In den *Abhandlungen 5 und 6* (»Auf dem Weg zum Wahrheitsbegriff« und »Quine über Wahrheit«) werden die in der 4. Abhandlung begonnenen Untersuchungen zu Quine fortgesetzt, indem nun auch die folgenden Fragen aufgeworfen werden: Ist Quines Wahrheitstheorie deflationär? Welches sind die Implikationen der Bedeutungsunbestimmtheit für eine Wahrheitstheorie? Was meint Quine, wenn er sagt, Wahrheit sei »immanent«?

Abhandlung 7: In »Eine hübsche Anordnung von Epitaphen« behauptet Davidson, unsere Fähigkeit, das von einem Sprecher Gemeinte auch dann zu verstehen, wenn er Wörter in verfehlter oder neuartiger Weise verwendet, bringe die Notwendigkeit mit sich, die übliche, auf gemeinsame Regeln und Konventionen abhebende Analyse der Sprachkompetenz und der Kommunikation fallenzulassen.

In der *8. Abhandlung*, »Der soziale Aspekt der Sprache«, erläutert Davidson seine in »Eine hübsche Anordnung von Epitaphen« aufgestellte These, wonach »es so etwas wie eine Sprache gar nicht gibt, sofern eine Sprache der Vorstellung entsprechen soll, die sich viele Philosophen und Linguisten von ihr gemacht haben«. Der Sprachbegriff, gegen den sich Davidson zur Wehr setzt, beinhaltet, sprachliche Verständigung sei davon abhängig, daß Sprecher und Hörer über die gleiche bestimmbare Menge syntaktischer und semantischer Regeln verfügen. Faktisch gibt es solche Gemeinsamkeiten, aber für die sprachliche Kommunikation sind sie weder notwendig noch hinreichend. Was wesentlich ist, sind gemeinsame allgemeine Informationen und Vertrautheit mit nichtsprachlichen Institutionen. (»Wir haben die Grenze beseitigt zwischen der Kenntnis einer Sprache und dem generellen Sich-in-der-Welt-Auskennen.«)

Ebenso wie Michael Dummett ist Davidson der Ansicht, eine Bedeutungstheorie setze die Wittgensteinsche Unterscheidung voraus zwischen dem richtigen Gebrauch der Wörter und der bloßen Meinung, daß man sie richtig verwende, zwischen dem Befolgen einer Regel und der Meinung, daß man ihr folge. Außerdem sind beide Autoren der Ansicht, soziale Interaktionen seien nötig, um diese Unterscheidung zu erfassen. Erforderlich ist, daß Sprecher und Hörer die Vorstellung von einer Norm haben – von dem, was es heißt, etwas richtig zu machen. Daß man sich in Einklang mit dem sozial akzeptierten Sprachgebrauch ausdrückt, mag eine solche Norm sein, aber für die Kommunikation ist es ohne Belang. Vielmehr ist Kommunikation dann erfolgreich, wenn der Sprecher so verstanden wird, wie er verstanden werden möchte. Erforderlich ist letzten Endes nicht eine Menge gemeinsamer Regeln, sondern die Fähigkeit von Sprecher und Hörer, zwischen den Reaktionen des Sprechers und dem Auftauchen eines beiden zugänglichen Reizes in der ihnen gemeinsamen Welt eine wechselseitige Beziehung herzustellen. »Meinen und Bedeutung setzen voraus, daß man [...] von anderen verstanden werden kann. Dagegen gibt es keinen [...] Grund, warum Praktiken etwas Gemeinsames sein müßten.« Meinen und Bedeutung beruhen auf erfolgreicher Interpretation – nicht umgekehrt.

In der *9. Abhandlung*, »Durch die Sprache sehen«, geht es um folgende These: Es stimmt zwar, daß wir die Welt in einem wichtigen Sinn durch die Sprache sehen, aber es gibt weitverbreitete Deutungen dieser Metapher, die falsch sind. Die Sprache ist weder ein Medium, das genau aufzeichnet, was draußen vor sich geht, noch ein die Welt bedeckender Schleier, der sie verhüllt. Ohne die Sprache würden wir die Dinge nicht so begreifen, wie wir es tun; aber daraus folgt nicht, daß jede Sicht der Dinge unweigerlich verzerrt ist. Im Gegenteil: Man könnte sich die Sprache wie ein Wahrnehmungsorgan denken, wie etwas, durch das – das heißt *mittels* dessen – man buchstäblich in die Lage versetzt wird, die Welt zu sehen. Die Sprache unterscheidet sich insofern von den Sinnesorganen, als sie ihnen wesentlich ist, damit sie *propositionales* Wissen liefern können. Diese Überlegung führt Davidson zu einer Kritik des Gedankens des *Mentalesischen*, also der These, es gebe eine angeborene »Sprache des Geistes«, und zu einer Erörterung der Bedingungen, die erfüllt sein müssen, damit Lebewesen Begriffe, Gedanken und Sprache erwerben können. Bedeutung entsteht durch interpersonelle Kommunikation über eine gemeinsame, öffentliche Welt und beruht darauf, daß menschliche Wesen gemeinsame Bedürfnisse und Interessen haben. Begriffe, Sprache und Denken treten zusammen auf.

Abhandlung 10: In »James Joyce und Humpty Dumpty« wird die in den Abhandlungen 7 und 8 begonnene und in der 12. Abhandlung wieder aufgenommene Untersuchung des Spannungsverhältnisses fortgesetzt, das zwischen der Vorstellung, die Sprecherintentionen bestimmten das Gemeinte, und dem Gedanken bestehen soll, das von einem Sprecher Gemeinte hänge davon ab, welches Verständnis er vom Hörer erwarten kann. Das ist, wie Davidson ausführt, eine falsche Alternative: Das Gemeinte ist zwar von der Intention des Sprechers abhängig, doch diese Intention schließt das vom Hörer erwartete Verständnis mit ein. Demnach läßt die von Humpty Dumpty [in Lewis Carrolls *Alice hinter den Spiegeln*] vertretene Bedeutungstheorie – »Wenn *ich* ein Wort gebrauche, bedeutet es genau das, was es nach meinem Willen bedeuten soll« – das ausschlaggebende interpersonelle Element unberücksichtigt. Der Sprachgebrauch kann jedoch mehr oder weniger kreativ sein. Joyce selbst hat gemeint, sein kühner Gebrauch der Wörter trage ihn in gewissem Sinne über die eigene Sprache, die eigene Gesellschaft und das eigene Ich hinaus. Davidson legt dar, daß dem Leser ein ähnliches Maß an Kreativität und Distanznahme zugemutet wird.

In der *11. Abhandlung*, »Der Dritte«, wird der Zyklus »Blind-Time Davidson« thematisiert. Diese Zeichnungen des Künstlers Robert Morris wurden von Davidsons Artikelsammlung *Handlung und Ereignis* angeregt. Jede dieser Zeichnungen enthält ein Bruchstück aus einem Aufsatz von Davidson und eine Beschreibung der Absicht, die der Künstler hatte, als er (mit verbundenen Augen) seine Zeichnungen anfertigte. Davidson schreibt: »Was Morris abgebildet hat, ist das wesentliche Element, von dem der Begriff des autonomen Objekts (und der Welt) abhängt: ein intersubjektives Maß des Irrtums und des Erfolgs, der Wahrheit und der Falschheit. Er hat uns in die Lage versetzt, zusammen mit ihm durch Triangulation den Ort seiner schöpferischen Akte zu bestimmen.«

Abhandlung 12: In »Die Sprache der Literatur« wird die Frage nach den einschränkenden Bedingungen für die Interpretation literarischer Texte aufgeworfen. Davidson beginnt mit einer allgemeinen Einleitung, um darzulegen, inwiefern die – stets mannigfaltigen – Absichten eines Sprechers oder Autors der Schlüssel zu dem von ihm Gemeinten sind. Die erste dieser Absichten ist die, daß man Wörter äußern möchte, denen der Interpret eine bestimmte Bedeutung zuordnen wird. Diese Bedeutung, die von anderen Autoren »buchstäbliche« Bedeutung genannt wird, heißt bei Davidson »erste« Bedeutung. Die Möglichkeit von Sprache, Denken und Interpretation beruht auf der oben genannten Situation der Triangulation, in der Sprecher und Hörer zueinander sowie beide zu einem gemeinsamen, für beide wahrnehmbaren Gegenstand in der öffentlichen Welt in Beziehung stehen und im Hinblick auf den sie die Reaktionen des jeweils anderen beobachten können. Gibt es in der Literatur etwas Ähnliches wie diese Triangulationssituation? Ja, das gibt es, und die Rolle des gemeinsamen öffentlichen Objekts wird nun von einem gemeinsamen Hintergrund übernommen, der einschränkt, welche gemeinten Bedeutungen einem Autor verständlicherweise zugeschrieben werden können. Natürlich werden die Interpretationen eines Texts von einer Person zur anderen, von einer Kultur zur anderen und von einem Jahrhundert zum anderen variieren. Daraus folgt aber nicht, daß ein Text bedeutet, was immer seinen Lesern in den Sinn kommt, denn Meinungsverschiedenheiten über die Bedeutung eines Texts sind – ebenso wie Meinungsverschiedenheiten über andere Gegenstände und Situationen in der Welt – nur möglich, wenn es eine gemeinsame Grundlage, also Übereinstimmung gibt.

In der *13. Abhandlung*, »Denkende Ursachen«, geht Davidson auf eine häufig geäußerte Kritik an seiner Theorie des anomalen Monismus (= AM) ein. Dieser Kritik zufolge behauptet die Theorie, das Geistige sei in kausaler Hinsicht träge. Wie Davidson ausführt, rührt diese Kritik von einem Mißverständnis seines Gebrauchs des Begriffs »Supervenienz« her, der zwar ontologischen Monismus, nicht aber definitorischen oder nomologischen Reduktionismus impliziert. Außerdem verkennt die Kritik oft die folgenden Punkte: Kausale Beziehungen sind extensionale Beziehungen, die zwischen singulären Ereignissen bestehen, egal, wie diese Ereignisse beschrieben werden; Davidson bestreitet nur die Existenz *strikter* psychophysischer Gesetze; der anomale Monismus beruht auf einer Unterscheidung, der zufolge zwischen Einzelereignissen bestehende kausale Relationen etwas anderes sind als kausale Erklärungen, die es mit Gesetzen und daher mit Typen von Ereignissen zu tun haben.

Über die *14. Abhandlung* (»Gesetze und Ursache«) hat Davidson zusammenfassend geschrieben: »Die Argumentation für den anomalen Monismus beruht zum Teil auf der These, jede wahre singuläre Kausalaussage, die eine Beziehung zwischen zwei Ereignissen herstellt, werde von einem Gesetz untermauert, das diese Ereignisse abdeckt, wenn sie richtig beschrieben werden. Im vorliegenden Artikel wird der Versuch gemacht, diese These zu klären und zu verteidigen, indem einige begriffliche Beziehungen zwischen den Begriffen ›Ereignis‹, ›Gesetz‹ und ›Gegenstand‹ aufgespürt werden.«

In den *Abhandlungen 15-18* wird die Frage aufgenommen, ob die Aufgabe der Philosophie darin besteht, die Überzeugungen und Annahmen, von denen man bei einer Untersuchung ausgeht, zu klären, miteinander in Einklang zu bringen, zutage zu fördern und zu kritisieren, oder in der Entdeckung von Wahrheiten, die zu Anfang noch gar nicht zu erkennen waren. Um diese Frage zu beantworten, nimmt Davidson in den *Abhandlungen 15 und 16* (»Platons Philosoph« und »Der Sokratische Wahrheitsbegriff«) eine Untersuchung des Sokratischen Elenchos in Angriff. Gemeint ist jene ergebnislose Dialektik des Gesprächsaustauschs, in deren Rahmen Sokrates seinem Dialogpartner eine Behauptung entlockt, um sodann zu zeigen, daß diese Behauptung mit anderen Überzeugungen des Dialogpartners unvereinbar ist. Nun fragt man sich vielleicht, warum man auf diesem Weg zur Erkenntnis gelangen soll, da es doch keinen Grund gibt zu glauben, irgendeine Aussage einer widerspruchsfreien Aussagenmenge sei wahr. In den Dialogen der mittleren Periode zeigt sich, daß Platon selbst Zweifel am Wert des Elenchos hegte und sich eher von einer Welt der Ideen erwartete, sie könne uns Wissen vermitteln, das über unseren Ausgangspunkt hinausführt. Im *Philebos* jedoch – einem späten Dialog, der zugleich der letzte ist, in dem Sokrates als Hauptdialogpartner auftritt – bejaht Platon den Elenchos. Anscheinend ist er jetzt zu der Überzeugung gelangt, daß, wie Davidson an anderer Stelle ausführt, »in jedem von uns genügend Wahrheiten stecken, um den Gedanken plausibel zu machen, daß unsere Überzeugungen, wenn sie widerspruchsfrei sind, weitgehend wahr sein werden«. Und ebenso wie in seinen früheren sokratischen Dialogen beruft sich Platon jetzt auf den Gedanken, daß Wahrheiten nur im Kontext einer freimütigen Diskussions- und Kommunikationssituation zum Vorschein kommen.

Dieser Gedanke wird in der *17. Abhandlung*, »Dialektik und

Dialog«, weiter erkundet, indem auf die Kluft hingewiesen wird zwischen einem Austausch, dessen Teilnehmer klare Begriffe haben, und einem Austausch, bei dem die Begriffe selbst in den Blick kommen und nuanciert und entfaltet werden. Dergleichen geschieht eher im Rahmen eines mündlichen Gesprächs, und es erinnert ein wenig an die Art und Weise, in der sich die Sprache und das Denken entwickeln. Daher nennt Davidson den Elenchos »einen Mikrokosmos des fortwährenden Prozesses der Sprachbildung selbst«.

Abhandlung 18: In »Gadamer und Platons *Philebos*« richtet Davidson sein Augenmerk auf die wichtigsten Hinsichten, in denen er mit Gadamer übereinstimmt, und zwar sowohl bezüglich Platons *Philebos* als auch bezüglich des Wesens des Verstehens, der Wahrheit und der Sprache generell. Beide sind der Meinung, daß das Gespräch der Weg zu gemeinsamem Verständnis ist; daß das Gespräch eine gemeinsame Welt voraussetzt; daß die Sprache, wie Gadamer sagt, ihr wahres Sein nur im Gespräch hat; und daß die Sprache (um nochmals mit Gadamer zu reden) nicht nur ein Besitz des Menschen in dieser Welt ist, sondern eine Vorbedingung dafür, daß der Mensch überhaupt eine Welt hat. Im Gegensatz zu Gadamer pocht Davidson darauf, daß das Gespräch keine gemeinsame Sprache voraussetzt – eine Einsicht, die er in den Abhandlungen 7 bis 10 begründet hat.

Abhandlung 19: In »Der Aristotelische Handlungsbegriff« zeichnet Davidson die Entwicklung des Begriffs der Handlung von Aristoteles bis zur Gegenwart nach und deutet an, wie bestimmte Wege der empirischen Forschung unser Verständnis des Handelns in der Zukunft beeinflussen können.

In *Abhandlung 20*, »Spinozas kausale Theorie der Affekte«, kommt Davidson nochmals auf den anomalen Monismus zu sprechen, indem er von einer Erörterung der bekannten Schwierigkeiten ausgeht, die einer Harmonisierung bestimmter Gedanken Spinozas im Wege stehen. Spinoza vertritt näm lich eine monistische Theorie und behauptet zugleich, daß Geist und Körper – Ausdehnung und Denken – zwei verschiedene und nicht aufeinander zurückführbare Beschreibungsweisen der Welt sind; außerdem betont er die Realität des Mentalen und leugnet dabei, daß es Wechselwirkungen zwischen Geist und Körper gibt. Vor allem stellt sich die Frage: Wie kann man, wenn *a* unter dem Attribut »Ausdehnung« *b* verursacht und *b* unter dem Attribut »Denken« mit *c* identisch ist, bestreiten, daß *c* von *a* verursacht wird?

Davidson macht einen Lösungsvorschlag, indem er Spinoza eine dem anomalen Monismus (= AM) ähnliche Theorie zuschreibt sowie die in der 14. Abhandlung ausgearbeitete Unterscheidung zwischen Ursache und Gesetz. Dem AM zufolge kann jedes Einzelding, das sich durch das mentale Vokabular identifizieren läßt, auch durch das physikalische Vokabular identifiziert werden. Aber der Zweck eines Vokabulars besteht darin, Einzeldinge in Klassen zu sortieren; und daraus, daß jedes *Individuum* einer bestimmten Menge durch ein gegebenes Vokabular beschrieben werden kann, folgt nicht, daß die *Menge* mit Hilfe desselben Vokabulars definiert werden kann. Also während ein durch ein Vokabular beschriebenes Einzelereignis ein durch das andere Vokabular beschriebenes Einzelereignis verursachen kann, könnte man – ebenso wie Spinoza – sagen, daß es ausgeschlossen ist, in physikalischer Terminologie eine *völlig adäquate Erklärung* eines mentalen Ereignisses zu geben (und umgekehrt). Dies war, wie Davidson meint, die These, die Spinoza vorschwebte, als er Wechselwirkungen zwischen Geist und Körper bestritt.

Im Rahmen der im *Anhang* abgedruckten Erwiderungen auf Richard Rorty, Barry Stroud, John McDowell und Carlos Pereda erläutert Davidson seinen Standpunkt in bezug auf eine Reihe von Problemen. Zum einen geht es um die Frage, ob es, was mentale Einstellungen betrifft, so etwas wie harte Tatsachen gibt, zum anderen um Themen wie: die Unbestimmtheit der Übersetzung, die Normativität des Mentalen, die Beziehungen zwischen Wahrnehmungserfahrung und Rechtfertigung unserer Überzeugungen sowie den Nutzen der formalen Semantik für unser Verständnis des Wahrheitsbegriffs und der Sprache.

Donald hätte sich gern bei vielen Personen bedankt. Ich möchte hier nur vier erwähnen, die in den hier vorgelegten Abhandlungen mehrmals genannt werden: Michael Dummett, John McDowell, W.V.O. Quine und Richard Rorty. Nochmals möchte ich Ernie Lepore danken, der uns vor einigen Jahren besuchte, um Donald bei der Zusammenstellung der Texte für den 4. und den 5. Band zur Hand zu gehen, und der mich seitdem bei jedem Schritt unterstützt hat. Mein tiefempfundener Dank geht auch an Donald selbst. Diese Abhandlungen zu lesen oder – was meistens der Fall war – *wieder* zu lesen, war mir eine große Freude. Ich habe viel daraus gelernt.

Marcia Cavell Berkeley, 2004

Wahrheit

1
Rehabilitierung der Wahrheit

Es gibt eine weit zurückreichende Tradition, der zufolge der Wahrheitsbegriff zu den wichtigsten Themen philosophischer Erörterungen gehört, doch in unserem Jahrhundert ist diese Tradition von vielen Philosophen ernsthaft in Frage gestellt worden – von Historikern, Literaturwissenschaftlern, Anthropologen, Politikwissenschaftlern, Soziologen und anderen Autoren ganz zu schweigen. Das ist meines Erachtens auf verschiedene verlockende Irrtümer und Verwechslungen zurückzuführen. An dieser Stelle werde ich einige der Gründe untersuchen, aus denen die Wahrheit im Bewußtsein vieler an Tadellosigkeit oder zumindest an Statur verloren hat; anschließend werde ich angeben, warum der Wahrheitsbegriff rehabilitiert und im Rahmen unserer Deutung der Welt und der Psyche von Akteuren seine frühere Schlüsselrolle spielen sollte.

Ehe es lohnend wirken konnte, der Wahrheit den Nimbus zu nehmen, mußte sie als größer hingestellt werden, als sie in Wirklichkeit ist, oder man mußte sie mit Kräften ausstatten, die sie gar nicht besitzt. Als es noch keine klare Grenze zwischen Philosophie und Wissenschaft gab, war es für Philosophen naheliegend, die Rolle derjenigen zu beanspruchen, deren Angebot der Wahrheit am nächsten kommt. Besonders zu einer Zeit, da man der Erkenntnistheorie eine Letztbegründung des Wissens zutraute, wurde man durch Konzentration auf die Erkenntnistheorie in der wirren Vorstellung bestärkt, die Philosophie sei der Ort, an dem man nach den letzten und grundlegendsten Wahrheiten suchen sollte, auf denen alle übrigen Wahrheiten – sei's der Wissenschaft, der Moral oder des Common sense – beruhen müssen. Dadurch, daß Platon abstrakte Universalien und Entitäten höchsten Werts in eins setzte, untermauerte er die Verwechslung der Wahrheit mit den hervorragendsten Wahrheiten. Offenkundig wird diese Verwechslung in der (von Platon zu guter Letzt in Frage gestellten) Anschauung, das einzige vollkommene Musterbeispiel für ein Universale oder eine Idee sei die Idee selbst. Dementsprechend sei nur die Kreisförmigkeit (als Universale oder Begriff) vollkommen kreisförmig, nur der Begriff der Hand sei eine vollkommene Hand und nur die Wahrheit selbst sei zur Gänze wahr.

Hier haben wir es mit einer tiefreichenden Verwirrung zu tun, mit einem Kategorienfehler, der offenbar dazu bestimmt war, zu gedeihen. Die Wahrheit ist kein Gegenstand und kann daher gar nicht wahr sein; die Wahrheit ist ein Begriff und kann sinnvollerweise von solchen Dingen wie Sätzen, Äußerungen, Überzeugungen und Propositionen ausgesagt werden, also von Entitäten mit propositionalem Inhalt. Es ist ein Irrtum zu glauben, daß jemand, der den *Begriff der Wahrheit* zu verstehen trachtet, damit notwendig den Versuch unternimmt, allgemeine *Wahrheiten* über die Gerechtigkeit oder die Grundlagen der Physik ausfindig zu machen. Dieser Irrtum sickert herab bis zu der Vorstellung, eine Wahrheitstheorie müsse angeben, was denn im allgemeinen wahr sei, oder zumindest angeben, wie man Wahrheiten entdecken könne.

Kein Wunder, daß es zu einer Reaktion kam! Die Philosophie hatte sehr viel mehr versprochen, als sie – oder sonst ein Forschungsgebiet – zu liefern vermochte. Nietzsche war bekanntlich einer von denen, die reagierten; und in anderer Weise reagierten auch die amerikanischen Pragmatisten. Dewey etwa lehnte völlig zu Recht die Vorstellung ab, Philosophen seien in eine spezielle oder der Fundierung dienende Form der Wahrheit eingeweiht, ohne die für die Wissenschaft keine Aussicht auf Fortschritt bestünde. Diese ehrenwerte Bescheidenheit paarte er allerdings mit einer ungereimten Theorie über den Wahrheitsbegriff. Nachdem er sich über verschiedene Ansprüche auf einen höheren Zugang zur Wahrheit lustig gemacht hatte, glaubte er den klassischen Begriff selbst angreifen zu müssen. Dieser Angriff nahm, der Zeitmode entsprechend, die Form einer Neudefinition durch Überredung an. Da das Wort »Wahrheit« die Aura von etwas Wertvollem hat, besteht der Trick von Definitionen durch Überredung darin, die Wahrheit so umzudefinieren, daß sie als etwas Gebilligtes dasteht, als »ein geeigneter Orientierungspunkt, nach dem man sich richten kann« (um eine Formulierung zu gebrauchen, die Rorty im Namen Deweys gutheißt). So kam es, daß Dewey behauptete, eine Überzeugung oder Theorie sei genau dann wahr, wenn sie den Angelegenheiten der Menschen dienlich ist.[1]

Es wäre müßig, einen Überblick über die offenkundigen Einwände gegen diese Anschauung zu geben, denn sie sind sowohl ihren Befürwortern als auch ihren Kritikern vertraut. Die Befürworter sonnen sich in den Konflikten mit dem Common sense,[2] während sich die Kritiker aufplustern in tö-

1 Die meisten meiner Ausführungen über frühe und heutige Pragmatisten sind durch einen Artikel Rortys angeregt, in dem er ein Buch von Alan Ryan bespricht (Rorty, »Something to Steer by«, S. 7f.; Ryan, *John Dewey and the High Tide of American Liberalism*). Rorty schreibt:

Um die traditionelle Vorstellung von Wahrheit ernst zu nehmen, muß man mehr tun als die These zu bejahen, manche Überzeugungen seien wahr und manche falsch. [...] Man muß ebenso wie Arthur Clough der folgenden Meinung sein: »It fortifies my soul to know / That, though I perish, Truth is so.« Es muß einem unbehaglich werden, wenn William James behauptet, daß »Gedanken genau in dem Maße wahr werden, in dem sie dazu beitragen, daß unser Verhältnis zu anderen Teilen unserer Erfahrung erfreulich wird«. Man muß empört sein, wenn Ryan (indem er Dewey ganz zutreffend paraphrasiert) sagt: »Eine Aussage ›wahr‹ zu nennen heißt nichts weiter als: zu sagen, daß sie ein geeigneter Orientierungspunkt ist, nach dem wir uns im praktischen Leben richten können«. (Rorty, S. 7)

Die Vorstellung, das Nützliche sei notwendig wahr, wird von Ryan allerdings nicht goutiert, im Gegenteil: Dabei »sträubt sich mir [Rorty] das pragmatistische Fell. Wie gesagt, der ganze Witz des Pragmatismus liegt darin, daß man zwischen der Nützlichkeit einer Formulierung und ihrer Wahrheit keinen Unterschied mehr macht.«

2 So schreibt Rorty im Zuge seiner abschließenden Lobeshymne auf die

richtem Vergnügen darüber, daß ihnen verantwortungslose rhetorische Formulierungen aufgefallen sind. Da ist es schon spannender, die Frage aufzuwerfen, warum Dewey und die übrigen der von Rorty dem Dewey-Lager zugerechneten Autoren – James, Nietzsche, Foucault und Rorty selbst – eine These aufstellen, die dem normalen, aber philosophisch interessanten Wahrheitsbegriff so deutlich zuwiderläuft. Mir kommen vier miteinander zusammenhängende Gründe in den Sinn.

Laut Rorty war Dewey »ebenso wie Nietzsche der Meinung, der herkömmliche Begriff der WAHRHEIT im Sinne der Übereinstimmung mit dem eigentlichen Wesen der WIRKLICHKEIT sei ein Überbleibsel der Vorstellung, dem Willen Gottes unterworfen zu sein«. Vielleicht ist der Gedanke der Wahrheit als Übereinstimmung mit der Wirklichkeit tatsächlich eine Idee, von der wir uns besser lossagen sollten, vor allem wenn »Wahrheit« und »Wirklichkeit« – wie an der eben zitierten Stelle – großgeschrieben werden. Die Formulierung ist nicht unbedingt falsch, aber sie ist nichtssagend, wobei sie jedoch den Vorzug hat anzudeuten, daß etwas nicht schon deshalb wahr ist, weil es geglaubt wird – selbst wenn alle das gleiche glauben. Die Schwierigkeit liegt darin, daß die Formel Erklärungsfähigkeit beansprucht. Der Begriff der Übereinstimmung wäre dann eine Hilfe, wenn man in *aufschlußreicher* Weise angeben könnte, welche Tatsache oder welcher Realitätsausschnitt eigentlich dafür sorgt, daß ein bestimmter Satz wahr gemacht wird. Dies anzugeben ist noch niemandem geglückt. Auf die Frage, was denn den Satz »Der Mond ist

pragmatische Einstellung, es sei »durchaus vernünftig, nicht miteinander konkurrierende Überzeugungen ›wahr‹ zu nennen, obwohl sie vielleicht nicht miteinander in Einklang gebracht werden können« (Rorty, S. 8). Natürlich kann man sich eine Situation vorstellen, in der es vernünftig sein könnte, so etwas zu *sagen* (beispielsweise um Tätlichkeiten zu verhindern), aber könnte es wirklich vernünftig oder auch nur möglich sein, Überzeugungen für wahr zu *halten*, obwohl sie nicht miteinander in Einklang zu bringen sind?

400 000 Kilometer entfernt« wahr mache, fällt uns keine andere Antwort ein als: Es sei die Tatsache, daß der Mond 400 000 Kilometer entfernt sei. Noch schlimmer ist, daß man beim Versuch, eine gediegene Semantik der Bezugnahme auf Tatsachen aufzubauen, feststellt, daß die Tatsachen zu einer einzigen verschmelzen. Es gibt keine Möglichkeit, sie auseinanderzuhalten. Der Beweis für diese These wird von Alonzo Church geführt, der ihn seinerseits Frege zuschreibt. Church zufolge ist dies der Grund, weshalb Frege meinte, alle wahren Sätze bezeichneten das gleiche, nämlich »das Wahre«. Ganz unabhängig davon wurde der im wesentlichen gleiche Beweis auch von Kurt Gödel vorgelegt, der meinte, es sei die Einsicht in diesen Gedankengang gewesen, die Russell dazu veranlaßt habe, die Theorie der Kennzeichnungen zu erfinden.[3] Einerlei, was es mit der Geschichte der einschlägigen (heutzutage oft als »Slingshot« bezeichneten*) Argumentation auf sich haben mag, die Konklusion müssen wir meines Erachtens akzeptieren: Es stehen keine interessanten und passenden Entitäten zu Gebote, die dadurch, daß sie irgendwie mit Sätzen zusammenhängen, erklären können, warum die wahren Sätze wahr und die übrigen nicht wahr sind. Demnach gibt es stichhaltige Gründe für eine gewisse Skepsis hinsichtlich der Wichtigkeit der Korrespondenztheorie der Wahrheit.

Sobald »Wahrheit« großgeschrieben wird, ist es vielleicht naheliegend zu glauben, es gebe genau eine Beschreibungsmöglichkeit der Dinge, die deren eigentliches Wesen in den Griff bekomme – eine »Interpretation der Welt, die diese richtig erfaßt«, wie Rorty es formuliert, eine Beschreibung der »WIRKLICHKEIT IN IHREM ANSICHSEIN«. Natürlich gibt es keine solche alleinige »Interpretation« oder Beschreibung,

3 Neale, »The Philosophical Significance of Gödel's Slingshot«.

* [»Slingshot« = »Katapult, (Stein-)Schleuder«. Die Bezeichnung stammt von Perry und Barwise und bezieht sich auf die mit minimalen Mitteln erreichte maximale Durchschlagskraft dieser Argumentation. – Übers.]

nicht einmal in der oder den Sprachen, die jeder einzelne von uns beherrscht, ja es gibt sie in keiner möglichen Sprache. Vielleicht sollte man aber bloß sagen, es handele es sich um ein Ideal, das noch niemand richtig zu deuten gewußt hat. Es spielt aber kaum eine Rolle, denn kein vernünftiger Verfechter der Objektivität von auf bestimmte Äußerungen oder Überzeugungen bezogenen Wahrheitszuschreibungen ist auf diese Vorstellung angewiesen. Daher spricht auch kein Grund für die Ansicht, wonach man, wenn man die Suche nach der VOLLKOMMENEN BESCHREIBUNG DER WIRKLICHKEIT unterlasse, die These gelten lassen müsse, es gebe »nicht einmal im Prinzip« eine Unterscheidung zwischen Überzeugungen, die wahr sind, und Überzeugungen, die »lediglich geeignete Orientierungspunkte sind, nach denen man sich richten kann«.[4]

Hier stoßen wir auf eine sehr viel zugkräftigere Überlegung zugunsten einer zwar zahmeren, aber dennoch deutlich erkennbaren Lesart der pragmatischen Wahrheitstheorie. Sie wird von Rorty in den Vordergrund gerückt, wenn er Dewey die Einsicht zuschreibt, die Übereinstimmungstheorie leiste keinen zusätzlichen Beitrag zu den »normalen, alltäglichen und fehlbaren Verfahren zur Unterscheidung des Wahren vom Falschen«. Das offensichtlich Richtige daran ist der folgende Gedanke, den Platon schon vor langer Zeit im *Theätet* betont hat: Wahrheiten unterscheiden sich von falschen Aussagen nicht durch eine »Markierung« von der Art des Datums auf manchen Photographien. Wir können nichts Besseres tun als prüfen, experimentieren, vergleichen und unbefangen bleiben. Aber einerlei, wie lange und wie vortrefflich wir und die kommenden Generationen daran arbeiten, wir und sie werden nichts anderes in der Hand behalten als fehlbare Überzeugungen. Wir wissen eine ganze Menge, und wir bringen Neues in Erfahrung. Aber nie werden wir mit Sicherheit

4 Rorty, »Something to Steer by«, S. 7.

wissen, welche der für wahr gehaltenen Meinungen wahr sind. Da die Wahrheit weder als Zielscheibe sichtbar noch in jenen Fällen, in denen man sie erreicht, als solche erkennbar ist, hat es keinen Sinn, sie als Ziel zu bezeichnen. Die Wahrheit ist kein Wert, daher ist das »Streben nach Wahrheit« ein leeres Unterfangen, außer es ist damit bloß gemeint, daß es sich häufig lohnt, unser Vertrauen in die eigenen Meinungen zu steigern, indem wir weitere Belege sammeln und unsere Berechnungen überprüfen.

Aus dem Faktum, daß wir nie imstande sein werden anzugeben, welche unserer Überzeugungen wahr sind, ziehen die Pragmatisten den Schluß, genausogut könnten wir unsere besonders gut erforschten, erfolgreichsten Meinungen mit den wahren gleichsetzen und den Gedanken der Objektivität preisgeben. (Objektiv ist die Wahrheit, wenn die Wahrheit einer Überzeugung oder eines Satzes davon unabhängig ist, ob sie von allen unseren Belegen bestätigt wird, von unseren Nachbarn für richtig gehalten wird oder ein geeigneter Orientierungspunkt ist, nach dem man sich richten kann.) Hier haben wir jedoch eine Wahlmöglichkeit. Anstatt die traditionelle Ansicht, die Wahrheit sei objektiv, fallenzulassen, kann man die nicht minder traditionelle (von den Pragmatisten vertretene) Meinung preisgeben, die Wahrheit sei eine Norm: etwas, was man anstreben sollte. Ebenso wie die Pragmatisten glaube ich, daß die These von der Objektivität der Wahrheit nicht mit der Ansicht zu vereinbaren ist, die Wahrheit sei etwas Anzustrebendes. Allerdings glaube ich, daß es besser gewesen wäre, wenn sie an einer Meinung festgehalten hätten, der zufolge die Wahrheit etwas Objektives ist, aber als Ziel keinen Sinn hat.[5]

5 Seltsamerweise vertritt Rorty *sowohl* die vernünftige These, daß die Wahrheit keine Norm sei, *als auch* den Gedanken, im Prinzip bestehe kein Unterschied zwischen dem Wahren und dem Gerechtfertigten. »Wenn etwas in praktischer Hinsicht keinen Unterschied macht, sollte es nach pragmatistischer Auffassung auch in philosophischer Hinsicht keinen Unter-

Einige heutige Vertreter des Pragmatismus haben sich von der aussichtslosen Vorstellung abgewandt, eine Überzeugung sei wahr, wenn sie uns bei der praktischen Lebensbewältigung nützt, bzw. von der zwar weniger törichten, aber trotzdem falschen Ansicht, die Wahrheit sei nichts anderes als das, was – vielleicht in einer praktisch nicht zu überbietenden Qualität – epistemisch verfügbar ist. Daneben gibt es jedoch andere, sich nicht zu den Pragmatisten rechnende Philosophen, die von den Nachwirkungen der berechtigten Reaktion gegen aufgeblähte oder verfehlte Wahrheitstheorien immer noch umgetrieben werden. Die Bewegung, der sie sich angeschlossen haben, hat viele Anhänger und ist heute vielleicht die tonangebende Richtung im Rahmen der philosophischen Auseinandersetzung mit dem Wahrheitsbegriff. Das Banner, unter dem diese Entlarver marschieren, trägt die Aufschrift *Deflationismus*. Der Gedanke, der den verschiedenen Gruppierungen des Deflationismus gemeinsam ist, besagt, der Wahrheitsbegriff sei ein zwar legitimer, aber im Grunde trivialer Begriff, der die ihm zuteil gewordene enorme Aufmerksamkeit seitens der Metaphysik bestimmt nicht verdient habe. Die Kraft dieser Auffassung speist sich aus zwei Quellen: Die eine ist ein verbreiteter und weitgehend berechtigter Mißmut über die üblichen Versuche, den Wahrheitsbegriff zu definieren oder sonstwie zu explizieren. Die wahrscheinlich bekannteste und zunächst besonders attraktiv wirkende Definition bestimmt, eine Äußerung oder eine Überzeugung sei genau dann wahr, wenn sie den Tatsachen bzw. der Wirklichkeit oder dem So-Sein der Dinge entspreche. Warum ich der Mei-

schied machen« (Rorty, »Is Truth a Goal of Inquiry? Davidson vs. Wright«, S. 281 [Übers., S. 27]). Sofern hier kein Unterschied besteht, ist die Wahrheit mit dem Gerechtfertigten identisch. Allerdings behauptet Rorty, über Rechtfertigung gebe es eine Menge zu sagen, über die Wahrheit hingegen wenig. Falls aber die allem Anschein nach richtige Ansicht zutrifft, der Wunsch nach Rechtfertigung sei – im Gegensatz zum Streben nach Wahrheit – tatsächlich eine legitime Norm, muß es zwischen den beiden einen großen Unterschied geben.

nung bin, derartige Korrespondenztheorien entbehrten jedes der Erklärung dienlichen Gehalts, habe ich bereits dargelegt.

Auch auf Kohärenz abhebende Definitionen oder »Theorien« haben ihre reizvollen Seiten, allerdings nicht als Erklärungen des Wahrheitsbegriffs, sondern nur als epistemische Theorien. Denn es ist zwar klar, daß nur eine konsistente Menge von Überzeugungen alle wahren Überzeugungen enthalten könnte, aber andererseits besteht kein Grund zur Annahme, jede konsistente Menge von Überzeugungen enthalte ausschließlich Wahrheiten. Unverblümt epistemische Theorien werden von einflußreichen Befürwortern verfochten. Hier denke ich insbesondere an Michael Dummett und Hilary Putnam, die mit unterschiedlicher Akzentuierung die Ansicht vertreten, Wahrheit sei gesicherte Behauptbarkeit. Diese Vorstellung respektiere ich aus dem gleichen Grund, aus dem ich die damit eng verwandten pragmatischen Theorien respektiere, denn sie setzt die Wahrheit zu menschlichen Einstellungen wie Überzeugung, Absicht und Wunsch in Beziehung – und das muß meiner Ansicht nach jede vollständige Erklärung der Wahrheit tun. Aber die von diesen Autoren gewählte Art der Formulierung kann nicht dazu angetan sein, diese Beziehung richtig zu artikulieren. Denn entweder werden die Bedingungen für gesicherte Behauptbarkeit so hoch geschraubt, daß sie die Wahrheit selbst mit umfassen – und in dem Fall ist die Erklärung zirkulär –, oder die Zirkularität wird vermieden, indem man die Bedingungen explizit darlegt – und in dem Fall wird deutlich, daß eine durch und durch gesicherte Behauptung falsch sein kann.

Was ist also am Deflationismus auszusetzen? Warum sollten wir nicht die Meinung akzeptieren, der Wahrheitsbegriff sei tatsächlich so seicht, wie er offenbar von der Korrespondenztheorie hingestellt wird? Der Deflationismus hat in den letzten Jahren eine Reihe verschiedener Formen angenommen. Frank Ramsey, der auf vielen Gebieten Kommendes ahnte, war einer der ersten, die nachzuweisen versuchten, daß es »eigentlich kein eigenes Wahrheitsproblem, sondern nur sprachliche Konfusion gibt«.[6] Bei seiner Argumentation geht er davon aus, daß »Es ist wahr, daß Cäsar ermordet wurde« nichts anderes bedeutet als »Cäsar wurde ermordet«. In solchen Kontexten fungiert der Ausdruck »es ist wahr, daß« schlicht genauso wie die doppelte Negation, also ein Junktor, der wahre Sätze auf wahre und falsche Sätze auf falsche abbildet. Von der Betonung und dem Wortreichtum abgesehen, fügt der Ausdruck dem, was wir sagen können, nichts hinzu. Den gleichen Gedanken äußert Ramsey im Hinblick auf Formulierungen wie »es ist eine Tatsache, daß«. Allerdings ist Ramsey insofern einsichtiger als andere Autoren, als er bemerkt, daß es bei Sätzen wie »Er hat immer recht« (das heißt »Was immer er sagt, ist wahr«) ausgeschlossen ist, das Wahrheitsprädikat in dieser Weise zu eliminieren. Hier ist das Wahrheitsprädikat offenbar unentbehrlich.[7] Ramsey macht zwar einen wirren (und undurchführbaren) Vorschlag, wie sich das Wahrheitsprädikat auch in diesen Fällen eliminieren ließe, doch uns bleibt nichts anderes übrig, als den Schluß zu zie-

6 Ramsey, »Facts and Propositions«, S. 38

7 Unentbehrlich ist der Wahrheitsbegriff auch dann, wenn wir die Gültigkeit logischer Regeln erklären wollen: Wir müssen die Frage beantworten können, warum dann, wenn überhaupt irgendwelche Sätze einer bestimmten Art wahr sind, andere ebenfalls wahr sein müssen (Tarski, »On the Concept of Logical Consequence«). Rorty fragt sich, warum wir das gleiche Wort (»Wahrheit«) auch benutzen, um die Leute »warnend« darauf hinzuweisen, daß ihre Überzeugungen womöglich gar nicht gerechtfertigt sind (Rorty, »Is Truth a Goal of Inquiry?«, S. 286 [Übers., S. 37, Anm. 23]). Daß sich für diesen Umstand eine philosophisch interessante Erklärung anführen ließe, möchte ich bezweifeln. Wörter können in vielen verschiedenen Weisen verwendet werden, ohne daß man ihre Bedeutung verändern müßte – das ist, wie ich immer wieder sage, ihr Vorteil. Dagegen läßt sich ohne weiteres erklären, warum wir das gleiche Wort benutzen, um Gültigkeit zuzuschreiben und um anzugeben, was man wissen muß, um einen Satz zu verstehen. Die Gültigkeit einer Schlußregel beweisen wir nämlich, indem wir uns auf die Wahrheitsbedingungen von Sätzen berufen.

hen, daß er den Beweis schuldig geblieben ist für seine These, das Wahrheitsproblem sei nichts weiter als sprachliche Konfusion. (Aufgrund etlicher Verwechslungen von Gebrauch und Erwähnung kann man unmöglich sicher sein, was Ramsey eigentlich vorschwebte, doch man möchte vermuten, daß er, wenn er das Thema weiterverfolgt hätte, zu einem ähnlichen Ergebnis gelangt wäre wie Tarski.)

Ramseys deflationistischer Versuch war, anders als die meisten derartigen Versuche, davon abhängig, daß er Propositionen als Hauptträger der Wahrheit auffaßte. Vor kurzem jedoch hat Paul Horwich den (wie man sagen könnte) propositionalen Deflationismus wiederbelebt.[8] Horwich vertritt nicht die These, der Wahrheitsbegriff lasse sich eliminieren, sondern er meint, dieser Begriff sei trivial. Er weist darauf hin, daß ein Satz wie »Die Proposition, daß Cäsar ermordet wurde, ist genau dann wahr, wenn Cäsar ermordet wurde« mit Sicherheit wahr ist und daß derartige Sätze genau die Umstände angeben, unter denen eine artikulierbare Proposition wahr ist. Sodann behauptet er, die Gesamtheit solcher Sätze liefere eine unendliche Axiomatisierung des Wahrheitsbegriffs (wobei er Sätze, die Widersprüche nach sich ziehen, durch Festsetzung ausschließt). Horwich räumt zwar ein, daß auf diese Weise keine explizite Definition des Wahrheitsbegriffs gegeben sei, doch der Inhalt dieses Begriffs sei damit, wie er behauptet, ausgeschöpft. Insbesondere bestehe keine Notwendigkeit, den Wahrheitsbegriff zur Erklärung der Begriffe »Bedeutung« und »Überzeugung« einzusetzen, denn diese ließen sich anders erläutern. Diese letzteren Behauptungen lasse ich, wie schon bald deutlich werden wird, nicht gelten. Darauf kommt es aber nicht an, denn meines Erachtens verstehen wir weder Horwichs Axiom-Schema noch die einzelnen Axiome, die in das Schema eingesetzt werden können. Das Problem betrifft die semantische Analyse von Sätzen wie

8 Horwich, *Truth*.

»Die Proposition, daß Cäsar ermordet wurde, ist genau dann wahr, wenn Cäsar ermordet wurde«. Das Prädikat »ist wahr« verlangt einen singulären Terminus als Subjekt; also ist »die Proposition, daß Cäsar ermordet wurde« das Subjekt. Vermutlich bezeichnet oder benennt dieser Ausdruck eine Proposition. Doch welche Rolle spielt dann der Satz »Cäsar wurde ermordet« in diesem singulären Terminus oder dieser Kennzeichnung? Die einzige einleuchtende Antwort besagt, daß die Wörter »die Proposition, daß« einen funktionalen Ausdruck bilden, der das, was der folgende Satz benennt, auf eine Proposition abbildet. In diesem Fall muß der Satz selbst ein Bezug nehmender Ausdruck sein. Ein Anhänger Freges wird dann sagen, er bezeichne einen Wahrheitswert. Geht man von dieser Annahme aus, ist das Axiom eine ungeschminkte Tautologie und erklärt gar nichts (denn die Wörter »die Proposition, daß« bilden lediglich einen Wahrheitswert auf sich selbst ab).[9] Die Alternative besagt, daß der Satz bei seinem ersten Vorkommnis eine interessantere Entität benennt. Aber dann verstehen wir das Axiom nicht, denn der Satz »Cäsar wurde ermordet« wird dann einmal als Bezeichnung einer interessanten Entität und ein andermal als normaler Satz verwendet, und wir haben keine Ahnung, wie diese Mehrdeutigkeit in einer gediegenen Semantik unterzubringen wäre.

Horwich behauptet, sowohl Quine als auch Tarski verträten ebenso wie er selbst eine deflationistische Auffassung. Stimmt das wirklich? Aus Quines Schriften lassen sich anscheinend wirklich Zitate anführen, die diese Behauptung bestätigen. Er hat schon des öfteren von dem Zitattilgungsaspekt der Wahrheit gesprochen, dies freilich nicht im Hinblick auf Propositionen, sondern auf Sätze. Das auf Sätze angewandte Wahrheitsprädikat gestattet die Zitattilgung im folgenden Sinn: Ein Satz wie »›Schnee ist weiß‹ ist wahr« ist immer dem Resultat

9 Diesen Hinweis verdanke ich Burt Dreben.

desjenigen Vorgangs äquivalent, bei dem man die Anführungszeichen um den inneren zitierten Satz tilgt und das Wahrheitsprädikat entfernt. In unserem Beispiel ist er also dem Satz »Schnee ist weiß« äquivalent. Hier erkennen wir deutlich, wie es unter günstigen Umständen möglich ist, das Wahrheitsprädikat zu eliminieren. Natürlich weiß Quine, daß es Kontexte gibt, in denen es nicht angeht, mit Hilfe dieses Verfahrens das Wahrheitsprädikat zu entfernen. Dennoch gilt, wie Tarski hervorhebt, daß die Gesamtheit von Sätzen wie »›Schnee ist weiß‹ ist genau dann wahr, wenn Schnee weiß ist« mit Bezug auf eine bestimmte Einzelsprache die Extension des Wahrheitsprädikats ausschöpft; jeder derartige Satz gibt genau an, unter welchen Bedingungen der zitierte Satz wahr ist.

Die Zitattilgung kann jedoch nicht beanspruchen, eine vollständige Erklärung des Wahrheitsbegriffs zu geben, denn sie funktioniert nur in dem Sonderfall, in dem die Objektsprache in der Metasprache enthalten ist. Aber weder die Objektsprache noch die Metasprache kann ihr eigenes Wahrheitsprädikat enthalten. Mit anderen Worten, für ebenjenen Begriff, den wir erklären möchten, ist explizit ausgeschlossen, daß er in einer konsistenten Sprache, in der die Zitattilgung funktioniert, ausgedrückt werden kann. Anders formuliert: Wenn man erfahren möchte, unter welchen Bedingungen ein das Wahrheitsprädikat enthaltender Satz wahr ist, kann man dieses Prädikat nicht in seiner Zitattilgungsfunktion benutzen. Die Zitattilgung vermittelt nicht den ganzen Inhalt des Wahrheitsbegriffs.

Aufschluß gibt die Zitattilgung bestenfalls über die Extension eines einzelsprachlichen Wahrheitsprädikats. Auf die Frage nach den Gemeinsamkeiten aller derartigen Prädikate kann das Zitattilgungsverfahren keine Antwort geben. Etwas Ähnliches muß auch über Tarskis Wahrheitsdefinitionen gesagt werden: Tarski hat gezeigt, wie sich explizite Wahrheitsdefinitionen für Sprachen angeben lassen, die bestimmte Bedingungen erfüllen, doch zugleich hat er (unter Voraussetzung einiger natürlicher Annahmen) bewiesen, daß keine allgemeine Definition möglich ist. Den allgemeinen Begriff bekam er nicht zu fassen. Dennoch ging er weit hinaus über alles, was in der Zitattilgung steckt, denn ihm gelang, was der Zitattilgung unmöglich ist: Er konnte richtige – selbstverständlich auf bestimmte Sprachen relativierte – Wahrheitsdefinitionen anführen. Tarskis Wahrheitsdefinitionen sind nicht trivial, und sie lassen ein tiefes Merkmal von Sprachen mit ernstzunehmenden Ausdrucksmöglichkeiten erkennen. Solange eine Sprache über das Äquivalent einer erststufigen quantorenlogischen Struktur und kein Entscheidungsverfahren verfügt, läßt sich der Wahrheitsbegriff für sie nur dadurch definieren, daß man eine diffizile Spielart der Bezugnahme einführt, die Tarski als »Erfüllung« bezeichnet. Erfüller sind bei Tarski unendliche Folgen, von denen die Variablen einer Sprache mit den Entitäten ihrer Ontologie verknüpft werden. Interessante Arbeit leistet der Begriff der Erfüllung, wenn es darum geht, die semantischen Eigenschaften offener Sätze zu kennzeichnen, doch zum Schluß stellt sich heraus, daß ein geschlossener Satz genau dann wahr ist, wenn er von einer Folge erfüllt wird. Das legt vielleicht den Gedanken nahe, damit sei der Ansatz zu einer Korrespondenztheorie gegeben; aber dann handelte es sich um eine Theorie à la Frege, denn jeder wahre Satz wird von jeder Folge erfüllt. Man könnte sagen, hiermit habe Tarski – obwohl das nicht seine Absicht war – auf indirekte Weise das Fregesche Katapult-Argument [»Slingshot«] bestätigt.

Wir müssen den Schluß ziehen, daß Tarskis Abhandlung weder den Verfechtern einer Wiederbelebung der Korrespondenztheorie zum Trost gereicht noch eine deflationistische Einstellung stützt. Bedenkt man, wie unbefriedigend die Alternativen offenbar sind, stellt sich die Frage, ob wir uns dennoch mit der durch Tarski ermöglichten echten Einsicht in das Wesen der Wahrheit begnügen sollten. Meines Erachtens sollten wir uns nicht damit zufriedengeben, denn wir müssen uns fragen, woher wir wissen, daß es sich wirklich um einen einzigen Begriff handelt, im Hinblick auf den Tarski zeigt, wie er sich für jede einzelne von beliebig vielen manierlichen Sprachen definieren läßt. Einen solchen Begriff versucht Tarski natürlich gar nicht zu definieren, obwohl seine berühmte Abhandlung den Titel »*Der* Wahrheitsbegriff in den formalisierten Sprachen« trägt. Verschiedene Äußerungen Tarskis in dieser Abhandlung und in anderen Veröffentlichungen machen außerdem klar, daß es hier nach Tarskis Annahme tatsächlich *einen* Begriff gibt, auch wenn er nicht definiert werden kann. Das geht nicht nur aus seiner bekundeten Überzeugung hervor, seine Abhandlung sei von unmittelbarer Relevanz für den »klassischen« Wahrheitsbegriff, mit dem sich die Philosophen seit eh und je beschäftigt haben, sondern auch aus seinem Kriterium für Erfolge beim Projekt der Definition des Wahrheitsbegriffs für bestimmte Einzelsprachen. Dieses (informelle) Kriterium verlangt, daß die Definition alle Sätze der Form

s ist wahr-in-*L* genau dann, wenn *p*

als Theoreme impliziert, wobei *s* eine Beschreibung irgendeines Satzes von *L* und *p* eine Übersetzung dieses Satzes in die Sprache des definierten Prädikats »wahr-in-*L*« ist. Daß es sich bei einem solchen Prädikat um ein Wahrheitsprädikat handelt, kann man offensichtlich nur dann erkennen, wenn man den (undefinierten) allgemeinen Wahrheitsbegriff schon verstanden hat. Bezeichnend ist ferner, daß Tarski den Wahrheitsbegriff mit dem Übersetzen in Verbindung bringt. Das ist ein wesentliches Merkmal, denn die Sprache, für die der Wahrheitsbegriff definiert wird, kann nicht dieselbe Sprache sein, in der das definierte Wahrheitsprädikat enthalten ist.
Damit komme ich zu meinem positiven Thema: Sofern alle Definitionen des allgemeinen Begriffs fehlschlagen und keine

der kurzen Paraphrasen, wie es scheint, das Wichtige und Interessante an diesem Begriff auch nur annähernd in den Griff bekommt, fragt es sich, warum manche von uns nach wie vor glauben, er sei wichtig und interessant. Einer der Gründe ist der Zusammenhang mit dem Bedeutungsbegriff. Diesen Zusammenhang macht sich Tarski zunutze, denn eine Übersetzung gelingt nur dann, wenn sie die Wahrheit konserviert, und das herkömmliche Ziel der Übersetzung ist die Konservierung der Bedeutung. Aber inwieweit ist die Bedeutung von der Wahrheit abhängig?

Fast jeder ist der Meinung, daß zumindest einige Sätze den Wert »wahr« oder den Wert »falsch« tragen und daß man im Hinblick auf solche Sätze von Wahrheitsbedingungen reden darf. Aber Deflationisten und andere Theoretiker neigen zu Zweifeln an der Vorstellung, das habe viel mit der Bedeutung von Sätzen zu tun. Oft wird behauptet, die Bedeutung hänge vielmehr mit den Bedingungen zusammen, unter denen es gerechtfertigt oder angemessen ist, einen Satz in behauptender Form zu gebrauchen. Generell habe die Bedeutung nicht so sehr mit den Wahrheitsbedingungen von Sätzen, sondern mit der Art ihres Gebrauchs zu tun. Hier gehen nach meinem Gefühl zwei Dinge durcheinander. Der erste Irrtum besteht in der Annahme, auf Wahrheitsbedingungen abhebende Bedeutungserklärungen stünden irgendwie in einem Konkurrenzverhältnis zu denen, die sich auf den Gebrauch stützen. Es ist durchaus legitim, die These zu bestreiten, eine Wahrheitsdefinition à la Tarski könne als Bedeutungstheorie dienen. Meiner Meinung nach kann sie es tatsächlich, aber darauf kommt es mir hier nicht an. Klar ist, daß jemand, der weiß, unter welchen Bedingungen ein Satz wahr wäre, diesen Satz versteht; und sofern der Satz einen Wahrheitswert hat (sofern er also wahr, falsch oder vielleicht keins von beidem ist), wird er von jemandem, der nicht weiß, unter welchen Bedingungen der Satz wahr wäre, nicht verstanden. Durch diese schlichte These wird keine Bedeutungserklärung ausgeschlossen, die von der Anschauung ausgeht, Sätze bedeuteten das, was sie bedeuten, aufgrund der Art ihres Gebrauchs. Es kann sein, daß sie ihren spezifischen Gebrauch wegen ihrer Wahrheitsbedingungen haben und ihre spezifischen Wahrheitsbedingungen wegen ihres Gebrauchs.

Der zweite Irrtum ist der Gedanke, es gebe eine einfache, direkte und keine Petitio principii beinhaltende Möglichkeit, auf »Gebrauchsweisen« abzuheben, um eine Bedeutungstheorie aufzustellen. Diese Möglichkeit besteht nicht. Die Behauptung, Bedeutung sei Gebrauch, besagt nichts, es sei denn, wir geben an, welcher Gebrauch uns vorschwebt; und sobald wir derartige Angaben machen, die in puncto Bedeutung tatsächlich eine Hilfe sind, stellen wir fest, daß wir uns im Kreis bewegen. Dennoch können wir uns eine Sprache nur dadurch zu eigen machen, daß wir feststellen, wie sie gebraucht wird. Wie schaffen wir das? Ehe wir eine Ahnung von Wahrheit oder Irrtum haben – also ehe Begriffe oder propositionales Denken ins Spiel kommen –, liegen erste Ansätze zur Kommunikation in der simplen Entdeckung, daß Laute Ergebnisse zeitigen. Weinen ist der erste Schritt in Richtung Sprache, sobald festgestellt wird, daß das Weinen die eine oder andere Form von Erleichterung oder Befriedigung nach sich zieht. Alsbald werden spezifischere Laute – ob imitiert oder nicht imitiert – mit spezifischeren Freuden in Verbindung gebracht. Hier wäre der Gebrauch tatsächlich die Bedeutung, wenn so etwas wie Absicht und Meinen schon in Betracht käme. Ein großer Schritt ist getan, wenn das Kind bemerkt, daß andere Personen ebenfalls bestimmte Laute zur gleichen Zeit von sich geben, zu der das Kind jene Erfahrungen macht, die dazu führen, daß es seine eigenen Laute äußert. Für den Erwachsenen haben diese Laute, vielleicht als Ein-Wort-Sätze aufgefaßt, eine Bedeutung. Was die erwachsene Person tut, ist aus ihrer eigenen Sicht Unterricht mit Hilfe hinweisender Erklärungen: »Essen«, »Rot«, »Ball«, »Mama«, »Milch«, »Nein«. Jetzt gibt es genügend Raum für etwas, was der Erwachsene als Irrtum ansieht: Das Kind sagt »Würfel«, obwohl es eine Platte vor sich hat. Dieser Schritt bleibt unbelohnt, und die Konditionierung nimmt komplexere Formen an. Das Verfahren ist immer noch recht simpel, denn hier kommt nicht unbedingt mehr ins Spiel als sprachliche Reaktionen, die in immer höherem Maße auf die nach Meinung des Lehrers angemessenen Umstände und die aus Sicht des Kindes häufig genug erlangten Befriedigungen konditioniert werden. Hier hat es kaum Sinn, herausfinden zu wollen, in welchem Augenblick dieses Vorgangs das Kind wirklich spricht und denkt. Die Interaktion zwischen Erwachsenem und Kind liefert in der beschriebenen Unterrichtssituation die notwendigen Bedingungen für das Auftauchen von Sprache und propositionalem Denken, indem sie einen Raum schafft, in dem es Erfolg und Mißerfolg geben kann. Klar ist, daß man nur dann sagen kann, das Kind *denke*, etwas sei rot oder ein Ball, wenn es mit dieser Unterscheidung auch seinerseits etwas anfangen kann: Nur dann denkt das Kind, etwas sei rot oder ein Ball, wenn es in irgendeinem Sinn eine Ahnung davon hat, daß ein Fehler möglich ist. Es ist damit beschäftigt, Dinge zu klassifizieren, und dabei kann es etwas an der falschen Stelle plazieren.

Kaum übertreiben läßt sich die Größe des Schritts, der von der sei's angeborenen oder erworbenen Disposition, auf bestimmte Reize zu reagieren, zu der mit dem Bewußtsein der Irrtumsmöglichkeit einhergehenden Anwendung eines Begriffs hinführt. Das ist der Schritt von der Reaktion auf proximale Reize hin zum Denken an distale Gegenstände und Ereignisse, der Schritt von der bloßen konditionierten Reaktion hin zum »Regelfolgen«, wie es bei Wittgenstein heißt. Das ist der Ort, an dem der Wahrheitsbegriff ins Spiel kommt, denn im Hinblick auf eine Disposition kann man nicht sinnvoll von einem Irrtum sprechen – einer Disposition entsprechend zu handeln ist nichts, was mißlingen kann, aber beim Regelfolgen sind Fehlschläge möglich.

Hier müssen wir folgende Frage stellen: Wie kann man die Tatsache, daß sich eine allgemeine Berufung auf die Art des Gebrauchs der Sprache nicht zu einer Bedeutungstheorie ausbauen läßt, mit der eben aufgestellten These vereinbaren, wonach das hinweisende Lernen Zugang zur Sprache verschafft? Es ist doch schließlich so, daß der hinweisend gestikulierende Lehrer von Ein-Wort-Sätzen Gebrauch macht, die sich der Schüler aneignet! Die Antwort liegt in dem eben erwähnten Übergang. Zu Beginn registriert der Schüler nichts weiter als eine Verbindung zwischen Gegenstand oder Situation und Laut oder Geste. Der Wert der Verbindung wird von dem Lehrer oder der Umgebung in Form einer Belohnung geliefert. Am Anfang ist es kein Wort, sondern ein Laut, dem ein Gebrauch gegeben wird. Aus Sicht des Lehrers erfaßt der Schüler etwas Sprachliches, das bereits Bedeutung hat. Der Schüler hat keine Ahnung von einer schon feststehenden Bedeutung oder einem gegebenen Gebrauch. Für den Schüler bekommt etwas zuvor Bedeutungsloses jetzt einen Sinn. Im Frühstadium des hinweisenden Lernens hat ein Irrtum für den Schüler keinen Sinn, denn es gibt hier nichts, worüber er im Irrtum sein könnte; und wo Irrtum keinen Sinn hat, gibt es weder Begriff noch Gedanken. Sobald das, was aus der Sicht des Lehrers Versuch und Irrtum ist, durch etwas ersetzt wird, was aus der Sicht des Schülers Denken und Überzeugung ist, hat auch der Wahrheitsbegriff eine Anwendung.
Für die Dauer des Lernvorgangs ist die These des Pragmatisten, eine Unterscheidung zwischen dem (an der Zustimmung des Lehrers oder an der Wunschbefriedigung gemessenen) Erfolg und der Wahrheit bringe keinen Gewinn, offensichtlich richtig. Das ist eine Unterscheidung, die auf weiteren Entwicklungen beruht, von denen man sich unschwer ein ungefähres Bild machen kann. Zuerst und am besten funktioniert das hinweisende Lernen bei ganzen Sätzen, die in der Praxis oft durch Ausdrücke repräsentiert werden, die nach Auffassung des erfahrenen Sprechers Einzelnamen, Gattungsnamen, Verben,

Adjektive oder Adverbien sind (»Mama«, »Mann«, »Gut«, »Vorsichtig«). Das Kind, das über nichts weiter verfügt, ist immer noch Pragmatist. Sobald jedoch ein wenig Grammatik zur Hand ist, können separat gelernte Teile in neuer Weise zusammengesetzt werden, und nun trennt sich die Wahrheit vom bloß Nützlichen oder Gebilligten. Der Bezug von Namen, die Extension von Prädikaten und auch die Verknüpfungspartikeln liegen in der Hand der Lehrer und der Gesellschaft; für die Wahrheit gilt das nicht.

Sätze bedeuten das, was sie faktisch bedeuten, wegen der semantischen Eigenschaften der in ihnen enthaltenen Wörter und Verknüpfungspartikeln. Einen Satz würde man nicht verstehen, wenn man nicht wüßte, worauf sich die darin enthaltenen Namen und sonstigen singulären Termini beziehen sollen oder wenn man von der Extension der Prädikate keine Ahnung hätte. Doch wenn man darüber Bescheid weiß, weiß man auch, daß das für Wahrheit und Falschheit erforderliche Rohmaterial gegeben ist. So verhält es sich selbst dann, wenn man weiß, daß sich ein Terminus auf nichts bezieht oder daß die Extension eines Prädikats leer ist. Unser Verständnis der Wahrheitsbedingungen ist ausschlaggebend für unser Verständnis jedes Satzes. Das kann sich aus vielen Gründen unserer Aufmerksamkeit entziehen. Der erste und allgemeinste Grund ist der, daß wir uns im normalen Verlauf einer Unterhaltung nicht darum kümmern, ob ein Satz wahr ist oder nicht. Es kommt recht selten vor, daß wir eine Behauptung aufstellen, indem wir etwas sagen, was wir buchstäblich für wahr halten. Unser normales Sprechen ist geschmückt mit Metaphern, Ellipsen, leicht erkennbarer Ironie und Übertreibungen, ganz zu schweigen von Versprechern, Witzen und Malapropismen. Eine Metapher verstehen wir aber nur deshalb, weil wir die üblichen Bedeutungen der Wörter kennen und weil wir wissen, unter welchen Bedingungen der die Metapher enthaltende Satz wahr wäre. Es gibt auch Fälle, in denen man einen metaphorischen Satz vielleicht für weder wahr noch falsch erachtet; ein Beispiel ist der Satz »Der Klang der Trompete ist knallrot«. Man kann den Satz zwar als falsch einstufen, doch wenn wir uns dafür entscheiden, ihm jeden Wahrheitswert abzusprechen, beruht diese Entscheidung auf unserer Auffassung der Arten von Dingen, auf die das Prädikat »knallrot« zutreffen oder auch nicht zutreffen kann, sowie auf unserem Befund, daß der Klang einer Trompete keiner dieser Arten angehört. Es mag zwar sein, daß Fragesätze selbst nicht wahr oder falsch sind, aber es gibt Antworten auf sie, die tatsächlich wahr oder falsch sind. Klar ist auch, daß man eine Entscheidungsfrage nicht versteht, wenn man nicht weiß, daß es zwei (oder vielleicht drei) mögliche Antworten gibt, von denen eine wahr und die andere falsch ist. Gelten Imperative als Äußerungen eines Befehls oder einer Anweisung, werden sie nur dann verstanden, wenn man weiß, was im Fall ihrer Befolgung wahr wäre. Sätze mit Namen, die auf nichts Bezug nehmen (»Pegasus ist ein geflügeltes Pferd«), können je nach der vertretenen semantischen Theorie einen Wahrheitswert haben oder auch nicht, doch verstanden werden solche Sätze nur dann, wenn man weiß, was es hieße, wenn der Name »Pegasus« ein geflügeltes Pferd bezeichnete.

Sätze werden unter der Bedingung verstanden, daß man über den Begriff der objektiven Wahrheit verfügt. Das gilt auch für die diversen propositionalen Einstellungen, zu deren Äußerung Sätze gebraucht werden. Eine Meinung kann man nur dann haben, wenn man weiß, daß Meinungen wahr oder falsch sein können. Ich kann die Meinung haben, daß es jetzt regnet, doch das ist deshalb so, weil ich weiß, daß, ob es regnet oder nicht regnet, nicht davon abhängt, ob ich es glaube, ob alle es glauben oder ob es nützlich ist, es zu glauben; es hängt weder von mir noch von meiner Gesellschaft, noch von der gesamten Geschichte des Menschengeschlechts ab, sondern von der Natur. Was wir mit unseren Worten meinen, bleibt uns überlassen – doch das ist eine andere Sache. Bei den übrigen Einstellungen kommt die Wahrheit auf andere Art und

Weise ins Spiel. Man wünscht, daß ein bestimmter Sachverhalt wahr sein möge; man befürchtet, erhofft sich oder bezweifelt, daß die Dinge so oder anders liegen. Man beabsichtigt, so zu handeln, daß der Wunsch nach angenehmer Nachtruhe wahr wird. Man ist stolz darauf oder niedergeschlagen darüber, daß es der Fall ist, daß man den zweiten Preis gewonnen hat. Da alle diese und noch viele weitere Einstellungen einen propositionalen Inhalt haben – also einen Inhalt, der durch einen Satz zum Ausdruck gebracht werden kann –, läuft das Haben solcher Einstellungen notwendig darauf hinaus, daß man weiß, was es hieße, wenn der entsprechende Satz wahr wäre. Ohne Verständnis des Wahrheitsbegriffs ist nicht nur die Sprache, sondern sogar das Denken unmöglich.

Die Wahrheit ist demnach nicht deshalb wichtig, weil sie besonders wertvoll oder nützlich wäre – obwohl auch das natürlich hin und wieder sein kann –, sondern sie ist deshalb wichtig, weil wir ohne den Wahrheitsbegriff weder denkende Wesen wären noch verstünden, was es heißt, daß jemand anders ein denkendes Wesen ist. Der Versuch, den Wahrheitsbegriff zu definieren oder sein Wesen durch eine prägnant resümierende Formulierung in den Griff zu bekommen, ist etwas anderes als das Aufspüren seiner Verbindungen zu anderen Begriffen. Faßt man die verschiedenen Kennzeichnungsversuche so auf, als sei nur das letztere Ziel angestrebt, liegen ihre Vorzüge auf der Hand. Während der Übereinstimmungsbegriff, wenn er zur Definition benutzt wird, nichtssagend bleibt, hält er den Gedanken fest, daß die Wahrheit vom So-Sein der Welt abhängt; und das sollte genügen, um die meisten epistemischen und pragmatischen Theorien in Mißkredit zu bringen. Epistemische und pragmatische Theorien wiederum haben den Vorzug, daß sie den Wahrheitsbegriff zu menschlichen Belangen in Beziehung setzen, also zu so etwas wie Sprache, Überzeugung, Denken und absichtlichem Handeln, und erst durch diese Zusammenhänge wird die

Wahrheit zum Schlüsselfaktor dafür, wie der Geist zur Erkenntnis der Welt gelangt.
Rorty hat nicht viel dagegen, wenn ich sage, der Wahrheitsbegriff sei einer von mehreren damit zusammenhängenden Begriffen, die wir benutzen, um menschliches Verhalten zu beschreiben, zu erklären und vorherzusagen. Aber warum – fragt er – soll man behaupten, daß der Wahrheitsbegriff wichtiger sei als solche Begriffe wie Absicht, Überzeugung, Wunsch usw.?[10] Es ist nicht leicht, sich über Fragen der Wichtigkeit zu streiten. *Alle* diese Begriffe (und daneben noch weitere) sind für das Denken wesentlich und können auf nichts Einfacheres oder Fundamentaleres zurückgeführt werden. Warum sollte man knickrig sein, wenn Preise verliehen werden? Mir macht es Freude, goldene Äpfel an alle zu verteilen.

10 Rorty, »Is Truth a Goal of Inquiry?«, S. 286 [Übers., S. 37, Anm.].

2
Die Torheit des Versuchs, den Wahrheitsbegriff zu definieren

Im *Euthyphron* fragt Sokrates, was eigentlich Frömmigkeit sei: Wodurch wird das Fromme fromm »gemacht«? Klar ist, daß Sokrates eine *Definition* anstrebt, und zwar eine Definition mit besonderen Eigenschaften. Das bloße Anführen von Beispielen oder Listen verschmäht er, und in jedem derartigen Fall fragt er, wodurch denn das Beispiel zum *Beispiel* werde oder wodurch etwas auf die Liste gerate. Abgelehnt werden auch bloß umfangsgleiche Begriffe (»Etwas ist genau dann eine fromme Sache, wenn sie den Göttern wohlgefällig ist« – denn den Göttern wohlgefällig wird etwas erst durch die Frömmigkeit, aber nicht umgekehrt). Der Dialog endet, als Euthyphron von Sokrates gebeten wird, ihn durch eine befriedigende Antwort aufzuklären. Da stellt Euthyphron fest, daß er eine andere Verabredung hat.

Das Muster aus Definitionsversuch, Gegenbeispiel, verbesserter Definition, weiterem Gegenbeispiel und Ende mit kläglichem Scheitern kommt in den sokratischen und mittleren Dialogen Platons mit Variationen immer wieder vor. Schönheit, Tapferkeit, Tugend, Freundschaft, Liebe und Mäßigkeit werden unters Mikroskop gelegt, aber überzeugende Definitionen kommen nicht zum Vorschein. Die einzigen Definitionen, mit denen Platon offenbar zufrieden ist, sind tendenziöse Kennzeichnungen dessen, was es heißt, ein Sophist zu sein. Außerdem nennt er ein paar triviale Musterbeispiele richtiger Definitionen, nämlich das Dreieck und den Schlamm (Erde plus Wasser).

Im *Theaitetos* versucht Platon, das Erfahrungswissen zu definieren. Ebenso wie viele Philosophen nach ihm begreift er das Wissen als wahre Überzeugung plus etwas mehr, nämlich plus eine die Überzeugung rechtfertigende oder begründende Erklärung. Es ist dieses letzte Merkmal, das ihn verblüfft (und auch die spätere Geschichte dieser Thematik ahnen läßt). Offenbar kommt es Platon genausowenig in den Sinn wie den meisten anderen Autoren, es könne im Wesen der Sache liegen, daß die Verbindung von kausalen und rationalen Elementen, die bei einer Analyse der begründeten Überzeugung – ebenso wie bei Erklärungen der Erinnerung, der Wahrnehmung und des absichtlichen Handelns – zum Tragen kommen muß, womöglich gar keiner exakten Formulierung in einem klareren und fundamentaleren Vokabular zugänglich ist.

Wichtig ist in unserem derzeitigen Zusammenhang jedoch der Umstand, daß Platon bei seinem Bemühen um eine Definition des Wissens nur im Hinblick auf den Begriff der Rechtfertigung sein Scheitern zugibt. Daß der Begriff des Wissens genauso auch mit den Begriffen der Wahrheit und der Überzeugung verknüpft ist, macht ihm keine großen Sorgen.

Aber in diesem Fall ist es ebenfalls schlicht so, daß Platon einen Weg bahnt, den im Laufe der Zeit auch andere Philosophen beschreiten. So folgt man dem von Platon vorgegebenen Weg, wenn man sich über den Wahrheitsbegriff den Kopf zerbricht, sobald er im Brennpunkt des Interesses steht, ihn hingegen zu verstehen vorgibt, sobald man mit dem Begriff des Wissens (beziehungsweise der Überzeugung, der Erinnerung, der Wahrnehmung usw.) zurechtzukommen versucht. Auf die gleiche verwirrende Strategie stößt man auch bei David Hume und anderen Autoren, die ihre Skepsis gegenüber der Außenwelt vergessen, sobald sie ihre Zweifel hinsichtlich der Kenntnis des Fremdpsychischen formulieren. Wenn ein Philosoph den Begriff der absichtlichen Handlung beunruhigend findet, wäre er froh, wenn es ihm mit Hilfe der Begriffe »Überzeugung«, »Wunsch« und »Kausalität« gelänge, eine korrekte Analyse des absichtlichen Handelns zu liefern, und zumindest fürs erste läßt er sich, was diese anderen (und zumindest ebenso problematischen) Begriffe betrifft, keine grauen Haare wachsen. Wenn der Begriff der Erinnerung analysiert werden soll, bilden die Zusammenhänge mit Glauben, Wahrheit, Kausalität und vielleicht auch Wahrnehmung das Problem, doch dabei werden diese zusätzlichen Begriffe einstweilen für klar genug erachtet, um sie für die Klärung des Erinnerungsbegriffs zu benutzen, solange es nur gelingt, die Zusammenhänge richtig darzustellen. Und sobald es um den Bedeutungsbegriff geht, nimmt man an, über einen angemessenen Zugang zu den Begriffen »Intention« und »Konvention« zu verfügen. Es würde mir nicht schwerfallen, diese Liste fortzusetzen.

Aus diesen vertrauten, obschon sonderbaren Verschiebungen der Blickrichtung philosophischer Fragestellungen kann man durchaus etwas lernen. Ich für mein Teil nehme mir folgende Einsicht zu Herzen: Unsere Versuche, diese verschiedenen Grundbegriffe zueinander in Beziehung zu setzen, mögen noch so kläglich oder mangelhaft sein – sie gelingen besser und geben mehr Aufschluß als unsere Bemühungen, Grundbegriffe durch klarere oder gar fundamentalere Begriffe richtig und lehrreich zu definieren.

Mit etwas anderem sollten wir allerdings auch gar nicht rechnen. In den meisten Fällen sind die von den Philosophen ins Auge gefaßten Begriffe – wie Wahrheit, Erkenntnis, Glauben, Handeln, Ursache, das Gute und das Richtige – zugleich die elementarsten Begriffe, über die wir verfügen: Begriffe, ohne die wir (wie ich zu sagen geneigt bin) gar keine Begriffe hätten. Warum sollte man also damit rechnen, diese Begriffe durch Definitionen auf andere Begriffe zurückführen zu können, die einfacher, klarer und grundlegender wären? Wir sollten uns damit abfinden, daß das, was diese Begriffe so wichtig macht, auch die Möglichkeit ausschließen muß, für sie ein Fundament ausfindig zu machen, das noch tiefer in den Felsgrund hineinreicht.

Diese einleuchtende Beobachtung sollten wir auf den Begriff der Wahrheit anwenden: Es gibt keine Chance, diesen Begriff durch etwas zu untermauern, was durchsichtiger oder leichter zu verstehen wäre. Die Wahrheit ist nach der durch Alfred Tarski bewiesenen These von G. E. Moore, Bertrand Russell und Gottlob Frege ein undefinierbarer Begriff. Das heißt nicht, daß wir nichts Aufschlußreiches darüber sagen können. Man *kann* Aufschluß darüber geben, indem man die Wahrheit zu anderen Begriffen wie Glauben, Wünschen, Ursache und Handlung in Beziehung setzt. Es ist auch keineswegs so, als implizierte die Undefinierbarkeit der Wahrheit, daß dieser Begriff mysteriös, mehrdeutig oder unzuverlässig wäre.

Selbst wenn man davon überzeugt ist, daß sich der Wahrheitsbegriff gar nicht definieren läßt, hat man nach wie vor die intuitive Vorstellung oder Hoffnung, man könne die Wahrheit durch Zuhilfenahme einer recht unkomplizierten Formel charakterisieren. Ein Kennzeichen vieler philosophischer Erörterungen des Wahrheitsbegriffs besteht heute darin, daß zwar viele derartige Formeln auf dem Markt sind, aber keine imstande zu sein scheint, an ziemlich offenkundigen Gegenbeispielen vorbeizusteuern. Ein Resultat ist die zunehmende Beliebtheit minimalistischer beziehungsweise deflationärer Wahrheitstheorien, die meinen, Wahrheit sei ein relativ trivialer Begriff ohne »wichtige Zusammenhänge mit sonstigen Begriffen wie Bedeutung und Realität«.[1]

Ich sympathisiere mit den Deflationisten. Die Versuche, mehr Inhalt in den Wahrheitsbegriff hineinzupumpen, sind in den meisten Fällen nicht reizvoll. Dennoch ziehen die Deflationisten die falsche Schlußfolgerung, obwohl sie im Hinblick auf das, was sie ablehnen, meistens recht haben. Hier werde ich nicht innehalten, um die Gründe zu nennen, weshalb ich mich weigere, Korrespondenztheorien, Kohärenztheorien und pragmatische Theorien sowie solche Theorien anzuerkennen, von denen die Wahrheit auf das eingeschränkt wird, was sich

1 Die zitierten Worte stammen von Michael Dummett und stehen auf dem Waschzettel von Paul Horwichs Buch *Truth*.

unter idealen Bedingungen feststellen oder zu Recht behaupten ließe usw.[2] Doch da ich, ebenso wie die Deflationisten, mit allen derartigen Kennzeichnungen der Wahrheit unzufrieden bin, werde ich jetzt sagen, warum mir der Deflationismus nicht minder inakzeptabel erscheint.

Die Semantik befaßt sich nach meiner Auffassung vor allem mit der Wahrheit. Diese ist ihrerseits eine Eigenschaft mancher Sätze oder von bestimmten, eng damit zusammenhängenden Entitäten wie Äußerungen, Urteilen, Überzeugungen oder Propositionen. Nach Aristotelischer Vorstellung gilt:

(1) *Vom Seienden zu sagen, daß es nicht sei, oder vom Nichtseienden, daß es sei, ist falsch, wogegen vom Seienden zu sagen, daß es sei, oder vom Nichtseienden, daß es nicht sei, wahr ist.*

Diese Formulierung zitiert Tarski in einem 1944 veröffentlichten Artikel[3] und nennt sie »nicht präzise und klar genug«, obwohl er sie besser findet als die folgenden beiden:

(2) *Die Wahrheit eines Satzes besteht darin, daß er mit der Realität übereinstimmt (beziehungsweise ihr korrespondiert).*

(3) *Ein Satz ist wahr, wenn er einen bestehenden Sachverhalt bezeichnet.*[4]

In einem 1969 veröffentlichten Artikel zitiert Tarski von neuem (1) und meint des weiteren:

> Unter dem Gesichtspunkt der Präzision und der formalen Richtigkeit läßt diese Formulierung eine Menge zu wünschen übrig. Erstens ist sie nicht allgemein genug, sondern bezieht sich nur auf Sätze, die über etwas »sagen«, daß es »sei« oder »nicht sei«. In den meisten Fällen wäre es kaum möglich, einen Satz diesem Muster entsprechend zu formulieren, ohne den Sinn des Satzes zu verbiegen und dem Geist der Sprache Gewalt anzutun.[5]

2 Dargelegt werden meine Gründe für die Ablehnung solcher Anschauungen in »The Structure and Content of Truth«.

3 Tarski, »The Semantic Conception of Truth«.

4 Ebd., S. 343.

5 »Truth and Proof«, S. 63.

Dem fügt er hinzu, darin liege womöglich der Grund für »moderne Surrogate« wie (2) und (3), die an die Stelle der Aristotelischen Formulierungen treten sollen.

In seiner Abhandlung über den Wahrheitsbegriff bevorzugt Tarski jedoch die folgende informelle Formulierung:

(4) *Eine wahre Aussage ist eine Aussage, welche besagt, daß die Sachen sich so und so verhalten, und die Sachen verhalten sich eben so und so.*[6]

Mir scheint, daß die Aristotelische Formulierung den Lesarten (2), (3) und (4) deutlich überlegen ist. Sie steht mit Tarskis eigener Arbeit über den Wahrheitsbegriff besser in Einklang, und Tarskis Bemerkung, (1) sei »nicht allgemein genug«, steht in einem sonderbaren Mißverhältnis zum Geist seiner eigenen Wahrheitsdefinitionen.

Die Formulierung (1) ist den Formulierungen (2) bis (4) aus drei Gründen überlegen. Erstens, in (3) und (4) ist von Sachverhalten die Rede, und daher legen diese Formulierungen den Gedanken nahe, es könne für die Kennzeichnung des Wahrheitsbegriffs nützlich sein, Entitäten zu postulieren, die den Sätzen entsprechen sollen. (»Ein wahrer Satz ist einer, der den Tatsachen entspricht« oder »Wenn ein Satz wahr ist, gibt es einen Sachverhalt, der diesem Satz entspricht«.) Es ist aber noch nie gezeigt worden, daß Sachverhalte in der Semantik eine nützliche Rolle spielen, und eines der stärksten Argumente für die Definitionen Tarskis besteht darin, daß es *nichts* gibt, was in ihnen die Rolle der Tatsachen oder Sachverhalte spielt. Das nimmt auch nicht wunder, denn es gibt eine überzeugende Argumentation, die (in einer Form) normalerweise auf Frege und (in anderer Form) auf Gödel zurückgeführt wird, bei der herauskommt, daß es höchstens eine Tatsache oder allenfalls einen einzigen Sachverhalt geben könne. (Aus diesem Grunde hat Frege gesagt, alle wahren Sätze seien Namen für das Wahre.) Tarskis Wahrheitsdefinitionen machen

6 »Der Wahrheitsbegriff in den formalisierten Sprachen« (1933/35), S. 450.

keinen Gebrauch von der Vorstellung, ein Satz »entspreche« irgendeiner Sache. In Tarskis Texten sollte man die Erwähnung von »Sachverhalten« nicht ernst nehmen, wenn es sich um Bemerkungen wie die folgende handelt: Semantische Begriffe seien derart, daß in ihnen »gewisse Beziehungen zwischen den Gegenständen und Sachverhalten, von denen in der untersuchten Sprache ›die Rede ist‹, und den Ausdrücken der Sprache zum Ausdruck kommen«.[7]

Der zweite Grund für die Bevorzugung der Aristotelischen Kennzeichnung des Wahrheitsbegriffs besteht darin, daß sie die von den Worten »so und so« markierten Verlegenheitsleerstellen der Tarskischen Lesart (4) vermeidet. Es fällt schwer zu erkennen, wie diese Leerstellen ausgefüllt werden sollen. Die Aristotelische Formel hingegen klingt ganz ähnlich wie eine Verallgemeinerung der Konvention W Tarskis.

Der dritte Grund für die Bevorzugung der Aristotelischen Kennzeichnung besteht darin, daß sie – im Gegensatz zu den übrigen Formulierungen – klarstellt, daß die Wahrheit eines Satzes von der inneren Struktur dieses Satzes abhängt, das heißt von den semantischen Merkmalen seiner Teile. Auch in dieser Hinsicht ist diese Kennzeichnung näher an Tarskis eigener Herangehensweise an den Wahrheitsbegriff.

An die Stelle der hier erörterten groben Formeln setzt Tarski verständlicherweise seine Konvention W, die fordert, eine befriedigende Definition eines auf eine Sprache *L* zutreffenden Wahrheitsprädikats »ist wahr« müsse so beschaffen sein, daß es alle Sätze der Form

s ist genau dann wahr-in-*L*, wenn *p*

als Theoreme impliziert, wobei »*s*« durch die Beschreibung eines Satzes und »*p*« durch ebendiesen Satz oder eine Über-

7 Tarski, »Grundlegung der wissenschaftlichen Semantik« (1935), S. 398.

setzung des Satzes in die Metasprache ersetzt wird. Da vorausgesetzt ist, daß es in *L* unendlich viele Sätze gibt, liegt es auf der Hand, daß sich die Definition des Wahrheitsprädikats, die (wie Tarski nachdrücklich fordert) mit endlichen Mitteln auskommen soll, den Umstand zunutze machen muß, daß Sätze – trotz der potentiellen Unendlichkeit ihrer Anzahl – aus einem endlichen Vokabular aufgebaut werden. Was die von Tarski betrachteten Sprachen betrifft, im Hinblick auf die er gezeigt hat, wie der Wahrheitsbegriff zu definieren ist, können alle Sätze als Existenzquantifikation, als Negation einer Existenzquantifikation oder als aus solchen Sätzen zusammengesetztes wahrheitsfunktionales Gebilde formuliert werden. Wie »unvollständig« ist die Aristotelische Formulierung (1) nun vom Standpunkt Tarskis? Sie hat es mit vier Fällen zu tun. Zunächst sind da die Sätze, die »vom Seienden sagen, daß es nicht sei«. In moderner Terminologie handelt es sich um einen falschen Satz, der mit den Worten beginnt »Es ist nicht der Fall, daß es ein x gibt, so daß ...«. Ein Beispiel wäre etwa: »Es ist nicht der Fall, daß es ein x gibt, so daß $x = 4$.« Sodann gibt es Sätze, die »vom Nichtseienden sagen, daß es sei«, beispielsweise: »Es gibt ein x, so daß $x = 4$ und $x = 5$.« Ferner gibt es Sätze, die »vom Seienden sagen, daß es sei«, wie zum Beispiel »Es gibt ein x, so daß $x = 4$«. Und zu guter Letzt gibt es Sätze, die »vom Nichtseienden sagen, daß es nicht sei«. Ein Beispiel wäre »Es ist nicht der Fall, daß es ein x gibt, so daß $x \neq x$«. Nach der klassischen Formulierung sind Sätze der zuerst genannten beiden Arten falsch, während die beiden Sätze der zweiten Gruppe wahr sind. Soweit ist Tarski der gleichen Meinung. Was würde Tarski dem hinzufügen? Nichts weiter als jene (mehr als die Negation involvierenden) wahrheitsfunktionalen Gebilde, die aus Sätzen der bereits genannten Arten zusammengesetzt sind. Die Wahrheit oder Falschheit dieser Zusammensetzungen beruht auf der Wahrheit oder Falschheit der bereits bedachten Arten von Sätzen. Natürlich hat Tarski außerdem im Detail gezeigt, inwiefern die Wahrheit oder Falschheit der ersten vier Satztypen wiederum von ihrer Struktur abhängt.

Betrachtet man die klassische Formulierung als informelle Charakterisierung, ist ihre »Unvollständigkeit« im Vergleich mit Tarskis eigener Arbeit also nur minimal; und was Tarskis informelle Versuche einer Formulierung des intuitiven Begriffs anlangt, so schneidet sie sogar besser ab. Selbstverständlich könnte man fragen, inwieweit sich natürliche Sprachen überhaupt in angemessener Form mit Hilfe derart begrenzter Mittel kennzeichnen lassen. Doch diese Frage läßt sich genauso im Hinblick auf Tarski stellen.[8]

Hier wird man vielleicht den Einwand erheben, daß nicht alle Sätze die Form einer Existenz- oder einer Allquantifikation (oder einer wahrheitsfunktionalen Fügung solcher Quantifikationen) haben, denn es gebe Sätze, die mit einem Eigennamen beginnen. Es gibt jedoch ein einfaches, von Quine in *Wort und Gegenstand* vorgeschlagenes Mittel, um diesem Einwand die Spitze zu nehmen. Auf diese Weise wird »Sokrates ist ein Mensch« zu »Es gibt ein *x*, so daß *x* mit Sokrates identisch ist, und *x* ist ein Mensch«.[9]

Trotz seiner angedeuteten Zustimmung in Richtung einer Korrespondenztheorie, der zufolge Sätze mit Tatsachen übereinstimmen, sollte man Tarski nicht als einen Autor ansehen, von dem sich ernsthafte Verfechter von Korrespondenztheorien Zuspruch erhoffen dürfen. Für Aristoteles gilt übrigens das gleiche. Denn weder durch die Aristotelische Formel noch durch Tarskis Wahrheitsdefinitionen werden Entitäten wie Tatsachen oder Sachverhalte, mit denen Sätze übereinstimmen sollen, ins Spiel gebracht. Tarski definiert die Wahrheit zwar auf der Grundlage des Erfüllungsbegriffs, der Ausdrücke zu Gegenständen in Beziehung setzt, aber die Folgen, welche Sätze erfüllen, haben keine Ähnlichkeit mit den

8 Bis hierhin ist der Text in leicht modifizierter Form meinem Artikel »Method and Metaphysics« entnommen (vgl. Abhandlung 3 in diesem Band).

9 W. V. Quine, *Word and Object*, § 37.

»Tatsachen« oder »Sachverhalten« der Korrespondenztheoretiker. Denn wenn eine von Tarskis Folgen einen geschlossenen Satz erfüllt und ihn somit wahr macht, dann erfüllt dieselbe Folge auch jeden anderen wahren Satz und macht ihn somit wahr; und sofern ein geschlossener Satz überhaupt von einer Folge erfüllt wird, wird er von jeder Folge erfüllt.[10]

Eine Kohärenztheorie, eine pragmatische Theorie oder eine Theorie, der zufolge die Wahrheit auf gerechtfertigter Behauptbarkeit beruht, kommt für Tarski bestimmt nicht in Frage; und wenn er nun keine Korrespondenztheorie vertritt, möchte man wissen, ob er Deflationist ist. Hier gehen die Meinungen weit auseinander. W. V. Quine hält ihn für einen, und Scott Soames ist ebenfalls dieser Ansicht. John Etchemendy meint, Tarski sage schlicht gar nichts über die Wahrheit als semantischen Begriff, und der gleichen Auffassung schließt sich auch Hilary Putnam an, allerdings aus etwas anderen Gründen.[11]

Wenn Stephen Leeds, Paul Horwich und Soames mit ihren Thesen und Quine mit seiner Andeutung recht haben, Tarski habe schon alles über die Wahrheit »gesagt, was es überhaupt zu sagen gibt«, dann ist so etwas wie eine deflationäre Einstellung durchaus berechtigt. Diese Einstellung läuft nicht auf genau dasselbe hinaus wie die »Redundanztheorie«, aber sie kommt ihr recht nahe. Nimmt man die Redundanzauffassung beim Wort, besagt sie das gleiche wie das wörtlich genommene Zitattilgungskonzept, nämlich: Ein zitierter und um die

10 Aufgrund der Rolle, die Folgen bei der Erfüllung geschlossener Sätze spielen, habe ich früher einmal den Vorschlag gemacht, im Hinblick auf Tarskis Wahrheitsbegriff von einer Korrespondenztheorie zu sprechen, doch später habe ich diesen Vorschlag zurückgezogen, weil er in die Irre führen kann. Zu diesem Vorschlag siehe »True to the Facts«, in: *Inquiries into Truth and Interpretation*. Zum Widerruf siehe »Afterthoughts, 1987«.

11 Literaturhinweise und weitere Ausführungen zu diesem Punkt in meinem Artikel »The Structure and Content of Truth«.

anschließenden Wörter »ist wahr« ergänzter Satz lasse sich stets und ohne Einbuße durch den unzitierten Satz ersetzen. Von Michael Williams und anderen Autoren ist darauf hingewiesen worden, daß bei Tarski ein Verfahren hinzukommt, um von ganzen Satzklassen oder Sätzen, auf die wir nicht Bezug zu nehmen wissen, Wahrheit zu prädizieren. Dieses Verfahren kann man als Verfeinerung der Redundanztheorie deuten, denn es erlaubt, das Wahrheitsprädikat zu eliminieren, wenn es auf Sätze einer Sprache angewandt wird, für die dieses Prädikat definiert worden ist.

Damit billigt man Tarski zu, er habe gezeigt, in welcher Form Äußerungen wie »Der von Anna über Gisbert geäußerte deutsche Satz ist wahr«, »Alles, was Aristoteles (auf griechisch) gesagt hat, ist falsch« oder »Durch die normale Wahrheitstafel für das Konditional wird jedes Konditional mit falschem Antezedens wahr« zu deuten sind. Doch indem man das einräumt, muß man einsehen, daß diese Leistung mit einem Beweis einhergeht, der (unter einigen einleuchtenden Voraussetzungen) zeigt, daß die Wahrheit nicht generell definiert werden kann. Eine Definition der Form »Für alle Sprachen *L* und alle Sätze *s* von *L* gilt: *s* ist in *L* genau dann wahr, wenn ... *s* ... *L* ...« kann es nicht geben. Mit anderen Worten, die Rechtfertigung der Anwendung eines Wahrheitsprädikats auf die Sätze einer bestimmten Sprache ist Tarski nur dadurch gelungen, daß er die Anwendung dieses Prädikats auf die Sätze ebendieser Sprache beschränkt hat. (Es liegt eine gewisse Ironie darin, daß in vielen neueren Arbeiten über deflationäre Theorien davon ausgegangen wird, Tarski habe den Gedanken untermauert, es gebe einen einzigen, einfachen, ja trivialen Wahrheitsbegriff.)

Wenn man über Tarskis Arbeit nachdenkt, spricht also gar nichts für eine deflationäre Einstellung zum Wahrheitsbegriff. Man kann sich zwar die von Putnam und Etchemendy vertretene Auffassung zu eigen machen, Tarski habe seinen eigenen gegenteiligen Behauptungen zum Trotz gar nichts zur

Semantik beigetragen, aber diese Tarski-Interpretation stützt keine deflationäre Theorie, sondern bestreitet einfach die Relevanz der Resultate Tarskis für den gewöhnlichen Wahrheitsbegriff. Nimmt man hingegen an, Tarskis Wahrheitstheorien besagten tatsächlich etwas über die Beziehungen zwischen spezifischen Sprachen und der Welt, kann man nicht zur gleichen Zeit behaupten, er habe uns alles Wissenswerte über den Wahrheitsbegriff mitgeteilt, denn er hat uns nicht gesagt, welcher Begriff seinen Wahrheitsdefinitionen für Einzelsprachen gemeinsam ist.

Meines Erachtens hat Tarski keinen Versuch gemacht, *den* Wahrheitsbegriff zu definieren – das dürfte auf der Hand liegen –, vielmehr hat er sich dieses Begriffs *bedient*, um die semantischen Strukturen spezifischer Sprachen zu charakterisieren. Dagegen hat Tarski weder einen Hinweis darauf gegeben, wie es allgemein möglich sei, den Begriff der Wahrheit auf andere, grundlegendere Begriffe zurückzuführen, noch einen Hinweis darauf, wie sich das deutsche Prädikat »ist wahr« aus allen Kontexten eliminieren läßt, in denen seine Anwendung auf Sätze verständlich ist. Die Konvention W ist kein notdürftiges Surrogat für eine allgemeine Definition, sondern sie ist ein Bestandteil des gelungenen Versuchs, deutlich zu machen, daß Tarskis formale Definitionen unseren *einen* vortheoretischen Wahrheitsbegriff auf bestimmte Sprachen anwenden. Deflationisten können sich also schon allein deshalb nicht auf Tarski berufen, weil er vorgeführt hat, wie die quantorenlogische Semantik einzelner Sprachen zu handhaben ist. Stephen Leeds, Paul Horwich, Michael Williams und andere Autoren, die behaupten, Tarski habe lediglich die Nützlichkeit eines ansonsten entbehrlichen Begriffs dargetan, sind im Irrtum. Sie haben insofern recht, als wir tatsächlich ein Wahrheitsprädikat für die von ihnen ebenso wie von Tarski genannten Zwecke benötigen, aber sie verkennen die offenkundige Tatsache, daß Tarski im selben Augenblick, in dem er das eine Problem löst, ein anderes Problem akzentuiert, nämlich daß es ihm unter Voraussetzung der von ihm akzeptierten Einschränkungen nicht gelungen sei und nicht gelingen könne, den Wahrheitsbegriff zu definieren oder vollständig zu kennzeichnen.

Im Laufe der Jahre hat Quine eine ganze Reihe von Dingen über den Wahrheitsbegriff gesagt, doch von Anfang an bis heute scheint er sich zu einer konsequent deflationären Einstellung bekannt zu haben. So hat Quine hinsichtlich des Wahrheitsprädikats viel Aufhebens vom Aspekt der »Zitattilgung« gemacht, also von der Tatsache, daß man das auf einen zitierten deutschen Satz folgende Prädikat »ist wahr« einfach dadurch loswerden kann, daß man die Anführungszeichen zur gleichen Zeit wie das Wahrheitsprädikat ausstreicht. Dafür haben wir, wie Quine in *From a Logical Point of View* schreibt, ein allgemeines Vorbild, nämlich:

(W) »————« ist genau dann wahr-in-*L*,
wenn ————,

was zwar keine Wahrheitsdefinition sei, aber immerhin dazu diene, dem Ausdruck »wahr-in-*L*«

> bei jeder einzelnen Anwendung genausoviel Klarheit zu verleihen, wie den einzelnen Ausdrücken der Sprache *L*, auf die er angewandt wird, zukommt. Wenn dem Einzelbeispiel »Schnee ist weiß« Wahrheit zugeschrieben wird, [...] ist das für uns eine genauso klare Sache wie die Weiß-Zuschreibung mit Bezug auf den Schnee.[12]

In *Wort und Gegenstand* schreibt Quine: »Wenn man sagt, daß die Aussage ›Brutus hat Cäsar getötet‹ oder ›Das Atomgewicht von Natrium ist 23‹ wahr ist, heißt das im Grunde nicht mehr, als daß Brutus Cäsar getötet hat oder daß das Atomgewicht von Natrium 23 ist.«[13] Dreißig Jahre später

12 Quine, *From a Logical Point of View*, S. 138.
13 *Word and Object*, S. 24 [Übers., S. 57].

wird dieses Thema in *Unterwegs zur Wahrheit* von neuem angestimmt:

> Gleichwohl liefert die Zitattilgungstheorie doch mit Sicherheit eine völlig unanfechtbare Erklärung, denn wer wollte etwa in Zweifel ziehen, daß »Schnee ist weiß« dann und nur dann wahr ist, wenn Schnee weiß ist? Außerdem liefert sie uns eine restlose Erklärung: Sie erklärt uns in präziser Weise die Wahrheit oder Falschheit eines jeden klaren Satzes.[14]

Was diese Frage betrifft, hat Quine seine Meinung nicht geändert.

Nach Quines Ansicht ist es der Zitattilgungsaspekt des Wahrheitsbegriffs, durch den dieser Begriff so viel klarer wird als der Bedeutungsbegriff. Quine vergleicht die Theorie der Bedeutung mit der Theorie der Bezugnahme und sagt: Sie »bilden zwei so grundverschiedene Bereiche, daß sie gar keine gemeinsame Bezeichnung verdienen«.[15] In der ersten Theorie gehe es um mit Makeln behaftete Themen wie Synonymie, Bedeutung und Analytizität. Dagegen seien die in der zweiten Theorie behandelten Begriffe, zu denen auch der Wahrheitsbegriff gehöre, »sehr viel weniger nebulös und geheimnisvoll«. Denn obwohl »wahr-in-*L*« für variables *L* nicht definierbar sei, »ist das, worüber wir verfügen, dennoch ausreichend, um ›wahr-in-*L*‹ sogar für variables ›*L*‹ mit einem hinreichenden Maß an Verständlichkeit auszustatten, so daß man wahrscheinlich nichts dagegen hat, sich dieser Redeweise zu bedienen«.[16] »Das, worüber wir verfügen«, ist natürlich das Paradigma (W) sowie das auf Tarski zurückgehende »zweckmäßige und allgemeine Verfahren« zum Definieren von »wahr-in-*L*« für Einzelsprachen.

Von diesem »zweckmäßigen und allgemeinen Verfahren« Tarskis hat Quine raffiniert Gebrauch gemacht. In einem 1952 publizierten Aufsatz geht er der Frage nach, ob die

14 *Pursuit of Truth*, S. 93 [Übers., S. 130].
15 *From a Logical Point of View*, S. 130.
16 Ebd., S. 137f.

Wahrheit für die in seinem Buch *Mathematical Logic* (1940) entwickelte Sprache *L* in *L* selbst definiert werden kann.[17] Zunächst ist nicht klar, was dem im Wege stehen soll, denn die Sprache *L* kann so interpretiert werden, daß sie ihre eigene Syntax und auch sonst noch eine Menge enthält. Es gelingt Quine, eine rekursive Definition der Erfüllung zu geben, die nur die Ressourcen von *L* benutzt. Wenn sich diese rekursive Definition in eine direkte Definition verwandeln ließe, wäre damit die Inkonsistenz von *L* bewiesen, denn Wahrheit kann unter Zuhilfenahme des Begriffs der Erfüllung ohne weiteres definiert werden. Die Sprache *L* hat jedoch ein ungewöhnliches Merkmal, das dem Übergang von der rekursiven zur direkten Definition im Wege steht: In *L* wird über alle Entitäten quantifiziert, so daß die Ausdrücke von *L* durch die Erfüllung zu allen Entitäten in Beziehung gesetzt werden. Aber wenn man von *L* ausgeht, gibt es nur einige, als »Elemente« bezeichnete Entitäten, die als Relata von Relationen zur Verfügung stehen. Dieses Mißverhältnis verhindert es, daß Freges Verfahren zur Umwandlung rekursiver in direkte Definitionen eingesetzt werden kann, um den ganzen ontologischen Spielraum zu erfassen, der für die Charakterisierung der Erfüllung und daher auch der Wahrheit erforderlich ist. Das heißt, dies wird verhindert, sofern *L* widerspruchsfrei ist.

In *Philosophy of Logic*[18] gibt Quine einen damit zusammenhängenden, aber allgemeineren Hinweis: Eine normal ausgestattete Sprache kann, sofern Widersprüche vermieden werden sollen, keinen offenen Satz der Form »x erfüllt y« enthalten, der auf Folgen von Gegenständen aus der Ontologie der Sprache und (offene oder geschlossene) Sätze der Sprache zutrifft. Und genausowenig kann eine Theorie der Mengenlehre die Existenz einer Menge dulden, die aus den geordneten Paaren von Folgen von Gegenständen aus der Ontologie

17 Quine, »On an Application of Tarski's Theory of Truth«, abgedruckt in: *Selected Logic Papers*.

18 Quine, *Philosophy of Logic*.

der Theorie und (offenen oder geschlossenen) Sätzen der Theorie besteht.
Diese interessanten technischen Anwendungen von Tarskis Ansatz zur Deutung des Wahrheitsbegriffs nutzen das Merkmal der Zitattilgung, was wiederum den Gedanken nahelegt, es sei möglich, Wahrheit und Bedeutung durchweg zu trennen. Aber stimmt das in dieser allgemeinen Form? Es gibt verstreute Bemerkungen in Quines Arbeiten, die etwas anderes nahelegen. 1936 veröffentlichte Quine seinen brillanten und weitsichtigen Artikel »Truth by Convention«. Darin stellte er fest, »was die Bedeutung eines Worts betrifft, [...] darf man sagen, sie werde durch das jeweilige Ausmaß bestimmt, in dem die Wahrheit oder Falschheit der Kontexte dieses Worts bestimmt ist«.[19] Es fällt schwer zu erkennen, wie die Wahrheit zu dieser Fähigkeit der Bedeutungsbestimmung kommen soll, wenn mit der Zitattilgungstheorie schon alles über den Wahrheitsbegriff gesagt wäre. Daneben gibt es auch noch andere Stellen bei Quine, die den gleichen Gedanken andeuten: »Als erstes und letztes ist zu sagen, daß wir beim Lernen einer Sprache lernen, wie Wahrheitswerte zu verteilen sind. Hier bin ich der gleichen Ansicht wie Davidson: Was wir lernen, sind Wahrheitsbedingungen.«[20] In einem anderen Text heißt es: »In Tarskis Wahrheitstheorie selbst [ist] die Struktur einer Bedeutungstheorie zu erkennen.« In *Philosophy of Logic* betont Quine, anders als in seinen früheren Arbeiten, wie wichtig es ist, in der Sprache eine grammatische Struktur zu ermitteln, die auf die Funktionsweise einer Wahrheitstheorie abgestimmt ist. Erst dann werden wir erkennen, wie es der Logik gelingt, »die Wahrheit den Baum der Grammatik hinaufzuhetzen«.[21]
Vielleicht hat es den Anschein, daß es bis zu einem gewissen

19 Abgedr. in: Quine, *The Ways of Paradox*, S. 89.
20 *The Roots of Reference*, S. 65 [Übers., S. 97].
21 »On the Very Idea of a Third Dogma«, in: Quine, *Theories and Things*, S. 38 [Übers., S. 55]; *Philosophy of Logic*, S. 35.

Grad leichtfällt, Fragen der Wahrheit und Fragen der Bedeutung getrennt zu halten. Von der Wahrheit meinen wir vielleicht, sie diene (im umfassenden Sinn Tarskis) der Zitattilgung und sei daher trivial. Die Bedeutung gilt dann als etwas anderes, worum man sich mit Hilfe solcher Begriffe wie »gerechtfertigte Behauptbarkeit«, »Funktion« oder »Übersetzungskriterien« kümmern müsse. Diese Richtung wird beispielsweise in dem kürzlich erschienenen Buch von Paul Horwich eingeschlagen[22] sowie in Artikeln von Scott Soames[23] und David Lewis.[24] Vielleicht hat dies auch, zumindest eine Zeitlang, der Ansicht Quines entsprochen. Unmittelbar vor der schon zitierten Stelle aus *Wort und Gegenstand*, wonach die Aussage, der Satz »Brutus hat Cäsar getötet« sei wahr, im Grunde auf das gleiche hinauslaufe wie die Aussage, Brutus habe Cäsar getötet, stellt Quine einen gehaltvollen, vielleicht an Peirce orientierten Wahrheitsbegriff als aussichtslos hin und sagt:

> Es ist vielmehr so, daß wir diesen und jenen Satz nur dann sinnvoll als wahr bezeichnen können und auch tatsächlich so bezeichnen, wenn wir uns mitten in eine tatsächlich vorhandene Theorie zurückbegeben [...]. Immer da ist es sinnvoll, »wahr« auf einen Satz anzuwenden, wo dieser in Begriffen einer gegebenen Theorie gefaßt ist und von dieser Theorie [...] aus betrachtet wird.[25]

Ich glaube, genau darauf will Quine auch hinaus, wenn er sagt, die Wahrheit sei etwas »Immanentes«. Dabei geht es nicht nur darum, daß die Wahrheit eines Satzes sprachrelativ sei, sondern auch darum, daß es hier keinen transzendenten, alleinigen Begriff gebe, der sich relativieren lasse.

Aber Quine kann nicht wirklich meinen, daß wir nur dann sinnvoll von der Wahrheit von Sätzen sprechen, wenn diese Sätze derselben Sprache angehören, in der wir von der Wahr-

22 Horwich, *Truth*.

23 Soames, »What Is a Theory of Truth?«.

24 Lewis, »Languages and Language«.

25 *Word and Object*, S. 243 [Übers., S. 56 f.].

heit sprechen. Es mag zwar – zumindest wenn wir Tarskis Methode benutzen – unmöglich sein, eine explizite Definition der Wahrheit für Sprachen generell zu geben, aber natürlich kann man sinnvoll von der Wahrheit der Sätze einer Sprache reden, indem man sich einer anderen Sprache bedient. Was wäre in diesem Fall über das Konzept der Zitattilgung zu sagen?

Ich bin mir nicht sicher, wie Quine hier Stellung beziehen möchte. Angenommen, Wahrheit sei nicht nur insofern »immanent«, als die Wahrheit eines Satzes zu der Sprache relativ ist, der dieser Satz nach unserer Meinung angehört, sondern im folgenden Sinne: Wenn wir beispielsweise auf deutsch sagen »›Snow is white‹ ist im Englischen wahr«, so gebrauchen wir einen anderen Begriff als dann, wenn wir sagen »›Schnee ist weiß‹ ist im Deutschen wahr«. Einen anderen Begriff der *Wahrheit*? Nein, das hat keinen Sinn. Und viele Äußerungen Quines stehen in Widerspruch zu einer dermaßen extremen Form von Relativismus: Durch Tarskis »zweckmäßiges und allgemeines Verfahren« wird *der* Wahrheitsbegriff – also offenbar ein einziger, wenn auch undefinierbarer Begriff – »mit einem hinreichenden Maß an Verständlichkeit« ausgestattet.

Jetzt möchte ich mich Horwichs vor kurzem erschienenem Buch *Truth* zuwenden, denn dieser Autor hat, wie mir scheint, die von anderen Deflationisten umgangene Herausforderung angenommen, mehr über den Inhalt eines nicht relativierten Wahrheitsprädikats zu sagen, als man den Definitionen Tarskis entnehmen kann.

Der beherzte und frappierende Schritt, den Horwich vollzieht, besteht darin, daß er Propositionen zu den primären Trägern der Wahrheit erklärt. An und für sich genommen ist das zwar keine neue Idee, doch im Kontext eines ernsthaften Versuchs, den Deflationismus zu verteidigen, ist sie schon neu. Horwich ist sich im klaren darüber, daß er keine explizite Definition eines auf Propositionen zutreffenden Wahrheitsprädikats liefern kann, doch er macht geltend, es sei alles Wissenswerte über ein solches Prädikat (und folglich über den damit ausgedrückten Begriff) gesagt, sobald man begriffen habe, daß sein Inhalt durch die »unstrittigen Exemplifizierungen« des folgenden Schemas vollständig erfaßt sei:

Die Proposition, daß *p*, ist genau dann wahr, wenn *p*.

(Die Einschränkung auf »unstrittige Exemplifizierungen« wird vorgenommen, um alles auszuschließen, was Paradoxien nach sich zieht.) Dieses Schema wird als Axiom-Schema aufgefaßt: Die Gesamtheit seiner Exemplifizierungen bildet die Axiome von Horwichs Theorie.

Diese Theorie ist natürlich unvollständig, solange die kontroversen Exemplifizierungen nicht in einer Weise angegeben sind, die keine Petitio principii beinhaltet. Und da die Menge der Axiome unendlich groß ist, verstößt sie gegen eine von Tarskis Anforderungen an eine befriedigende Wahrheitstheorie. Aber die erste Schwierigkeit läßt sich vielleicht überwinden, und die zweite mag man als den Preis ansehen, der für einen nichtrelativierten Wahrheitsbegriff bezahlt werden muß. Außerdem hegen viele von uns Zweifel an der Existenz von Propositionen oder zumindest an der Existenz von Prinzipien, die ihrer Individuierung dienen.

Alle diese Erwägungen geben mir zu denken, doch an dieser Stelle möchte ich sie außer acht lassen. Ich möchte dem Deflationismus die bestmögliche Chance einräumen, denn nach meinem Eindruck ist er die einzige Alternative zu einem gehaltvolleren Wahrheitskonzept; und die meisten gehaltvollen Auffassungen sind nach meiner ebenso wie nach Horwichs Meinung offenkundig gescheitert. Aber obwohl ich seine Argumente gegen Korrespondenz- und Kohärenztheorien sowie gegen pragmatische und epistemische Theorien von ganzem Herzen gutheiße, kann ich mich nicht dazu überwinden, seine »minimalistische« Theorie zu akzeptieren.

Horwichs Theorie bereitet mir in zwei Hinsichten Schwierigkeiten, und jedes einzelne dieser beiden fundamentalen Probleme wäre ein Grund, die Theorie abzulehnen, sofern keine Lösung möglich ist. Ich für mein Teil glaube nicht, daß die Probleme lösbar sind.

Das erste Problem läßt sich ohne weiteres wie folgt artikulieren: Das grundlegende Axiom-Schema oder seine Exemplifizierungen bleiben mir unverständlich. Bei der Formulierung meiner Schwierigkeit wird es von Nutzen sein, Horwichs Axiom-Schema mit einem informellen (und letzten Endes überwundenen) Schema Tarskis zu vergleichen:

»————« ist genau dann wahr, wenn ————.

Einer von Tarskis Einwänden gegen diese Formulierung besagt, sie lasse sich nur dadurch in eine Definition verwandeln, daß man die Quantifikation auf eine Stelle innerhalb der Anführungszeichen beziehe. Dieser Einwand endet mit einer Frage hinsichtlich der Klarheit von Zitaten: Inwiefern ist das, worauf sie sich beziehen, von den semantischen Eigenschaften ihrer Bestandteile abhängig? Hier ist mitunter vorgeschlagen worden, man solle sich auf substitutionale Quantifikation berufen; und dementsprechend mag man sich fragen, warum es nicht möglich sein soll, daß Horwich sein Schema

(p) (die Proposition, daß p, ist genau dann wahr, wenn p)

verallgemeinert, indem er sich der substitutionalen Quantifikation bedient. Doch dies erläutert Horwich ganz zu Recht damit, daß er sich zur Erklärung der Wahrheit nicht auf die substitutionale Quantifikation berufen könne, da die substitutionale Quantifikation ihrerseits durch Berufung auf Wahrheit erklärt werden müsse.

Warum macht Horwich jedoch keinen Versuch, sein Schema zu verallgemeinern, indem er über Propositionen quantifi ziert? Die Antwort sollte lauten: Weil wir dann normale Sätze als singuläre Termini auffassen müßten, die keine Propositionen *ausdrücken*, sondern die sich auf Propositionen *beziehen*. Damit komme ich zum entscheidenden Punkt: Wie sind Ausdrücke wie »die Proposition, daß Sokrates weise ist« zu verstehen? Bei einer Standarderklärung der Semantik des Satzes »Sokrates ist weise« macht man Gebrauch von dem, was der Name »Sokrates« benennt, sowie von den Entitäten, auf die das Prädikat »ist weise« zutrifft. Aber wie können wir diese semantischen Merkmale des Satzes »Sokrates ist weise« benutzen, um den Bezug von »die Proposition, daß Sokrates weise ist« herauszubekommen? Hier gibt uns Horwich keinen Anhaltspunkt. Könnte man sagen, daß Ausdrücke wie »die Proposition, daß Sokrates weise ist« semantisch unstrukturiert sind, oder zumindest, daß ein auf die (als Funktionsausdruck aufgefaßten) Wörter »die Proposition, daß« folgender Satz zu einem semantisch unstrukturierten Namen der von ihm ausgedrückten Proposition wird? Würde man diesen Weg einschlagen, stünde man mit einem unendlich großen Vokabular undefinierter Ausdrücke da, und der Umstand, daß die Wörter »Sokrates ist weise« an zwei verschiedenen Stellen des Schemas auftauchen, würde zum Verständnis des Schemas oder seiner Exemplifizierungen nichts beitragen. Ein weiterer Vorschlag könnte besagen, wir sollten unsere Exemplifizierung des Schemas wie folgt modifizieren:

> Die von dem Satz »Sokrates ist weise« ausgedrückte Proposition ist genau dann wahr, wenn Sokrates weise ist.

Doch wenn man dieser Idee Folge leisten wollte, wäre es nötig, den zitierten Satz auf eine Sprache zu relativieren, und das ist eine Notwendigkeit, die Horwich umgehen muß.
Nun möchte ich meinen Einwand knapp in folgender Form aussprechen: In Exemplifizierungen von Horwichs Schema kommt ein und derselbe Satz zweimal vor, einmal nach den

Wörtern »die Proposition, daß« – also in einem Kontext, der verlangt, daß das Resultat ein singulärer Ausdruck, das Subjekt eines Prädikats sei – und ein andermal als normaler Satz. Diese Wiederholung des gleichen Satzes läßt sich nicht eliminieren, ohne jeglichen Anschein einer Theorie zunichte zu machen. Allerdings können wir das Resultat der Wiederholung nicht *verstehen*, sofern wir nicht erkennen können, wie man die gleichen semantischen Merkmale des wiederholten Satzes in beiden Erscheinungsformen benutzen kann – wie man sie benutzen kann, um die Semantik der Exemplifizierungen des Schemas anzugeben. Ich sehe keine Möglichkeit, wie das zu leisten wäre.

Meine zweite Schwierigkeit im Hinblick auf Horwichs Theorie ist in höherem Maße von meinen eigenen weiteren Überzeugungen und Grundsätzen abhängig. Um behaupten zu dürfen, daß die Wahrheit, wie Horwich sagt, »eine gewisse Reinheit« besitzt, muß er, wie er selbst einsieht, zeigen, daß ein umfassendes Verständnis dieses Begriffs möglich ist, wenn er von anderen Ideen isoliert ist, und daß ein Verständnis anderer Ideen möglich ist, ohne sie mit dem Wahrheitsbegriff in Zusammenhang zu bringen. Horwich behauptet zwar nicht, es gebe keine Zusammenhänge zwischen dem Wahrheitsbegriff und sonstigen Begriffen, aber immerhin sagt er, es sei möglich, diese Begriffe unabhängig zu verstehen. Was meine Auffassung anbelangt, gibt es hier mehrere maßgebliche Fälle, denn meiner Ansicht nach ist es ausgeschlossen, den Begriff der Bedeutung oder irgendeine der propositionalen Einstellungen ohne den Wahrheitsbegriff zu verstehen. Als Beispiel möchte ich den Fall der gemeinten Bedeutung herausgreifen.

Da sich die Wahrheit nach Horwichs Auffassung in erster Linie von Propositionen aussagen läßt, muß er erklären, wie es ebenfalls möglich sein kann, sie von Sätzen und Äußerungen zu prädizieren, und um diese Möglichkeit ohne Beeinträchtigung der Unabhängigkeit des Wahrheitsbegriffs zu erklären, muß man, wie Horwich einsieht, den Bedeutungsbegriff ohne direkte Berufung auf den Wahrheitsbegriff verstehen. Über diese kritische Frage äußert sich Horwich nur knapp, ja nachgerade lakonisch. Er sagt, das Verstehen eines Satzes *bestehe* nicht in der Kenntnis seiner Wahrheitsbedingungen, obwohl es, wenn wir einen Satz verstehen, normalerweise so ist, daß wir seine Wahrheitsbedingungen *kennen*. Einen Satz verstehen besteht nach Horwichs Auffassung in der Kenntnis seiner »Behauptbarkeitsbedingungen« (oder seines »angemessenen Gebrauchs«). Zu diesen Bedingungen kann auch, wie er einräumt, die Bedingung gehören, daß der Satz (oder die Äußerung) wahr sei. Hier bleibt mir, wie ich gestehen muß, einiges unverständlich: Wenn die Wahrheit eine Behauptbarkeitsbedingung ist, und wenn Verstehen nichts anderes ist als die Kenntnis der Behauptbarkeitsbedingungen, ist nicht zu erkennen, wie wir einen Satz verstehen können, ohne über den Wahrheitsbegriff zu verfügen.

Ich bin mir jedoch im klaren darüber, daß ich mich hier auf umstrittenem Gebiet bewege und daß tiefsinnige Denker wie Michael Dummett, Putnam und Soames im Anschluß an diverse Hinweise von Wittgenstein und Grice zu der Überzeugung gelangt sind, es sei möglich, den Bedeutungsbegriff in Abhängigkeit von einem Begriff der Behauptbarkeit oder des Gebrauchs zu erklären, ohne dabei den Begriff der Wahrheit in Anspruch zu nehmen.

Meine Hoffnungen gehen in die entgegengesetzte Richtung: Meines Erachtens ist der Wahrheitsbegriff schon in dem mit dem Verstehen zusammenhängenden Begriff der Behauptung enthalten: Nur wenn man den zur Äußerung einer Behauptung benutzten Satz für wahr hält, ist es *gerechtfertigt*, diesen Satz im erforderlichen Sinn zu behaupten; und mit der Welt verknüpft wird die Sprache letzten Endes dadurch, daß die Bedingungen, die uns im Regelfall dazu veranlassen, Sätze für wahr zu halten, die Wahrheitsbedingungen – und mithin die Bedeutungen – unserer Sätze *konstituieren*. Hier ist nicht der

Ort, das zu begründen. Einstweilen muß ich mich mit dem Hinweis begnügen, daß es ein Jammer wäre, wenn wir nicht umhinkämen, eine Bedeutungstheorie für einen Sprecher oder eine Sprache unabhängig von einer Wahrheitstheorie für diesen Sprecher oder diese Sprache aufzustellen, denn wir haben immerhin eine *gewisse* Vorstellung davon, wie eine Wahrheitstheorie zu formulieren ist, aber keine ernstzunehmende Vorstellung davon, wie eine Bedeutungstheorie zu formulieren wäre, die auf dem Begriff der Behauptbarkeit oder des Gebrauchs basiert.

Daraus möchte ich den Schluß ziehen, daß die Aussichten für eine deflationäre Wahrheitstheorie trüb sind. Ihre reizvollen Seiten sind nach meinem Eindruck rein negativer Art, denn sie vermeidet gut gekennzeichnete Sackgassen und erkennbare Fallstricke – oder versucht sie zumindest zu vermeiden.

Nun möchte ich eine Diagnose unserer Wahrheitsaporie vorschlagen. Wir stehen nach wie vor unter dem Bann der Sokratischen Vorstellung, wir müßten immer weiter nach dem *Wesen* einer Idee fragen, nach einer signifikanten *Analyse* mit Hilfe anderer Begriffe, nach einer Antwort auf die Frage, was diese Handlung zu einem Akt der Frömmigkeit *mache* beziehungsweise was diese oder sonst eine Äußerung, einen Satz, eine Überzeugung oder eine Proposition wahr *mache*. Wir fallen immer noch auf den Anfängertrugschluß herein, es sei nötig, daß wir unsere Ausdrücke *definieren*, ehe wir mit ihrer Hilfe oder über sie etwas Weiteres sagen.

Es mag witzlos erscheinen, soviel Aufhebens von dem Drang zur Definition des Wahrheitsbegriffs zu machen, wenn gar nicht klar ist, wer diesen Versuch eigentlich unternimmt. Nicht Tarski, der vielmehr beweist, daß eine Definition gar nicht möglich ist. Nicht Horwich, der abstreitet, einen solchen Versuch machen zu wollen. Wer wird überhaupt *zugeben*, er wolle den Wahrheitsbegriff definieren? Ja, so ist es. Aber! Aber der gleiche häßliche Definitionsdrang zeigt sich im Kostüm des Bemühens um Angabe eines die Stelle der strengen Definition einnehmenden knappen Kriteriums, eines Schemas oder einer partiellen, aber aufschlußreichen Andeutung. Seit Tarski stehen wir zwar dem Wort »Definition« argwöhnisch gegenüber, wenn wir an einen nicht sprachrelativen Wahrheitsbegriff denken, aber den Definitionsdrang haben wir noch nicht preisgegeben. Daher steht, wie ich finde, Horwichs Schema in dieser Hinsicht auf der gleichen Stufe wie Dummetts Begriff der gerechtfertigten Behauptbarkeit, wie Putnams Begriff der im Idealfall gerechtfertigten Behauptbarkeit und wie die verschiedenen Formulierungen von Korrespondenz- und Kohärenztheorien. Sie alle halte ich, wenn schon nicht für Bemühungen um eine Definition im strengen Sinn, so doch für Bemühungen um einen *Ersatz* für eine Definition. Im Fall der Wahrheit gibt es keinen kurz gefaßten Ersatz.

Was ich jetzt schildern möchte, ist eine nach meinem Dafürhalten ziemlich radikale Alternative zu den hier erörterten und (mit unziemlicher Hast) verworfenen Theorien. Nachdruck lege ich dabei nicht auf die an anderer Stelle gegebene detailliertere Darstellung, sondern auf die *Methodologie*, die nach meiner Meinung erforderlich ist. In negativer Hinsicht läßt sich diese Methodologie durch den Hinweis charakterisieren, daß sie weder eine Definition des Wahrheitsbegriffs anbietet noch irgendeine quasi definitorische Klausel oder ein Axiom-Schema beziehungsweise irgendeinen anderen knappen Definitionsersatz. Der positive Vorschlag läuft auf den Versuch hinaus, die Zusammenhänge zwischen dem Wahrheitsbegriff und jenen menschlichen Einstellungen und Handlungen nachzuzeichnen, die diesem Begriff Substanz verleihen.

Meine methodologische Anregung geht von bestimmten Theorien über das Messen oder verschiedene Naturwissenschaften aus. Diese Theorien verfügen über eine endliche Axiomatisierung und schränken einen oder mehrere undefinierte Grundbegriffe in klarer Form ein, um sodann zu beweisen, daß jedes Modell einer solchen Theorie intuitiv erwünschte Eigenschaften besitzt und dem ihm zugedachten Zweck Genüge tut. Da zu den Modellen auch alle möglichen Konfigurationen abstrakter Entitäten und zahllos viele ungewollte Muster empirischer Ereignisse und Gegenstände gehören, ist eine Anwendung oder ein Test der Theorie im Hinblick auf spezifische Phänomene wie Masse oder Temperatur nur dadurch möglich, daß man andeutet, wie sich die Theorie auf die angemessenen Gegenstände oder Ereignisse anwenden läßt. Einen präzisen Hinweis darauf, wie das zu leisten ist, können wir nicht verlangen. Die Ermittlung einer nützlichen Methode der Theorieanwendung ist ein Unterfangen, das damit einhergeht, daß man an der formalen Theorie herumbastelt und dabei testet, ob sie in der interpretierten Form richtig ist.

Für den Wahrheitsbegriff interessieren wir uns nur deshalb, weil es wirkliche Gegenstände und Zustände der Welt gibt, auf die er sich anwenden läßt: Äußerungen, Zustände des Überzeugtseins, Schriftzeichen. Wenn wir nicht verstünden, was es für derartige Entitäten heißt, wahr zu sein, wären wir außerstande, den Inhalt dieser Zustände, Gegenstände und Ereignisse zu charakterisieren. Zusätzlich zur formalen Wahrheitstheorie müssen wir also auch angeben, wie es möglich ist, von diesen empirischen Phänomenen Wahrheit zu prädizieren.

In Tarskis Definitionen ist von empirischen Dingen zwar keine Rede, aber dennoch steht es uns frei, im Hinblick auf eine solche Definition zu fragen, ob sie zu der tatsächlichen Praxis eines Sprechers oder einer Gruppe von Sprechern paßt: So dürfen wir zum Beispiel fragen, ob diese Sprecher die Sprache sprechen, für die der Wahrheitsbegriff definiert worden ist. Tarskis Definitionen haben nichts an sich, was uns daran hindert, in dieser Weise mit ihnen umzugehen, außer dem Vorurteil: im Fall einer als Definition bezeichneten Formulierung sei die Frage ihrer »Richtigkeit« strittig. Um diesem Vorurteil den Garaus zu machen, sollten wir nach meinem Vorschlag den letzten Schritt der Definitionen Tarskis weglassen, also den Schritt, durch den seine Axiomatisierungen in explizite Definitionen verwandelt werden. Dann können wir die abgeschwächte Definition guten Gewissens als Theorie bezeichnen und das Wahrheitsprädikat als undefinierten Ausdruck akzeptieren. Dieses undefinierte Prädikat bringt den *allgemeinen*, intuitiven Begriff zum Ausdruck, der sich auf jede Sprache anwenden läßt, also jenen Begriff, mit Bezug auf den wir Tarskis Definitionen immer schon insgeheim getestet haben (wozu Tarski selbst uns freilich aufgefordert hat).

Wir wissen eine ganze Menge darüber, inwiefern dieser Begriff auf die sprachlichen Äußerungen, die Überzeugungen und die Handlungen menschlicher Akteure zutrifft. Wir benutzen ihn, um die Äußerungen und Überzeugungen dieser Akteure durch Zuordnung von Wahrheitsbedingungen zu interpretieren, und wir beurteilen die Handlungen und Einstellungen anhand einer Einschätzung der Wahrscheinlichkeit ihrer Wahrheit. Die empirische Frage lautet: Wie soll man mit Hilfe von Beobachtung und Induktion bestimmen, welches die Wahrheitsbedingungen der empirischen Wahrheitsträger sind? Man darf es getrost betonen, daß der Wahrheitsbegriff ohne diesen empirischen Zusammenhang weder eine Anwendung auf unsere Allerweltsbelange hat noch für sie von Interesse ist, noch – soweit ich sehe – überhaupt einen Inhalt aufweist.

Betrachten wir den folgenden Vergleich: Den Wahrheitsbegriff fasse ich ähnlich auf wie Frank Ramsey den Begriff der Wahrscheinlichkeit. Ramsey kam in alles andere als irrationaler Weise zu der Überzeugung, der Wahrscheinlichkeitsbegriff gelte in erster Linie für propositionale Einstellungen; Wahrscheinlichkeit sei ein Maß des Überzeugungsgrads. Sodann stellte sich Ramsey die Frage: Wie kann man sich den Begriff des Überzeugungsgrads (der subjektiven Wahrscheinlichkeit) verständlich machen? Beobachtbar ist die subjektive Wahrscheinlichkeit weder für den Akteur, der von einer Proposition zwar nicht völlig überzeugt ist, sie aber auch nicht für gänzlich unglaubwürdig hält, noch für andere, die ihn betrachten und befragen. So hat Ramsey das Muster der Präferenzen eines idealen Akteurs axiomatisiert, der im großen und ganzen genauso verfährt wie wir und seine Präferenzen hinsichtlich der Wahrheit von Propositionen (oder mit Bezug auf Sachverhalte oder Ereignisse) so anpaßt, daß sie mit seinen Werten und Überzeugungen in Einklang stehen. Auf diese Weise hat Ramsey die Bedingungen aufgestellt, nach denen ein Muster solcher Präferenzen als »rational« gilt, und hat im Grunde bewiesen, daß man, wenn diese Bedingungen erfüllt wären, dazu imstande wäre, anhand der Präferenzen des Akteurs die relative Stärke seiner Wünsche und subjektiven Wahrscheinlichkeiten zu rekonstruieren. Ramsey hat zwar nicht angenommen, jeder sei im postulierten Sinn vollkommen rational, aber er hat durchaus angenommen, daß die Menschen rational genug seien, um seiner Theorie langfristig gesehen die Möglichkeit zu geben, dem Begriff der subjektiven Wahrscheinlichkeit – beziehungsweise seiner Auffassung von Wahrscheinlichkeit – einen Inhalt zu verleihen.

Eine brillante *Strategie*! (Einerlei, ob sie eine richtige Analyse des Wahrscheinlichkeitsbegriffs liefert oder nicht.) Der Begriff der Wahrscheinlichkeit – oder zumindest des Überzeugungsgrads –, der für den betreffenden Akteur ebenso unbeobachtbar ist wie für diejenigen in der Betrachterposition, wird mit einem ebenso theoretischen Begriff des kardinalen Nutzens oder der subjektiven Bewertung verknüpft, wobei beide durch die axiomatische Struktur an den simplen Begriff der Präferenz gebunden werden. Die simple Präferenz wiederum liefert durch ihre Äußerungen im faktischen Wahlverhalten die entscheidende empirische Basis.

Eine sprecherbezogene Wahrheitstheorie sollten wir in der gleichen Weise auffassen wie eine Theorie der rationalen

Entscheidung: Beide beschreiben Strukturen, die wir mit einem zulässigen Grad an Zurechtstutzen und Herumdoktern am Verhalten mehr oder weniger rationaler und sprachbegabter Geschöpfe feststellen können. Es geschieht durch das Zurechtstutzen und Herumdoktern, daß wir den undefinierten Begriffen »subjektive Wahrscheinlichkeit« und »subjektive Werte« – in verkürzter Form: »Überzeugung« und »Wunsch« – ebenso Inhalt verleihen, wie wir es im Hinblick auf den undefinierten Wahrheitsbegriff mit Hilfe von Theorien à la Tarski anstellen.
Zum Abschluß eine weitere Bemerkung: Das Problem, dem Wahrheitsbegriff empirischen Inhalt zu verleihen, habe ich bewußt weniger schwierig dargestellt, als es wirklich ist. Das Problem wäre *relativ* unkompliziert, wenn man das, was die Leute mit ihren Äußerungen *meinen*, direkt beobachten und als grundlegendes Belegmaterial benutzen könnte. Aber der Begriff der gemeinten Bedeutung ist nicht nur weniger klar als der Begriff der Wahrheit, sondern er setzt diesen offensichtlich voraus: Wenn man weiß, was eine Äußerung bedeutet, kennt man ihre Wahrheitsbedingungen. Das Problem besteht darin, *jeder* propositionalen Einstellung – dem Glauben, Wünschen, Beabsichtigen und Meinen – einen propositionalen Inhalt zu geben.
Aus meiner Sicht ist das Problem, die Wahrheit mit beobachtbarem menschlichen Verhalten in Verbindung zu bringen, daher nicht zu trennen von dem Problem, allen Einstellungen Inhalt zuzuordnen, das mir seinerseits eine Theorie zu verlangen scheint, von der die Wahrheitstheorie in eine umfassendere – auch die Entscheidungstheorie einschließende – Theorie eingebettet wird. Das Resultat wird die wichtigeren Rationalitätsnormen beinhalten, deren partielle Realisierung im Denken und Verhalten der Akteure dafür sorgt, daß diese Akteure für andere mehr oder weniger verständlich werden. Falls diese normative Struktur enorm komplex ist, sollten wir uns damit trösten, daß mit zunehmender Komplexität auch

unsere Chance zunimmt, die Erscheinungsformen dieser Struktur selbst dann als Gedanken, sinnvolle Äußerungen und absichtliches Handeln zu deuten, wenn nichts weiter gegeben ist als Bruchstücke schwach interpretierten Belegmaterials.

3
Methode und Metaphysik

Die Sprache ist das metaphysische Organ des Menschen.
Bruno Schulz

Wir möchten, daß unsere Definition den intuitiven Vorstellungen gerecht wird, die mit der *klassischen Aristotelischen Konzeption der Wahrheit* einhergehen […]
Ich habe nicht den geringsten Zweifel daran, daß unsere Formulierung dem intuitiven Gehalt der Aristotelischen Formulierung entspricht.
Alfred Tarski[1]

An einer früheren Stelle (Abhandlung 2) habe ich von den vier Aristotelischen »Grundformen« der Sätze gesprochen und folgende Beispiele genannt: (1) »Es ist nicht der Fall, daß es ein x gibt, so daß $x = 4$«, (2) »Es gibt ein x, so daß $x = 4$ und $x = 5$«, (3) »Es gibt ein x, so daß $x = 4$«, und zu guter Letzt (4) »Es ist nicht der Fall, daß es ein x gibt, so daß $x \neq x$«. Abgesehen davon, daß ich mich für die Möglichkeit stark gemacht habe, daß alle vier »Grundformen« als Existenzquantifikationen oder deren Negationen gedeutet werden können, habe ich über die semantische Struktur solcher Sätze sehr wenig gesagt. Jedenfalls haben viele Sätze diese Form, und diejenigen, die dazugehören, sagen offenbar etwas über die Ontologie. Ein beeindruckendes Merkmal der Wahrheitsdefinitionen Tarskis ist folgendes: Wenn die Sprache, für die der Wahrheitsbegriff gekennzeichnet wird, unbegrenzt komplexe Einbettungen von Quantoren zuläßt (und zu dieser Kategorie gehören vermutlich alle natürlichen Sprachen), gibt es keine Möglichkeit, eine Semantik der Bezugnahme zu vermeiden, also eine Semantik, die systematisch Beziehungen zwischen

1 »The Semantic Conception of Truth«, S. 342 und 360.

Ausdrücken und Gegenständen herstellt. Die Erforschung der Semantik einer Sprache ist unweigerlich eine Untersuchung der Ontologie dieser Sprache.[2]

Man kann zwar sagen, daß wir durch die Semantik einer Sprache dazu genötigt werden, uns mit der Ontologie dieser Sprache auseinanderzusetzen, aber es fragt sich, ob wir daraus etwas über die Ontologie selbst – über das, was es gibt – lernen können. Ich glaube, das können wir. Wenn wir die Semantik einer Sprache richtig erfaßt haben, müssen die Gegenstände, die wir den Ausdrücken dieser Sprache zuordnen, existieren. Die richtige semantische Methode führt zu metaphysischen Schlußfolgerungen.

Hier stellen sich zwei Probleme: Quine hat dargelegt, daß es, wenn eine Form der Zuordnung von Gegenständen zu Ausdrücken eine befriedigende Semantik für eine Sprache liefert, zahllose weitere Möglichkeiten der Zuordnung von Gegenständen zu denselben Ausdrücken geben wird, die genauso gut funktionieren. Hier bedeutet »genauso gut funktionieren«, daß die Wahrheitsbedingungen aller Sätze invariant bleiben, wenn wir die Zuordnungen variieren. (Quine spricht hier von der »Unerforschlichkeit des Bezugs«.) Ich glaube, daß Quine recht hat. Aber dieses Zugeständnis beeinträchtigt das Verhältnis zwischen Semantik und Ontologie weniger, als man annehmen könnte. Der Grund liegt darin, daß wir, um eine Sprache verständlich zu finden, feststellen müssen, daß sehr viele der Dinge, über die sie reden kann, dieselben Dinge sind, über die wir selbst reden. Eine Sprache, in der von unabgetrennten Kaninchensegmenten, aber nicht von Kaninchen die Rede sein kann, wäre für uns unverständlich. Menschen,

2 Die substitutionale Interpretation der Quantoren ist im Grunde kein Weg, der an dieser Schlußfolgerung vorbeiführt. Es gibt nämlich gute Gründe, die dafür sprechen, daß es auf der untersten Ebene der semantischen Analyse keine Möglichkeit gibt, die ontische Festlegung auf normale Gegenstände zu vermeiden. Siehe beispielsweise Kripke, »Is there a Problem about Substitutional Quantification?«.

die nur von Zahlen sprechen können, wären für uns ebenfalls unverständlich. Schlimmstenfalls kann es sein, daß die Unerforschlichkeit des Bezugs eine sonderbare Zuordnung von Gegenständen zu Wörtern nach sich zieht; die Gesamtontologie, auf welche die Sprache aus unserer Sicht festgelegt ist, kann sie aber nicht tangieren. Und da die akzeptablen Zuordnungen genau jene sind, bei denen alle unsere Belege für die Interpretation einer Sprache berücksichtigt werden, gibt es eigentlich keinen Grund, eine akzeptable Zuordnung als »sonderbar« zu bezeichnen. Für die Unerforschlichkeit des Bezugs gilt ebenso wie für andere Formen der »Unbestimmtheit der Übersetzung« eine These, die ich schon seit langem vertrete: Man sollte sehen, daß sie für die Objektivität der semantischen Interpretation genauso ungefährlich ist wie die Existenz verschiedener Maße (Fahrenheit und Celsius, Zoll und Zentimeter, Knoten und Stundenkilometer) für die Objektivität des Messens.

Das zweite Problem, das sich einstellt, wenn man aus der Semantik ontologische Konsequenzen zu ziehen versucht, ist gravierender. Bei der Beschreibung der Semantik – also auch der Ontologie – einer Sprache müssen wir uns notgedrungen auf diejenigen Entitäten berufen, von denen *wir* glauben, daß sie existieren. Das sind aber genau die Entitäten, die zur Ontologie unserer eigenen Sprache gehören. Es gibt keine Möglichkeit, durch Semantik über unsere eigenen Ressourcen hinauszugehen. Warum sollen wir dann beteuern, durch Semantik brächten wir mehr über das Existierende in Erfahrung als durch die direkte Frage (oder den Versuch herauszubekommen), was es wirklich gibt?

Ein Teil der Antwort auf diese Frage liegt im systematischen Charakter der Semantik. Die ontologischen Festlegungen eines Satzes wie »Wale sind Säugetiere« sind keineswegs offensichtlich. Die Schwierigkeiten werden sichtbar, wenn man die Wahrheitsbedingungen dieses Satzes und von damit zusammenhängenden Sätzen in einer Form erklärt haben möchte, aus der hervorgeht, warum bestimmte Muster des Schließens gültig sind. Erst seit Frege gibt es eine annähernd befriedigende semantische Analyse solcher Sätze. Selbst Frege hatte noch nicht im gleichen Sinne einen Begriff von einer semantischen *Theorie*, in dem man von Tarskis Wahrheitsdefinitionen sagen kann, daß sie solche Theorien bereitstellen. In ontologischer Hinsicht sind Tarskis Theorien dazu angetan, uns die Augen zu öffnen. Tarski benötigt keine Entitäten, die Sätzen entsprechen sollen – er braucht weder Tatsachen noch Sachverhalte, noch Wahrheitswerte wie DAS WAHRE und DAS FALSCHE bei Frege. Für die Erklärung der semantischen Rolle von Prädikaten sind ebenfalls keine Entitäten nötig – weder Universalien noch Extensionen (obwohl es nicht schwerfällt, diese letzteren zu konstruieren). Für jemanden, der sich der Methoden Tarskis bedient, besteht die Ontologie einer Sprache aus genau den Entitäten, über die die Variablen laufen. Für Tarski gilt ebenso wie für Quine: zu sein heißt der Wert einer Variablen zu sein.

Bei der Aufstellung systematischer semantischer Theorien besteht ein großer Teil der Arbeit demnach darin, die Positionen ausfindig zu machen, die von Variablen ausgefüllt werden können. Das kann, wie Russells Theorie der Kennzeichnungen zeigt, schwierig und lohnend sein. Als ich einzusehen begann, was systematische semantische Theorien leisten können, war ich davon überzeugt, daß es für viele der ontologischen Grundprobleme eindeutige Lösungen geben müsse. Diese Überzeugung ist mir allmählich abhanden gekommen, als ich merkte, daß gegen viele Prinzipien, die ich für selbstverständliche Regeln einer respektablen semantischen Praxis gehalten hatte, Einwände erhoben werden können. Dennoch bin ich nach wie vor der Überzeugung, daß dies ein fruchtbares Fach ist. Um nur einen Punkt zu nennen: Oft läßt sich ohne weiteres beweisen, daß der eine oder andere semantische Vorschlag Forderungen widerspricht, auf die man nicht verzichten möchte. Es sind zwar, um Beispiele anzuführen, nicht

alle Autoren der Meinung, eine lernbare Sprache müsse ein endliches Vokabular haben, oder der Meinung, eine befriedigende Wahrheitstheorie für eine Sprache müsse mit endlichen Mitteln axiomatisierbar sein. Dennoch ist es für jemanden, der wie ich dazu neigt, diese Bedingungen zu akzeptieren, aufschlußreich festzustellen, daß viele scheinbar attraktive Verfahren zur Vermeidung ontologischer Festlegungen ausgeschlossen sind; und sogar jemand, der sich der Prinzipien nicht sicher ist, wird vielleicht ernüchtert sein, wenn er entdeckt, daß ihm semantische Standardmethoden nicht zu Gebote stehen. (Beispiele: Wenn man die eben genannten finitistischen Prinzipien bejaht, kann man Zitate nicht als unstrukturierte singuläre Ausdrücke deuten; und adverbiale Theorien der Wahrnehmung oder der propositionalen Einstellungen sind nicht ausreichend, um die Postulierung wahrgenommener oder geglaubter Entitäten zu umgehen.)
Da wir gerade von Adverbien reden: Deren semantische Analyse ist ein Problem, das mich lange beunruhigt hat. Es ist nicht ohne weiteres klar, welcher semantischen Kategorie sie angehören. Wie es scheint, sind sie weder Namen noch Prädikate, und es ist nicht zu erkennen, inwiefern sie Funktionsausdrücke sein können, denn es gibt keine singulären Ausdrücke, an denen sie sich abarbeiten können. Dann bin ich zu dem Schluß gekommen, daß sie Adjektiven ähneln, was wiederum heißt, daß sie sich in semantischer Hinsicht wie Prädikate verhalten. Das ist aber nur möglich, wenn es Entitäten gibt, auf die sie zutreffen können. Dieser Gedankengang hat mich zu der Überzeugung gebracht, daß es solche Entitäten tatsächlich gibt, nämlich Ereignisse. Diese Vermutung kompliziert zwar die scheinbar einfache Struktur von Sätzen wie »Hanna schlug Hans«, aber sie löst eine Reihe von Problemen im Hinblick auf Handlungssätze und Sätze der Form »Hilde sah Klaus die Teller abwaschen«. Sie löst das Problem der logischen Form singulärer Kausalsätze wie »Der erste Schuß verursachte den Aufstand« in einer Weise, die genau parallel

ist zu Freges Lösung des Problems der Analyse von »vor« und »nach« in Sätzen wie »Der Streit kam nach ihrer Hochzeit«. Außerdem liefert sie eine natürliche Erklärung für das Verhältnis zwischen Sätzen wie »Dieter brach an der Tür zusammen« und »Dieters Zusammenbruch erfolgte an der Tür«. (Eine mögliche semantische Analyse des ersten Satzes wird durch den folgenden Ausdruck angedeutet: »Es gab ein Ereignis *x*, so daß *x* ein Zusammenbruch war, *x* von Dieter war und *x* an der Tür war«. Der zweite Satz wird zu »Es gab ein und nur ein Ereignis *x* ...«.)

Wenn eine Ontologie der Ereignisse die einzige Möglichkeit böte, eine befriedigende semantische Analyse dieser Sätze und der Beziehungen zwischen solchen Sätzen anzugeben, so wäre das meiner Meinung nach ein sehr einleuchtendes Argument für die These, daß es Ereignisse gibt. Zur Zeit steht nach meiner Überzeugung keine andere befriedigende Analyse zur Verfügung, obwohl Jonathan Bennett und andere Autoren in letzter Zeit Versuche unternommen haben, eine tragfähige Alternativtheorie aufzustellen. Aber einerlei, ob ich damit recht habe oder nicht – das Beispiel zeigt ganz deutlich, inwiefern semantische Überlegungen für ontologische Fragen relevant sind.

Die Behauptung, die ich eben aufgestellt habe, lautet: Wenn die Postulierung von Ereignissen die einzige Möglichkeit böte, eine befriedigende Semantik für eine Sprache anzugeben, so wäre damit ein sehr einleuchtendes Argument für die Existenz von Ereignissen genannt. Warum ist das so? Das einfachste, wenn auch keineswegs zwingende Argument ist das folgende: Wenn man ein schlichtes Gemüt hat und globale Formen der Skepsis außer acht läßt, fällt es schwer zu akzeptieren, daß *alle* Sätze über Ursache und Wirkung, über Früher und Später – also alle Sätze wie »Das Erdbeben letzte Nacht war schwächer als 7 auf der Richterskala« oder »Das Erdbeben letzte Nacht hatte eine Stärke von mindestens 7 auf der Richterskala« – falsch sind. Sofern wir nicht völlig im Irrtum sind über die Natur der Welt – und zwar nicht nur über die Gegenstände, die existieren, sondern auch über die Dinge, die mit ihnen geschehen –, müssen Ereignisse zum Mobiliar der Welt gehören – vorausgesetzt freilich, daß unsere Semantik richtig ist.

Es ist allerdings enttäuschend, wenn man nicht weitergeht und zeigt, daß eine richtige Semantik für irgendeine Sprache in groben Zügen die wahre Ontologie in den Griff bekommen muß. Diese Vorstellung habe ich tatsächlich einmal verfochten und zur Begründung angeführt, daß eine richtige semantische Interpretation einer Sprache derart sein muß, daß die Sprecher dieser Sprache für den Interpreten verständlich werden. Zu Recht, wie mir scheint, habe ich betont: Wenn die Bedeutungen der Wörter den Sätzen geschuldet sind, in denen sie vorkommen und die für wahr gehalten werden (sowie den Beziehungen zwischen diesen Sätzen und anderen Sätzen, die für wahr gehalten werden), dann ist die Menge der nach dem Urteil des Interpreten falschen Sätze, die er einem Sprecher zuschreiben kann, begrenzt. Einige, ja sogar recht viele Irrtümer kann man verständlich finden, aber nur wenn es im Hintergrund ein ausreichendes Maß an Übereinstimmung gibt. Die Grenzen stehen nicht fest, denn Verständlichkeit ist eine graduelle Sache. Dennoch scheint es auf der Hand zu liegen, daß verständliche Differenzen nicht so weit gehen können, daß die Wahrheit aller Sätze bestritten wird, die – sofern ich im Hinblick auf die Semantik recht habe – die Existenz von Ereignissen voraussetzen.

Bisher zielt die Argumentation nur auf den Nachweis ab, daß dann, wenn eine Person die Sprache einer anderen Person richtig interpretiert, zum Schluß grundlegende Übereinstimmung hinsichtlich der Ontologie erzielt werden muß, das heißt Übereinstimmung in bezug auf die Arten von existierenden Dingen. Doch warum soll es nicht passieren können, daß Interpret und Interpretierter den gleichen weitreichenden Irrtümern erlegen sind? Folgendes ist die Antwort, die mir seinerzeit gefiel und die mir nach wie vor im wesentlichen korrekt erscheint: Wenn wir uns einen allwissenden und methodologisch richtig verfahrenden Interpreten vorstellen, merken wir, daß er jeden Sprecher so interpretieren muß, daß seine Ansichten weitgehend korrekt sind. Wenn ein Interpret, der die Welt richtig erkannt hat und bei seinen Interpretationen richtig verfährt, nicht umhinkann, dem Sprecher großenteils richtige Überzeugungen zuzuschreiben, dann muß der Sprecher tatsächlich großenteils recht haben.

Mit diesem knappen Argument ist es, wie nicht anders zu erwarten, nicht gelungen, alle Skeptiker zu überzeugen, und man kann Verständnis für die Zweifler aufbringen. Um wenigstens einen Punkt zu nennen: Es ist nicht völlig klar, was der »allwissende« Interpret eigentlich wissen können soll. Nicht alles, denn sonst wüßte er, was der Sprecher glaubt, ohne den Prozeß der Interpretation bewältigen zu müssen, dessen Natur die substantielle Übereinstimmung zwischen dem Interpreten und dem Sprecher garantieren soll. Und wenn die genaue Beschaffenheit der Kenntnisse des allwissenden Interpreten tatsächlich angegeben werden kann, bleibt die Vagheit der Behauptung, der Sprecher müsse »weitgehend« recht haben. Wie weitgehend? Wie soll das Wesen der Interpretation, wenn man weiter ins Detail geht, die richtige Art von Übereinstimmung gewährleisten?

Wenn man eine etwas anschaulichere Darstellung verlangt, aus der hervorgeht, warum das richtige Verständnis eines Sprechers den Interpreten dazu zwingt, die Ansichten des Sprechers größtenteils richtig zu finden, stoßen wir auf zwei methodologische Prinzipien, die hier wirksam werden. Das erste betrifft das Muster der Überzeugungen, die der Interpret dem Akteur verständlicherweise zuschreiben kann. Um auf einen früher bereits genannten Punkt zurückzukommen: Der Interpret wird die semantische Interpretation eines vom Sprecher für wahr gehaltenen Satzes ablehnen, wenn dieser Satz durch die Interpretation zu einer offenkundigen Kontradiktion wird. Ferner wird der Interpret eine Interpretation mit Argwohn betrachten, bei der zwei vom Sprecher für wahr gehaltene Sätze einen Widerspruch ergeben. Generell muß er Interpretationen favorisieren, bei denen der Sprecher die gleichen Maßstäbe der Widerspruchsfreiheit und der Rationalität anlegt wie der Interpret selbst, obwohl es natürlich Gelegenheiten gibt, bei denen eine punktuelle Widersprüchlichkeit am ehesten dazu angetan ist, die Daten irgendwie unterzubringen. Der Sinn dieses Verfahrens sollte offensichtlich sein: Propositionen werden anhand der Position identifiziert, die sie im Kontext anderer Propositionen einnehmen. Wenn es so aussieht, als habe jemand eine Proposition zu weit aus ihrer Position entfernt, werden die Gründe dafür, sie als *diese* Proposition zu identifizieren, verlorengegangen sein.

Wir sind von der Semantik zur Ontologie geführt worden, und nun sind wir zu einer eng damit zusammenhängenden Wahrheit über Personen – ja, über alle Lebewesen, die denken können – gelangt. Sie besagt, daß es unmöglich ist, eine Kontradiktion zu *glauben*. In dieser Hinsicht können unsere Ansichten über die Welt nicht falsch sein. Es ist allerdings möglich, kontradiktorische Propositionen zu glauben. Man kann etwa glauben, eine Proposition *p* sei wahr, und ebenfalls glauben, daß die Negation von *p* wahr sei. Was man nicht glauben kann, ist, daß eine Proposition der Form [p und nicht p] wahr ist. Warum es sich so verhält, kann man unter anderem daran erkennen, daß es nichts gibt, was als angemessener Grund dafür gelten könnte, einer Person eine solche Überzeugung zuzuschreiben. Gedanken und Überzeugungen gehören zum Bereich der Rationalität. Ein beträchtliches Maß an Abweichungen von der Rationalität ist mit einem Grundbestand an Rationalität vereinbar. Doch je extremer die Abweichungen werden, desto weniger klar ist, wie man die Abweichungen beschreiben soll, und daher auch weniger klar, daß die Normen des Denkens in Kraft sind. Eine eindeutige und offenkundige Kontradiktion liegt jenseits der Grenze der Abweichungen. Hier ist der Begriff des Denkens nicht mehr anwendbar.

Natürlich ist es möglich zu *meinen*, daß man eine Kontradiktion glaubt. Heraklit hat das gemeint. Er hat sich aber geirrt.

Überlegungen der gleichen Art gelten für induktive Beziehungen zwischen Überzeugungen und folglich auch für Beziehungen zwischen interpretierten Sätzen, die der Akteur für wahr hält. Wenn ein Wort mannigfaltige Anwendungskriterien hat, können wir eine Interpretation dulden, die einige der Verbindungen lockert, solange genügend andere erhalten bleiben. Wenn wir von Tyler Burge dazu aufgefordert werden zu glauben, jemand, der sagt »Ich habe Arthritis in der Hüfte«, meine, daß er Arthritis in der Hüfte hat, ist Burge auf der Hut und stellt es so hin, als verwende sein Sprecher das Wort »Arthritis« in vielen anderen Situationen derart, daß wir seinen Wortgebrauch richtig fänden. (Selbst dann müßten wir jedoch annehmen, daß der Sprecher kein Griechisch versteht.)

Das zweite methodologische Prinzip hat nichts mit Widerspruchsfreiheit zu tun, sondern mit den kausalen Beziehungen zwischen dem Akteur und der Welt. Hier gibt es, je nach der Richtung der Kausalität, zweierlei Arten von Beziehungen: Das Handeln gibt Aufschluß über die Wirkungen der Gedanken eines Akteurs auf die ihn umgebende Welt, während Sinnesempfindungen die Wirkungen der Welt auf die Überzeugungen des Akteurs vermitteln. Das Prinzip besagt einfach, daß diese kausalen Zusammenhänge bei der Interpretation in Rechnung gestellt werden müssen. Wenn jemand durch Eulen, die er bei günstigen Lichtverhältnissen betrachtet, regelmäßig dazu veranlaßt wird, den Satz »Dort ist ein Federvieh« für richtig zu halten, dann lautet, sofern die übrigen Bedingungen mit dieser Interpretation in Einklang stehen, die beste Hypothese, daß der Sprecher das Wort »Federvieh« benutzt, um auf Eulen Bezug zu nehmen. Solche direkten Konditionierungen von Wörtern auf Gegenstände müssen die Grundlage korrekter Interpretationen bilden. Und wenn dem so ist, werden dem Sprecher durch die Interpretation eine Vielzahl wahrer Überzeugungen über Existierendes zugeschrieben.

Demnach hat es den Anschein, daß es sich mit der Wahrheit ähnlich verhält wie mit dem sprichwörtlichen Scheunentor, das man nicht verfehlen kann. Zumindest ist sie ein Tor, das zu verfehlen in den meisten Fällen ausgeschlossen ist.

4
Bedeutung, Wahrheit und Belege

Unsere Erkenntnis der Welt ist direkt oder indirekt abhängig von verzwickten und heiklen kausalen Sequenzen, die ausgehen von Ereignissen wie dem Vorbeihuschen eines Kaninchens oder einem Krampf im Magen und von dort weiter fortschreiten durch das Nervensystem, um schließlich in Überzeugungen zu enden. An welcher Stelle dieser Kette von Ursachen und Wirkungen stoßen wir auf die Sachen, die unseren Überzeugungen ihren spezifischen Inhalt und unseren Worten ihre Bedeutung verleihen? Für uns als hausbackene Realisten wäre es vorteilhaft, wenn wir imstande wären, auf das Kaninchen oder auf den Muskel als das zu zeigen, was natürlicherweise im Brennpunkt der Gedanken steht, die durch das Vorbeihuschen und den Krampf ausgelöst werden. Doch indem man dies lediglich feststellt, läßt man dem Zufall und unerklärten Erfindungen allzu großen Spielraum. Wie kann das bloße Feuern der Nerven, das doch so willkürlich mit Kaninchen und Muskeln in Verbindung steht, in Zuständen resultieren, von denen es heißt, sie handelten von Kaninchen und Muskeln? Eine verständliche Erklärung des Inhalts unserer Gedanken muß, wie es scheint, näher am Endpunkt beginnen. Was wir suchen sollten, ist vielleicht das geistige Rohmaterial der Gedanken: Empfindungen, Sinnesdaten, der formlose Stoff der Erfahrung. Doch dies ist ebenfalls eine ungewisse Spekulation, bei der man sich auf Phänomene beruft, die der Untersuchung und Beobachtung nicht unabhängig zugänglich sind, sondern um des Problems willen postuliert werden.

Ein von Quine brillant befürworteter, geschickter Kompromißvorschlag läuft darauf hinaus, Bedeutung und Inhalt mit dem Feuern der Sinnesnerven zu verknüpfen. Damit gelangt man so nahe, wie es die Wissenschaft gestattet, ans Endprodukt, also vermutlich an einen Gehirnzustand oder eine Veränderung im Gehirn, bleibt aber dennoch – zumindest im Prinzip – im Bereich des beruhigend Physischen und öffentlich Beobachtbaren. Die Abhängigkeit der Bedeutungen und Überzeugungen von Reizmustern ist ein Element, durch das Quines Erkenntnistheorie naturalistisch wird, und eben dadurch reiht sich Quine auch in die empiristische Tradition ein. Zugleich ist es eine Vorstellung, die Quine meines Erachtens allen ihren Verlockungen zum Trotz fallenlassen sollte. Gäbe er diese Vorstellung wirklich auf, würde daraus zwar nicht die Preisgabe des Naturalismus folgen, aber es würde den Verzicht auf das bedeuten, was nach der Absage an die ersten beiden Dogmen des Empirismus von diesem übrigbleibt.

Den Empirismus können wir – ebenso wie die übrigen Ismen – mehr oder weniger nach Gutdünken definieren, doch nach meiner Auffassung beinhaltet er nicht nur die farblose These, wonach alle Welterkenntnis durch die Vermittlung der Sinne zustande kommt, sondern außerdem die Überzeugung, daß dieser Umstand von hervorragender erkenntnistheoretischer Bedeutung ist. Durch die farblose Vorstellung als solche wird lediglich anerkannt, daß die Sinne bei der Vermittlung zwischen Gegenständen und Ereignissen in der Welt und unseren Gedanken und Äußerungen über diese Gegenstände und Ereignisse offensichtlich eine Rolle spielen. Durch den Empirismus werden die letzten Belege für diese Gedanken in diesem mittleren Schritt angesiedelt. (Diese Kennzeichnung wird in den folgenden Ausführungen noch modifiziert werden.)

In einer früheren Abhandlung habe ich geschrieben, Quine befürworte – wie es dort heißt – den Dualismus von Schema und Inhalt; ferner habe ich dort geltend gemacht, dieser Dualismus bilde das dritte Dogma des Empirismus.[1] Unter dem Schema habe ich mir dabei die Sprache vorgestellt mitsamt

1 Hier beziehe ich mich auf meinen Aufsatz »On the Very Idea of a Conceptual Scheme«.

der in ihr enthaltenen Ontologie und Welt-Theorie, während der Inhalt durch das gestalthafte Feuern der Neuronen dargeboten werde. So etwas wie der Begriff des uninterpretierten Inhalts sei nötig, habe ich dort argumentiert, um den Begriffsrelativismus begreiflich zu machen, und nach meiner dort vertretenen Auffassung bot der von Quine anstelle der Sinnesdaten gelieferte neurologische Ersatz die Basis für seinen Begriffsrelativismus. Hierauf replizierte Quine mit seinem Aufsatz »Der Kerngedanke eines dritten Dogmas«.[2]

Jetzt geht es mir allerdings nicht so sehr um Schemata und Begriffsrelativismus, sondern um das andere Glied der Dyade, nämlich um den Inhalt. Mit Bezug auf diesen Punkt war Quine – wie nicht anders zu erwarten oder gar zu erhoffen – unbußfertig. Vielmehr bestätigte er die Wichtigkeit einer wesentlich privaten Quelle der Belege: »Als Theorie der Belege bleibt uns der Empirismus jedoch erhalten, allerdings minus die beiden alten Dogmen. Das dritte, angebliche Dogma, das jetzt [...] mit Bezug auf verbriefte Überzeugungen aufgefaßt wird, bleibt unangetastet.«[3] Ich hatte Zitate aus Quines Schriften angeführt, in denen er sich auf das »Tribunal der Erfahrung« und dergleichen beruft, woraufhin er, wie recht und billig, darauf verwies, daß solche metaphorischen Aussagen in *Wort und Gegenstand* durch unverblümte Aussagen über Oberflächenreizungen und Beobachtungssätze ersetzt worden seien.

Nun wollen wir sehen, ob sich die Auseinandersetzung auf dem von Quine selbst gewählten Terrain führen läßt. Ich für

2 Quine, »On the Very Idea of a Third Dogma«, Übers. in: Quine, *Theorien und Dinge*. Quine begeht in seiner Replik den Fehler anzunehmen, meine Darstellung seines Dualismus von Schema und Inhalt involviere eine Trennung von Begriffsschema und Sprache. Dabei habe ich keineswegs an eine solche Trennung gedacht, sondern geltend gemacht, so etwas wie der Begriff des uninterpretierten Inhalts sei nötig, um den Begriffsrelativismus begreiflich zu machen. Außerdem glaubte ich in Quines Schriften mehr als nur eine Andeutung eines solchen Relativismus zu finden.

3 »Der Kerngedanke eines dritten Dogmas«, S. 56.

mein Teil bin gern bereit, Quines Charakterisierung des Empirismus zu akzeptieren: »Zwei Hauptthesen des Empirismus bleiben jedoch unangreifbar [...]. Die eine besagt, daß alle wirklichen Belege für wissenschaftliche Theorien nichts anderes sind als sinnlich gegebene Belege. Die andere [...] besagt, daß jegliches Einprägen von Wortbedeutungen letztlich auf sinnlich gegebenen Belegen beruhen muß.«[4] Ich gebe mein Wort darauf, daß ich das hier gebrauchte Wort »sinnlich« nicht mißdeuten werde; es soll sich also nicht auf etwas Psychisches und Subjektives beziehen. Gemeint ist lediglich, mit »den Reizungen unserer Außenflächen seien unsere Hinweise auf eine Außenwelt schon erschöpft«.[5] Die klarste von allen Äußerungen Quines ist womöglich die Behauptung, wonach »die Einwirkung von Lichtstrahlen und Molekülen auf unsere mit Sinnesorganen versehenen Außenflächen unsere einzige Quelle von Informationen über die Außenwelt ist«.[6] Daß Quine einmal vorschwebte, was ich den erkenntnistheoretischen Dualismus von Schema und Inhalt nenne, wird durch die folgende Stelle aus *Wort und Gegenstand* deutlich nahegelegt. Er schreibt:

> [W]ir können die Welt und den Menschen als Teil dieser Welt erforschen und so herausfinden, über welche Anhaltspunkte über die Vorgänge in seiner Umgebung er verfügt. Und indem wir diese Anhaltspunkte von der Weltsicht des Menschen subtrahieren, erhalten wir als Differenz das, was er selbst zu dieser Weltsicht beiträgt. Diese Differenz markiert das Ausmaß der begrifflichen Souveränität des Menschen: den Bereich, in dem er seine Theorie revidieren kann, ohne etwas an den Daten zu ändern.[7]

4 Quine, *Ontological Relativity and Other Essays*, S. 75 [Übers., S. 104 f.].
5 Quine, *Word and Object*, S. 22 [Übers., S. 53].
6 Quine, »The Nature of Natural Knowledge«, S. 68. Auf S. 75 schreibt Quine: »Die Reizungen der eigenen Sinnesrezeptoren sind letztlich die einzigen Belege, auf die man sich stützen kann, um zu seinem Weltbild zu gelangen.«
7 Quine, *Word and Object*, S. 5 [Übers., S. 23 f.]. Vgl. ferner: »Wenn wir nur vom Zeugnis unserer Sinne ausgehen, wie kommen wir dann zu unserer Theorie von der Welt? Körper sind in unseren Empfindungen nicht gege-

Die Anhaltspunkte oder Daten sind das, was ich mit dem Inhalt meine. Nach meiner Auffassung gibt es einen Begriff wie den der letzten Belege gar nicht, und daher steht uns das Verfahren der Subtraktion, das die Vorstellung alternativer Schemata legitimieren würde, nicht zu Gebote.

Keines dieser Zitate führt jedoch zu einer wirklichen Entscheidung über die Angelegenheit, denn es ist keineswegs offensichtlich, daß der Begriff der Belege tatsächlich grundlegend ist für Quines Theorie. Trotz der offenbaren Tendenz der angeführten Zitate kann es sein, daß Quines offizielle Theorie nichts enthält, was voll und ganz die Rolle der Belege oder der letzten Daten spielt.

Quines Buch *Die Wurzeln der Referenz* enthält einen Abschnitt, der dazu beiträgt, die Auseinandersetzung deutlicher zu formulieren.[8] Im Zuge seiner Skizze des Spracherwerbs geht Quine auf die Untersuchung der Beziehung zwischen Sprache und Beobachtung ein. Diese Beziehung hat zwei Aspekte: einen erkenntnistheoretischen Aspekt, »durch den die in der Theorie behaupteten Sätze ihre Stützung erhalten«, und einen semantischen Aspekt, bei dem es sich um die Beziehung handelt, durch die Sätze ihre Bedeutungen erhalten. »[...] man lernt die Sprache, indem man Termini zu den Beobachtungen in Beziehung setzt, die zu ihnen Anlaß geben. Dieser Lernvorgang ist nun etwas Handfestes, der empirischen Wissenschaft Zugängliches. Durch seine Untersuchung kann die Wissenschaft faktisch die Beziehung zwischen der Wissenschaft selbst und den Beobachtungen, die zu ihrer Bestätigung dienen, untersuchen.« Auch an dieser Stelle scheint die Vorstellung von Schema und Inhalt wirksam zu sein. Aber ob hier etwas vorliegt, wogegen man vernünftige Einwände erheben könnte, ist nicht klar. Gegen die empirische Untersuchung der Art und

ben, sondern werden lediglich aus ihnen erschlossen« (Quine, *The Roots of Reference*, S. 1 [Übers., S. 15]).

8 *The Roots of Reference*, § 10. Die im folgenden angeführten Zitate stammen alle aus diesem Abschnitt.

Weise, in der wir zu den Ansichten gelangen, die wir wirklich vertreten, hat sicher niemand etwas einzuwenden.

Zunächst scheint alles unkompliziert zu sein. »Das Lernen durch Hinweis«, lesen wir, »ist grundlegend und erfordert die Beobachtbarkeit. Kind und Elternteil müssen beide Rot sehen, wenn das Kind ›rot‹ lernt, und einer muß auch sehen, daß der andere zu der Zeit etwas Rotes sieht.« Diese einfache Dreiecksanordnung, die aus den zwei Akteuren und einem gemeinsam beobachteten Gegenstand besteht, ist in der Tat grundlegend, und ich werde in Kürze auf sie zurückkommen. Aber was gilt bei diesem Szenario als Beleg? Ist es das Sehen von etwas Rotem, also das Empfindungserlebnis? Oder ist es vielmehr das Ereignis des Sehens von etwas Rotem, also der Vorgang, der zum Haben einer propositionalen Einstellung führt? Quine ist so klug, sich für keine dieser beiden Möglichkeiten zu entscheiden: Sein Vorschlag lautet, wie er sagt, man sollte aufhören, von der Beobachtung zu reden, und statt dessen von Beobachtungssätzen sprechen, wie zum Beispiel »Dies ist rot« und »Da ist ein Kaninchen«. Solche Sätze berichten nicht über Beobachtungen; im allgemeinen handeln sie nicht von Empfindungen oder Erlebnissen, sondern von den Gegenständen, die in unserer Welt-Theorie Bürgerrecht genießen. Die Beobachtungssätze stehen am »Beobachtungsende« der Sprache und kommen daher dem am nächsten, was als Belegmaterial gilt. Aber was das ist, was die Theorie untermauert und Sätzen ihre Bedeutung verleiht, haben wir noch nicht ausfindig gemacht. Ich glaube, Quine gibt an keiner Stelle eine direkte Antwort auf die Frage, worin die Belege bestehen, auf die unsere Welt-Theorie angewiesen ist. Aber vielleicht ist die Antwort in der Definition des Beobachtungssatzes enthalten. Nach Quines Definition ist ein Satz insoweit ein Beobachtungssatz, als sein Wahrheitswert bei jeder Gelegenheit von nachgerade jedem Mitglied der Sprachgemeinschaft, das dieser Gelegenheit beiwohnt, übereinstimmend beurteilt würde. Dem fügt Quine hinzu, anstatt vom gemein-

samen Einer-Gelegenheit-Beiwohnen zu reden, wäre es präziser, von Zeugen zu sprechen, die im Hinblick auf ihre Rezeptoren ähnlichen Einwirkungen – das heißt also ähnlichen Mustern neuronalen Feuerns – ausgesetzt sind. Quine räumt ein, daß es hinsichtlich des interpersonellen Vergleichs solcher Muster Probleme gibt, aber er behauptet, die Definition sei, was Verhaltensbegriffe anlangt, ausreichend.[9]
Dies ist noch nicht Quines letztes Wort zu diesem Thema, denn in neuerer Zeit hat er in die Definition des Beobachtungssatzes eine wichtige Veränderung eingebracht. Das kommt nicht überraschend, denn die ursprüngliche Definition enthält einen heiklen Punkt: die Abhängigkeit von der Vorstellung zweier Sprecher, die derselben Sprachgemeinschaft angehören. In *Die Wurzeln der Referenz* und in *Ontologische Relativität* war diese Vorstellung mit folgenden Worten auf das Verhalten bezogen worden: »Man kann die Zugehörigkeit zu einer Sprachgemeinschaft an der bloßen Zwanglosigkeit der Unterhaltung erkennen, selbst wenn man die Sprache gar nicht beherrscht.«[10] Dieses Kriterium ist einerseits durch Zirkularität und andererseits durch Widersprüchlichkeit bedroht. Durch Zirkularität ist es bedroht, weil der Zweck der Einführung von Beobachtungssätzen weitgehend darin besteht, die Bedingungen anzugeben, die von einem akzeptablen Übersetzungsmanual erfüllt werden müssen, während eine einleuchtende Definition der Zugehörigkeit eines Sprechers zu einer gegebenen Sprachgemeinschaft besagt, daß Übersetzungsmanuale, die bei der Gemeinschaft ihre Aufgabe erfüllen, auch bei ihm funktionieren. Durch Widersprüchlichkeit ist es aus folgendem Grund bedroht: Wenn die Leichtigkeit des Dialogflusses ein unabhängiges

9 Diese Kennzeichnung der Beobachtungssätze entspricht im wesentlichen der in *Word and Object* (S. 43 [Übers., S. 87]) und *Ontological Relativity* (S. 86f. [Übers., S. 120f.]).

10 *The Roots of Reference*, S. 39 [Übers., S. 64]; *Ontological Relativity*, S. 86f. [Übers., S. 120f.].

Kriterium ist, kann es sein, daß sich bei seiner Anwendung nicht dieselben Resultate ergeben wie bei einem Verfahren gemäß der Erklärung der radikalen Übersetzung (es ist also möglich, daß ein flüssiger Dialog zwischen Sprechern stattfindet, bei denen nicht dieselben Übersetzungsmanuale funktionieren).

Jedenfalls ist es so, daß Quine das soziale Kriterium der Beobachtungssätze offenbar zugunsten des folgenden fallengelassen hat: »Sofern die Infragestellung des Satzes den betreffenden Sprecher bei einer Gelegenheit zur Zustimmung veranlaßt, wird sie ihn auch bei jeder anderen Gelegenheit zur Zustimmung veranlassen, bei der dieselbe Gesamtmenge von Rezeptoren in Erregung versetzt wird [...]. Ausschließlich hierdurch erlangen Sätze den Status von Beobachtungssätzen.«[11] Mir scheint, daß diese Kennzeichnung der Beobachtungssätze zwar weniger deutlich zwischen ihnen und sonstigen Gelegenheitssätzen unterscheidet, den anderen Kennzeichnungen aber insofern überlegen ist, als sie nicht voraussetzt, daß der Begriff einer Sprachgemeinschaft klar ist, ehe der Bedeutungsbegriff erklärt ist.

Es liegt auf der Hand, daß sinnlich wahrnehmbare Auslöser in Quines Theorie der Bedeutung und der Belege eine maßgebliche Rolle spielen, doch es fragt sich, welches eigentlich genau ihre Rolle ist. Eine Antwort lautet, wie wir bereits festgestellt haben, daß das Feuern der die sinnliche Wahrnehmung betreffenden Neuronen ein wesentliches kausales Bindeglied ist zwischen Ereignissen in der Welt und der Bildung zahlreicher Überzeugungen. Eine weitere Antwort besagt,

11 *Theories and Things*, S. 25 [Übers., S. 40]. Eine spätere Lesart lautet: »Ein Beobachtungssatz in meinem unproblematischen Sinn dieses Ausdrucks ist eben jeder Satz, den wir allmählich mit einem gewissen Bereich von Reizungen in Verbindung gebracht haben und bei dem wir nunmehr entschieden genug bereit sind, das Vorkommen einer solchen Reizung als Bestätigung der Wahrheit des Satzes gelten zu lassen [...] die Reizung ist ausschlaggebend für die Wahrheit des Satzes bei der Gelegenheit der Reizung.« Quine, »Meaning, Truth, and Reference«.

daß das Konditionieren der Sätze auf Sinnesreizungen beim Lernen einer Sprache ausschlaggebend ist. Durch diese Feststellungen – die in der gegebenen Formulierung kaum mehr sind als Binsenweisheiten – wird nicht entschieden, welches der Zusammenhang ist zwischen Sinnesreizungen und Belegen, und daher wird auch die genaue Beschaffenheit von Quines Empirismus nicht durch sie festgelegt. Erforderlich ist vielmehr eine Beschreibung, aus der hervorgeht, *wie* Sinnesreizungen die Bedeutung – den Inhalt – der Beobachtungssätze bestimmen.

Demnach können wir einer Beantwortung der Frage nach den für das Belegmaterial konstitutiven Faktoren aus dem Weg gehen und statt dessen die Frage aufwerfen, was denn bestimmend sei für die Bedeutung der Beobachtungssätze. Daß die Sinnesreizungen die Belege seien, können wir nicht sagen, denn normalerweise wird der betreffende Akteur sie weder beobachten noch über sie Bescheid wissen. Ebensowenig können wir sagen, die Sinnesreizungen lieferten die Belege, denn die durch die Reizungen hervorgerufenen Überzeugungen und die mit ihnen einhergehenden sprachlichen Dispositionen sind keine Basisbelege, sondern beruhen ihrerseits auf solchen Belegen. Wie es scheint, gibt es gar nichts, was man zu Recht als die Belege bezeichnen könnte. Da kommt es vielleicht überraschend, daß das auch nicht sonderlich wichtig ist. Nach Quines Auffassung braucht sich die Theorie der Belege nicht um die Belege zu kümmern; sie kann sich damit begnügen, die Beziehungen zu untersuchen, die zwischen den Sinnesreizungen und der Bedeutung der Beobachtungssätze bestehen, deren Bejahung und Verneinung durch die Reizungen ausgelöst werden.

Die Bedeutung eines Beobachtungssatzes ist dessen Reizbedeutung. Die Reizbedeutung eines Satzes S für einen Sprecher ist, mit hinreichender Annäherung formuliert, das geordnete Paar, das aus der Menge der Reizmuster, die Zustimmung zu S auslösen würden, sowie aus der Menge der Reize besteht, die

Ablehnung von S auslösen würden.[12] Nun ist es nicht so, als wäre Quine sonderlich interessiert daran, eine Entität aufzuspüren, die als Bedeutung zu bezeichnen lohnend wäre; der Begriff der Reizbedeutung erfüllt seine Aufgabe, indem er ein Kriterium der Bedeutungsgleichheit liefert. Zwei Beobachtungssätze haben dieselbe Bedeutung für einen Sprecher, sofern die Reizmuster, welche Ursache für die Bejahung des einen Satzes sind, auch Zustimmung zu dem anderen bewirken; Entsprechendes gilt für die Ablehnung. Der Beobachtungssatz S des einen Sprechers hat dieselbe Bedeutung wie der Satz T eines anderen Sprechers, wenn die auslösenden Muster annähernd gleich sind. Das ist die Grundlage der radikalen Übersetzung.

Wenn ich hier dermaßen ausführlich auf etwas eingegangen bin, was für jeden, der sich mit Quines Arbeiten beschäftigt hat, klar ist, so liegt das daran, daß ich die Aufmerksamkeit auf den Unterschied lenken möchte, der zwischen der bisher erörterten Erklärung der Bedeutung und der Belege und einer anderen Erklärung besteht, die ebenfalls in Quines Schriften zu finden ist, und zwar oft in denselben Büchern und Artikeln, aus denen ich bislang zitiert habe. Es mag sein, daß der Unterschied zwischen diesen beiden Erklärungen nicht wichtig erscheint, doch ich werde Gründe nennen für die Ansicht, daß der Charakter von Quines Empirismus davon abhängt, welche dieser Erklärungen man akzeptiert.

Die Alternativtheorie der Bedeutung und der Belege läuft einfach darauf hinaus, daß die Ereignisse und Gegenstände, die die Bedeutung der Beobachtungssätze bestimmen und eine Theorie der Belege liefern, eben die Ereignisse und Gegenstände sind, von denen diese Sätze gemäß einer natürlichen und korrekten Interpretation handeln. Dieser in Quines Arbeiten häufig vorkommende Gedanke geht manchmal mit den Ausführungen über die Sinnesreizungen einher und

12 *Word and Object*, S. 32f. [Übers., S. 69ff.].

manchmal nicht. Das folgende Zitat über das hinweisende Lernen aus *Die Wurzeln der Referenz* habe ich bereits angeführt: »Sowohl das Kind als auch der Erzieher müssen Rot sehen, wenn das Kind ›rot‹ lernt, und der eine von ihnen muß außerdem sehen, daß der andere zu diesem Zeitpunkt etwas Rotes sieht.« Vielleicht heißt »etwas Rotes sehen« nichts weiter, als daß Licht auf die richtigen Netzhautzäpfchen fällt; aber dann ist nicht mehr klar, wie der Erzieher sehen kann, daß das Kind Rot sieht. Daher nehme ich an, daß »Rot sehen« an dieser Stelle soviel bedeuten muß wie »etwas (Öffentliches) sehen, das rot ist«. Der gleiche Ton wird auch in einem erst kürzlich veröffentlichten Artikel angeschlagen. Die Beobachtungssätze sind, wie Quine dort schreibt, »ziemlich stark abhängig von der gleichzeitigen öffentlich wahrnehmbaren Situation«.[13] Deutlich wird dieser Gedanke auch in einem Vortrag vermittelt, den Quine 1974 in Oxford gehalten hat:

> Betrachten wir den Fall, in dem wir dem Kleinkind ein Wort beibringen, indem wir sein zufälliges Plappern bei einer geeigneten Gelegenheit verstärken. Seine Zufallsäußerung ähnelt zufälligerweise einem in dieser Situation passenden Wort, und wir belohnen das Kind. Bei dieser Gelegenheit muß es sich um einen Gegenstand oder um eine Reizquelle handeln, die wir ebenso wie das Kind selbst zu bemerken in der Lage sind. Außerdem müssen wir imstande sein zu beobachten, daß das Kind in der Lage ist, diese Sache zu bemerken. [...] Die einzigen Fixpunkte sind der gemeinsame Reiz und das Wort. [...] Die Gelegenheiten, die den Satz wahr machen, werden intersubjektiv erkennbar sein müssen.[14]

Hier kann sich der Reiz nicht am oder im Nervensystem befinden, denn er ist ja mehreren gemeinsam, und man braucht keine spezielle Position einzunehmen, um ihn zu erkennen. Freilich, der Ort, an dem ein Reiz anzusiedeln ist, steht natürlich nicht eindeutig fest. Wir können ihn an nahezu beliebiger Stelle in der Kausalkette plazieren, die von ganz weit draußen

13 »Indeterminacy of Translation Again«, S. 6.

14 »Mind and Verbal Dispositions«, S. 83 f. und 88. Der gleiche Gedanke findet sich auch in *Ontological Relativity*, S. 28 [Übers., S. 43 f.] und 81 [113].

bis zu den verschiedenen Teilen des Zentralnervensystems führt. Quine bietet uns die Wahl zwischen zweien der möglichen Orte: entweder an den Sinnesrezeptoren oder an den Gegenständen und Ereignissen, von denen unsere Beobachtungssätze im typischen Fall handeln. Selbstverständlich gibt es bei der Erklärung des Lernens – einschließlich des Lernens der Sprache – keinen Widerspruch bei der Anerkennung der Rolle aller möglichen relevanten Kausalfaktoren. Es macht jedoch einen gewaltigen Unterschied, ob Bedeutung und Belege mit dem proximalen oder mit dem distalen Reiz verknüpft werden. In Erinnerung an eine gewisse Tradition wollen wir die beiden resultierenden Theorien der Bedeutung und der Belege die *proximale* beziehungsweise die *distale Theorie* nennen.

Nun wollen wir die Problematik klarstellen: Die Analyse sowohl der Bedeutung als auch der Belege ist bedeutungsabhängig; daher können wir unsere Aufmerksamkeit auf die Frage beschränken, wie die Bedeutung – insbesondere auf der untersten Stufe (»Guck mal, ein Kaninchen!«, »Das ist rot«) – bestimmt wird. Der Witz des Bedeutungsbegriffs liegt in der Synonymie, also in der Gleichheit der Bedeutung, ob es sich um die Gleichheit der Bedeutung verschiedener Sätze für denselben Sprecher oder für verschiedene Sprecher handelt oder um die Gleichheit der Bedeutung ein und desselben Satzes für verschiedene Sprecher. Die interpersonale Bedeutungsgleichheit ist von diesen Fällen bei weitem der wichtigste und aufschlußreichste, denn er ist es, der für die Kommunikation erforderlich ist. Welches nun also der Unterschied zwischen proximalen und distalen Theorien sein mag, er wird aus der Antwort hervorgehen, die jede dieser Theorien auf die Frage gibt, wann (dieselben oder verschiedenen) Sätze für zwei Personen die gleiche Bedeutung haben. Kurz gesagt: Der Unterschied wird sich zeigen, sobald wir zur radikalen Übersetzung kommen.

Nach der proximalen Theorie, die zumindest bis vor kurzem

Quines offizielle Theorie gewesen zu sein scheint, haben Sätze die gleiche Bedeutung, wenn ihnen die gleiche Reizbedeutung zukommt, also wenn Zustimmung und Ablehnung von den gleichen Reizmustern ausgelöst werden. In einem solchen Fall können wir von Reizsynonymie reden. Bei der Übersetzung von Sätzen, die keine Beobachtungssätze sind, ist die Reizsynonymie nicht unmittelbar von sonderlichem Nutzen, doch im Hinblick auf Beobachtungssätze leistet sie in etwa, was geleistet werden kann, und sie liefert die Grundlage jeglicher Übersetzung überhaupt.

Die distale Theorie dagegen beruht in erster Linie auf gemeinsamen Ursachen, die für den Sprecher wie für den Interpreten, für den Schüler wie für den Lehrer ins Auge springen. Die gleichen Bedeutungen sind ihnen dann gemeinsam, wenn die gleichen Ereignisse, Gegenstände oder Situationen Zustimmung und Ablehnung bewirken oder bewirken würden. Als radikaler Interpret gehe ich so vor, daß ich die sprachlichen Reaktionen eines Sprechers zu Veränderungen in der Umwelt in Beziehung setze. Nachdem ich einen kausalen Zusammenhang erschlossen habe, übersetze ich diese sprachlichen Reaktionen sodann durch einen eigenen Satz, zu dessen Akzeptierung oder Ablehnung ich durch dieselben Umweltveränderungen veranlaßt werde. Dies ist die distale Theorie in ihrer schlichtesten Form, in der sie verschiedenen recht offensichtlichen Kautelen unterliegt.

Stehen die beiden Theorien in Widerstreit miteinander? Läge der Erfolg, ja die Wahrheit der Weltsicht einer Person zur Gänze in ihrer Fähigkeit, Muster der Sinnesreizung zu ordnen und zu prognostizieren, bestünde kein Unterschied. Vielleicht ist es in etwa dieser Gedankengang, der Quine dazu angeregt hat, die gewöhnlichen physischen Gegenstände »Setzungen« zu nennen und ihre Existenz als »Hypothese« zu bezeichnen.[15] Da die Reizungen unserer Sinnesorgane

15 *Word and Object*, S. 22 [Übers., S. 53].

»schon alles sind, worauf wir uns stützen können«, und da sie »die Gesamtheit unserer Belege« bilden, können wir von den Setzungen nichts weiter verlangen, als daß sie die Reizungen in nützlicher und unkomplizierter Weise ordnen. So stellt Quine die Frage: »Was beansprucht unsere wissenschaftliche Gesamttheorie eigentlich im Hinblick auf die Welt zu sagen? Sie behauptet doch nur, die Welt sei irgendwie so strukturiert, daß die Reizsequenzen gewährleistet sind, die wir aufgrund unserer Theorie zu erwarten haben. Konkretere Forderungen berühren unsere wissenschaftliche Theorie als solche nicht unmittelbar.«[16]

Diese Aussage ist Quines Erwiderung auf Barry Strouds besorgte Überlegung, es könne doch geschehen, daß »die Welt in ihrer allgemeinen Form völlig verschieden sei von der Art und Weise, in der wir sie uns aufgrund der Einwirkungen auf unsere Sinne und aufgrund unseres inneren Aufbaus vorstellen«.[17] Darauf gibt Quine zur Antwort, dieser Unterschied sei belanglos. Da Beobachtungssätze »holophrastisch auf Reizungen konditioniert« seien, werden alle Verbindungen zwischen Sätzen und Beobachtungsbelegen unverändert bleiben. Veränderungen, die der Interpret in der dem Sprecher zugeschriebenen Ontologie vornehmen könnte, würden lediglich die Unerforschlichkeit des Bezugs bestätigen. »Die Gegenstände oder Werte der Variablen dienen nur als Knoten in einem sprachlichen Netz, dessen *termini a quis et ad quos* Beobachtungen sind, also Reizgelegenheiten.« Vom Standpunkt des Subjekts wäre nichts geschehen, was sich ausfindig machen ließe. »Bewahre die Struktur, und du wirst alles bewahren.«[18]

Ist das jedoch richtig? Nun möchte ich mich von der Argumentation Strouds lösen, um meinen eigenen Weg zu verfolgen, und dabei wollen wir uns vorstellen, daß jemand, der ein

16 »Reply to Stroud«, S. 474.
17 Stroud, »The Significance of Naturalized Epistemology«, S. 457.
18 »Reply to Stroud«, S. 473 f.

Warzenschwein vorbeitraben sieht, genau dasselbe Reizmuster hat, wie ich es habe, wenn ein Kaninchen zu sehen ist. Ferner wollen wir annehmen, daß der Einwortsatz, dem zuzustimmen er durch das Warzenschwein angeregt wird, »Gavagai!« lautet. Indem ich mich an die Reizbedeutung halte, übersetze ich sein »Gavagai!« durch mein »Guck mal, ein Kaninchen!«, obwohl ich nur ein Warzenschwein und kein Kaninchen sehe, wenn er sagt und (nach der proximalen Theorie) glaubt, dort sei ein Kaninchen. Die Annahme, die zu dieser Konklusion führt, ist nicht absurd, sondern es handelt sich schlicht um einen anders gestalteten Sinnesapparat. Schon das Vorliegen eines Astigmatismus wird manche Beispiele hierfür liefern, und bei Taubheit ergeben sich andere Beispiele. Grüne Marsmännchen und -weibchen, die ähnlich wie Fledermäuse verfahren und Gegenstände durch Sonar orten, stellen einen extremeren Fall dar, während die von wahnsinnigen Wissenschaftlern gesteuerten Gehirne im Tank jede beliebige Welt herbeirufen können, nach der uns oder ihnen der Sinn steht. Nach der proximalen Theorie wird sich jeder dieser Sprecher in gewissem Maße irren hinsichtlich der Welt, wie sie von einem normalen Interpreten aufgefaßt wird – das Gehirn im Tank kann sich in dem Maße irren, wie Stroud es befürchtet hat. Doch jeder verfügt über eine Theorie, die seinen Empfindungen ihre Struktur bewahrt. Da kann man schon einsehen, warum M. J. Cresswell gegen Quine den Vorwurf erhoben hat, bei diesem gebe es ein Reich reifizierter Erfahrungen oder Erscheinungen, welches einer unerforschlichen Realität gegenüberstehe. Auf diesen Vorwurf Cresswells hat Quine wie folgt geantwortet: »Damit hat meine naturalistische Auffassung keine Ähnlichkeit. Bei mir gibt es Kräfte, die von realen Gegenständen der Außenwelt auf unsere Nervenenden einwirken, und nach meiner Darstellung lernen wir Sätze über reale Gegenstände der Außenwelt.«[19]

19 »Replies to eleven essays«, S. 181 (»Replik auf M. J. Cresswell«, S. 219).

Quine begnügt sich weder mit einem – sei es reifizierten oder nicht reifizierten – Reich der Erfahrungen oder Erscheinungen, noch gilt ihm die Realität als unerforschlich. Doch es gibt bei ihm in der Tat das Reich der Sinnesreizungen und außerdem ein Reich der Gegenstände, mit Bezug auf die man sich – vom Standpunkt eines anderen gesehen – gründlich irren kann. Die von Quines Naturalismus vorausgesetzten kausalen Verbindungen zwischen äußeren Situationen und Reizen bieten, sofern wir uns an die proximale Theorie halten, keine Gewähr dafür, daß unsere Sicht der öffentlichen Welt auch nur in groben Zügen zutrifft. Jeder Sprecher darf sich zwar damit zufriedengeben, daß seine Sicht die wahre ist, da sie mit allen seinen Reizen in Einklang steht, doch sobald er merkt, wie umfassend und aus welchen Gründen die anderen im Irrtum sind, fällt es schwer zu glauben, daß er nicht auf die Idee käme, sich zu fragen, ob er selbst überhaupt recht habe. Dann würde er sich womöglich auch fragen, was es eigentlich heißen könnte, hier recht zu haben.

Falls die Schwierigkeit, auf die ich bei der proximalen Theorie stoße, sehr nach altmodischem Skeptizismus der Sinneserfahrung klingt, sollte das keine Überraschung auslösen. Obwohl Quine Sinnesdaten ebenso preisgibt wie die Reduktion der theoretischen Ausdrücke auf Beobachtungsausdrücke, führt seine proximale Erklärung der Bedeutung und der Belege in mehr oder weniger der gleichen Weise wie frühere Theorien zum Skeptizismus. Der Grund besteht darin, daß der Skeptizismus weder auf der Annahme von Sinnesdaten noch auf reduktionistischen Voraussetzungen beruht, sondern auf der sehr viel umfassenderen Vorstellung, die empirische Erkenntnis verlange einen erkenntnistheoretischen Schritt zwischen der Welt, wie wir sie auffassen, einerseits und unserer Auffassung andererseits; und ebendiese Vorstellung steckt im Kern von Quines proximaler Theorie. Eine Berufung auf den Naturalismus wird da nichts nützen, denn indem man an den Naturalismus appelliert, appelliert man an die Wissenschaft in der uns bekannten Gestalt, und wenn die proximale Theorie mit zur Wissenschaft gehört, zeigt uns die Wissenschaft, daß wir keine Gründe haben können für die Behauptung, unsere Theorie der Welt tauge mehr als die unseres Nachbarn, obwohl wir vielleicht in der Lage sind zu zeigen, daß die Theorie des Nachbarn grundverkehrt ist, sofern unsere eigene zutrifft.

Auf diese Sachlage kann man reagieren, indem man die Meinung vertritt, die Wahrheit sei immanent in dem Sinne, daß ein Satz des anderen für ihn selbst wahr sein könne, obwohl er, wenn ich ihn korrekt übersetze, einen für mich falschen Satz ergibt. Der andere wird mir dieses Urteil natürlich in gleicher Münze heimzahlen. Das ist keine Relativität der Wahrheit der vertrauten und unvermeidlichen Art, bei der die Wahrheit der Sätze auf eine Sprache relativiert wird, sondern eine weitergehende und davon unabhängige Relativierung auf Individuen, die eine Sprache sprechen, die – vom Standpunkt der proximalen Theorie – vielleicht (vielleicht aber auch nicht) dieselbe ist. Unser Beispiel des Fremdsprachigen, der durch Reizmuster, die mich zur Bejahung von »Guck mal, ein Kaninchen!« veranlassen, zur Bejahung von »Gavagai!« bewogen wird, ist ein Fall, in dem ein in der Fremdsprache wahrer Satz in Einklang mit der proximalen Theorie in einen in meiner eigenen Sprache falschen Satz übersetzt wird (denn der Fremde bejaht »Gavagai!« nur dann, wenn ich von »Guck mal, ein Kaninchen!« Abstand nehme, und umgekehrt). Außerdem können wir uns einen Fall vorstellen, in dem zwei Personen (wieder gemäß der proximalen Theorie) mit allen ihren Sätzen dasselbe meinen, obwohl es vorkommt, daß ein Satz für den einen Sprecher wahr ist, während dieselben äußeren Umstände ihn für den anderen falsch machen. Hier ist zu beachten, daß diese Konklusion weder durch eine der von Quine erörterten verschiedenen Arten der Übersetzungsunbestimmtheit tangiert wird noch ihrerseits eine Form der Übersetzungsunbestimmtheit darstellt: Durch die Relativität der Wahrheit, die eine Bedrohung für die proximale Theorie darstellt, wird keine neue Unbestimmtheit ins Spiel gebracht.

Über die Immanenz der Wahrheit hat Quine mitunter Dinge gesagt, die ein wenig geheimnisvoll anmuten, aber gegen den Relativismus hat er sich oft beherzt geäußert. Darin liegt kein Widerspruch, denn die geheimnisvollen Äußerungen beziehen sich auf empirisch äquivalente, aber logisch unvereinbare Theorien, und hier betrifft die Immanenz nicht die Beobachtungssätze, sondern den theoretischen Teil der Sprache. Von einer solchen Immanenz kann man nicht annehmen, durch sie werde die Wahrheit in schädlichem Sinne relativiert, denn dabei geht es ja nur um verschiedene Theorien, die von ein und derselben Person in Betracht gezogen werden – und dies ist ein Fall, den wir auf derselben Ebene einstufen können wie die Möglichkeit der Wahl zwischen verschiedenen Sprachen.[20] Im Gegensatz dazu betrifft die hier betrachtete Problematik – also der Unterschied zwischen proximaler und distaler Bedeutungstheorie – die Bedeutung und die Wahrheitsbedingungen von Beobachtungssätzen; und diese Problematik ergibt sich nicht im Hinblick auf einen einzelnen Akteur, der seine Theorie oder Sprache wählt, sondern im Hinblick auf verschiedene Sprecher, deren reizsynonyme Sätze in puncto Wahrheitswert nicht übereinstimmen.

Den Gegensatz zwischen dem proximalen und dem distalen Ansatz der Bedeutungserklärung kann man als einen Gegensatz auffassen zwischen einer Bedeutungstheorie, die den Belegen Vorrang einräumt, und einer Bedeutungstheorie, welche die Wahrheit für primär erachtet. Quine setzt die Belege, wie wir gesehen haben, zwar nicht mit Sinnesreizungen gleich, doch er erblickt die Aufgabe der Sinnesreize darin, die Reizbedeutung im Sinne eines Verfahrens zur Bindung der Bedeutung an die Belege zu definieren, während die Bedeu-

20 Siehe *Theories and Things*, S. 21f. und 29f. [Übers., S. 35f. und 45f.]; Hahn und Schilpp (Hg.), *The Philosophy of W. V. Quine*, S. 156f.

tung bei einer distalen Theorie unmittelbar mit den Bedingungen verknüpft wird, durch die Sätze intersubjektiv wahr oder falsch gemacht werden. In dieser Hinsicht ergreift Quine in seiner Rezension eines von Gareth Evans und John McDowell herausgegebenen Buches die Partei Michael Dummetts und spricht sich gegen den Ansatz aus, der die Bedeutungstheorie an Wahrheitsbedingungen ausrichten will.[21] Diese Art, den Gegensatz zu formulieren, ist natürlich viel zu simpel, denn jede Bedeutungstheorie muß die Bedeutung sowohl zur Wahrheit als auch zu den Belegen in Beziehung setzen; und wie sich an Dummett und Putnam zeigt, ist es möglich, dem Wahrheitsbegriff selbst einen erkenntnisbezogenen Drall zu geben. Doch es bleibt richtig, daß sich Quine, Putnam und Dummett bezüglich der Frage, ob in einer Bedeutungstheorie die Wahrheit oder die Belege Vorrang haben sollten, mit ungefähr gleichlautenden Formulierungen festgelegt haben, und alle drei haben für die letztere Möglichkeit votiert.[22]

Wie inzwischen deutlich geworden sein dürfte, halte ich dies für einen Fehler. Ich halte es für einen Fehler, weil die Fundierung des Bedeutungsbegriffs durch Belege notwendig zu den Schwierigkeiten der proximalen Theorien führt, nämlich zu einem mit Bezug auf Einzelpersonen relativierten Wahrheitsbegriff und zum Skeptizismus. Egal, wie man die proximalen Theorien ausschmückt, in ihrem Geist und in ihren Konsequenzen sind sie cartesianisch.

Der einzige klare Belegbegriff ist der Begriff einer Beziehung zwischen Sätzen oder Überzeugungen, also der Begriff der Untermauerung durch Belege. Sofern es nicht möglich ist, ei-

21 Siehe Quines Rezension von Evans und McDowell (Hg.), *Truth and Meaning*.

22 Was Quines Entscheidung betrifft, vgl. die in der vorigen Anmerkung genannte Rezension, S. 229. Putnams Wahl wird deutlich in seinem Buch *Meaning and the Moral Sciences*, S. 97. Ein Beispiel für Dummetts Entscheidung findet sich in »What is a Theory of Meaning? (II)«.

nige Überzeugungen aus rein subjektiven Gründen als irgendwie grundlegend auszuwählen, ist ein Belegbegriff zur Fundierung der Bedeutung oder der Erkenntnis daher nicht verfügbar. Freilich neigt jeder von uns dazu, sich auf einige Überzeugungen in höherem Maße zu verlassen als auf andere, doch dies ist ein in unseren Welt-Theorien selbst enthaltenes Faktum, das darum nicht eingesetzt werden kann, um diese Theorien von außen zu stützen. Die kausalen Beziehungen zwischen der Welt und unseren Überzeugungen sind für die Bedeutung nicht deshalb maßgeblich, weil sie dem Sprecher, der diese Überzeugungen vertritt, eine spezielle Art von Belegen liefern, sondern weil sie oft auch für andere erkennbar sind und daher die Grundlage der kommunikativen Verständigung abgeben.

Die distale Bedeutungstheorie entfernt die Sinnesorgane sowie ihre unmittelbaren Tätigkeiten und Äußerungen – wie etwa Empfindungen und Sinnesreizungen – aus ihrer für die Bedeutung und die Erkenntnis überaus wichtigen theoretischen Stellung. Das entspricht der Formulierung, die Quine benutzt, wenn er der distalen Theorie zuneigt: »Die einzigen Fixpunkte sind der gemeinsame Reiz und das Wort.« Der *gemeinsame* Reiz ist natürlich etwas Distales, während die Reizungen der Sinnesorgane, die nicht mehreren gemeinsam sein können, keine Fixpunkte darstellen. Mit dieser Einsicht bestreiten wir nicht die kausale Rolle der Sinne, sondern nur eine bestimmte erkenntnistheoretische Auffassung dieser Rolle. Eine distale Theorie ist ebenso grundlegend kausal und in Einklang mit den Bekundungen der Wissenschaft wie eine proximale Theorie. Der Unterschied liegt in der Wahl des angemessenen Orts der relevanten Kausalfaktoren – außerdem auch in der Wahl einer erkenntnistheoretischen Einstellung. Die Ansätze unterscheiden sich in der Art der Deutung der »zwei Hauptthesen des Empirismus«, von denen Quine spricht. Diese besagen, um es zu wiederholen, »daß alle wirklichen Belege für wissenschaftliche Theorien nichts anderes sind als sinnlich gegebene Belege [...] und daß jegliches Einprägen von Wortbedeutungen letztlich auf sinnlich gegebenen Belegen beruhen muß«.[23] Diese Hauptthesen sind, wie ich behaupten möchte, nur in einem Sinne wahr, der lediglich für die »farblose« Lesart des Empirismus spricht, von der oben die Rede war, und diese Lesart des Empirismus läuft auf nichts weiter hinaus als die Tatsachenbehauptung, daß die Sinnesorgane kausal von ausschlaggebender Bedeutung sind für die empirische Erkenntnis. Und dies ist, wie mir scheint, keine erkenntnistheoretische These, welche die Empiristen von den Vertretern anderer Ansichten über die Natur der Erkenntnis abgrenzt.

Wir erinnern uns: In *Die Wurzeln der Referenz* finden sich Stellen, an denen sich Quine offenbar eine distale Theorie zu eigen macht: »[E]in Satz ist insoweit ein Beobachtungssatz, als sein Wahrheitswert bei einer bestimmten Gelegenheit von nahezu jedem Mitglied der Sprachgemeinschaft, das dieser Gelegenheit beiwohnt, übereinstimmend beurteilt würde.« Doch dann korrigiert er sich und behauptet, es wäre präziser, von Zeugen zu sprechen, die im Hinblick auf ihre Rezeptoren ähnlichen Einwirkungen – das heißt: ähnlichen Mustern neuralen Feuerns – ausgesetzt sind. Nun fragt es sich, ob es, wie in diesem Zitat offenbar angedeutet wird, möglich wäre, diese beiden Positionen – den proximalen und den distalen Standpunkt – irgendwie miteinander in Einklang zu bringen. Man könnte daran denken, die proximale Theorie zum Beispiel dadurch zu retten, daß man diejenigen Sätze als reizsynonym auffaßt, denen durch verschiedene Reizmuster ausgelöste Zustimmung zuteil geworden ist, wobei es sich um verschiedene Muster für verschiedene Personen handelt, je nach der Art des unterschiedlichen Aufbaus ihrer Nervensysteme. Das Problem ist, daß die Reizmuster des anderen und meine eigenen nur dann mit Sicherheit Zustimmung zu distal

23 Siehe oben, Anmerkung 4.

ineinander übersetzbaren Sätzen auslösen, wenn diese Muster durch dieselben distalen Vorgänge verursacht werden. Eine derartige Theorie wäre eine distale Theorie in durchschaubarer Verkleidung, denn die Grundlage für die Übersetzung der Sätze des anderen in meine eigenen (und damit für den Vergleich unserer Sinnesreize) wäre von den für uns beide gleichen äußeren Situationen abhängig, welche die Ursachen sowohl für unsere diversen Reize als auch für unsere sprachlichen Reaktionen wären. Jegliche Erwähnung von Sinnesreizen oder sonstigen kausalen Vermittlungsinstanzen könnte unterbleiben, ohne daß der Bedeutungstheorie oder der Theorie der Belege und der Erkenntnis dadurch etwas verlorenginge.

Nach Quines proximaler Theorie spielt sich alles, was für die Bedeutung (oder den Inhalt der Gedanken) von Belang ist, unter der Haut des Sprechers ab, so daß dies schon alles ist, worum sich der Interpret zu kümmern braucht. Wenn man Quines Physikalismus außer acht läßt, befindet er sich hier in der Gesellschaft von Descartes, Frege und Dummett, um nur einige wenige zu nennen. Einer distalen Theorie zufolge sind Ursachen außerhalb des Sprechers unmittelbar von Belang für die Bedeutung und müssen daher vom Interpreten in Betracht gezogen werden. Nun fragt es sich jedoch, ob hinreichend klar ist, *wie* es geschieht, daß solche äußeren Ursachen für die Bedeutung von Belang sind. Der Kausalitätsbegriff wird (wie sowohl Quine als auch Putnam in diesem Zusammenhang hervorgehoben haben) gemäß menschlichen Interessen angewendet. Auch Quines proximale Theorie ist kausal, doch die Elemente, die als Ursache und Wirkung dienen – nämlich Sinnesreize und sprachliche Reaktionen (oder Dispositionen zu solchen Reaktionen) –, werden explizit aufgewiesen. Die distale Theorie, die ich Quine aufnötigen möchte, ist unweigerlich auf den Begriff »der« gemeinsamen Ursache von Äußerungen (beziehungsweise von Dispositionen zu Äußerungen) angewiesen. Das hier drohende Problem liegt darin, daß es womöglich zu viele Anwärter auf den Posten der gemeinsamen Ursache gibt, so zum Beispiel jedes umfassendere Segment der Geschichte des Universums bis hin zur Geburt des Sprechers oder der Sprecher. Dieses Segment könnte eine gemeinsame Ursache abgeben dafür, daß zwei Sprecher zur Bejahung von »Dies ist rot« disponiert sind, aber es wäre zugleich eine Ursache für jede sonstige Disposition beider Sprecher. Eine auf dieser Vorstellung basierende Bedeutungstheorie würde die Bedeutungen aller Beobachtungssätze gleichsetzen.

Die Wahl der relevanten Ursache wird durch das eingeengt, was für die Sprecher und ihre Interpreten auffällig ist. Diese »Auffälligkeit« wird im Hinblick auf die Ähnlichkeit der Reaktionen definiert. Es kommt vor, daß wir mit dem gleichen Satz reagieren, wenn uns mehrere verschiedene distale Gegenstände und Ereignisse oder dieselben Gegenstände zu verschiedenen Zeiten und in verschiedenen Situation vorgeführt werden. Auf unter vielen verschiedenen Blickwinkeln und aus unterschiedlichen Entfernungen gesehene Erscheinungen der Mutter reagieren wir mit »Mama!«, auf Oberflächen, die viele verschiedene Wellenlängen reflektieren und die wir in vielen verschiedenen Beleuchtungen gesehen haben, reagieren wir mit »Grün!«, und auf Kaninchen reagieren wir bei nahezu beliebiger Erscheinungsform mit »Guck mal, ein Kaninchen!«. Die Mama, farbige Gegenstände, Grün und Kaninchen sind etwas Auffälliges, also das, was unsere sprachlichen Reaktionen unter den vielen konkurrierenden Möglichkeiten als »die« Ursache herausgreifen. Die ererbte und erlernte Gleichheit der Ähnlichkeitsreaktionen ist eben das, wodurch die Kommunikation ermöglicht wird. Vermittels der sprachlichen Reaktionen des Interpreten kommt ein Zusammenklassifizieren oder Identifizieren derselben Gegenstände und Ereignisse zustande, die durch die sprachlichen Reaktionen des Sprechers zusammen klassifiziert werden. Wenn der Interpret auch die sprachlichen Reaktionen des

Sprechers zusammen klassifiziert, kann er Elemente aus zweien seiner eigenen Klassen zueinander in Beziehung setzen; die sprachlichen Reaktionen des Sprechers findet er ähnlich, und distale Gegenstände und Ereignisse findet er ebenfalls ähnlich. Hinsichtlich der letzteren verfügt er über seine eigenen sprachlichen Reaktionen, und sie liefern ihm die Übersetzung oder Interpretation der Worte des Sprechers. So wird die gemeinsame Ursache zum gemeinsamen Thema von Sprecher und Interpret.

Die Abhängigkeit des Ursachenbegriffs von unseren Interessen braucht uns demnach nicht zu bekümmern; es sind unsere gemeinsamen Interessen und unsere gemeinsamen Ähnlichkeitsreaktionen, die ausschlaggebend sind für das, was wir als relevante Ursache gelten lassen. Die Wissenschaft freilich bemüht sich, die Interessenrelativität der gewöhnlichen Kausalität zu überwinden. Doch die Wissenschaft kann vorurteilsfrei und ohne Zirkularität diejenigen Fakten bezüglich der menschlichen Natur festhalten, welche Interessen reflektieren, also Fakten in bezug auf Auffälligkeit, Aufmerksamkeit und Neigungen, Verallgemeinerungen nicht in dieser, sondern in jener Weise vorzunehmen.

Diese Ausführungen über den Begriff der Auffälligkeit und seine Wichtigkeit für die Interpretation sind nicht sonderlich verschieden von dem, was Quine in *Die Wurzeln der Referenz* und anderen Arbeiten sagt. So schreibt er, dank »der Gleichheit der Ähnlichkeitsmaßstäbe des Sprechers und meiner eigenen sind sprachbezogene induktive Schlüsse tendenziell überaus erfolgreich«.[24] In der vorliegenden Abhandlung habe ich geltend gemacht, Quine sollte diese Erkenntnis stärker in den Mittelpunkt seiner Bedeutungstheorie rücken.

Quine hat unsere Auffassung der sprachlichen Kommunikation revolutioniert, indem er das an sich durchaus offensichtliche Faktum ernst genommen hat, daß es mit der Bedeutung

24 Quine, »Facts of the Matter«, S. 180. Ferner *The Roots of Reference*, S. 23, 44.

nicht mehr auf sich haben kann, als was eine Person mit den gehörigen Anlagen zu lernen und zu beobachten vermag; daher ist der Blickpunkt des Interpreten der aufschlußreiche, von dem aus man an dieses Thema herangehen sollte. Durch unverblümtes Eintreten für eine distale anstelle einer proximalen Bedeutungstheorie würde Quine auch die aktive Rolle des Interpreten anerkennen und sie sich restlos zunutze machen. Für diese Rolle ist es, wie ich meine, erforderlich, daß der Interpret seine eigenen Reaktionen zu denen des Sprechers in Beziehung setzt, indem er auf die für beide Seiten auffälligen Ursachen in der Welt, von der sie reden, Bezug nimmt.

5
Auf dem Weg zum Wahrheitsbegriff

Fast immer ist es so gewesen, daß die bedeutenden Gestalten der Philosophiegeschichte sowohl ein ausgeprägt negatives als auch ein ausgeprägt positives Programm verfochten haben. Einerseits haben sie erkannt und allen klar gemacht, was an manchen Vorstellungen, die zu ihrer Zeit eine wichtige Rolle spielten, auszusetzen war, und andererseits haben sie brillante und faszinierende Alternativen vorgeschlagen. In beiden Hinsichten darf Quine als historische Figur gelten.

Daneben gibt es eine sehr viel kürzere Liste derjenigen Autoren, von denen diese beiden Programmpunkte in einer ganz speziellen und heldenmütigen Weise miteinander verknüpft werden. Sie haben in ihren eigenen Werken Irrtümer erkannt und diese viel besser erklärt, als es irgend jemand anders vermocht hätte, und sie haben sich darangemacht, die reparaturbedürftigen Stellen auszubessern oder eine These fallenzulassen, die ihnen am Herzen lag. Zu dieser Kategorie rechne ich Hume (der in einem Anhang zum ersten Buch des *Traktats* einräumt, daß er, nachdem er den Geist durch Dekonstruktion in seine Atome zerlegt habe, keine Möglichkeit sehe, ihn wieder zusammenzusetzen), Frege (der angesichts der Russellschen Antinomie zugibt, daß sein Versuch, die Mathematik auf Logik zurückzuführen, gescheitert sei) und G. E. Moore (der, als er mit Charles Stevensons emotiver Theorie der Ethik konfrontiert wird, gesteht, daß das Gute vielleicht doch keine objektive, unanalysierbare Eigenschaft sei). Quine gehört ebenfalls in dieses Pantheon.

Hier kann ich mich nicht enthalten, ein Gleichnis zu erzählen. Es gibt einen Graffiti-Künstler im Ruhestand, der sich »A-One« nennt. Dieser hat einmal, als er in Erinnerungen schwelgte, gesagt: Ein Vandale ist jemand, der einen Ziegelstein durch eine Fensterscheibe wirft. Ein Künstler ist jemand, der ein Bild auf diese Fensterscheibe malt. Ein großer Künstler ist jemand, der ein Bild darauf malt und dann einen Ziegelstein durch die Scheibe wirft.

Was Quine betrifft, dürfte es angemessen sein, nicht von bloßer Zerstörung zu reden, sondern einen sehr viel dezenteren Vergleich anzustellen. Dabei denke ich an sein eigenes Lieblingsbild von Neuraths Schiff, das auf hoher See unverdrossen und kunstvoll repariert und wiederhergestellt wird.

Der Wandel in Quines Denken, den ich hier erörtern und würdigen möchte, hat sich schon seit langem angebahnt, aber besonders deutlich geworden ist er in seinem kürzlich erschienenen Buch *Pursuit of Truth* (1990) [dt. *Unterwegs zur Wahrheit*]. Dieser Wandel betrifft das Verhältnis zwischen Bedeutung und Wahrheit.

Von Anfang an hat sich Quine bis heute zu einer konsequent deflationären Einstellung bekannt. Der Deflationist behauptet, daß jemand, der von einem Satz in der eigenen Sprache sagt, er sei wahr, damit nicht mehr sagt als mit der bloßen Äußerung dieses Satzes. Die Wahrheit unterliege der Zitattilgung: Man könne das auf den zitierten Satz folgende Prädikat »ist wahr« schon dadurch loswerden, daß man die Anführungszeichen zusammen mit dem Wahrheitsprädikat ausstreicht. Dafür haben wir, wie Quine in *From a Logical Point of View* schreibt, ein allgemeines Vorbild, nämlich:

(W) »———« ist genau dann wahr-in-*L*,
wenn ———,

was zwar keine Wahrheitsdefinition sei, aber immerhin dazu diene, dem Ausdruck »wahr-in-*L*«

> bei jeder einzelnen Anwendung genausoviel Klarheit zu verleihen, wie den einzelnen Ausdrücken der Sprache L, auf die er angewandt wird, zukommt. Wenn dem Einzelbeispiel »Schnee ist weiß« Wahrheit zugeschrieben wird,

[...] ist das für uns eine genauso klare Sache wie die Weiß-Zuschreibung mit Bezug auf den Schnee.[1]

In *Wort und Gegenstand* schreibt Quine: »Wenn man sagt, daß die Aussage ›Brutus hat Cäsar getötet‹ oder ›Das Atomgewicht von Natrium ist 23‹ wahr ist, heißt das im Grunde nicht mehr, als daß Brutus Cäsar getötet hat oder daß das Atomgewicht von Natrium 23 ist«.[2] Dreißig Jahre später wird dieses Thema in *Unterwegs zur Wahrheit* von neuem angestimmt:

Gleichwohl liefert die Zitattilgungstheorie doch mit Sicherheit eine völlig unanfechtbare Erklärung, denn wer wollte etwa in Zweifel ziehen, daß »Schnee ist weiß« dann und nur dann wahr ist, wenn Schnee weiß ist? Außerdem liefert sie uns eine restlose Erklärung: Sie erklärt uns in präziser Weise die Wahrheit oder Falschheit eines jeden klaren Satzes.[3]

Was diese Frage betrifft, hat Quine seine Meinung nicht geändert.

Natürlich ist sich Quine im klaren darüber, daß man nicht so ohne weiteres auf jeden Gebrauch des Wahrheitsprädikats verzichten kann. Es gibt Zeiten, da wir zum »semantischen Aufstieg«, also zum Aufstieg zu einer Metasprache gezwungen sind oder zumindest nicht umhin können, über Sätze zu reden anstatt über die Gegenstände, von denen diese Sätze handeln. Dies sind Zeiten, in denen wir über die Wahrheit von Sätzen sprechen möchten, ohne die Sätze selbst zur Verfügung zu haben. Beispiele sind: »Die Prämissen seiner Argumentation mögen ja wahr gewesen sein, aber die Konklusion war es bestimmt nicht«, »Was sie unseren Verfolgern erzählt hat, kann nicht wahr gewesen sein, denn sie haben uns noch nicht gefunden«. Angesichts solcher Verwendungen des Wahrheitsprädikats halten wir uns an Tarski, der gezeigt hat,

1 Quine, *From a Logical Point of View*, S. 138.
2 *Word and Object*, S. 24 [Übers., S. 57].
3 *Pursuit of Truth*, S. 93 [Übers., S. 130].

wie wir uns durch rekursive Bestimmung der Wahrheitsbedingungen jedes Satzes einer Sprache des Wahrheitsprädikats bedienen können, wenn der Satz oder die Sätze, die als wahr hingestellt werden, aus irgendeinem Grund nicht gebraucht, sondern nur erwähnt werden können. Tarskis Methode beruht zwar ebenfalls auf Zitattilgung, aber nicht auf der Zitattilgung bei Sätzen (von denen es zu viele gibt), sondern bei den diese Sätze bildenden Wörtern, die, obwohl ihre Zahl endlich ist, ausreichen, um alle Sätze zu bilden.

Nach Quines Ansicht ist es der Zitattilgungsaspekt des Wahrheitsbegriffs, durch den dieser Begriff so viel klarer wird als der Bedeutungsbegriff. Quine vergleicht die Theorie der Bedeutung mit der Theorie der Bezugnahme und sagt: Sie »bilden zwei so grundverschiedene Bereiche, daß sie gar keine gemeinsame Bezeichnung verdienen«.[4] In der ersten Theorie gehe es um mit Makeln behaftete Themen wie Synonymie, Bedeutung und Analytizität. Dagegen seien die in der zweiten Theorie behandelten Begriffe, zu denen auch der Wahrheitsbegriff gehöre, »sehr viel weniger nebulös und geheimnisvoll«. Denn obwohl »wahr-in-*L*« für variables *L* nicht definierbar sei, »ist das, worüber wir verfügen, dennoch ausreichend, um ›wahr-in-*L*‹ sogar für variables ›*L*‹ mit einem hinreichenden Maß an Verständlichkeit auszustatten, so daß man wahrscheinlich nichts dagegen hat, sich dieser Redeweise zu bedienen«.[5] »Das, worüber wir verfügen«, ist natürlich das Paradigma (W) sowie das auf Tarski zurückgehende »zweckmäßige und allgemeine Verfahren« zum Definieren von »wahr-in-*L*« für Einzelsprachen.

Von diesem »zweckmäßigen und allgemeinen Verfahren« Tarskis hat Quine raffiniert Gebrauch gemacht. In einem 1952 publizierten Aufsatz geht er der Frage nach, ob die Wahrheit für die in seinem Buch *Mathematical Logic* (1940)

4 *From a Logical Point of View*, S. 130.
5 Ebd., S. 137f.

entwickelte Sprache *L* in *L* selbst definiert werden kann.[6] Zunächst ist nicht klar, was dem im Wege stehen soll, denn die Sprache *L* kann so interpretiert werden, daß sie ihre eigene Syntax und auch sonst noch eine Menge enthält. Es gelingt Quine, eine rekursive Definition der Erfüllung zu geben, die nur die Ressourcen von *L* benutzt. Wenn sich diese rekursive Definition in eine direkte Definition verwandeln ließe, wäre damit die Inkonsistenz von *L* bewiesen, denn Wahrheit kann unter Zuhilfenahme des Begriffs der Erfüllung ohne weiteres definiert werden. Die Sprache *L* hat jedoch ein ungewöhnliches Merkmal, das dem Übergang von der rekursiven zur direkten Definition im Wege steht: In *L* wird über alle Entitäten quantifiziert, so daß die Ausdrücke von *L* durch die Erfüllung zu allen Entitäten in Beziehung gesetzt werden. Aber wenn man von *L* ausgeht, gibt es nur einige, als »Elemente« bezeichnete Entitäten, die als Relata von Relationen zur Verfügung stehen. Dieses Mißverhältnis verhindert es, daß Freges Verfahren zur Umwandlung rekursiver in direkte Definitionen eingesetzt werden kann, um den ganzen ontologischen Spielraum zu erfassen, der für die Charakterisierung der Erfüllung und daher auch der Wahrheit erforderlich ist. Das heißt, dies wird verhindert, sofern *L* widerspruchsfrei ist.

In *Philosophy of Logic* gibt Quine einen damit zusammenhängenden, aber allgemeineren Hinweis: Eine normal ausgestattete Sprache kann, sofern Widersprüche vermieden werden sollen, keinen offenen Satz der Form »*x* erfüllt *y*« enthalten, der auf Folgen von Gegenständen aus der Ontologie der Sprache und (offene oder geschlossene) Sätze der Sprache zutrifft. Und genausowenig kann eine Theorie der Mengenlehre die Existenz einer Menge dulden, die aus den geordneten Paaren von Folgen von Gegenständen aus der Ontologie der Theorie und (offenen oder geschlossenen) Sätzen der Theorie besteht.

6 Quine, »On an Application of Tarski's Theory of Truth«, abgedruckt in: *Selected Logic Papers*. Vgl. *Mathematical Logic*.

Diese interessanten technischen Anwendungen von Tarskis Ansatz zur Deutung des Wahrheitsbegriffs nutzen das Merkmal der Zitattilgung, was wiederum den Gedanken nahelegt, es sei möglich, Wahrheit und Bedeutung durchweg zu trennen. Aber stimmt das in dieser allgemeinen Form? Es gibt verstreute Bemerkungen in Quines Arbeiten, die etwas anderes nahelegen. 1936 veröffentlichte Quine seinen brillanten und weitsichtigen Artikel »Truth by Convention«. Darin stellte er fest, »was die Bedeutung eines Worts betrifft, [...] darf man sagen, sie werde durch das jeweilige Ausmaß bestimmt, in dem die Wahrheit oder Falschheit der Kontexte dieses Worts bestimmt ist«.[7] Es fällt schwer zu erkennen, wie die Wahrheit zu dieser Fähigkeit der Bedeutungsbestimmung kommen soll, wenn mit der Zitattilgungstheorie schon alles über den Wahrheitsbegriff gesagt wäre. Daneben gibt es auch noch andere Stellen bei Quine, die den gleichen Gedanken andeuten: »Beim Sprachlernen ist das erste und das letzte, was wir lernen, die Verteilung von Wahrheitswerten. Hier bin ich mit Davidson einer Meinung; wir lernen Wahrheitsbedingungen.«[8] In einem anderen Text heißt es: »In Tarskis Wahrheitstheorie selbst [ist] die Struktur einer Bedeutungstheorie zu erkennen.«[9] In *Philosophy of Logic* betont Quine, anders als in seinen früheren Arbeiten, wie wichtig es ist, in der Sprache eine grammatische Struktur zu ermitteln, die auf die Funktionsweise einer Wahrheitstheorie abgestimmt ist. Erst dann werden wir erkennen, wie es der Logik gelingt, »die Wahrheit den Baum der Grammatik hinaufzuhetzen«.[10]

Vielleicht hat es den Anschein, daß es bis zu einem gewissen

7 Abgedr. in: Quine, *The Ways of Paradox*, S. 89.

8 *The Roots of Reference*, S. 65 [Übers., S. 97].

9 »On the Very Idea of a Third Dogma«, in: Quine, *Theories and Things*, S. 38 [Übers., S. 55].

10 *Philosophy of Logic*, S. 35. Dem fügt er hinzu, daß diese Einsicht (die er großzügigerweise mir zuschreibt) »ein wichtiger Fortschritt auf dem Gebiet der Semantik war«.

Grad leichtfällt, Fragen der Wahrheit und Fragen der Bedeutung getrennt zu halten. Von der Wahrheit meinen wir vielleicht, sie diene (im umfassenden Sinn Tarskis) der Zitattilgung und sei daher trivial. Die Bedeutung gilt dann als etwas anderes, worum man sich mit Hilfe solcher Begriffe wie »gerechtfertigte Behauptbarkeit«, »Funktion« oder »Übersetzungskriterien« kümmern müsse. Diese Richtung wird beispielsweise in dem kürzlich erschienenen Buch von Paul Horwich eingeschlagen sowie in Artikeln von Scott Soames und David Lewis.[11] Vielleicht hat dies auch, zumindest eine Zeitlang, der Ansicht Quines entsprochen. Unmittelbar vor der schon zitierten Stelle aus *Wort und Gegenstand*, wonach die Aussage, der Satz »Brutus hat Cäsar getötet« sei wahr, im Grunde auf das gleiche hinauslaufe wie die Aussage, Brutus habe Cäsar getötet, stellt Quine einen gehaltvollen, vielleicht an Peirce orientierten Wahrheitsbegriff als aussichtslos hin und sagt:

> Es ist vielmehr so, daß wir diesen und jenen Satz nur dann sinnvoll als wahr bezeichnen können und auch tatsächlich so bezeichnen, wenn wir uns mitten in eine tatsächlich vorhandene Theorie zurückbegeben [...]. Immer da ist es sinnvoll, »wahr« auf einen Satz anzuwenden, wo dieser in Begriffen einer gegebenen Theorie gefaßt ist und von dieser Theorie [...] aus betrachtet wird.[12]

Ich glaube, genau darauf will Quine auch hinaus, wenn er sagt, die Wahrheit sei etwas »Immanentes«. Dabei geht es nicht nur darum, daß die Wahrheit eines Satzes sprachrelativ sei, sondern auch darum, daß es hier keinen transzendenten, alleinigen Begriff gebe, der sich relativieren lasse.

Aber Quine kann nicht wirklich meinen, daß wir nur dann sinnvoll von der Wahrheit von Sätzen sprechen, wenn diese Sätze derselben Sprache angehören, in der wir von der Wahrheit sprechen. Es mag zwar – zumindest wenn wir Tarskis

11 Horwich, *Truth*; Soames, »What Is a Theory of Truth?«; Lewis, »Languages and Language«.

12 *Word and Object*, S. 24 [Übers., S. 56f.].

Methode benutzen – unmöglich sein, eine explizite Definition der Wahrheit für Sprachen generell zu geben, aber natürlich kann man sinnvoll von der Wahrheit der Sätze einer Sprache reden, indem man sich einer anderen Sprache bedient. Was wäre in diesem Fall über das Konzept der Zitattilgung zu sagen?

In seinem Aufsatz »Variables Explained Away«[13] beschreibt Quine eine Sprache, die – ebenso wie Schönfinkels kombinatorische Logik – keine Variablen kennt, aber im Gegensatz zu Schönfinkels Logik nicht stärker ist als die übliche Quantorenlogik mit Identität. Bei diesem Artikel fragt man sich, ob es nicht möglich wäre, den Wahrheitsbegriff für eine solche Sprache zu definieren, ohne so etwas wie Tarskis Begriff der Erfüllung zu Hilfe zu nehmen, also ohne ein systematisches Verfahren, durch das Ausdrücke zu Gegenständen in der Ontologie dieser Sprache in Beziehung gesetzt werden. Die Antwort ist implizit in dem Artikel »Algebraic Logic and Predicate Functors« enthalten. Dort schreibt Quine:

> Wenn eine Theorie mit Hilfe der üblichen Quantorenlogik formuliert wird, sind die Dinge, deren Existenz von der Theorie akzeptiert wird, tatsächlich die Dinge, die sie als Werte ihrer quantorenlogischen Variablen akzeptiert. Außerdem gilt: Wenn eine Theorie anders formuliert wird, hat es nur dann Sinn zu fragen, welche Dinge von der Theorie als existierende akzeptiert werden, wenn wir dazu imstande sind anzugeben, wie die Theorie in die Form der üblichen Quantorenlogik übersetzt werden kann. [...] Wenn wir zur Prädikat-Funktor-Logik übergehen, steht eine solche Übersetzungsweise zur Verfügung. [...] Im Lichte dieses Übersetzungsverfahrens stellen wir fest, daß die Dinge, deren Existenz von einer Theorie in der Prädikat-Funktor-Form akzeptiert wird, die Dinge sind, welche die Prädikate dieser Theorie erfüllen.[14]

Die Formel »Zu sein heißt: der Wert einer Variablen zu sein« ist demnach eine weniger großzügige Anweisung zur Bestim-

13 Quine, »Variables Explained Away«, abgedruckt in: Quine, *Selected Logic Papers*.

14 Quine, »Algebraic Logic and Predicate Functors«, abgedruckt in: Quine, *Ways of Paradox*, S. 304.

mung der Ontologie einer Sprache als »Zu sein heißt: die Prädikate der Sprache (oder deren Komplemente) zu erfüllen«. Quine drückt das so aus: »[...] die Charakterisierung im Sinne der Erfüllung von Prädikaten hat den Vorteil, daß sie in der gleichen Weise und direkt auf quantorenlogisch formulierte Theorien wie auf Theorien in der Prädikat-Funktor-Form zutrifft, ohne erst durch eine Übersetzung geschleust werden zu müssen«.[15]

Explizit wird die Frage der Wahrheitsdefinition in dem Artikel »Truth and Disquotation« beantwortet.[16] In diesem Aufsatz geht Quine unter anderem der Frage nach, wann sich eine Wahrheitstheorie für eine Sprache den über einen Begriff wie den der Erfüllung führenden Tarskischen Umweg ersparen kann, auf dem die Ausdrücke der zu untersuchenden Sprache explizit mit Folgen von Entitäten zusammengespannt werden, die zur Ontologie dieser Theorie gehören. Im Falle von Schönfinkels kombinatorischer Logik wird der Begriff der Erfüllung nicht gebraucht, denn hier läßt sich eine Form der Bezeichnungsrelation charakterisieren, durch die jeder singuläre Terminus auf das abgebildet wird, was er bezeichnet. Das ist deshalb möglich, weil in Schönfinkels Logik alle Formeln – einschließlich der Sätze – singuläre Termini sind. Damit entpuppt sich die Wahrheit als Spezialfall der Bezeichnung: Ein wahrer Satz bezeichnet (ebenso wie bei Frege) DAS WAHRE. In manchen Fällen, insbesondere in der elementaren Zahlentheorie, ist es so, daß man ohne die Erfüllung und deren Ontologie auskommen kann, weil es möglich ist, die Wahrheit für Elementarsätze mit Hilfe direkter Methoden zu bestimmen und die Quantifikation im Sinne der substitutionalen Quantifikation zu handhaben. Im interessanten Fall von Quines Prädikat-Funktor-Sprache ist es nicht möglich, den Erfüllungsbegriff in seiner klassischen Form unmittelbar an-

15 Ebd. Siehe auch Quine, »Ontology and Ideology Revisited«, S. 499-502.

16 Quine, »Truth and Disquotation«, abgedruckt in: Quine, *Ways of Paradox*.

zuwenden, obwohl er natürlich auf die Übersetzung der Prädikat-Funktor-Sprache in die übliche quantorenlogische Form angewendet werden kann.

Diese Experimente auf dem Gebiet der Definition des Wahrheitsbegriffs für verschiedene Sprachen beweisen durchaus nicht, daß nur Tarskis Methoden allgemein genug sind, um in interessanter Weise auf formalisierte Sprachen anwendbar zu sein, die als Spielarten natürlicher Sprachen oder als Ersatz für natürliche Sprachen angesehen werden könnten. Dennoch hat Quine gezeigt, daß die bloße Möglichkeit, »Variablen wegzuerklären«, als solche nichts an der Notwendigkeit ändert, bei der Definition des Wahrheitsbegriffs von einem Analogon der Erfüllung Gebrauch zu machen. Vom Ausgangspunkt einer Wahrheitstheorie her betrachtet, ist die ontologische Last einer durch Angabe ihrer quantorenlogischen Struktur explizit gemachten Sprache weniger »provinziell«, als sie womöglich zu sein scheint. Wichtiger ist, daß die Immanenz der Wahrheit doch nicht so restriktiv ist: Über die Wahrheit eines Satzes kann man auch dann sinnvoll sprechen, wenn es sich um eine Sprache handelt, die zumindest dem Anschein nach von der Sprache des Satzes völlig verschieden ist.

Bisher sind wir, ebenso wie Tarski, von der Annahme ausgegangen, daß die Metasprache die Objektsprache enthält oder daß es ein systematisches, bekanntes Verfahren zur Übersetzung der Objektsprache in die Metasprache gibt. Was geschieht, wenn man diese Annahme fallenläßt?

Eine Wahrheitstheorie für eine Sprache, die in Gebrauch ist, ist eine empirische Theorie. Sie versucht, im Hinblick auf die Sprecher dieser Sprache die Bedingungen anzugeben, unter denen Sätze ihrer Sprache wahr sind. Natürlich, sofern »ist wahr« ein Wahrheitsprädikat ist und »genau dann, wenn« das Bikonditional ausdrückt, kann ein Satz der Form »›Schnee ist weiß‹ ist genau dann wahr, wenn Schnee weiß ist« nicht falsch sein, einerlei, was »Schnee ist weiß« bedeuten mag, wenn man die (empirische) Annahme zugrunde legt, daß sich die Semantik des erwähnten Satzes mit der Semantik des gleichen, aber gebrauchten Satzes deckt. Doch sobald die Frage aufgeworfen wird, ob die in der Sprache eines Interpreten aufgestellte Theorie auf die Sprache einer zweiten Person zutrifft, wird der empirische und keineswegs triviale Charakter der Theorie offenkundig. Was soll als Bestätigung dafür gelten, daß eine solche Theorie zutrifft? Damit wirft man eine Frage bezüglich des Wahrheitsbegriffs auf, die durch Zitattilgung nicht zu beantworten ist.

Wir wissen: Wenn die Theorie für jeden Satz der Objektsprache einen Satz der Form (W) enthält und im übrigen formal in Ordnung ist, dann bestimmt sie in eindeutiger und richtiger Form die Extension des Wahrheitsprädikats. Das auf der Hand liegende Verfahren zur Prüfung der Wahrheit der Theorie besteht also darin, daß man ermittelt, ob jedes Element einer angemessenen Stichprobe ihrer W-Sätze wahr und keines falsch ist. Da der Umfang der Stichprobe stets endlich sein wird, während die Theorie eine unendliche Zahl von W-Sätzen impliziert, liefert der Test kein zwingendes Resultat. Mit etwas anderem ist allerdings auch nicht zu rechnen. Das Problem ist: Wie kann man erkennen, wann ein W-Satz wahr ist?

Durch das Paradigma (W) wurden die W-Sätze nur unvollständig charakterisiert. Die Wahrheit muß auf eine Sprache (oder besser noch: auf einen Sprecher oder eine Gruppe von Sprechern) relativiert werden. Wenn sie auf eine Sprache oder eine Gruppe von Sprechern relativiert wird, muß sie in einem weiteren Schritt auf einen Sprecher relativiert werden (denn die Wahrheit eines Satzes, der Wörter wie »ich« und »hier« enthält, hängt davon ab, wer den Satz äußert). Außerdem muß eine zeitliche Relativierung vorgenommen werden, um temporale Bestimmungen und Wörter wie »jetzt«, »morgen« und so weiter zu berücksichtigen. Ferner müssen wir zulassen, daß die Wörter, die auf der rechten Seite des Bikonditionals eingesetzt werden, nicht genau dieselben zu sein brauchen, die auf der linken Seite zitiert oder sonstwie beschrieben werden. Falls der Satz auf der linken Seite keine Indikatoren enthält, genügt es, wenn der Satz auf der rechten Seite eine Übersetzung des Zielsatzes ist. Sobald Indikatoren vorkommen, wird es auf der rechten Seite des Bikonditionals einen offenen Satz geben, und dessen Verhältnis zum Zielsatz wird noch komplizierter sein. Eine gewisse Art von Übersetzung wird nach wie vor relevant sein, und das ist alles, was uns hier interessiert. Damit reduziert sich das Problem »Wie ist die Wahrheit eines W-Satzes zu erkennen?« auf das Problem der Übersetzung, und die Belege dafür, daß eine Wahrheitstheorie empirisch richtig ist, werden die Belege dafür sein, daß ein Verfahren (ein Handbuch) zur Übersetzung aus der Objektsprache in die Metasprache richtig ist.

Quine hat das herkömmliche Ziel der Übersetzung – das Ziel der Bedeutungskonservierung – bekanntlich abgelehnt, da es einer empirischen Begründung entbehre. Er bietet eine durch empirische Kriterien gekennzeichnete Alternative an (die »radikale Übersetzung«). Die radikale Übersetzung bedient sich nach Quine aller empirischen Belege, die im Hinblick auf das relevant sind, was ein Sprecher oder Interpret einer Sprache lernen und verstehen kann. Dann, so scheint es, ist Quine dazu in der Lage, die Frage zu beantworten, wann eine Wahrheitstheorie für einen anderen Sprecher (oder eine Gruppe von Sprechern) richtig ist. Folgendes wäre eine Möglichkeit: Zunächst stellen wir, soweit wir dazu imstande sind, eine Wahrheitstheorie für unsere eigene Sprache auf. Indem wir annehmen, daß die Objektsprache in der Metasprache enthalten ist, vermeiden wir es, schon in dieser Phase offenkundige Probleme aufzuwerfen. Sodann wenden wir die Theorie auf den oder die anderen Sprecher an, indem wir uns des Verfahrens der radikalen Übersetzung bedienen. Vielleicht wird sich herausstellen, daß sie »dieselbe Sprache« sprechen (das homophone Handbuch der Übersetzung funktioniert), aber vielleicht auch nicht. Im einen wie im anderen Fall ist das ermittelte Resultat empirischer Art und wird durch Belege der gleichen Art gestützt.

Wenn wir sicher wären, über ein allein richtiges Verfahren zur Übersetzung von einer fremden Sprache in unsere eigene zu verfügen, könnten wir uns einbilden, irgendwie den Übersetzungsschritt außer acht lassen zu dürfen, der den Wahrheitsbegriff aus seiner Zitattilgungsheimat nach draußen getragen hat. Es gibt jedoch, wie uns Quine gelehrt hat, keinen Grund anzunehmen, daß es, sofern ein akzeptables Handbuch für die Übersetzung aus einer Sprache in eine andere existiert, wirklich nur ein einziges gibt. Wenn es ein akzeptables Manual für die Übersetzung der Objektsprache in die Metasprache gibt, dann wird es, wie Quine überzeugend dargetan hat, unendlich viele gleichermaßen akzeptable Alternativmanuale für die Übersetzung geben, die sich im Hinblick auf die Gegenstände unterscheiden, auf die sich singuläre Termini beziehen und auf die Prädikate zutreffen sollen. (Aufgrund dieser Überlegung spricht Quine von der »Unerforschlichkeit des Bezugs«.) Die einfachsten Beispiele beruhen auf systematischen, eineindeutigen Abbildungen der Gegenstände der einer Objektsprache durch ein bestimmtes Übersetzungshandbuch zugeordneten Ontologie auf ein und dieselben Gegenstände. Die Abbildung wird benutzt, um den Bezug der singulären Termini und die Extension der Prädikate so umzuinterpretieren, daß sich ein neues Übersetzungsmanual ergibt.

Dieser Gedanke läßt sich ohne weiteres auf Wahrheitstheorien übertragen. In der Tradition Tarskis sind Wahrheitstheorien darauf angewiesen, daß die Bedingungen angegeben werden, unter denen eine beliebige Folge von Gegenständen einen (offenen oder geschlossenen) Satz erfüllt. Ein wahrer Satz ist ein geschlossener Satz, der von beliebigen oder allen Folgen erfüllt wird. Quines These der Unerforschlichkeit des Bezugs läßt sich dann wie folgt umformulieren: Bestimmte globale Veränderungen der Bedingungen, unter denen Folgen von

Gegenständen *offene* Sätze erfüllen, lassen die Bedingungen, unter denen solche Folgen *geschlossene* Sätze erfüllen, unberührt: Es kann sein, daß es hinsichtlich der Wahrheit von Sätzen, in denen Termini und Prädikate vorkommen, keinen Unterschied bedeutet, wenn diese Termini und Prädikate auf völlig verschiedene Art und Weise mit Gegenständen verbunden werden.
Was bedeutet das für die folgenden Analoga des Paradigmas (W), die den Bezug der singulären Termini und die Extension der Prädikate betreffen?

(B) Der singuläre Terminus »———« bezieht sich auf ———.

(E) Das Prädikat »———« trifft auf Dinge zu, die ——— sind.

Ebenso wie im Fall des Paradigmas (W) werden alle Exemplifizierungen dieser Paradigmen trivialerweise wahr sein, wenn man unterstellt, daß die Objektsprache in der Metasprache enthalten ist. Dadurch kommt die Illusion zustande, es gebe jeweils nur eine Relation des Bezugs und des Auf-etwas-Zutreffens. Es ist jedoch ohne weiteres zu erkennen, daß es nicht nur eine einzige gibt, wenn diese Relationen lediglich insofern eingeschränkt sind, als sie richtige Wahrheitsprädikate liefern müssen, das heißt nach den Standards von Tarskis Konvention W und Quines Lesart des Übersetzungsbegriffs richtig sein müssen. Betrachten wir nämlich eine Situation, in der zwei Sprecherinnen, Klara und Dora, eine Sprache sprechen, die in jeder empirisch bestimmbaren Hinsicht dieselbe ist. Ein radikaler Übersetzer, der eine andere Sprache spricht, wird bei Dora ausschließlich mit den Übersetzungsmanualen zurechtkommen, die auch bei Klara funktionieren. Klara und Dora können, um sich miteinander zu verständigen, das homophone Übersetzungshandbuch benutzen (was sie vermutlich auch tun). Doch wenn man Bequemlichkeit und Gewohnheit außer acht läßt, könnten sie genausogut mit jedem der empirisch adäquaten Alternativmanuale zurechtkommen, von denen singuläre Termini und Prädikate systematisch umgedeutet werden. Diese Alternativmanuale werden nicht konsistent mit den Paradigmen (B) und (E) zu vereinbaren sein, und die aus diesen Handbüchern hervorgehenden Wahrheitstheorien werden keine dem Format (W) entsprechenden W-Sätze liefern. Allerdings werden die Wahrheitsbedingungen der Sätze insofern unverändert bleiben, als die verschiedenen Wahrheitsprädikate die gleiche Extension haben. Für die Relation des Bezugs und die Relation des Auf-etwas-Zutreffens (oder der Erfüllung) wird das nicht gelten.

Einen eindeutigen Bezug eines singulären Terminus gibt es demnach ebensowenig wie eine eindeutige Extension eines Prädikats. Die Illusion der Eindeutigkeit kommt dadurch zustande, daß man nicht mittendrin das Übersetzungsmanual wechseln kann, ohne relevante Unterscheidungen auszulöschen. Wenn Ruth nicht mit Dora identisch ist, kann Klara das zweite Vorkommnis von »Dora« in dem Satz »Mein Wort ›Dora‹ bezieht sich auf Dora« nicht durch »Ruth« ersetzen. Es wäre ein Fehler anzunehmen, dies deute darauf hin, daß sich Klaras Wort »Dora« auf Dora beziehen muß. Nein, zu lernen ist daraus lediglich, daß dasselbe Wort in derselben Sprache nicht verschiedene Aufgaben erfüllen kann, ohne mehrdeutig zu werden. Bezugnahme auf eine eindeutig gegebene Entität ist keine Aufgabe, aus der man klug werden kann; das Unterscheiden zwischen Entitäten dagegen ist eine solche Aufgabe.

Relativierung ist nicht dazu imstande, den Bezug zu verankern; nichts ist dazu imstande. Dennoch, auch wenn Relativierung nicht möglich ist, so wird doch etwas Ähnliches gebraucht, damit unsere Äußerungen über den Bezug nicht vom Weg abkommen. Da die verschiedenen Möglichkeiten, die Wörter eines Sprechers zu Dingen in Beziehung zu setzen, dazu dienen, ein und denselben Wahrheitsbegriff zu definieren, ist es verlockend, die verschiedenen entsprechenden Bezugs- oder Erfüllungsprädikate als Variationen über ein einziges Thema zu begreifen: Da alle »Erfüllungsprädikate« ersonnen werden, um Tarskis »zweckmäßiges und allgemeines Verfahren« voranzubringen, stimmen sie alle überein, wenn es um das Verhältnis zwischen Folgen von Gegenständen und geschlossenen Sätzen geht. Doch der Verlockung zur Relativierung darf man nicht nachgeben; es gibt nichts, worauf man die Erfüllung oder den Bezug relativieren könnte. (Natürlich steht »*x* erfüllt *y* in *L*« für variables »*L*« aus demselben Grund nicht zur Verfügung wie im Falle des Analogons für den Wahrheitsbegriff.) Die Frage, für welche Erfüllungsrelation ein Prädikat stehe, läßt sich zwar nicht verständlich deuten, aber trotzdem verlangen verschiedene Relationen verschiedene Prädikate. Dieser Notwendigkeit läßt sich ohne weiteres Genüge tun: Für verschiedene Relationen können wir syntaktisch verschiedene Prädikate verwenden.

Diese Überlegungen sollten uns zu der Frage veranlassen, wieviel Klarheit den Begriffen »Wahrheit«, »Bezug« und »Erfüllung« aus den Paradigmen (W), (B) und (E) erwächst. Die Paradigmen verlangen zwar, daß bestimmten Prädikaten eindeutige Extensionen zukommen, aber kein Merkmal der Paradigmen gewährleistet, daß nur Prädikate mit diesen Extensionen als Wahrheits- oder Bezugsprädikate bezeichnet zu werden verdienen. Tatsächlich ist es, wie Quine überzeugend gezeigt hat, so, daß Prädikate mit völlig verschiedenen Extensionen den gleichen Anspruch darauf haben, Bezugs-, Extensions- und Erfüllungsprädikate genannt zu werden. Was die Paradigmen betrifft, steht es uns frei, im Hinblick auf Wahrheitsprädikate das gleiche zu denken.

Warum denken wir nicht das gleiche? Der Grund dafür ist einfach. Semantische Eigenschaften ordnen wir echten Teilen von Sätzen nur deshalb zu, weil wir die semantischen Eigenschaften unendlich vieler Sätze mit endlichen Mitteln erklären wollen. Daraus folgt, daß die einzige Einschränkung, die für unsere Aussagen über die Teile gilt, darauf hinausläuft, daß sich die Sätze den Prognosen entsprechend verhalten müssen. Solange die resultierenden Wahrheitsbedingungen der Sätze die gleichen sind, gibt es keine Wahl verschiedener Möglichkeiten, Beziehungen zwischen Wörtern und Dingen herzustellen. Das ist jedoch ein interessantes Faktum, denn hinsichtlich der Wahrheitsbedingungen gelten tatsächlich empirische Einschränkungen.

Diese Einschränkungen betreffen, wie angesichts der engen Beziehung zwischen Übersetzung und Wahrheit in Tarskis Konvention W nicht anders zu erwarten, die akzeptablen Übersetzungsmethoden. Wie wir bereits festgestellt haben, ist es möglich, einen einzigen, in einer bestimmten Sprache ausgedrückten Wahrheitsbegriff auf verschiedene Sprachen anzuwenden, sofern ein systematisches, wegen drohender Paradoxien eingeschränktes Übersetzungsverfahren verfügbar ist.

Es ist nicht damit zu rechnen, daß die für die Übersetzung geltenden Bedingungen ohne Berufung auf den Wahrheitsbegriff auskommen: Eine gute Übersetzung konserviert die Wahrheit, und die Wahrheit ist das, was bei einer guten Übersetzung erhalten bleibt – wenn schon nicht Satz für Satz, so doch insgesamt. Um aus diesem Zirkel auszubrechen, können wir nichts Besseres tun, als einen Zusammenhang herzustellen zwischen dem Wahrheits- oder dem Übersetzungsbegriff und beobachtbaren Reaktionen der Sprecher auf Sprache und Welt. Quines bevorzugte Reaktion ist die herbeigeführte Zustimmung: die durch sprachliche oder sonstige Ereignisse in der Welt herbeigeführte Zustimmung zu einem Satz. Benötigt ist aufrichtige Zustimmung, und hier liegt der Zusammenhang mit der Wahrheit auf der Hand, denn wer einem Satz aufrichtig zustimmt, hält diesen Satz für wahr. Er glaubt, daß der Satz wahr ist. Die Daten, auf deren Basis eine Übersetzung vorgenommen oder eine Wahrheitstheorie für einen

Sprecher aufgestellt werden kann, sind demnach Fakten im Hinblick auf die Ursachen dafür, daß der Sprecher diverse Sätze für wahr hält. In manchen Fällen sind die Ursachen ohne Belang. So können die wahrheitsfunktionalen Satzverknüpfungspartikeln direkt auf der Grundlage von Zustimmungs- und Verneinungsmustern übersetzt werden. Bei den einfachsten Sätzen, in denen es um leicht zu beobachtende Gegenstände und Ereignisse geht, sind die übersetzungsrelevanten Indizien die Ursachen für Veränderungen im Zustimmungsverhalten. Für Sätze, bei denen die Zustimmung nicht so unkompliziert auf Beobachtbares abgestimmt ist, gilt, daß die Übersetzung von durch Zustimmungsmuster geschaffenen Beziehungen zwischen Sätzen abhängt.

Das ist in groben Umrissen Quines Übersetzungsverfahren, und ich für mein Teil hege für die hier skizzierten Aspekte der Methode nichts als Bewunderung. Wie bereits angemerkt, läßt sich die Methode unmittelbar auf den Wahrheitsbegriff übertragen, denn eine (auf dem Paradigma (W) beruhende) Wahrheitstheorie für die eigene Sprache kann mittels Übersetzung auf andere Sprachen angewendet werden. Den Übersetzungsumweg kann man auch überspringen, indem man dieselben Daten benutzt, um direkt eine Wahrheitstheorie zu liefern. Die W-Sätze werden dann, wie bei Tarski, Übersetzungen *zeigen*, ohne diese Tatsache eigens zu erwähnen.

Wie ich betont habe, gibt es hier einen Einbruch von Überlegungen zum Bedeutungsbegriff in den Bereich der Wahrheit, und diesen Einbruch können wir nicht ignorieren, sobald sich die Frage nach der Wahrheit von fremdsprachigen Sätzen stellt. Der Einbruch kann auf direktem oder indirektem Weg erfolgen: auf direktem Weg, wenn wir im Hinblick auf einen fremdsprachigen Satz fragen, wann er wahr ist; auf indirektem Weg, wenn wir den Wahrheitsbegriff zunächst mittels Zitattilgung für die eigene Sprache charakterisieren und anschließend die Fremdsprache in die eigene übersetzen. Sofern hier ein Unterschied besteht, liegt er darin, daß die erste Strategie Fragen der Wahrheit von vornherein mit Fragen der Bedeutung vermengt, während das zweite Verfahren eine gewisse Arbeitsteilung vorsieht. Im einen wie im anderen Fall haben wir hier Ansätze zu einer transzendenten Einstellung zum Wahrheitsbegriff, wenn nicht gar Ansätze zu dessen Definition. Wenn wir den Wahrheitsbegriff direkt auf andere Sprachen anwenden, erhalten wir eine Vielfalt von heimatsprachlichen Wahrheitsprädikaten, die durch unsere allgemeine (transzendentale) Anwendungsmethode vereinigt werden. Wenn wir lediglich über die eine Wahrheitstheorie für unsere eigene Sprache verfügen, wird sie durch unsere üblichen Übersetzungskriterien transzendental. Natürlich sind der Transzendenz in beiden Fällen Grenzen gesetzt. Unsere Heimatsprache muß zum Teil brüskiert werden, denn einerlei, wie sehr wir sie erweitern: ein Teil bleibt für das letzte Wahrheitsprädikat der wachsenden Hierarchie unerreichbar.

Für den Wahrheitsbegriff wirft die Unbestimmtheit der Übersetzung nach wie vor ein Problem auf. Die Belege für die Übersetzung bestehen aus Daten, die Meinungen und Bedeutungen miteinander verquicken, denn die Zustimmung zu einem Satz hängt sowohl von dem ab, was der Satz nach Ansicht des Sprechers bedeutet, als auch von dessen Meinungen über die Welt. Quines Methode, durch die er die Rolle der Bedeutung und die Rolle der Ansichten im erforderlichen Ausmaß trennen möchte, beruht auf der Annahme, daß es im Hinblick auf die Aussagenlogik keinen Sinn hat, dem Sprecher und dem Interpreten verschiedene Ansichten zu unterstellen. Außerdem geht er davon aus, daß ähnliche Reize in den einfachsten Fällen beim Sprecher wie beim Interpreten ähnliche Überzeugungen auslösen. Diese methodologischen Voraussetzungen sind Anwendungen des »Prinzips der wohlmeinenden Interpretation«, und beide schreiben nicht vor, eine bestimmte Übersetzung oder Wahrheitstheorie sei die allein beste. Im allgemeinen lassen sich die Daten in mehr als einer Weise unterbringen, denn es besteht die Möglichkeit, eine Veränderung in den dem Satz eines Sprechers zugeordneten Wahrheitsbedingungen durch eine Modifikation der ihm zugeschriebenen Meinungen auszugleichen. Das heißt: Es kann sein, daß einer Theorie zufolge ein gegebener Satz für einen Zeitpunkt und einen Sprecher wahr ist, während er es einer anderen Theorie zufolge nicht ist.

Eine Möglichkeit, den drohenden Widerspruch aufzulösen, besteht natürlich darin, daß man separate »Wahrheitsprädikate« einführt. Das dürfte jedoch darauf hinauslaufen, daß man auf den eben erst in Anspruch genommenen Unterschied zwischen Bezug und Wahrheit verzichtet. Es bliebe jedoch ein wichtiger Ebenenunterschied: Formen des »Bezugs« lassen sich zusammen gruppieren, wenn sie dazu dienen, ein gemeinsames Wahrheitsprädikat zu definieren. Wahrheitsprädikate lassen sich zusammen gruppieren, wenn sie in Verbindung mit passenden Theorien über die Meinungen der Sprecher dieselben sprachlichen Reaktionen (dieselben herbeigeführten Äußerungen der Zustimmung) erklären.

Wir haben es immer noch mit verschiedenen Wahrheitsbegriffen zu tun, obschon das Prinzip der wohlmeinenden Interpretation, insoweit es zur besseren Verständigung die Minimierung unerklärter Meinungsverschiedenheiten gebietet, die Differenzen zwischen verschiedenen Wahrheitserklärungen derselben Sätze auf das Mindestmaß reduzieren wird. Folgendes ist eine andere – und bessere – Möglichkeit, die Sache zu betrachten: Die Wahrheit muß in jedem Fall auf eine Sprache relativiert werden. Bisher hatten wir die Relativierung auf eine Sprache so aufgefaßt, als sei sie identisch mit der Relativierung auf einen Sprecher oder eine Gruppe von Sprechern. Es kann jedoch nützlich sein, Sprecher und Sprache als getrennte Parameter zu betrachten. Selbst wenn wir annehmen, alle relevanten Belege für einen Sprecher oder eine Gruppe von Sprechern seien berücksichtigt worden, können wir ihn oder sie als Sprecher mehrerer Sprachen interpretieren. Das bedeutet lediglich, daß wir einem von einem bestimmten Sprecher oder bestimmten Sprechern gebrauchten Satz innerhalb gewisser Grenzen verschiedene Wahrheitsbedingungen zuordnen können, solange wir an anderen Stellen der Theorie die entsprechenden Veränderungen vornehmen. Diese Art der Formulierung verweist zwar nicht auf die Möglichkeit einer universellen Definition oder Theorie der Wahrheit, aber sie veranschaulicht doch die Vorstellung, wir bedienten uns, wenn wir unsere verschiedenen Theorien ersinnen, ein und desselben Wahrheitsbegriffs. Was dem Begriff Einheit verleiht, sind einerseits die von der Konvention W explizit gemachte formale Bedingung und andererseits die Verbindung mit der herbeigeführten Zustimmung.

Es sieht demnach so aus, als bestünde keine Schwierigkeit, wenn man den Wahrheitsbegriff auf Sprecher verschiedener Sprachen anwenden möchte. Natürlich benutzen wir, wenn wir das tun, unsere eigene Sprache und unsere eigenen Begriffe, aber das heißt nicht, daß die Anwendung von »wahr« nur dann Sinn hat, wenn es sich um unsere eigenen Sätze handelt. Warum behauptet Quine dann, die Wahrheit sei »immanent«? Hier ein Zitat:

> [...] die Annahme, wir könnten abseits stehen und alle alternativen Ontologien in ihren verschiedenen Hinsichten als wahr, alle vorgestellten Welten als wirklich erkennen, ist konfus. Es ist eine Verwechslung der Wahrheit mit der Bestätigung durch Belege. Wahrheit ist immanent, und darüber gibt es nichts.[17]

Freilich, wenn sich die »alternativen Ontologien« oder »vorgestellten Welten« irgendwie nicht miteinander vereinbaren ließen, könnten wir sie nicht zur selben Zeit gelten lassen. Da die verschiedenen Welten und Ontologien durch gleichermaßen gerechtfertigte, wenn auch verschiedene Systeme der Übersetzung aus einer fremden in unsere heimatliche Sprache

17 Quine, *Theories and Things*, S. 21 f. [Übers., S. 36]

erzeugt werden, geht es nicht um die Frage, ob wir sie alle beschreiben können. Aber stehen sie wirklich in Widerstreit miteinander? Früher hat Quine das für möglich gehalten und behauptet, daß Theorien »logisch unverträglich und zugleich empirisch äquivalent« sein können.[18] Dies sei, wie er sagte, sein bester Grund für die Annahme der Übersetzungsunbestimmtheit. In neuerer Zeit jedoch hat er die augenscheinliche Unvereinbarkeit wegerklärt und erkannt, daß der scheinbare Widerspruch als Mehrdeutigkeit eines oder mehrerer ausschlaggebender Wörter gesehen werden sollte. Auf diese Weise »können wir jeglichen Konflikt zwischen den beiden [empirisch äquivalenten] Theorieformulierungen beilegen. Beide können von da an als terminologisch verschiedene wahre Beschreibungen ein und derselben Welt zugelassen werden. Die Drohung des Wahrheitsrelativismus ist abgewendet.«[19]

In allerjüngster Zeit – in seinem Buch *Unterwegs zur Wahrheit* – schwankt Quine wieder, was diese Frage betrifft.[20] Doch wenn es darum geht, einander widerstreitende Wahrheitserklärungen für dieselbe Sprache in Betracht zu ziehen, droht ein unverhüllter Widerspruch. Nehmen wir nämlich an, deine Sprache enthalte einen Satz, der im Rahmen einer deiner Theorien wahr und im Rahmen einer anderen deiner Theorien falsch ist. (Einen solchen Konflikt kann es nur geben, wenn die beiden Theorien in derselben Sprache formuliert sind.) Dann muß meine auf dich bezogene Wahrheitserklärung deinem identischen Satz sowohl Wahrheit als auch Falschheit zuschreiben. Quine sieht das offenbar ein, denn an einer anderen Stelle des Buchs betrachtet er den Fall zweier verschiedener Übersetzungsmanuale für dieselbe Sprache, die beide mit allen möglichen Belegen in Einklang stehen und daher empirisch äquivalent sind. In einem solchen Fall sollten

18 Quine, »On the Reasons for Indeterminacy of Translation«, S. 179.
19 Quine, *Theories and Things*, S. 30 [Übers., S. 46].
20 Quine, *Pursuit of Truth*, S. 100 [Übers., S. 140].

wir, wie er sagt, beide Manuale als wahr gelten lassen.[21] Da die divergierenden Manuale unmittelbar in das Getriebe der mit Zitattilgung arbeitenden Wahrheitstheorie für die eigene Sprache eingreifen, können wir einem Widerspruch nur entgehen, indem wir annehmen, jedes Manual schreibe dem Sprecher eine andere (wenn auch empirisch ununterscheidbare) Sprache zu.

Wenn wir den Wahrheitsbegriff auf die eigenen Äußerungen anwenden, sind wir (wie wir im Fall des Bezugs gesehen haben) außerstande, die Alternativen, die eine Relativierung verlangen würden, in direkter Form zu artikulieren. Das trägt dazu bei, daß wir uns einbilden, die eigenen Äußerungen ließen keine Alternativinterpretation zu. Wenn wir diese Auffassung bejahen, werden wir den Wahrheitsbegriff in der Tat als etwas Immanentes auffassen – als etwas, was eigentlich keine klare Anwendung auf andere hat, nicht einmal auf jene, die, soweit die Belege es erkennen lassen, »unsere« Sprache sprechen. Wenn wir den Wahrheitsbegriff hingegen als einen Begriff auffassen, der nur im Zusammenhang einer gemeinsamen Sprachpraxis anwendbar ist, werden wir nicht damit rechnen, daß er sich vor den Anforderungen der Interpretation schützen läßt.

Jetzt komme ich auf die Entwicklung in Quines Ansichten zu sprechen, von der anfangs die Rede war. Wir haben festgestellt, in welchem Maße der im Sinne der Zitattilgung gedeutete Wahrheitsbegriff durch das Medium der Übersetzung in liederliche Bedeutungsfragen verstrickt wird. Infolgedessen wird die Anwendung des Wahrheitsprädikats eines Interpreten auf die Sätze eines anderen Sprechers davon abhängen, wie er diese Sätze versteht (das heißt »übersetzt«), auch wenn diese Sätze offenbar seiner eigenen Sprache angehören. Aber der in Quines früheren Arbeiten charakterisierte Übersetzungsbegriff läuft Gefahr, die Wahrheit aus den Augen zu verlieren.

21 Ebd., S. 48 [Übers., S. 68 f.].

Man gelangt zu den gleichen Beobachtungssätzen wie jemand anders, wenn man durch die gleichen oder in relevanter Hinsicht ähnlichen Ereignisse oder Situationen dazu veranlaßt wird, tendenziell denselben Sätzen zuzustimmen. Man kommt dahin, den Sprecher einer anderen Sprache zu verstehen, wenn es gelingt, die eigenen Sätze auf der Basis gleicher oder ähnlicher Ursachen systematisch auf die Sätze des fremden Sprechers abzubilden. Die Frage lautet: Wann sind Ereignisse, Situationen oder Ursachen gleich oder in relevanter Hinsicht ähnlich?

Auf diese Frage hat Quine früher geantwortet: Sie sind es dann, wenn die Muster der Sinnesreizung beim Sprecher denen beim Interpreten in ausreichendem Maße gleichen. Wir sollten uns vorstellen, zwischen den Nervenenden der einen Person und den Nervenenden der anderen Person eine eindeutige Beziehung herstellen zu können. Dann sind die Reizmuster in relevanter Hinsicht ähnlich, wenn alle einander entsprechenden Nervenenden feuern. Ein Beobachtungssatz ist dann für verschiedene Sprecher der gleiche, wenn die gleichen Reizmuster ihre Zustimmung oder ihre Ablehnung desselben Satzes auslösen. Einen fremden Beobachtungssatz verstehen wir dann, wenn wir einen Satz unserer eigenen Sprache finden, bei dem unsere Zustimmung und Ablehnung durch die gleichen Reizmuster ausgelöst wird, von denen die Zustimmung und die Ablehnung des Fremden zu seinem Satz ausgelöst wird.

Diese Idee wirkt deshalb ansprechend, weil sie in direkter Form die Rolle berücksichtig, welche die Sinne spielen, wenn wir dazu veranlaßt werden, Sätze wie »Hier drinnen ist es kalt«, »Diese Maus ist malvenfarbig«, »Da ist ein Tiger« oder »Es regnet« für wahr zu halten. Außerdem scheint sie in natürlicher Weise Irrtümer zu berücksichtigen, die auf Sinnestäuschung zurückgehen. Dies ist, wie Quine meint, eine Möglichkeit, dem empiristischen Prinzip gerecht zu werden, alle Erkenntnis sei durch die Sinne vermittelt, ohne daß wir uns auf fragwürdige Entitäten wie Sinnesdaten, unverarbeitetes Empfindungsmaterial oder uninterpretierte Erlebnisse verlassen müßten. Dahinter steht die lobenswerte Absicht, den Empirismus in wissenschaftlicher Hinsicht respektabel zu machen, indem man sowohl die Bedeutung als auch die Erkenntnis auf intersubjektiv beobachtbare Zustände und Ereignisse gründet.

Es gibt recht offenkundige Gründe zur Unzufriedenheit mit dieser Idee, und sie haben Quine über die Jahre hinweg beunruhigt. Ein Grund ist die Schwierigkeit, Klarheit darüber zu gewinnen, wie sich eine eindeutige Beziehung zwischen den Nervenenden der einen Person und den Nervenenden einer anderen Person herstellen läßt. Der zweite Grund ist der, daß sich die Menschen nicht immer der gleichen Sinnesorgane bedienen. Ein weiterer Grund liegt darin, daß Veränderungen im Bereich dessen, was die eine Person als Belege für die Wahrheit eines Beobachtungssatzes ansieht, vielleicht nichts sind, was der andere für Belegmaterial erachtet. Außerdem stellt sich die Frage, wie es möglich sein soll, daß die Ähnlichkeit der Reizmuster als Grundlage der Übersetzung und des Sprachlernens dient, wenn es so klar ist, daß weder Schüler noch Lehrer an diese Ähnlichkeiten herankommen. In *Die Wurzeln der Referenz* und anderen Schriften unterläuft es Quine des öfteren, daß er nicht gemeinsame Reizmuster, sondern gemeinsame äußere Umstände als Schlüssel zur richtigen Interpretation von Beobachtungssätzen auffaßt; und in *Unterwegs zur Wahrheit* wird eine Lesart dieser veränderten Sicht zur offiziellen Lehre.

Das Ergebnis besteht nach meiner Meinung darin, daß die natürliche Beziehung zwischen Bedeutung und Wahrheit erhalten bleibt. Denn der früheren Auffassung zufolge gab es keinen Grund, warum die richtige Übersetzung von »Gavagai« nicht etwa »Guck, da ist eine Maus« hätte lauten sollen. In diesem Fall hätte der übersetzende Sprachforscher immer dann, wenn ein Kaninchen deutlich zu erkennen ist, den Sprecher der fremden Sprache so interpretiert, als habe er über das Auftauchen einer Maus berichtet. Hier geht zweierlei schief: Aufgrund der Übersetzungskriterien wird der Fremde immer wieder und systematisch als jemand hingestellt, der sich irrt, und zwar dermaßen irrt, wie es sich der entschlossenste Skeptiker nur ausmalen könnte. Außerdem lassen die Kriterien die offenkundigen Anhaltspunkte unberücksichtigt, die jeder Interpret, Sprachforscher oder Schüler benutzen würde – und das sind Anhaltspunkte, aufgrund deren man dem Sprecher Wahrheitsbedingungen zuschreiben würde, denen zufolge er meistens recht hätte.

Was dem Lernenden der Muttersprache oder dem Dschungel-Sprachforscher direkt zur Verfügung steht, ist die starke Korrelation zwischen leicht zu beobachtendem Verhalten auf seiten des Lehrers oder Gewährsmanns (der »Gavagai« sagt) und leicht zu beobachtenden Ereignissen, Situationen oder Gelegenheiten in der gemeinsamen Welt. Um diese unkomplizierte Idee auszudrücken, brauchen wir keine Ontologie der Situationen oder Gelegenheiten, denn ähnlich werden die Gelegenheiten durch die Ähnlichkeit der Reaktionen des Lehrers oder Gewährsmanns und die Ähnlichkeit der Reaktionen des Schülers oder Sprachforschers auf die Welt (beziehungsweise auf die Reizung seiner Sinne, wie wir genausogut sagen können). Der Sprachforscher kann seine Reaktion mit einem Wort – »Kaninchen« – belegen. Der Lernende gelangt allmählich dahin, die Gelegenheiten zusammen zu klassifizieren und mit dem Wort »Gavagai« zu belegen, sofern er dem betreffenden Stamm angehört.

Wenn wir in artikulierter Form angeben wollen, wodurch die Gelegenheiten ähnlich werden, ist die einzige sichere Antwort, die wir geben können, die, daß es sich um Situationen handelt, in denen ein Kaninchen anwesend ist oder zu sein scheint. Es liegt in der Natur der Dinge, daß Fälle, in denen der Schein täuscht, erklärbar und statistisch gesehen selten sein müssen. Andernfalls wären »Kaninchen« und »Gavagai«

wahr, wenn Kaninchen-Erscheinungen vorkämen, ohne daß ein Kaninchen damit einherginge.

Nach Quine besteht der Reiz für den Schüler wie für den Lehrer nicht in dem beiden gegebenen Kaninchen, sondern in nicht gemeinsamen und vielleicht unähnlichen Reizungen der Nervenenden. Ich bin der Meinung, daß wir den Reiz an einer beliebigen Stelle der Kausalkette lokalisieren können: irgendwo zwischen den eine Neigung zur Zustimmung zu »Kaninchen« oder »Gavagai« verursachenden Ereignissen im Gehirn, den Sinnesorganen, dem Kaninchen selbst und noch weiter entfernten Dingen. Es kommt aber nicht darauf an, wie wir das Wort »Reiz« verwenden. Für Bedeutung und Wahrheit ist wichtig, was gemeinsam sein muß, damit die Kommunikation gelingt. Wenn von normalen Dingen wie Kaninchen die Rede ist, kann das Gemeinsame nicht (wie Quine früher geglaubt hat) in Reizmustern bestehen, sondern es müssen die von denselben äußeren Ereignissen, Schauplätzen und Gegenständen in Bewegung versetzten Muster sein.

Jetzt ist es so, daß der Lebensmittelpunkt des Bedeutungsbegriffs mit dem Schwerpunkt zusammenfällt, der für den Wahrheitsbegriff bestimmend ist. Es ist die Bedeutung, die den Platz gewechselt hat, denn was jetzt die Bedeutung festzurrt, sind keine privaten Ereignisse mehr, die ein Nachhall der früher von Sinnesdaten gespielten Rolle sein sollen, sondern sie sind das, was uns in der Außenwelt gemeinsam gegeben ist. Es ist kein Ziegelstein durch die Fensterscheibe geworfen worden, aber das reparierte Schiff wird noch besser fahren als früher.

6
Quine über Wahrheit

Über eine wichtige Frage, die Quines Auffassung des Wahrheitsbegriffs betrifft, hat er mir ein Licht aufgesteckt. Mich hatte der Gedanke beunruhigt, daß Quine, wenn er die Wahrheit als »immanent« bezeichnet, die Vorstellung zum Ausdruck bringt, die Wahrheit sei nicht nur im Hinblick auf eine Sprache, sondern auch noch in anderer Hinsicht relativ. Nun versichert er mir, es sei keine weitere Relativierung mitgemeint außer der vertrauten und unvermeidbaren Relativierung auf eine Sprache. Welchen Reim sollen wir uns dann auf das folgende Zitat machen?

> Es ist […] so, daß wir diesen und jenen Satz nur dann sinnvoll als wahr bezeichnen können und auch tatsächlich so bezeichnen, wenn wir uns mitten in eine tatsächlich vorhandene Theorie zurückbegeben […]. Immer da ist es sinnvoll, »wahr« auf einen Satz anzuwenden, wo dieser in Begriffen einer gegebenen Theorie gefaßt ist und von dieser Theorie […] aus betrachtet wird.[1]

Hier könnte man den Eindruck gewinnen, Quine wolle sagen, daß es ein Wahrheitsprädikat gibt, das »von der Theorie aus betrachtet« auf die Sätze einer Theorie, aber nicht darüber hinaus angewendet werden kann. Das würde implizieren, daß es nicht nur eine Anwendung desselben Wahrheitsbegriffs auf immer neue Theorien gibt, sondern für jede Theorie einen anderen Wahrheitsbegriff. Quine meint aber doch sicher nicht, es sei ausgeschlossen, von der Wahrheit eines Satzes der einen Sprache zu reden, indem man sich einer anderen Sprache bedient. Das ist strenggenommen etwas, was wir, wie wir von Tarski gelernt haben, nicht nur tun können, sondern tun müssen. Es kann durchaus sein, daß sich meine diesbezügliche Verwirrung darauf zurück-

1 Quine, *Word and Object*, S. 24 [Übers., S. 56 f.].

führen läßt, daß »Theorie« und »Sprache« in Quines Schriften nicht klar auseinandergehalten werden können. Das ist kein Wunder. Sobald man die Unterscheidung zwischen dem Analytischen und dem Synthetischen verwirft, hat man auch die Unterscheidung zwischen Überzeugung und Bedeutung, zwischen Gesamttheorie und Sprache fallengelassen. Ist ein Verfahren der Übersetzung aus der Sprache eines anderen gegeben, hat man sich willkürlich für ein Verfahren der scheinbaren Grenzziehung entschieden, doch nicht minder brauchbare Übersetzungsmanuale würden die Grenze an anderer Stelle ziehen und Wahrheitszuschreibungen für übersetzte Sätze in anderer Weise vornehmen. Daher rührt vielleicht der Eindruck, relativ sei die Wahrheit nicht nur im Verhältnis zu einer Sprache, sondern auch im Verhältnis zu einer Theorie.

In eine ganz ähnliche Richtung geht vielleicht auch die Antwort, die Quine denen unter uns gegeben hat, die sich von der Frage beunruhigen ließen, im Verhältnis wozu die Ontologie, von der in *Ontologische Relativität* die Rede ist, relativ sei.[2] Jetzt hat Quine die Sache entschieden: Die Ontologie ist relativ zu einem Übersetzungsmanual.[3] Hierzu habe ich zwei Fragen, die wahrscheinlich beide nur die erläuternde Darstellung oder die Terminologie betreffen. Folgendes ist die erste Frage: Ist es nötig, die Ontologie sowohl auf eine Sprache als auch auf ein Übersetzungsmanual zu relativieren, oder laufen diese Relativierungen aufs gleiche hinaus? Wenn wir uns an den Common sense halten und zunächst davon ausgehen, daß man im Regelfall genau eine Sprache spricht, ist die zusätzliche Relativierung erforderlich. Doch wenn wir die Relativierung zuerst auf ein Übersetzungsmanual beziehen, wäre es müßig anzunehmen, daß wir dem durch Relativierung auf eine Sprache irgend etwas hinzufügen. Die Vorstellung, daß wir als Interpreten eine zum Teil willkürliche Entscheidung

2 Quine, *Ontological Relativity and Other Essays.*

3 Quine, *Pursuit of Truth*, überarbeitete Auflage, S. 52.

darüber treffen, welche Sprache jemand spricht, wirkt zwar ein wenig absonderlich, aber dennoch scheint es mir zur Klarheit beizutragen, wenn wir einfach auf den normalen Begriff einer Sprache verzichten und sagen, daß wir uns, indem wir ein Übersetzungsmanual wählen, nach eigenem Gutdünken für eine »Sprache« entscheiden, die einer Menge von »Sprachen« angehört, von denen man mit der gleichen Plausibilität annehmen kann, daß sie von dem betreffenden Jemand gesprochen werden.

Die zweite Frage kommt auf einen Aspekt der ursprünglichen Frage in puncto ontologische Relativität zurück: Es ist klar, daß verschiedene Übersetzungsmanuale im typischen Fall die singulären Termini und die Prädikate der übersetzten Sprache als Ausdrücke deuten, die sich auf verschiedene Gegenstände beziehen. Aber ist damit entschieden, um welche Gegenstände es sich dabei handelt? Offenbar nicht. Worauf sich ein Ausdruck »bezieht« oder worauf ein Prädikat zutrifft, wird durch die Relativierung auf ein Übersetzungsmanual nicht entschieden. Vielmehr ist es so, wie Quine in *Ontologische Relativität* klarstellt: Es wird nur die Ontologie der einen Sprache auf die einer anderen relativiert, ohne daß die Ontologie einer dieser Sprachen festgelegt würde. Wir können zwar nicht mehr tun, als die Ontologie auf ein Übersetzungsmanual zu relativieren, aber das entspricht nicht der Relativierung des Gewichts eines Gegenstands auf eine Gewichtsskala, denn mit dieser Relativierung hat man nicht nur das Bestmögliche getan, sondern auch schon alles, was sinnvoll ist. Vielleicht ist »Unerforschlichkeit des Bezugs« eben doch ein weniger irreführender Ausdruck als »ontologische Relativität«. (In *Unterwegs zur Wahrheit* bietet Quine ein noch besseres Etikett an und spricht von der »Unbestimmtheit des Bezugs«.)

Ist Quine, was den Wahrheitsbegriff anlangt, ein »Deflationist« (wie man heutzutage sagt)? Nach Paul Horwich vertritt der Deflationist die Meinung, mit dem Wahrheitsbegriff habe es nichts weiter auf sich als das, was wir wissen, sobald wir einsehen, daß jede Exemplifizierung des Schemas

Die Proposition, daß *p*, ist genau dann wahr, wenn *p*

wahr ist. Die Formulierung »nichts weiter als« impliziert, wie Horwich sagt, daß wir weder den Wahrheitsbegriff benötigen, um andere wichtige Begriffe wie den Bedeutungs- oder den Überzeugungsbegriff zu verstehen, noch diese Begriffe, um den Wahrheitsbegriff zu erklären. Horwich zählt Quine zu seinen Verbündeten. Daher wollen wir diese Art der Erläuterung gelten lassen, um Quines Position auf den Grund zu gehen.

Klar ist freilich, daß Quine die von Horwich benutzte Formulierung nicht akzeptieren würde, und sei es auch nur deshalb, weil sie sich auf Propositionen stützt. Sofern die von Quine vertretene Theorie wirklich deflationistisch ist, deutet sie die Wahrheit als ein Prädikat, das nicht von Propositionen, sondern von Sätzen ausgesagt wird. Dennoch ist Quines auf »Zitattilgung« abhebende Erklärung des Wahrheitsbegriffs in den Augen vieler Philosophen deflationär. Es ist leicht zu verstehen, warum das so ist. In *From a Logical Point of View* sagt Quine: »Wenn [...] ›Schnee ist weiß‹ Wahrheit zugeschrieben wird, [...] ist das für uns eine genauso klare Sache wie die Weiß-Zuschreibung mit Bezug auf den Schnee.«[4] In *Wort und Gegenstand* behauptet er: »Wenn man sagt, daß die Aussage ›Brutus hat Cäsar getötet‹ [...], wahr ist, heißt das im Grunde nicht mehr, als daß Brutus Cäsar getötet hat.«[5] In *Unterwegs zur Wahrheit* schreibt er:

[...] liefert die Zitattilgungstheorie doch mit Sicherheit eine völlig unanfechtbare Erklärung, denn wer wollte etwa in Zweifel ziehen, daß »Schnee ist weiß« dann und nur dann wahr ist, wenn Schnee weiß ist? Außerdem liefert sie uns

4 Quine, *From a Logical Point of View*, S. 138.
5 Quine, *Word and Object*, S. 24 [Übers., S. 57].

eine restlose Erklärung: Sie erklärt uns in präziser Weise die Wahrheit oder Falschheit eines jeden klaren Satzes.[6]

Wird an diesen Stellen wirklich behauptet, daß es mit dem Wahrheitsbegriff nichts weiter auf sich hat als das, was durch die Theorie der Zitattilgung »erklärt« wird? Nein, denn die Zitattilgungstheorie gibt keine Auskunft darüber, wie man eine Definition à la Tarski konstruiert, und daher gelingt es ihr nicht, eine Vielzahl legitimer Verwendungen des Wahrheitsprädikats zu erklären.

Damit ist die Liste der Grenzen der Zitattilgungstheorie noch nicht abgeschlossen. Außerdem gibt diese Theorie nicht den geringsten Aufschluß darüber, wie ein Wahrheitsprädikat auf eine Sprache angewandt werden kann, die nicht in der Sprache des Prädikats enthalten ist. Die Wahrheit der Exemplifizierungen des Zitattilgungsschemas ist eigentlich nur in dem überaus speziellen Fall garantiert, in dem wirklich *garantiert* ist, daß die zitierten Sätze jeweils denselben Wahrheitswert haben wie die gleichen Sätze, wenn sie auf der rechten Seite des Bikonditionals ohne Anführungszeichen auftreten. Diese Garantie fehlt beispielsweise dann, wenn ich vermute, daß der von einem anderen Sprecher geäußerte Satz »Schnee ist weiß« genau dann wahr ist, wenn Schnee weiß ist. Wichtiger ist, daß die Zitattilgungstheorie keinen Hinweis darauf gibt, wie man angeben könnte, wann eine solche Vermutung zutrifft. Daraus geht, wie mir scheint, deutlich hervor, daß die Zitattilgungstheorie bei weitem keine vollständige Erklärung des Wahrheitsbegriffs liefert. Ich möchte nicht nur wissen, was die Extension des Wahrheitsbegriffs für die von mir gesprochene Sprache bestimmt, sondern darüber hinaus möchte ich wissen, wie man die Extension meines (des) Begriffs der Wahrheit bei anderen Sprechern bestimmt.

Die im vorvorigen Absatz angeführten Stellen aus Quines Schriften stehen nicht unbedingt in Widerstreit mit diesen Be-

6 Quine, *Pursuit of Truth*, S. 93 [Übers., S. 130].

merkungen. Das erste Zitat ließe sich wie folgt lesen: »Wenn *meinem* Satz ›Schnee ist weiß‹ *von mir* Wahrheit zugeschrieben wird, [...] ist das *für mich* eine genauso klare Sache wie die Weiß-Zuschreibung mit Bezug auf den Schnee.« Ähnlich könnte man mit dem zweiten Zitat und dem Anfang des dritten verfahren. Was die zweite Hälfte des dritten Zitats betrifft, kann man sie im folgenden Sinn verstehen: Die Extension des Wahrheitsprädikats einer Objektsprache wird von der Zitattilgungstheorie präzise bestimmt, wenn die Objektsprache in der Metasprache enthalten ist. Wäre Quine mit diesen Lesarten zufrieden?

Abschließend möchte ich auf Horwichs zweites Kriterium für den Deflationismus zu sprechen kommen. Dieses Kriterium verlangt, der Wahrheitsbegriff müsse von anderen Begriffen »unabhängig« sein. Man ist sich zwar nicht ohne weiteres sicher, ob man diesen Gedanken wirklich versteht, aber ein Prüffeld ist das Vorhandensein oder Fehlen eines Zusammenhangs zwischen Wahrheit und Bedeutung. *Ein* Zusammenhang wird durch die notwendige Erwähnung des Übersetzens in Tarskis Konvention W hergestellt, denn diese Konvention nimmt die intuitiv gegebenen allgemeinen Begriffe der Wahrheit und der Übersetzung gleichzeitig in Anspruch. An die Stelle der auf Konservierung der »Bedeutung« abzielenden Übersetzung tritt bei Quine die *radikale* Übersetzung, aber obwohl die radikale Übersetzung nicht immer den Wahrheitswert und erst recht nicht die Bedeutung bewahrt, spielt der Wahrheitsbegriff in der Praxis der radikalen Übersetzung dennoch eine große Rolle. Die herbeigeführte Zustimmung ist der Schlüssel zu Quines Verfahren, sich in eine Fremdsprache einzuschleichen; und zur Zustimmung wird man veranlaßt, wenn man das Bejahte für wahr hält. Der tiefreichende Zusammenhang zwischen Wahrheit und Bedeutung geht auch aus den folgenden Zitaten hervor: »[W]as die Bedeutung eines Worts betrifft, [...] darf man sagen, sie werde durch das jeweilige Ausmaß bestimmt, in dem die Wahrheit oder Falschheit der Kontexte dieses Worts bestimmt ist.«[7] »Beim Sprachlernen ist das erste und das letzte, was wir lernen, die Verteilung von Wahrheitswerten. Hier bin ich mit Davidson einer Meinung; wir lernen Wahrheitsbedingungen.«[8] »In Tarskis Wahrheitstheorie selbst [ist] die Struktur einer Bedeutungstheorie zu erkennen.«[9] Wie es scheint, brauchen wir die bei der Anwendung des Verfahrens der radikalen Übersetzung erhalten bleibende Bedeutung, um unser Wahrheitsprädikat auf Äußerungen anwenden zu können, die nicht unsere eigenen sind. Den letzten beiden Zitaten zufolge brauchen wir die Wahrheit, um Bedeutung zu verstehen. Derart grundlegende Zusammenhänge zwischen Wahrheit und Bedeutung sind mit einer deflationären Einstellung zum Wahrheitsbegriff nicht zu vereinbaren. Daher komme ich zu folgendem Schluß: Wer glaubt, die Betonung des Zitattilgungsaspekts des Wahrheitsprädikats sei ein Zeichen dafür, daß Quine Deflationist ist, muß sich irren.

7 Quine, »Truth by Convention«, abgedruckt in: Quine, *The Ways of Paradox and Other Essays* (erweiterte Auflage).

8 Quine, *The Roots of Reference*, S. 65 [Übers., S. 97].

9 »On the Very Idea of a Third Dogma«, in: Quine, *Theories and Things*, S. 38 [Übers., S. 55].

Sprache

7
Eine hübsche Unordnung von Epitaphen

Goodman Ace schrieb Schwänke für den Rundfunk, und wie es in einem Artikel von Mark Singer heißt, soll er oft so ähnlich geredet haben, wie er schrieb:

Der Hörer hat kein Gewehr, daß Ace die Dinge geradeheraus sagt; er muß aufpassen, ob zwischen ihm und uns nicht was ist, sonst wäre das Holzauge schwer von Kapee. Ohne spurstracks auf sein Ziel zuzugehen, klaviert er, bis er den passenden Ausdruck gefunden hat und den Nagel auf den Daumen trifft. Nur wer sich im edlen Wettstreit der Großkopfeten die Zunge gewetzt hat, darf hoffen, ihm das Wasser lassen zu können. Auf diesem steilen Weg zum Zipfel des Ruhms habe ich mir oft den Kopf zerbrochen, denn ich wollte mich unbedingt auf die Palme des Sieges bringen, doch Ace hatte seine Schäfchen immer schon trockengelegt, ehe ich sie bescheren konnte. Manchmal kann man gar nicht zuviel kriegen, wenn Ace all seinen Gips zusammennimmt und sein schärfstes Heckengeschütz auffährt. Es ist an der Hochzeit, daß ihn endlich mal einer auf seinem eigenen Gebiet schlägt, doch mir ist es noch nicht gelungen – ich kann mich noch so sehr auf die Hinterbacken stellen und mich in guter Hoffnung wiegen, stets gewinnt er mannshoch.[1]

Ich zitiere diese Stelle so ausführlich, weil die Philosophen dazu neigen, den hier veranschaulichten Sprachgebrauch außer acht zu lassen oder zu bagatellisieren. So schreibt etwa Jonathan Bennett:

Ich glaube, es ist mir noch nie vorgekommen, daß ein Sprecher so etwas tut wie: »Wasser!« rufen, wenn er vor dem Feuer warnen will, obwohl er weiß, was »Wasser!« bedeutet, und überdies weiß, daß seine Hörer es ebenfalls wissen, dabei aber glaubt, daß sie erwarten, er würde »Wasser!« die normale Bedeutung von »Feuer!« geben.[2]

Dem fügt Bennett die Feststellung hinzu: »Es ist zwar möglich, daß dergleichen vorkommt, aber es ist selten.« Ich meine,

1 Frei übersetzt nach *The New Yorker*, 4. April 1977, S. 56.

2 Bennett, *Linguistic Behaviour*, S. 186

dergleichen passiert ständig; ja wenn man die Umstände in natürlicher Weise verallgemeinert, ist das Phänomen sogar allgegenwärtig.

Die von Singer genannten Beispiele fallen in mehrerer Hinsicht aus dem Rahmen. Es ist keineswegs nötig, daß ein Malapropismus* komisch oder überraschend ist. Er braucht nicht auf einer klischeehaften Formulierung zu beruhen, und natürlich braucht er auch nicht gewollt zu sein. Wortspiele, gar absichtliche Wortspiele sind dabei nicht vonnöten. Es mag zwar sein, daß wir lächeln, wenn jemand sagt: »Führ uns den Weg, wir gehen dann schon voraus«, oder mit Archie Bunker: »Wir brauchen ein paar Lacher, damit's hier nicht so monogam zugeht«, denn der Betreffende hat etwas gesagt, was unter Voraussetzung der üblichen Wortbedeutungen lächerlich oder komisch ist. Doch daß uns die Äußerung lustig vorkommt, ist eigentlich ein Extra.

Die Ace zugeschriebenen Malapropismen wirken im allgemeinen irgendwie sinnvoll, wenn man sie in der üblichen Weise auffaßt, wie zum Beispiel »Verlegenheit macht Diebe« oder »Vor unserem Schröpfer sind wir alle gleich«, doch eine wesentliche Eigenschaft ist das nicht. Das Interessante ist, daß der Hörer in allen diesen Fällen keine Mühe hat, den Sprecher so zu verstehen, wie dieser es beabsichtigt.

Diese Leistung auf seiten des Hörers läßt sich ohne weiteres erklären: Der Hörer merkt, daß die »übliche« Interpretation nicht die intendierte Interpretation sein kann. Aus Unkenntnis, durch ein Versehen oder mit Absicht hat der Sprecher ein Wort benutzt, das vom Klang her dem Wort ähnelt, welches das Gemeinte »richtig« zum Ausdruck gebracht hätte. Das bei »üblicher« Auffassung der Worte Ungereimte oder Unpassende des vom Sprecher Gemeinten läßt den Hörer schlaue Absicht oder Irrtum vermuten, und die klangliche Ähnlichkeit

* [Engl. »malapropism«: Verfehlte Wortverwendung; nach Mrs. Malaprop, einer Figur aus Sheridans Schauspiel *The Rivals*, die ihre Wörter häufig »malapropos« [in unpassender Weise] verwendet. – Übers.]

gibt ihm einen Fingerzeig auf die richtige Interpretation. Freilich gibt es noch viele sonstige Möglichkeiten, den Hörer auf die richtige Spur zu bringen; die Ähnlichkeit des Klangs ist also nicht wesentlich für den Malapropismus. Aufs Ganze gesehen, ist es übrigens nicht einmal nötig, daß der Sprecher ein wirkliches Wort verwendet: Das Gedicht »The Jabberwock« ist größtenteils schon beim ersten Hören verständlich.*

Was das Verständnis angeht, scheint es keine Rolle zu spielen, wer einen Fehler macht oder ob überhaupt ein Fehler vorliegt. So habe ich geglaubt, als ich Singers Artikel über Goodman Ace zum erstenmal las, das Wort »*malaprop*« könne, obwohl es der Name der Figur aus Sheridans Stück ist, nicht statt »*malapropism*« als Gattungswort verwendet werden. Wie sich dann herausstellte, hatte ich mich geirrt. Doch das war eigentlich egal, denn ich wußte ja, was Singer meinte, obwohl ich mich im Hinblick auf das Wort geirrt hatte, und ich hätte das von ihm Gemeinte auch dann in derselben Weise aufgefaßt, wenn er sich an meiner Stelle geirrt hätte. Und selbst wenn wir beide im Irrtum gewesen wären, wäre alles genauso glattgegangen.

Dieses Reden von Irrtümern oder Fehlern ist weder geheimnisvoll, noch sollte es philosophischen Argwohn erregen. Ich hatte mich in bezug auf die eventuellen Angaben eines guten Wörterbuchs geirrt beziehungsweise in bezug auf die Ergebnisse einer Befragung von Experten, auf deren Geschmack oder Bildung ich mich verlassen würde. Aber derartige Irrtümer oder Fehler und der damit einhergehende Begriff des richtigen Sprachgebrauchs sind philosophisch uninteressant. Wir wollen einen tieferen Begriff dessen, was die im Kontext geäußerten Wörter bedeuten. Und ebenso wie bei der seichten Konzeption des richtigen Sprachgebrauchs wollen wir, daß der tiefe Begriff einen Unterschied macht zwischen dem, was der Sprecher bei einer bestimmten Gelegenheit meint,

* [Lewis Carrolls Gedicht »Jabberwocky« besteht großenteils aus erfundenen Wörtern. – Übers.]

und dem, was seine Wörter bedeuten. Das häufige Vorkommen von Malapropismen und ihresgleichen bedroht diese Unterscheidung, denn hier scheint die gemeinte Bedeutung die übliche Bedeutung aus ihrer Stellung zu verdrängen.

Ich gehe jedoch davon aus, daß die Unterscheidung zwischen Sprecherbedeutung und buchstäblicher Bedeutung durch nichts ausgelöscht oder auch nur verwischt werden darf. Ich werde geltend machen, daß wir, um diese Unterscheidung aufrechtzuerhalten, bestimmte gewöhnlich akzeptierte Ansichten ändern müssen, die im Hinblick auf die Frage vertreten werden, was es heißt, »eine Sprache zu beherrschen«, oder was eine natürliche Sprache ist. Insbesondere müssen wir das Buchstäbliche an der Sprache vom Konventionellen oder Eingebürgerten trennen.

Die folgenden Ausführungen sind ein erster Ansatz zur Charakterisierung der sogenannten buchstäblichen Bedeutung. Dieser Ausdruck ist jedoch allzu verkrustet von philosophischen und anderen Sonderbestimmungen, als daß er von sich aus viel leisten könnte; daher möchte ich das, worum es mir hier geht, als *erste Bedeutung* bezeichnen. Dieser Begriff bezieht sich auf Wörter und Sätze, wie sie bei einer bestimmten Gelegenheit von einem bestimmten Sprecher geäußert werden. Doch wenn die Gelegenheit, der Sprecher und der Hörer (in einem hier nicht weiter zu erläuternden Sinne) »normal« sind oder dem »Standard« entsprechen, wird die erste Bedeutung einer Äußerung ebendie sein, die man findet, wenn man in einem Wörterbuch nachschlägt, das – wie etwa *Webster's Third* – auf dem tatsächlichen Sprachgebrauch beruht. Grob gesprochen, kommt die erste Bedeutung in der Interpretationsreihenfolge an erster Stelle. Das in den folgenden Zeilen ausgesprochene Bild zum Beispiel können wir unmöglich erläutern, wenn wir nicht wissen, was »*foison*« zur Zeit Shakespeares bedeutete:

Speak of the spring and foison of the year,
The one doth shadow of your beauty show,
The other as your bounty doth appear ...[3]

Hier ist kaum etwas wortwörtlich zu nehmen, doch wenn wir die buchstäbliche oder erste Bedeutung der Wörter nicht kennen, sind wir außerstande, das Bild zu begreifen und zu erklären.

Doch welches die »Interpretationsreihenfolge« ist, ist durchaus nicht klar. Es gibt nämlich Fälle, in denen wir zunächst das Bild erraten und auf diese Weise die erste Bedeutung herausbekommen können. So könnte es sich etwa bei dem Wort »*tires*« verhalten, das in demselben Sonett vorkommt:

On Helen's cheek all art of beauty set,
And you in Grecian tires are painted new.*

Und natürlich geschieht es häufig, daß wir die buchstäbliche Bedeutung eines Wortes oder einer Formulierung erkennen, indem wir zunächst ausfindig machen, worauf es der Sprecher abgesehen hat.

Besser läßt sich die erste Bedeutung unterscheiden, wenn man von den Intentionen des Sprechers ausgeht. Die Absichten, mit denen eine Handlung vollzogen wird, sind durch die Zweck-Mittel-Beziehung gewöhnlich unzweideutig geordnet (wobei es nicht darauf ankommt, ob diese Beziehung kausal bestimmt ist oder nicht). So kann es etwa sein, daß der Dichter die Schönheit und die Großzügigkeit seines Gönners preisen möchte. Dies tut er, indem er Bilder gebraucht, die besagen, daß jedes positive Merkmal, das die Natur beziehungsweise Mann oder Weib zu bieten haben, auf den Angesprochenen zutrifft. Dies wiederum tut er, indem er das Wort

* [Die relevanten Zeilen in der Übersetzung von Stefan George: »Helenens Stirn leg alle Reize bei, / Und du bist neu gemalt in griechischer Zier. / Von Frühling sprich, von Früchtezeit im Jahr – / Eins läßt den Schatten deiner Schönheit sehn, / Das andre macht uns deine Güte klar: / ...« – Übers.]

3 Shakespeare, Sonett 53.

»*tire*« gebraucht, um »*attire*« [»Gewand«] zu meinen, und indem er das Wort »*foison*« gebraucht, um »Ernte« zu meinen. Die hier durch »indem« aufgestellte Reihenfolge läßt sich umkehren, indem man man den Ausdruck »um zu« verwendet. In der durch die Formulierung mit »um zu« gegebenen Reihenfolge ist die »erste« Bedeutung die erste Bedeutung, auf die Bezug genommen wird. (Das gleiche ließe sich auch durch Formulierungen mit dem Ausdruck »mit der Absicht« bewerkstelligen.)

Nehmen wir an, Diogenes äußert die Worte »Ich wünschte, du würdest mir aus der Sonne gehen« (beziehungsweise ihr griechisches Gegenstück) mit der Absicht, Worte zu äußern, die von Alexander dann und nur dann als wahr interpretiert werden, wenn Diogenes wünscht, daß er (Alexander) ihm aus der Sonne ginge, und dies mit der Absicht, Alexander zu bitten, ihm aus der Sonne zu gehen, und dies mit der Absicht, Alexander zum Aus-der-Sonne-Gehen zu bewegen, und dies mit der Absicht, der Nachwelt eine hübsche Anekdote zu hinterlassen. Dies sind natürlich nicht die einzigen Absichten, die dabei ins Spiel kommen. Außerdem sind da noch die Griceschen Absichten, gewisse dieser Zwecke dadurch zu erreichen, daß Alexander einige der betreffenden Absichten als solche erkennt. Die Absicht des Diogenes, auf bestimmte Weise interpretiert zu werden, setzt eine solche selbstbezügliche Absicht voraus, und das gleiche gilt für seine Absicht, Alexander zu bitten, er möge fortgehen. Im allgemeinen gibt die in dieser Reihenfolge erste Absicht, die das genannte Merkmal voraussetzt, zugleich die erste Bedeutung an.

Da der Sprecher mit Notwendigkeit beabsichtigt, daß sein Publikum die erste Bedeutung erfaßt – und sie wird erfaßt, sofern die Kommunikation gelingt –, geht uns bei der Untersuchung der ersten Bedeutung nichts verloren, wenn wir uns auf das Wissen oder die Fähigkeit beschränken, die der Hörer haben muß, um den Sprecher interpretieren zu können. Was der Sprecher weiß, muß etwas entsprechen, was der Interpret weiß, um den Sprecher verstehen zu können, denn wenn der Sprecher verstanden wird, ist er so interpretiert worden, wie er interpretiert zu werden beabsichtigt hat. Auf die Fähigkeiten des Sprechers, die – wie etwa Erfindungsgabe und Körperbeherrschung – hinausgehen über das, was vom Interpreten zu verlangen ist, kommt es mir hier nicht an.

Keine unserer bisherigen Aussagen begrenzt die erste Bedeutung auf die Sprache; das Gekennzeichnete ist (in etwa) identisch mit dem Griceschen Begriff der nichtnatürlichen Bedeutung, der für jedes Zeichen oder Signal mit einer intendierten Interpretation gilt. Nun fragt es sich, was noch hinzugefügt werden sollte, wenn wir die erste Bedeutung auf sprachliche Bedeutung beschränken wollen. Die übliche Antwort würde vermutlich lauten, daß im Fall der Sprache dem Hörer und dem Sprecher ein komplexes System oder eine Theorie gemeinsam ist: ein System, das die Artikulation logischer Beziehungen zwischen Äußerungen ermöglicht und die Fähigkeit erklärt, bisher unbekannte Äußerungen in geordneter Weise zu interpretieren.

Diese Lösung ist in dieser oder jener Form von vielen Philosophen und Sprachwissenschaftlern vorgeschlagen worden, und ich für mein Teil gehe davon aus, daß sie in gewissem Sinne zutreffen muß. Die Schwierigkeit besteht darin, sich Klarheit zu verschaffen darüber, in welchem Sinne sie zutrifft. Das spezifische Problem, das mich in dieser Arbeit beschäftigt – es gibt daneben noch eine ganze Menge sonstiger Schwierigkeiten –, läßt sich verdeutlichen, indem man drei einleuchtende Grundsätze aufstellt, die den Begriff der ersten Bedeutung in der Sprache betreffen. Diese Grundsätze kann man etikettieren, indem man behauptet, sie verlangten, daß die erste Bedeutung systematisch, daß sie gemeinschaftlich und daß sie vorgegeben sein muß.

(1) *Die erste Bedeutung ist systematisch.* Ein kompetenter Sprecher oder Interpret ist dazu imstande, seine eigenen oder fremde Äußerungen auf der Basis der semantischen

Eigenschaften der in der jeweiligen Äußerung enthaltenen Bestandteile oder Wörter sowie aufgrund der Struktur dieser Äußerung zu interpretieren. Um dies zu ermöglichen, müssen zwischen den Bedeutungen der Äußerungen systematische Beziehungen bestehen.

(2) *Die ersten Bedeutungen sind etwas Gemeinschaftliches.* Damit Sprecher und Interpret erfolgreich und regelmäßig miteinander kommunizieren können, muß ihnen eine Interpretationsmethode der unter (1) beschriebenen Art gemeinsam sein.

(3) *Reguliert werden die ersten Bedeutungen durch erlernte Konventionen oder Regelmäßigkeiten.* Die systematische Kenntnis oder Kompetenz von Sprecher oder Interpret wird erworben, ehe sich Gelegenheiten der Interpretation ergeben, und sie ist ihrer Art nach konventionsbedingt.

Daß es im Hinblick auf diese Bedingungen Probleme gibt, bezweifelt wahrscheinlich niemand. Ein Beispiel ist das Problem der Mehrdeutigkeit: Häufig hat »dasselbe« Wort mehr als nur eine einzige semantische Rolle, und daher ist die Interpretation der Äußerungen, in denen es vorkommt, durch die bisher genannten Merkmale der Kompetenz des Interpreten nicht eindeutig festgelegt. Doch obwohl die sprachlichen und sonstigen Eigenschaften des Äußerungskontexts oft eine zutreffende Interpretation bestimmen, ist es nicht leicht – ja vielleicht nicht einmal möglich –, klare Regeln für die Beseitigung von Mehrdeutigkeiten anzugeben. Es gibt aber noch weit mehr Fragen in bezug darauf, welche Bedingungen an den kompetenten Interpreten zu stellen sind: Es erscheint kaum plausibel anzunehmen, es gebe eine strenge Regel, die festsetzt, unter welchen Umständen wir der Reihenfolge, in der miteinander verknüpfte Sätze in einer Konjunktion vorkommen, Bedeutung beimessen sollten; dabei geht es etwa um den Unterschied zwischen »Sie heirateten und hatten ein Kind« und »Sie hatten ein Kind und heirateten«. Gewiß sind Interpreten imstande, diese Unterscheidungen zu machen.

Doch ein Kerngedanke der vorliegenden Arbeit besagt, daß diese Fähigkeit ihrerseits nicht als Bestandteil ihrer *sprachlichen* Grundkompetenz gelten sollte. Der Gegensatz zwischen dem, was mit dem Gebrauch von »aber«, und dem, was mit dem Gebrauch von »und« gemeint oder impliziert wird, ist, wie mir scheint, ein anderes Problem, denn selbst der gesündeste Menschenverstand würde es dem Interpreten nicht ermöglichen, dahinterzukommen, wenn er daneben keine sprachlichen Kenntnisse besäße.

Paul Grice hat mehr als jeder andere dazu beigetragen, uns auf diese Probleme aufmerksam zu machen und sie zu klären. Insbesondere hat er gezeigt, weshalb es wesentlich ist, einen Unterschied zu machen zwischen der buchstäblichen (und vielleicht mit unserer »ersten« Bedeutung identischen) Bedeutung der Wörter und dem, was von jemandem, der diese Wörter verwendet, häufig impliziert (oder implikiert*) wird. Grice hat die allgemeinen Prinzipien erkundet, die hinter unserer Fähigkeit stehen, aus solchen Implikaturen schlau zu werden, und diese Prinzipien müssen natürlich den Sprechern bekannt sein, die damit rechnen, daß man sie deswegen befragt. Unentschieden darf vielleicht die Frage bleiben, ob die Kenntnis dieser Prinzipien mit unter die Beschreibung der sprachlichen Kompetenz fallen sollte: Einerseits gibt es Dinge, die ein gescheiter Mensch oft ohne vorherige Schulung oder Bekanntschaft ausfindig machen könnte, und dies sind überdies Dinge, ohne die wir ebenfalls auskommen könnten. Andererseits stellen sie eine Art von Fertigkeit dar, die wir von einem Interpreten erwarten und ohne die die Kommunikation arg verkümmern würde.

Auf diese Themen gehe ich nur ein, um sie von dem Problem zu unterscheiden, das durch Malapropismen und dergleichen

* [Paul Grice' technischer Terminus »implicate« bezieht sich auf eine Art von Implikation, die weder formal noch im eigentlichen Sinne bedeutungsabhängig, sondern durch den Gebrauch der betreffenden Wörter oder durch sie betreffende Konventionen bedingt ist. – Übers.]

aufgeworfen wird. Die in den letzten beiden Absätzen gestreiften Probleme betreffen durchgängig die Fähigkeit, Wörter und Konstruktionen zu interpretieren, die unter unsere Bedingungen (1) bis (3) fallen. Die Fragen, um die es dabei geht, lauten: Was ist für eine solche Interpretation erforderlich, und inwieweit sollten die verschiedenen Kompetenzen als sprachliche gelten? Durch die Malapropismen kommen Ausdrücke ins Spiel, für die das bisher Gelernte nicht gilt, beziehungsweise schon bekannte Ausdrücke, die sich mit Hilfe der bisher erörterten Fähigkeiten nicht interpretieren lassen. Die Malapropismen fallen in eine andere Kategorie, zu der etwa unsere Fähigkeit gehören mag, einen richtig gebildeten Satz wahrzunehmen, wiewohl die wirkliche Äußerung unvollständig oder grammatisch verfehlt ist, sowie unsere Fähigkeit, nie gehörte Wörter zu interpretieren, Versprecher zu korrigieren oder mit neuen Idiolekten zurechtzukommen. Das sind Phänomene, von denen her den Standardbeschreibungen der sprachlichen Kompetenz Gefahr droht (wobei auch Beschreibungen, für die ich selbst verantwortlich bin, nicht ausgenommen sind).

Wie sollen wir die Grundsätze (1) bis (3) verstehen oder modifizieren, um die Malapropismen unter Dach und Fach zu bringen? Prinzip (1) verlangt, der kompetente Interpret müsse darauf vorbereitet sein, Äußerungen von Sätzen zu interpretieren, die er noch nie gehört hat. Dies ist möglich, weil der Interpret dazu imstande ist, die semantische Rolle einer endlichen Anzahl von Wörtern oder Wendungen sowie die semantischen Konsequenzen einer endlichen Anzahl von Weisen der Satzkonstruktion zu ermitteln. Das genügt, um die Fähigkeit zur Interpretation von Äußerungen neuer Sätze zu erklären. Und da sich die Arten der Satzkonstruktion iterieren lassen, gibt es keine klare Obergrenze für die Anzahl der Sätze, deren Äußerungen interpretiert werden können. Der Interpret verfügt damit über ein System zur Interpretation dessen, was er hört oder sagt. Dieses System kann man sich als eine Maschine vorstellen, die bei Eingabe einer beliebigen Äußerung (und bestimmter Parameter, die durch die Umstände der Äußerung gegeben sind) eine Interpretation liefert. Ein Modell für eine solche Maschine wäre etwa eine Wahrheitstheorie, die mehr oder weniger den Bedingungen einer Tarskischen Wahrheitsdefinition entspräche. Diese Theorie liefert eine rekursive Kennzeichnung der Wahrheitsbedingungen aller möglichen Äußerungen des Sprechers, und dies gelingt ihr, indem sie Äußerungen als Sätze analysiert, die aus dem endlichen Vokabular und dem endlichen Vorrat von Arten der Satzkonstruktion gebildet sind. Schon häufig habe ich geltend gemacht, daß die Beherrschung einer solchen Theorie für die Interpretation ausreichend wäre.[4] Hier besteht jedoch kein Grund, sich mit den Einzelheiten der Theorie zu befassen, die die Fähigkeit des Interpreten angemessen wiedergeben kann. Im Rahmen der jetzigen Erörterung kommt es nur darauf an, daß die Theorie eine endliche Basis hat und daß sie rekursiv ist, und dies sind Merkmale, über die sich die meisten Philosophen und Linguisten einig sind.

Mit der Behauptung, daß eine explizite Theorie der Sprecher-Interpretation ein Modell abgibt für die sprachliche Kompetenz des Interpreten, soll keineswegs angedeutet werden, daß der Interpret eine solche Theorie kennt. Es ist freilich möglich, daß man die meisten Interpreten dazu bewegen könnte zuzugeben, daß sie tatsächlich einige der Axiome einer Wahrheitstheorie kennen, wie zum Beispiel dies: daß eine Konjunktion dann und nur dann wahr ist, wenn jedes ihrer Glieder wahr ist. Und vielleicht kennen sie auch Theoreme der Form »Eine Äußerung des Satzes ›Es gibt Leben auf dem Mars‹ ist dann und nur dann wahr, wenn es zur Zeit der Äußerung Leben auf dem Mars gibt«. Explizit kennt jedoch niemand eine völlig befriedigende Theorie zur Interpretation der Sprecher einer natürlichen Sprache.

4 Vgl. die Aufsätze zum Thema radikale Interpretation, in: Davidson, *Inquiries into Truth and Interpretation*

Behauptungen über die eventuellen Bestandteile einer befriedigenden Theorie sind jedenfalls, wie gesagt, keine Behauptungen über das propositionale Wissen eines Interpreten, und sie besagen auch nichts über die Einzelheiten der inneren Funktionsweisen eines Gehirnteils. Vielmehr betreffen diese Behauptungen die Angaben, die gemacht werden müssen, um eine ausreichende Beschreibung der Kompetenz des Interpreten zu liefern. *Wir* können die Fähigkeiten eines Interpreten nicht anders beschreiben als durch Berufung auf eine rekursive Theorie bestimmter Art. Es macht diese These nicht gehaltvoller, wenn man sagt: Sofern diese Theorie die Kompetenz des Interpreten tatsächlich richtig beschreibt, muß ein Mechanismus im Inneren des Interpreten der Theorie entsprechen.

Grundsatz (2) besagt, daß die Kommunikation nur gelingen kann, sofern es eine gemeinsame systematische Interpretationsmethode gibt. (Ich werde von nun an voraussetzen, daß es harmlos ist, eine solche Methode als Theorie zu bezeichnen, so als gebrauchte der Interpret die Theorie, die wir verwenden, um seine Kompetenz zu beschreiben.) Die Gemeinschaftlichkeit läuft auf folgendes hinaus: Der Interpret benutzt seine Theorie, um den Sprecher zu verstehen; der Sprecher verwendet dieselbe (oder eine äquivalente) Theorie zur Regelung seiner Äußerungen. Für den Sprecher handelt die Theorie davon, wie ihn der Interpret interpretieren wird. Der Grundsatz (2) verlangt offenbar nicht, daß Sprecher und Interpret dieselbe Sprache sprechen. Es ist zwar überaus praktisch, daß viele Menschen in ähnlicher Weise reden und daher mehr oder weniger gleichartig interpretiert werden können, aber im Prinzip ist es für die Kommunikation nicht erforderlich, daß zwei Personen dieselbe Sprache sprechen. Was dem Interpreten und dem Sprecher gemeinsam sein muß, ist das Verständnis der Worte des Sprechers.

Aus Gründen, die noch zum Vorschein kommen werden, glaube ich nicht, daß sich die Grundsätze (1) und (2) nicht mit der Existenz von Malapropismen in Einklang bringen lassen; Probleme tauchen erst auf, wenn Malapropismen mit dem Grundsatz (3) zusammengebracht werden. Ehe ich direkt auf den Grundsatz (3) eingehe, möchte ich jedoch ein Thema ins Spiel bringen, das gar nicht hier hinzuzugehören scheint.

Das verwirrende Problem, das ich erörtern möchte, läßt sich von einigen damit zusammenhängenden Themen trennen, indem man eine Unterscheidung von Keith Donnellan betrachtet sowie eine Bemerkung, die er zur Rechtfertigung dieser Unterscheidung geäußert hat. Donnellans bekannte Unterscheidung betrifft zwei Verwendungsweisen definiter Kennzeichnungen. Folgendes ist ein Beispiel für den *Bezug nehmenden* Gebrauch: Müller sagt: »Schmidts Mörder ist wahnsinnig«, und meint, daß ein bestimmter Mann, den er (Müller) für den Mörder von Schmidt hält, wahnsinnig ist. Nun sagt Donnellan: Selbst dann, wenn der Mann, den Müller für Schmidts Mörder hält, Schmidt nicht ermordet hat, gelingt es Müller, auf den ihm vorschwebenden Mann Bezug zu nehmen; und falls dieser Mann wahnsinnig ist, hat Müller etwas Wahres gesagt. Derselbe Satz kann auch *attributiv* gebraucht werden, wenn man behaupten möchte, daß Schmidts Mörder – wer immer dieser Mörder sein mag – wahnsinnig ist. In diesem Fall sagt der Sprecher nichts Wahres, falls es niemanden gibt, der Schmidt ermordet hat, und außerdem nimmt er auf niemanden Bezug.

In einer Replik auf Donnellans Artikel erhebt Alfred MacKay den Einwand, Donnellan vertrete die gleiche Bedeutungstheorie wie Humpty Dumpty: »›Wenn *ich* ein Wort gebrauche‹, sprach Humpty Dumpty, ›dann bedeutet es genau das, was es nach meinem Willen bedeuten soll‹.« In der vorangehenden Unterhaltung hat Humpty Dumpty das Wort »Ruhm« im Sinne von »ein stichhaltiges Gegenargument« verwendet. Donnellan legt in seiner Erwiderung dar, daß Absichten und Erwartungen miteinander zusammenhängen und daß man nicht beabsichtigen kann, etwas durch ein bestimmtes Mittel zu erreichen, sofern man nicht glaubt oder erwartet, daß dieses Mittel zu dem gewünschten Ergebnis führen wird oder zumindest dazu führen kann. Ein Sprecher kann daher nicht beabsichtigen, etwas mit seiner Aussage zu meinen, es sei denn, er glaubt, daß sein Hörer die geäußerten Worte seiner Absicht entsprechend interpretieren wird (gemäß dem Griceschen Zirkel also). Bei Donnellan heißt es:

> Schriebe ich zum Abschluß dieser Erwiderung auf MacKay den Satz »Da hast du deinen Ruhm«, würde ich mich der Arroganz schuldig machen und zweifellos auch die Überzeugungskraft meiner Ausführungen überschätzen, doch unter Voraussetzung des bisher Gesagten könnte man mir vermutlich nicht den Vorwurf machen, ich hätte mich unverständlich ausgedrückt. Man würde mich wohl verstehen, und wäre es dann nicht wirklich so, daß ich mit »Ruhm« »ein stichhaltiges Gegenargument« gemeint hätte?[5]

Diese Antwort gefällt mir, und ich lasse auch Donnellans ursprüngliche Unterscheidung zwischen den beiden Verwendungsweisen der Kennzeichnungen gelten (es gibt übrigens weit mehr als nur zwei). Doch offenbar gibt es irgend etwas an Donnellans Auffassung, womit ich nicht einig gehe, denn im Gegensatz zu ihm sehe ich fast gar keinen Zusammenhang zwischen der Erwiderung auf MacKays Einwand und den Bemerkungen über Bezugnahme. Der Grund ist folgender: MacKay sagt, es sei unmöglich, die Bedeutung der Wörter (und somit, falls relevant, ihren Bezug) durch bloße Absicht zu ändern. Die Antwort darauf lautet, dies sei zwar richtig, doch die Bedeutung könne man sehr wohl ändern, sofern man glaubt (und vielleicht zu Recht glaubt), daß der Interpret über angemessene Hinweise auf die neue Interpretation verfügt. Diese Hinweise kann man absichtlich bereitstellen, wie es Donnellan mit seinem abschließenden »Da hast du deinen Ruhm« getan hat.

Das Problem ist, daß Donnellans ursprüngliche Unterschei-

5 Donnellan, »Putting Humpty Dumpty Together Again«, S. 213. Vgl. Alfred MacKays Artikel »Mr Donnellan and Humpty Dumpty on Referring«.

dung nichts mit der Frage zu tun hatte, wie Wörter ihre Bedeutung oder ihren Bezug ändern. Wenn sich Müller durch Bezug nehmenden Gebrauch der Kennzeichnung »Schmidts Mörder« auf jemanden bezieht, der Schmidt nicht umgebracht hat, gelingt die Bezugnahme dennoch mit Hilfe der normalen Wortbedeutungen. Also müssen die Wörter auch ihren gewöhnlichen Bezug haben. Um diese Beschreibung der Lage zu akzeptieren, ist nichts weiter nötig als ein sicheres Verständnis des Unterschieds zwischen dem, was *Wörter* bedeuten oder worauf sie sich beziehen, und dem, was *Sprecher* meinen oder worauf sie sich beziehen. Müller kann sich mit Wörtern, die auf Schmidts Mörder Bezug nehmen, auf jemand anders beziehen; und das kann aus Unkenntnis oder mit Absicht geschehen. Ähnliches gilt für Donnellans Behauptung, Müller habe mit seiner Äußerung »Schmidts Mörder ist wahnsinnig« etwas Wahres gesagt, sofern der Mann, den er (irrtümlich) für Schmidts Mörder hält, wirklich wahnsinnig ist. Müller sagt etwas Wahres, indem er einen falschen Satz gebraucht. Es kommt ständig vor, daß dergleichen absichtlich getan wird, zum Beispiel in ironischen oder metaphorischen Äußerungen. Eine kohärente Theorie könnte es nicht zulassen, daß Müllers Satz unter diesen Umständen als wahr gilt; und auch Müller selbst würde ihn nicht für wahr halten, wenn ihm der Tatbestand bekannt wäre. Müllers Überzeugung hinsichtlich der Identität von Schmidts Mörder kann an der Wahrheit des von ihm gebrauchten Satzes nichts ändern (und aus dem gleichen Grund kann sie auch nichts am Bezug der Wörter ändern, die in diesem Satz vorkommen).

Humpty Dumpty hat damit nichts zu tun. Er kann nicht wirklich meinen, was er zu meinen behauptet, denn er weiß, daß Alice außerstande ist, »Da hast du deinen Ruhm« im Sinne von »Da hast du ein stichhaltiges Gegenargument« zu interpretieren. Wir wissen, daß er dies weiß, weil Alice sagt: »Ich habe keine Ahnung, was du mit ›Ruhm‹ meinst«, worauf Humpty Dumpty erwidert: »Natürlich hast du keine Ahnung – bis ich's dir gesagt habe.« Mich interessieren Frau Malaprop und Donnellan: Frau Malaprop deshalb, weil sie mit ihren Äußerungen durchkommt, ohne sich auch nur zu bemühen oder etwas darüber zu wissen; und Donnellan deshalb, weil er mit Absicht durchkommt.

Unter »durchkommen« verstehe ich dabei folgendes: Wenn sich der Interpret in die Äußerungssituation begibt, ist er mit einer Theorie gewappnet, die ihm (wie er meint) angibt, was beliebige Äußerungen des Sprechers bedeuten. Nun sagt der Sprecher etwas mit der Absicht, daß es in bestimmter Weise interpretiert werde, und in der Erwartung, daß es tatsächlich so interpretiert wird. Doch in Wirklichkeit ist diese Interpretationsweise in der Theorie des Interpreten nicht vorgesehen. Der Sprecher wird aber dennoch verstanden, denn der Interpret rückt seine Theorie so zurecht, daß die vom Sprecher intendierte Interpretation herauskommt. Der Sprecher ist »damit durchgekommen«. Es kann sein, daß es dem Sprecher bewußt ist, mit etwas durchgekommen zu sein, aber es kann auch sein, daß es ihm nicht bewußt ist (Donnellan beziehungsweise Frau Malaprop); es kann sein, daß die Absicht des Sprechers, mit etwas durchzukommen, dem Interpreten bekannt ist, aber es kann auch sein, daß er ahnungslos ist. Gemeinsam ist allen diesen Fällen, daß der Sprecher damit rechnet, seiner Absicht entsprechend interpretiert zu werden, und tatsächlich so interpretiert wird, obwohl der Interpret im voraus keine richtige Theorie kennt.

Um diesen Sachverhalt deutlich zu machen, bedarf es keiner grotesken Geschichten und keiner Wunderländer. Wir alle kommen immerfort damit durch; das Verständnis der Äußerungen anderer beruht ja darauf. Denken wir an die Eigennamen. In kleinen, isolierten Gruppen kann es vorkommen, daß jeder die Namen, die auch jedem anderen bekannt sind, kennt und so schon vor jeder Gesprächsbegegnung über eine Theorie verfügt, die ohne Korrektur mit den verwendeten Namen zurechtkommt. Aber selbst dieses semantische Paradies wird durch jeden neuen Spitznamen, durch jeden Besucher, durch jede Geburt zerstört. Wird ein Name durch Tabu geächtet, ist die Theorie des Sprechers falsch, solange er nichts davon erfährt; und ähnlich verhält es sich, wenn ein Auslegerboot getauft wird.

Soweit ich sehe, gibt es keine Namentheorie, die um dieses Problem herumkommt. Wird die Bedeutung eines Namens durch eine definite Kennzeichnung angegeben, muß der Interpret seiner Theorie immer noch das Faktum hinzufügen, daß der Name, der ihm neu ist, mit der entsprechenden Kennzeichnung in Verbindung zu bringen ist. Heißt einen Namen verstehen, daß eine angemessene Zahl von Kennzeichnungen, die auf den benannten Gegenstand zutreffen, entsprechend gewichtet wird, ist es sogar noch deutlicher, daß die Hinzufügung eines Namens zur Interpretationsweise, die man auf einen bestimmten Sprecher anwendet, von keiner klar im voraus aufgestellten Regel abhängt. Die verschiedenen Theorien, die in den Namen ein wesentlich demonstratives Element erkennen, liefern immerhin eine partielle Regel für die Hinzufügung neuer Namen. Aber die Hinzufügung ist dennoch ein Zusatz zur Interpretationsmethode (unter der wir uns die Auffassung des Interpreten von der jetzigen Sprache des Sprechers vorstellen können). Durch die Entdeckung eines demonstrativen Elements in den Namen – oder übrigens auch in den Massentermini oder in den Bezeichnungen natürlicher Arten – werden diese Wörter nicht auf reine Demonstrativa reduziert; deshalb verlangt ein neues Wort in jeder dieser Kategorien eine Änderung der Theorie des Interpreten und daher auch eine Änderung unserer Beschreibung seines Sprecher-Verstehens.

Durch Frau Malaprop und Donnellan wird die Sache ins Allgemeine gerückt. Es gibt weder ein Wort noch eine Konstruktion, die sich nicht durch einen findigen oder unwissenden Sprecher auf einen neuen Gebrauch umstellen ließe. Und diese Art des Umstellens ist zwar leichter zu erklären – denn dabei geht es nur um eine Substitution –, doch es ist keineswegs die einzige Art. Reine Erfindungen sind ebenfalls möglich, und wir können diese (etwa bei der Lektüre von Joyce oder Carroll) vielleicht genauso gut interpretieren wie die Irrtümer oder Verwicklungen der Substitution. Vom Standpunkt einer letzten Erklärung des Erwerbs neuer Begriffe ist das Lernen der Interpretation eines Wortes, das einen uns unbekannten Begriff ausdrückt, ein weit tieferes und interessanteres Phänomen als die Erklärung der Fähigkeit, ein Wort zu gebrauchen, das uns zwar neu ist, aber für einen bekannten Begriff steht. In beiden Fällen jedoch muß die Art und Weise geändert werden, in der man die Äußerungen anderer interpretiert, beziehungsweise die Art und Weise, in der man mit jemandem spricht, der den Gebrauch des Wortes kennt.

Der Gegensatz zwischen dem Erwerb eines neuen Begriffs oder einer neuen Bedeutung und dem bloßen Lernen eines neuen Worts für einen alten Begriff wäre von entscheidender Bedeutung, wenn es mir um das unendlich schwierige Problem ginge, wie die Muttersprache gelernt wird. Im Vergleich damit ist mein Problem unkompliziert. Ich möchte wissen, wie Menschen, die schon eine Sprache beherrschen (was immer das im einzelnen bedeuten mag), es zuwege bringen, ihre Fertigkeit oder ihre Kenntnisse auf wirkliche Fälle der Interpretation anzuwenden. Alle Kenntnisse oder Fertigkeiten, die ich auf seiten eines Interpreten voraussetze, beruhen darauf, daß er über eine ausreichend entwickelte Menge von Begriffen verfügt und daß er sich im Geschäft der sprachlichen Kommunikation auskennt. Mein Problem besteht darin, wie ich beschreiben soll, was eigentlich in dem Gedanken steckt, daß man »eine Sprache kann« oder sich im Geschäft der sprachlichen Kommunikation auskennt.

Nun möchte ich folgende überaus vereinfachte und idealisierte Darstellung des Hergangs vorschlagen: Der Interpret verfügt zu jedem Zeitpunkt eines Gesprächsaustauschs über eine Theorie, wie ich sie auch weiterhin nennen möchte. (Als

Theorie bezeichne ich sie, wie gesagt, nur deshalb, weil eine Beschreibung der Kompetenz des Interpreten eine rekursive Erklärung verlangt.) Ich gehe davon aus, daß die Theorie des Interpreten an die bisher zugänglichen Belege angepaßt worden ist, also an seine Kenntnis des Charakters, der Kleidung, der Rolle, des Geschlechts des Sprechers und an alles, was er sonst noch herausbekommen hat durch Beobachtung des sprachlichen oder nichtsprachlichen Verhaltens des Sprechers. Während der Sprecher seine Äußerungen vorbringt, modifiziert der Interpret seine Theorie, fügt Hypothesen über neue Namen ein, ändert die Interpretation altbekannter Prädikate und revidiert frühere Interpretationen spezifischer Äußerungen im Hinblick auf neue Belege.

Einige dieser Vorgänge lassen sich als Verbesserung der Interpretationsmethode anhand einer wachsenden Indizienbasis beschreiben. Doch vielfach verhält es sich nicht so. Wenn Donnellan seine Erwiderung auf MacKay mit der Aussage abschließt: »Da hast du deinen Ruhm«, wird man nicht nur ihn, sondern auch seine Worte zu Recht im Sinne von »Da hast du ein stichhaltiges Gegenargument« interpretieren. In dieser Weise sollen wir die Worte nach seiner Absicht interpretieren, und da wir den für die Angabe der Interpretation nötigen Hintergrund kennen, und da er weiß, daß wir ihn kennen, und da wir wissen, daß er weiß, daß wir ihn kennen (und so weiter), wissen wir, daß wir seine Worte so interpretieren sollen. Doch bis zu einem bestimmten Zeitpunkt (nämlich ehe MacKay den Schauplatz betritt) wäre diese Interpretation einer wortgleichen früheren Äußerung Donnellans falsch gewesen. Um es anders zu formulieren: Die Theorie, die wir tatsächlich verwenden, um eine Äußerung zu interpretieren, ist auf die jeweilige Gelegenheit abgestimmt. Es mag zwar sein, daß wir später befinden, aus der Gelegenheit hätte sich mehr herausholen lassen, aber das braucht nicht (unbedingt) zu heißen, daß wir jetzt eine bessere Theorie für die nächste Gelegenheit kennen. Der Grund dafür liegt, wie wir gesehen haben, auf der Hand: Es kann vorkommen, daß uns der Sprecher im Zuge einer Äußerung Informationen gibt, die für die Interpretation ebendieser Äußerung relevant sind. Betrachten wir den Vorgang vom Standpunkt des Sprechers: Der Sprecher will verstanden werden, also äußert er Worte, von denen er glaubt, daß sie in bestimmter Weise interpretiert werden können und tatsächlich interpretiert werden. Um sich ein Urteil darüber zu bilden, wie er wohl interpretiert werden wird, macht er sich ein Bild – beziehungsweise stützt er sich auf ein Bild – von der Bereitschaft des Interpreten, sich bei der Interpretation an eine bestimmte Richtschnur zu halten. Von zentraler Bedeutung für dieses Bild ist, welches nach Überzeugung des Sprechers die Interpretationstheorie ist, von der der Interpret im Hinblick auf den Sprecher ausgeht. Dabei redet der Sprecher nicht unbedingt in einer Weise, die den Interpreten dazu veranlaßt, seine Ausgangstheorie anzuwenden, sondern es kann sein, daß er den Interpreten absichtlich dazu bewegt, seine Ausgangstheorie zu modifizieren. Doch die Ansicht des Sprechers über die Ausgangstheorie des Interpreten ist nicht belanglos – weder für seine Aussagen noch für das, was er mit seinen Worten meint; vielmehr gehört sie zu den wichtigen Anhaltspunkten, nach denen er sich richten muß, wenn er verstanden werden will.

Dabei unterscheide ich zwischen der *Ausgangstheorie* einerseits und der im folgenden so genannten *Übergangstheorie* andererseits. Beim Hörer bringt die Ausgangstheorie zum Ausdruck, wie er eine Äußerung des Sprechers von vornherein zu interpretieren bereit ist, während die Übergangstheorie seine tatsächliche Interpretationsweise dieser Äußerung ist. Für den Sprecher ist die Ausgangstheorie diejenige, die nach seiner *Überzeugung* die Ausgangstheorie des Interpreten ist, während seine Übergangstheorie diejenige ist, die der Interpret nach seiner *Absicht* anwenden soll.

Nun bin ich in der Lage, ein Problem zu formulieren, das sich ergibt, wenn wir die Unterscheidung zwischen Ausgangs-

und Übergangstheorie ebenso akzeptieren wie die Erklärung der sprachlichen Kompetenz durch die Grundsätze (1) und (2). Nach dieser Erklärung geht jeder Interpret (einschließlich der Sprecher, die ja ihrerseits Interpreten sein müssen) an einen erfolgreichen sprachlichen Austausch mit einer gegebenen Theorie heran, die seine sprachliche Basiskompetenz ausmacht und die ihm und seinen Kommunikationspartnern gemeinsam ist. Da jeder Beteiligte über eine solche gemeinschaftliche Theorie verfügt und weiß, daß andere über die gleiche Theorie verfügen, und weiß, daß die anderen über sein Wissen Bescheid wissen (und so weiter), würde mancher behaupten, daß die für die Theorie konstitutiven Kenntnisse oder Fähigkeiten als Konventionen bezeichnet werden dürfen.

Diese üblicherweise akzeptierte Erklärung der sprachlichen Kompetenz wird nach meiner Überzeugung durch die Unterscheidung zwischen Ausgangs- und Übergangstheorie untergraben, sofern man diese Unterscheidung ernst nimmt. Der Grund ist folgender: Das, was den Beteiligten gemeinsam sein muß, damit die Kommunikation gelingen kann, ist die Übergangstheorie. Denn die Übergangstheorie ist diejenige, die der Interpret tatsächlich verwendet, um eine Äußerung zu deuten, und sie ist ebenfalls die Theorie, die der Interpret nach Absicht des Sprechers verwenden soll. Nur wenn diese beiden zusammenfallen, ist die Verständigung vollständig gelungen. (Freilich, es gibt beim Kommunikationsvorgang Grade des Gelingens; vieles kann richtig herauskommen, obwohl manches verkehrt ist. Diese Gradualität ist für meine Argumentation allerdings ohne Belang.)

Die Übergangstheorie ist dort, wo die Übereinstimmung – von Zufälligkeiten abgesehen – am größten ist. Während sich Sprecher und Interpret miteinander unterhalten, werden ihre Ausgangstheorien immer ähnlicher, und ihre Übergangstheorien ebenfalls. Die Asymptote der Übereinstimmung und des Verstehens ist erreicht, sobald die Übergangstheorien zusammenfallen. Allgemein kann die Übergangstheorie aber nicht der Sprachkompetenz des Interpreten entsprechen. Sie enthält nicht nur ihre wechselnde Liste von Eigennamen und umgemodelten Vokabeln, sondern darüber hinaus jeden erfolgreichen – das heißt richtig interpretierten – Gebrauch sonstiger Wörter oder Wendungen, egal, wie weit sie vom Üblichen entfernt sind. Solange (auf einer oder beiden Seiten wissentlich abweichend oder nicht) zeitweilig Übereinstimmung besteht, ist jede Abweichung vom gewöhnlichen Sprachgebrauch als Merkmal dessen, was die Wörter bei der betreffenden Gelegenheit bedeuten, in der Übergangstheorie enthalten. Derartige Bedeutungen sind buchstäbliche Bedeutungen, wie flüchtig sie auch sein mögen; mithin sind sie in meiner Terminologie erste Bedeutungen. Das, wovon die Übergangstheorie handelt, würde niemand (außer einem Philosophen vielleicht) eine wirkliche natürliche Sprache nennen. Die »Beherrschung« einer solchen Sprache wäre unnütz, denn eine Übergangstheorie kennen heißt ja nur, daß man weiß, wie eine bestimmte Äußerung bei einer bestimmten Gelegenheit zu interpretieren ist. Außerdem könnte man von einer solchen Sprache – falls man sie so nennen will – nicht behaupten, sie sei gelernt worden oder werde von Konventionen bestimmt. Natürlich sind zuvor gelernte Dinge wesentlich, um zu der Übergangstheorie zu gelangen, doch die Übergangstheorie kann unmöglich dasjenige sein, was man gelernt hat.

Nun stellt sich die Frage, warum man die Übergangstheorie überhaupt als Theorie bezeichnen sollte. Denn die Art von Theorie, die uns hier vorschwebt, ist in ihrer formalen Struktur so angelegt, daß sie sich als Theorie einer ganzen Sprache eignet, obwohl ihr erwarteter Anwendungsbereich verschwindend winzig ist. Die Antwort lautet: Wenn ein Wort oder ein komplexer Ausdruck für kurze Zeit oder auf begrenztem Gebiet die (vielleicht in einer Ausgangstheorie behandelte) Rolle eines anderen Wortes oder Ausdrucks übernimmt, muß die gesamte Last dieser Rolle mitsamt ihren Implikationen im Hinblick auf logische Beziehungen zu anderen Wörtern, Wendungen und Sätzen von der Übergangstheorie mitgeschleppt werden. Wer den Sachverhalt begreift, daß Frau Malaprop »Epithet« meint, wenn sie »Epitaph« sagt, muß das Wort »Epitaph« mit allen Möglichkeiten ausstatten, die für viele andere Menschen das Wort »Epithet« besitzt. Nur eine ausgewachsene rekursive Theorie kann diesen Möglichkeiten gerecht werden. Und diese Ausführungen sind keineswegs von der Annahme abhängig, daß Frau Malaprop diesen »Fehler« immer wieder machen wird; einmal genügt, um eine Übergangstheorie auf den Plan zu rufen, die dem Wort »Epitaph« eine neue Rolle zuweist.

Die Ausgangstheorie des Interpreten hat schon eher Aussicht, etwas zu beschreiben, was wir für eine natürliche Sprache halten könnten, vor allem, wenn es sich dabei um eine Ausgangstheorie für ein erstes Gespräch handelt. Je weniger wir über den Sprecher wissen, desto eher wird unsere Ausgangstheorie – sofern wir wissen, daß der Sprecher überhaupt unserer Sprachgemeinschaft angehört – eben die Theorie sein, von der wir erwarten, daß sie von jemandem, der unsere ungezwungenen Äußerungen hört, ebenfalls eingesetzt wird. Wenn wir um eine Tasse Kaffee bitten, einem Taxifahrer Anweisungen geben oder eine Kiste Zitronen bestellen, wissen wir vielleicht sowenig über unseren intendierten Interpreten, daß wir bestenfalls voraussetzen können, er werde unsere Äußerungen entsprechend unserer Auffassung der Standardrichtlinien interpretieren. All dies ist jedoch relativ. Eigentlich haben wir immer den Interpreten im Sinn; so etwas wie eine abstrakte Interpretationserwartung gibt es nicht. Je nach unseren ganz allgemeinen Erwägungen beschränken wir unser höheres Vokabular oder setzen es verstärkt ein, und es kann gar nicht ausbleiben, daß wir Vorahnungen haben in bezug darauf, welche der uns bekannten Eigennamen vermutlich richtig verstanden werden.

Jedenfalls geht es mir um folgendes: Meistens werden die Ausgangstheorien nichts Gemeinschaftliches sein, und es gibt keinen Grund, weshalb sie mehreren gemeinsam sein sollten. Es ist gewiß keine Bedingung erfolgreicher Kommunikation, daß Ausgangstheorien etwas Gemeinschaftliches sind. Denken wir etwa an den Malapropismus aus Unkenntnis: Frau Malaprops Ausgangs- und Übergangstheorie besagen, daß »eine hübsche Unordnung von Epitaphen« nichts anderes heißt als eine hübsche Anordnung von Epitheten. Ein Interpret, der, wie man so sagt, Deutsch kann, aber nichts über die sprachlichen Gewohnheiten von Frau Malaprop weiß, verfügt über eine Ausgangstheorie, der zufolge »eine hübsche Unordnung von Epitaphen« eine hübsche Unordnung von Epitaphen bedeutet; doch sofern er Frau Malaprops Worte versteht, wird seine Übergangstheorie mit der ihren übereinstimmen.

Ganz klar ist, daß die Ausgangstheorie im allgemeinen weder dem Sprecher und dem Interpreten gemeinsam noch dasjenige ist, was wir normalerweise eine Sprache nennen würden. Die Ausgangstheorie enthält nämlich alle speziellen Merkmale des Sprecheridiolekts, die der Interpret in Betracht ziehen kann, ehe der Sprecher sich zu äußern beginnt. Den Unterschied zwischen der Ausgangstheorie und unserer gewöhnlichen Vorstellung von der Sprache eines Menschen kann man sich unter anderem verdeutlichen, indem man über die Tatsache nachdenkt, daß man dem Interpreten in bezug auf verschiedene Sprecher ganz verschiedene Ausgangstheorien zuschreiben muß, die gewöhnlich allerdings nicht ganz so verschieden sind wie seine Übergangstheorien. Diese Dinge hängen jedoch davon ab, wie gut der Interpret den betreffenden Sprecher kennt.

Weder die Ausgangstheorie noch die Übergangstheorie beschreibt etwas, was wir die Sprache, die jemand beherrscht, nennen würden; und keine dieser beiden Theorien kennzeichnet die Sprachkompetenz des Sprechers oder des Interpreten. Gibt es eine Theorie, die sich besser dazu eignen würde?

Vielleicht wird man sagen, das Wesentliche für die Beherrschung einer Sprache sei nicht die Kenntnis eines bestimmten Vokabulars oder gar einer detaillierten Grammatik und erst recht nicht die Kenntnis dessen, was ein Sprecher seine Wörter und Sätze bedeuten lassen kann. Das Wesentliche sei vielmehr ein Basisrahmen von Kategorien und Regeln, ein Gefühl für die Möglichkeiten des Aufbaus deutscher (oder sonstiger) Grammatiken sowie eine schematische Liste interpretierter Wörter, die sich in den Basisrahmen fügen. Wenn ich all dies recht vage formuliere, so liegt das bloß daran, daß ich eine große Anzahl tatsächlicher oder möglicher Vorschläge auf einmal in Betracht ziehen möchte. Ich glaube nämlich, daß sie alle außerstande sind, unser Problem zu lösen. Es mißlingt ihnen aus den gleichen Gründen, aus denen die kompletteren und spezifischeren Ausgangstheorien ohne Erfolg bleiben: Keine von ihnen erfüllt die Forderung nach einer Beschreibung, die eine dem Sprecher und dem Interpreten gemeinsame Fähigkeit kennzeichnet und darüber hinaus der Interpretation angemessen ist.

Erstens, jeder allgemeine Rahmen wird aufgrund ebenjener Merkmale, die ihn allgemein machen, von sich aus nicht zureichen, um Einzeläußerungen zu interpretieren, wobei es keine Rolle spielt, ob man diesen Rahmen als Grammatik des Deutschen, als Regel für die Anerkennung von Grammatiken oder als Basisgrammatik mitsamt Regeln für ihre eigene Änderung oder Erweiterung auffaßt. Der allgemeine Rahmen oder die Theorie mag zwar, wie immer sie beschaffen ist, eine Schlüsselstellung unter den Voraussetzungen der Interpretation einnehmen, doch die Gesamtheit der notwendigen Bedingungen kann damit noch nicht gegeben sein, denn für die von einem spezifischen Sprecher geäußerten einzelnen Wörter und Sätze gibt diese Theorie keine Interpretation an. In dieser Hinsicht verhalt sie sich wie die Ausgangstheorie, leistet allerdings noch weniger, da sie noch unvollständiger ist.

Zweitens, man muß damit rechnen, daß die Rahmentheorie bei verschiedenen Sprechern verschieden ausfällt. Je allgemeiner und abstrakter sie ist, desto größer können die Unterschiede sein, ohne daß es sich auf die Kommunikation auswirkt. Die theoretische Möglichkeit einer derartigen Divergenz liegt auf der Hand; doch sobald man sich einen Rahmen vorzustellen versucht, der reichhaltig genug ist, um seinen Zweck zu erfüllen, ist klar, daß solche Unterschiede auch in der Wirklichkeit vorkommen müssen. Solange nicht entschieden ist, was zum Rahmen gerechnet werden soll, ist es freilich nicht möglich, Beispiele zu nennen, denn ein ausführlich genug gestalteter Rahmen könnte durch einen einzigen Malapropismus in Frage gestellt werden. Ferner liegen recht beeindruckende Belege vor, die dafür sprechen, daß es Unterschiede gibt zwischen den internen Grammatiken der Sprecher »ein und derselben Sprache«. James McCawley berichtet, durch neuere Forschungsarbeiten von Haber werde gezeigt,

> daß es zwischen verschiedenen Sprechern nennenswerte Unterschiede gibt hinsichtlich der Regeln für die Pluralbildung, wobei diese Unterschiede unter anderem dadurch zutage treten, wie die Sprecher mit neuen Wörtern umgehen, die der Forscher den Versuchspersonen im Zusammenhang einer Aufgabe vorlegt, welche sie zwingt, das betreffende Wort im Plural zu verwenden. [...] Haber meint, daß die Versuchspersonen nicht über ein unterschiedslos anwendbares Verfahren der Pluralbildung verfügen, sondern daß jede dieser Personen ein »Kernsystem« hat, das zwar einen weiten Bereich von Fällen, aber nicht notwendig alle erfaßt, plus Strategien zur Behandlung von Fällen, für die das »Kernsystem« nicht gilt. [...] Habers Forschungsergebnisse deuten darauf hin, daß sich Sprecher von Dialekten, die bis ins kleinste Detail »gleich« sind, häufig Grammatiken angeeignet haben, die in weit mehr Hinsichten auseinandergehen als ihre Redeweise.[6]

6 McCawley, »Some Ideas Not to Live By«, S. 157. Diese Ergebnisse werden von denen bestritten, die glauben, daß die relevanten zugrundeliegenden Regeln und Strukturen fest im Sprecher angelegt sind. Der Punkt, um den

Ich habe versucht, die Klarheit der Vorstellung des »den gleichen Dialekt Sprechens« in Frage zu stellen, doch hier können wir annehmen, daß zumindest die häufige Gemeinsamkeit von Übergangstheorien dazugehört.

Die Einbeziehung von Grammatiken, Theorien oder Rahmen, die allgemeiner als Ausgangstheorien und diesen vorgeordnet sind, akzentuiert bloß das zunächst mit Hilfe des Gegensatzes zwischen Ausgangs- und Übergangstheorien dargelegte Problem. Um es jetzt noch umfassender zu formulieren, geht es bei diesem Problem um folgendes: Was dem Interpreten und dem Sprecher insoweit, als die Kommunikation gelingt, gemeinsam ist, ist nichts Gelerntes und daher keine Sprache, die von dem Sprecher und dem Interpreten im voraus bekannten Regeln oder Konventionen reguliert wird; doch das, was Sprecher und Interpret im voraus wissen, ist nicht (notwendig) etwas Gemeinsames und daher auch keine Sprache, die von gemeinsamen Regeln oder Konventionen reguliert wird. Das Gemeinsame ist, wie gesagt, die Übergangstheorie; das im voraus Gegebene ist die Ausgangstheorie oder etwas, worauf diese ihrerseits basieren kann.

Außer acht gelassen habe ich bisher die von Haber so genannte »Strategie« – ein hübsches Wort für den geheimnisvollen Vorgang, durch den Sprecher oder Hörer das, was sie im voraus wissen, mitsamt den gerade vorliegenden Daten zum Einsatz bringen, um eine Übergangstheorie aufzustellen. Was zwei Personen benötigen, um sich durch sprachliche Äußerungen miteinander zu verständigen, ist die Fähigkeit, von einer Äußerung zur nächsten immer weiter konvergierende Übereinstimmung hinsichtlich der Übergangstheorien zu erzielen. Ihre Ausgangspunkte werden gewöhnlich überaus verschieden sein, gleichgültig, wie weit wir bei der Suche nach diesen Ausgangspunkten zurückgehen wollen; sie werden so verschieden sein wie die jeweilige Art und Weise, in der sie ihr

es mir geht, hängt offenbar weder von diesem Beispiel ab noch davon, auf welcher Stufe Abweichungen empirisch möglich sind.

sprachliches Können erworben haben. Dementsprechend werden sich dann auch die Strategien und Finessen, die die Konvergenz zeitigen, voneinander unterscheiden.
Vielleicht können wir der Vorstellung, daß zwei Personen »dieselbe Sprache beherrschen«, Gehalt verleihen, indem wir sagen, daß ihre Übergangstheorien tendenziell immer weiter übereinstimmen, wobei der Grad oder die relative Häufigkeit der Konvergenz ein Maß wäre für die Ähnlichkeit der Sprache. Welchen Nutzen könnten wir jedoch für diesen Sprachbegriff ausfindig machen? Man könnte die Ansicht vertreten, daß jede Theorie, mit Bezug auf die Sprecher und Interpret zur Übereinstimmung gelangen, eine Sprache ist. Doch dann gäbe es bei jeder unerwarteten Wendung des Gesprächs eine neue Sprache, es wäre unmöglich, Sprachen zu lernen, und im Hinblick auf die meisten dieser Sprachen hätte niemand den Wunsch, sie zu beherrschen.
Auf die Vorstellung, daß zwei Personen »dieselbe Sprache beherrschen«, haben wir uns damit zwar eine Art Reim gemacht, aber was eine Sprache ist, haben wir immer noch nicht erklären können. Es ist leicht zu sehen, daß die Vorstellung von der »Kenntnis« einer Sprache denselben Schwierigkeiten ausgesetzt ist, und das gleiche gilt für das Vorhaben, die Fähigkeiten oder Vermögen zu kennzeichnen, die man besitzen muß, um eine Sprache zu beherrschen. Wir könnten jedoch anzugeben versuchen, worin die Fähigkeit besteht, eine andere Person zu interpretieren oder mit ihr zu reden: Es ist die Fähigkeit, die es erlaubt, eine richtige, das heißt zur Übereinstimmung tendierende Übergangstheorie für den sprachlichen Austausch mit der betreffenden Person aufzustellen. Auch dieser Begriff läßt Grade der Anwendungsmöglichkeit zu.
Diese Kennzeichnung des Sprachvermögens ist beinahe so zirkulär, daß sie gar nicht falsch sein kann; sie läuft auf die Behauptung hinaus, daß die Fähigkeit zur sprachlichen Kommunikation in der Fähigkeit besteht, sich verständlich zu ma-

chen und zu verstehen. Erst wenn wir die Struktur dieser Fähigkeit betrachten, merken wir, wie weit wir uns von den üblichen Ideen der Sprachbeherrschung entfernt haben. Denn wir haben keinen erlernbaren gemeinsamen Kern konsequenten Verhaltens ausfindig gemacht, keine gemeinsame Grammatik, keine gemeinschaftlichen Regeln, keine tragbare Interpretationsmaschine, die so eingestellt ist, daß sie die Bedeutungen beliebiger Äußerungen ausspuckt. Wir dürfen behaupten, das Sprachvermögen bestehe in der Fähigkeit, mit Bezug auf eine Übergangstheorie hin und wieder zur tendenziellen Übereinstimmung zu gelangen – das ist mein Vorschlag, und einen besseren habe ich nicht. Doch wenn wir das behaupten, sollten wir nicht verkennen, daß wir nicht bloß den üblichen Sprachbegriff fallengelassen, sondern darüber hinaus die Grenze beseitigt haben zwischen der Kenntnis einer Sprache und dem generellen Sich-in-der-Welt-Auskennen. Es gibt nämlich keine Regeln dafür, wie man zu Übergangstheorien gelangt, jedenfalls keine Regeln im strengen Sinn – im Gegensatz zu ungefähren Maximen und methodologischen Gemeinplätzen. Eine Übergangstheorie gleicht wirklich zumindest insofern einer Theorie, als man sie durch Verstand, Glück und Klugheit aus einem privaten Wortschatz und einer privaten Grammatik ableitet, sowie durch Kenntnis der Verfahren, mit denen die Menschen den Witz des Gesagten zu verstehen geben, und durch Faustregeln, mit deren Hilfe man herausbekommen kann, welche Abweichungen vom Wörterbuch besonders wahrscheinlich sind. Daß man dieses Vorgehen reglementieren oder lehren könnte, ist ebenso aussichtslos wie der Versuch, den Vorgang zu reglementieren oder zu lehren, durch den man zur Aufstellung neuer Theorien gelangt, die auf irgendeinem beliebigen Gebiet mit neuen Gegebenheiten zurechtkommen – denn ebendarum geht es ja bei diesem Vorgang.

Das Problem, mit dem wir uns auseinandergesetzt haben, beruht auf der Annahme, die sprachliche Kommunikation verlange, daß Sprecher und Interpret eine gemeinsame Methode oder Theorie der Interpretation gelernt oder sonst irgendwie erworben haben – daß sie dazu imstande sind, auf der Grundlage gemeinsamer Konventionen, Regeln oder Regelmäßigkeiten zu verfahren. Dieses Problem ergibt sich, sobald wir merken, daß keine Methode oder Theorie diesen Ansprüchen genügt. Die Lösung des Problems ist nunmehr klar: In der sprachlichen Kommunikation gibt es nichts, was der häufig gegebenen – durch die Grundsätze (1) bis (3) resümierten – Beschreibung sprachlicher Kompetenz entspricht. Die Lösung besteht darin, daß man diese Grundsätze fallenläßt. Die Grundsätze (1) und (2) kann man auch weiterhin gelten lassen, wenn man sie in recht ungewöhnlicher Weise auffaßt, doch der Grundsatz (3) kann nicht erhalten bleiben, und unklar ist, was an seine Stelle treten kann. Ich ziehe den Schluß, daß es so etwas wie eine Sprache gar nicht gibt, sofern eine Sprache der Vorstellung entsprechen soll, die sich viele Philosophen und Linguisten von ihr gemacht haben. Daher gibt es auch nichts dergleichen, was man lernen, beherrschen oder von Geburt an in sich tragen könnte. Die Vorstellung, es gebe eine klar umrissene gemeinsame Struktur, die sich die Sprachbenützer zu eigen machen und dann auf Einzelfälle anwenden, müssen wir aufgeben. Außerdem sollten wir einen neuen Versuch machen anzugeben, wie Konventionen in irgendeinem wichtigen Sinne in die Sprache hineinspielen; oder wir sollten, wie ich meine, den Versuch einstellen, Licht in unsere Kommunikationsweisen zu bringen, indem wir uns auf Konventionen berufen.

8
Der soziale Aspekt der Sprache

I.

Kommt der Idiolekt begrifflich zuerst oder die Sprache? Wenn es der Idiolekt ist, fällt es aufgrund der offenbar fehlenden sozialen Norm schwer, erfolgreiches Kommunizieren zu erklären. Wenn es die Sprache ist, besteht die Gefahr, daß die Norm in keiner erkennbaren Beziehung zur Praxis steht. Nach Meinung von Michael Dummett verstoße ich durch mein Eintreten für den Primat des Idiolekts gegen Wittgensteins Verbot privater Sprachen. Meiner Ansicht nach hat Dummett, indem er die Sprache als primär hinstellt, dem wesentlichen sozialen Element des Sprachverhaltens den falschen Ort zugewiesen. Im vorliegenden Aufsatz möchte ich die Fragen, die hier eine Rolle spielen, in eine Ordnung bringen und klären.

In einem Aufsatz mit dem Titel »Eine hübsche Unordnung von Epitaphen« habe ich geschrieben, »daß es so etwas wie eine Sprache gar nicht gibt«.[1] Wer dergleichen sagt, kann damit rechnen, daß man ihn an den Pranger stellen wird, und Michael Dummett hat mich nicht geschont. Er schreibt spöttisch: Wenn Bretonen, Katalanen, Basken und Kurden ihre Sprache für die Seele ihrer Kultur erachten, oder wenn Diktatoren versuchen, Minderheitensprachen zu unterdrücken, müsse ich ja glauben, die Bretonen, Katalanen, Basken, Kurden und die Diktatoren seien allesamt der Täuschung erlegen, es gebe so etwas wie Sprachen, die man verehren oder unterdrücken könne. In Wirklichkeit habe ich, wie Dummett natürlich weiß, gesagt, »daß es so etwas wie eine Sprache gar nicht gibt, sofern eine Sprache der Vorstellung entsprechen soll, die sich viele Philosophen und Linguisten von ihr ge-

1 Siehe oben, Abhandlung 7.

macht haben«. Damit läßt mich Dummett allerdings nicht durchkommen, denn er behauptet, ich habe es unterlassen, eine Alternative aufzuzeigen, aus der hervorginge, was denn eine Sprache sei.[2] Das ist nicht ganz fair, denn den von mir aufs Korn genommenen Sprachbegriff habe ich mit einiger Sorgfalt umrissen. Falls ich recht hätte mit meiner These, daß keine wirkliche Sprache diesem Begriff entspricht, würde es mein Argument nicht entwerten, wenn ich keine Alternativauffassung angeboten hätte. Dummett schreibt ferner: »Daß es diese Phänomene, für die sich Davidson interessiert, wirklich gibt, ist unbestreitbar; doch wie kann eine Untersuchung dieser Phänomene zu der Schlußfolgerung führen, so etwas wie eine Sprache gebe es gar nicht?« Dem kann ich nur zustimmen – zu dieser Schlußfolgerung kann eine solche Untersuchung tatsächlich nicht führen. Allerdings führt sie wohl zu dem Ergebnis, daß es so etwas wie das, was von einigen Philosophen (und auch von mir selbst) als Sprache *bezeichnet* worden ist, tatsächlich nicht gibt.

Im Grunde habe ich auch eine Alternative angeboten. Darauf komme ich weiter unten zu sprechen. Doch zunächst möchte ich einen Blick auf den Sprachbegriff werfen, gegen den ich mich gewehrt habe. Er läuft auf folgendes hinaus: Indem man eine Sprache lernt, erwerbe man die Fähigkeit, in Einklang mit einer genauen und angebbaren Menge syntaktischer und semantischer Regeln zu verfahren. Die sprachliche Kommunikation hänge davon ab, daß Sprecher und Hörer eine solche Fähigkeit gemeinsam sei, und mehr sei dafür nicht nötig. Ich habe demgegenüber geltend gemacht, die Gemeinsamkeit einer solchen vorgängig erlernten Fähigkeit sei für erfolgreiches sprachliches Kommunizieren weder notwendig noch hinreichend. Ich vertrat (und vertrete) die Ansicht, daß die sprachlichen Fertigkeiten, mit denen die Menschen im Regelfall an Gesprächssituationen herangehen, erheblich divergieren kön-

2 Siehe Dummett, »A Nice Derangement of Epitaphs: Some Comments on Davidson and Hacking«.

nen – und tatsächlich erheblich divergieren. Zu gegenseitigem Verständnis gelangt man jedoch durch den Einsatz von Phantasie, die Berufung auf allgemeine Weltkenntnis und das Bewußtsein von menschlichen Interessen und Einstellungen. Natürlich habe ich nicht bestritten, daß die Menschen in der Praxis normalerweise auf einen Vorrat an Wörtern und syntaktischen Mitteln angewiesen sind, die sie in ähnlicher Art und Weise zu verwenden gelernt haben. Tatsächlich bestritten habe ich hingegen, daß diese Form von Gemeinsamkeit ausreicht, um unsere wirklichen Kommunikationsleistungen zu erklären. Wichtiger noch: Ich habe bestritten, daß auch eine dermaßen begrenzte Gemeinsamkeit dafür notwendig ist.

Damit sind offensichtlich zwei Thesen gegeben, die auseinandergehalten werden müssen. Die erste These besagt, daß es einen platonischen Sprachbegriff gibt, dem in der Praxis kein Beispiel entspricht und der (deshalb) nicht das ist, was wir normalerweise mit dem Wort »Sprache« meinen. Die zweite These besagt, daß weder der übliche noch der philosophische Begriff besonders wichtig ist, wenn es darum geht zu verstehen, was für die sprachliche Kommunikation wesentlich ist. Ob diese zweite These letztlich überzeugend ist – und vielleicht auch, ob sie richtig ist –, hängt davon ab, ob es gelingt, eine Alternativerklärung vorzulegen, aus der hervorgeht, was für die sprachliche Kommunikation wesentlich ist.

Jetzt möchte ich – immer noch in vorläufiger Form – zu klären versuchen, wo Dummett und ich übereinstimmen und wo nicht. Im Hinblick auf die erste These, der zufolge es keine streng feststehende Menge von Regeln gibt, nach denen sich diejenigen richten müssen, denen eine Sprache gemein ist, gibt es meines Erachtens keine gravierende Meinungsverschiedenheit zwischen uns. Ich habe den Eindruck, daß Dummett ebenso wie ich selbst der Ansicht ist, die wirkliche Sprachpraxis hänge nur locker mit einer genau spezifizierten Sprache zusammen, deren Phonetik, Semantik und Syntax explizit gemacht wurden. Was ich diesbezüglich beispielsweise über Eigennamen sage, kommt den Ausführungen Dummetts recht nahe.[3] Daß hinsichtlich der Frage, wann zwei Personen als Sprecher derselben Sprache gelten, ein hohes Maß an Flexibilität besteht, läßt er gelten. Außerdem sieht er ein, daß wir dann, wenn es darum geht, andere Personen zu verstehen, manchmal mehr heranziehen müssen als unsere bisher erworbenen sprachlichen Fähigkeiten. In diesem Bereich betreffen unsere Meinungsverschiedenheiten Fragen des Grades und der Akzentuierung. Ich glaube auch nicht, daß mein Versäumnis, eine Alternativverklärung vorzulegen, wirklich das ist, was Dummett beunruhigt. Ich bin gern bereit zu sagen, mehreren Sprechern sei genau dann eine Sprache gemeinsam, wenn sie für dieselbe gemeinte Bedeutung* tendenziell dieselben Wörter verwenden, und sobald man diesen Gedanken fein säuberlich unter Dach und Fach gebracht hat, ist es nur noch ein kleiner und uninteressanter Schritt, bis man das Prädikat »ist eine Sprache« in einer Weise definiert hat, die dem normalen Sprachgebrauch so nahe kommt wie möglich. Was Dummett beunruhigt, ist nicht, daß ich diesen Schritt nicht vollzöge (irgendwo vollziehe ich ihn tatsächlich), sondern es ist mein Versäumnis einzusehen, daß der Begriff des mit seinen Äußerungen etwas meinenden Sprechers vom Gedanken einer gemeinsamen Sprache abhänge – und nicht umgekehrt. Aus seiner Sicht besteht mein Fehler darin, daß ich die Definition einer Sprache als die philosophisch recht unwichtige Aufgabe der Gruppierung von Idiolekten auffasse, während er glaubt, ich verfügte über kein nichtzirkuläres Verfahren zur Kennzeichnung von Idiolekten. Auf dieses Problem werde ich gleich zu sprechen kommen. Doch zunächst möchte ich einige Differenzen ausräumen oder entschärfen, die nach meinem Dafürhalten hauptsächlich verbaler Art sind.

3 Siehe Dummett, *The Interpretation of Frege's Philosophy*, S. 189ff.

* [Der Ausdruck »gemeinte Bedeutung« soll hier wie an einigen anderen Stellen eine entsprechende Verwendung des englischen Worts »*mean*(*ing*)« wiedergeben. – Übers.]

Dummett schilt mich dafür, daß ich den Gebrauch des Worts »interpretieren« und der damit verwandten Ausdrücke auf jene gewöhnlichen Situationen ausgedehnt habe, in denen wir andere Sprecher ohne bewußte Mühe und ohne Nachdenken verstehen, und außerdem deutet er an, daß dies einen grundlegenden Irrtum oder eine Verwirrung meinerseits an den Tag bringe. Ich für mein Teil glaube nicht, daß ich die (empirische) Frage, wie wir es faktisch anstellen, einen Sprecher zu verstehen, je mit der (philosophischen) Frage verquickt habe, welches die notwendigen und hinreichenden Bedingungen dieses Verstehens seien. Auf die zweite Frage habe ich mich nicht deshalb konzentriert, weil ich dächte, daß sie uns der Psychologie des Sprachlernens und der Sprachverwendung nahebringt, sondern weil ich glaube, daß sie die philosophisch wichtigen Aspekte der Kommunikation verdeutlicht, während uns die erste Frage dazu verleitet, Mutmaßungen über geheimnisvolle empirische Dinge anzustellen, von denen weder die Philosophen noch die Psychologen viel Ahnung haben. Daher möchte ich hier (und nicht zum erstenmal) folgendes sagen: Ich glaube nicht, daß wir normalerweise zum Verständnis der Äußerungen anderer Sprecher gelangen, indem wir bewußt über die Frage, was sie wohl meinen, nachdenken oder indem wir uns auf eine Theorie der Interpretation berufen oder indem wir für relevant erachtetes Belegmaterial heranziehen. Häufig gelingt es uns mühelos, ja automatisch. Dazu sind wir imstande, weil wir gelernt haben, in ganz ähnlicher Weise zu reden wie andere Sprecher; und das erklärt, warum wir viele Äußerungen der anderen generell problemlos verstehen.

Es besagt jedoch einiges, daß Dummett mir die äußerst eingeschränkte Bedeutung aufzuhalsen versucht, die dem Wort »*interpretation*« von den englischen Übersetzern Wittgensteins gegeben worden ist.* Wenn man von dieser Bedeutung

* [An den einschlägigen Stellen benutzt Wittgenstein das Wort »Deutung«. – Übers.]

ausgeht, ist die Interpretation eines Worts oder Ausdrucks immer ein anderes Wort oder ein anderer Ausdruck. Das ist ganz bestimmt – und wie ich angenommen hätte: ganz offensichtlich – nicht die Bedeutung, die mir vorgeschwebt hat, obschon eine Verwechslung im Bereich des Möglichen liegt. Wenn ich mich erkundige, wie jemand eine Äußerung des Satzes »Schnee ist weiß« interpretiert hat, und erfahre, daß der Betreffende sie im Sinne von Schnee sei weiß interpretiert habe (beziehungsweise so, daß sie genau dann wahr sei, wenn Schnee weiß ist), zielte meine Frage, wie die Antwort zeigt, nicht darauf ab, welche sonstigen Wörter der Hörer für den Satz »Schnee ist weiß« hätte einsetzen können. Meine Frage bezieht sich darauf, wie der Betreffende die Äußerung dieser Wörter verstanden hat. Natürlich muß ich meinerseits Wörter benutzen, um zu sagen, wie der Betreffende diese Wörter verstanden hat, denn ich muß Wörter benutzen, um überhaupt etwas zu sagen; doch meine Worte werden nicht als Interpretation vorgelegt, sondern sie helfen nur die Interpretation zu beschreiben. Die Verwechslung ergibt sich daraus, daß man den (in diesem Fall der Beschreibung eines mentalen Akts oder Zustands dienenden) Gebrauch der Wörter mit der (der Angabe der für eine Interpretation *konstitutiven* Wörter dienenden) Erwähnung dieser Wörter verquickt. Ebenso wie Dummett bin ich der Meinung, daß »jemand, der [...] einen Satz versteht, nicht sagen können muß, wie er ihn versteht. Er braucht es nicht einmal sich selbst sagen zu können [...].«[4]
Es wäre offensichtlich absurd gewesen, wenn ich – wie Dummett mir implizit unterstellt – behauptet hätte, daß wir jedesmal, wenn wir einen Sprecher verstehen, dessen Worte in unsere eigenen übersetzen. Übersetzen gehört nicht zu der von mir als Interpretation bezeichneten Transaktion zwischen Sprecher und Hörer. Der Ort, an dem eine Form von Übersetzung ins Spiel kommen mag, ist die Beschreibung, mit de-

4 Dummett, »A Nice Derangement«, S. 464.

ren Hilfe der Philosoph in seiner Sprache kennzeichnet, welchen Reim sich der Hörer auf die Äußerungen des Sprechers macht.
Damit hängt vermutlich eine Verwechslung zusammen, die meinen Gebrauch des Worts »Theorie« betrifft. In meinem Artikel »Eine hübsche Unordnung von Epitaphen« sowie in anderen Texten nehme ich mir tatsächlich die Freiheit, von der Theorie eines Hörers zu sprechen, der einen Sprecher versteht. Aber zunächst erläutere ich, daß es sich um eine bloße Façon de parler handelt, und verfahre insofern ebenso wie Humpty Dumpty, nachdem er Alice mitgeteilt hat, was er mit »There's glory for you« meint. In meinem Text heißt es:

> Mit der Behauptung, daß eine explizite Theorie der Sprecher-Interpretation ein Modell abgibt für die sprachliche Kompetenz des Interpreten, soll keineswegs angedeutet werden, daß der Interpret eine solche Theorie kennt. Es ist freilich möglich, daß man die meisten Interpreten dazu bewegen könnte zuzugeben, daß sie tatsächlich einige der Axiome einer Wahrheitstheorie kennen, wie zum Beispiel dies: daß eine Konjunktion dann und nur dann wahr ist, wenn jedes ihrer Glieder wahr ist. [...] Behauptungen über die eventuellen Bestandteile einer befriedigenden Theorie sind jedenfalls [...] keine Behauptungen über das propositionale Wissen eines Interpreten [...]. Vielmehr betreffen diese Behauptungen die Angaben, die gemacht werden müssen, um eine ausreichende Beschreibung der Kompetenz des Interpreten zu liefern. *Wir* können die Fähigkeiten eines Interpreten nicht anders beschreiben als durch Berufung auf eine rekursive Theorie bestimmter Art.[5]

Demnach ist Dummett der gleichen Meinung wie ich, wenn er schreibt: »Wir werden uns auf einen Irrweg begeben [...], wenn wir das Beherrschen einer Praktik mit dem Verfügen über theoretische Kenntnisse dieser Praktik buchstäblich gleichsetzen.«[6] Wie der Leser gewiß bemerkt, spreche ich weder hier noch sonstwo von implizitem Wissen. Es geht nicht darum, daß der Sprecher oder der Hörer über eine Theorie verfügt, sondern darum, daß ihr Sprechen und Verstehen mit einer Theorie in Einklang steht – mit einer Theorie, die nur

5 Davidson, »Eine hübsche Unordnung von Epitaphen«, siehe oben, S. 161 f.
6 Dummett, »A Nice Derangement«, S. 476.

gebraucht wird, wenn wir ihre Fähigkeiten und ihr Tun beschreiben wollen.

Es gibt eine weitere wichtige Frage, im Hinblick auf die Dummett und ich ebenfalls einiggehen. Wir behaupten beide mit Nachdruck, daß Sprachverhalten notwendig etwas Soziales ist. Nach meiner – und vermutlich auch nach seiner – Ansicht hängt das nicht einfach davon ab, wie wir das Wort »Sprache« gebrauchen: Wenn es nicht mehr als nur eine Person gäbe, könnte es so etwas wie eine Sprache gar nicht geben. Vielleicht sind wir uns sogar über den Grund einig, auf dem dieser Gedanke basiert, nämlich den von Wittgenstein genannten Grund, daß es ohne soziale Umgebung unmöglich wäre, etwas als Fehlanwendung gesprochener Worte einzustufen. Unsere Wege trennen sich, wenn es um die Frage geht, in welcher Form die soziale Umgebung ihren wesentlichen Beitrag leistet.

Hilary Putnam legt großes Gewicht auf die »sprachliche Arbeitsteilung«, und Dummett hat klargestellt, daß er ebenfalls glaubt, dieses Phänomen sei ein wichtiges Beispiel für die Art und Weise, in der die menschliche Kommunikation von der Gesellschaft abhängt, in die sie eingebettet ist.[7] Die Existenz dieses Phänomens möchte ich keineswegs bezweifeln, ja nicht einmal seine Bedeutung. Was zeigt es jedoch? Ebenso wie Dummett glaube ich nicht, daß es – wie Putnam behauptet – zeigt, Bedeutungen seien »nicht im Kopf«. Denn man kann es mit zur Bedeutung eines Ausdrucks rechnen, daß sein Bezug durch Expertenmeinung zu bestimmen ist. Das würde zwar beweisen, daß ein Sprecher *glauben* muß, es gebe Experten, aber nicht, daß es sie geben muß. Damit die Wörter »Ulme« und »Buche« die richtigen Bäume herausgreifen, müßte es also Experten geben, aber wir können nicht den Schluß ziehen, daß der bedeutungsvolle Gebrauch dieser Wörter eine soziale Umgebung verlangt. Einen ähnlichen Einwand erhebt

7 Siehe ebd., S. 475, sowie Dummett, »The Social Character of Meaning«, S. 424 ff.

Dummett gegen Kripkes kausale Theorie der Namen. Aus meiner Sicht wichtiger ist, daß die sprachliche Arbeitsteilung offensichtlich erst dann ins Spiel kommen kann, wenn die sprachlichen Grundfertigkeiten, durch die Wörter direkt mit Dingen verknüpft werden, bereits vorhanden sind. Einerlei, wie allgemein verbreitet die sprachliche Arbeitsteilung in der Praxis ist – das wesentliche soziale Element der Sprache kann sie nicht sein. Wir könnten ohne sie auskommen.

Dummett schreibt: »Davidson möchte uns die Ansicht schmackhaft machen, unser ganzes Verständnis der Äußerungen des anderen werde ermöglicht, ohne daß wir etwas wissen müssen.« Als Beleg für diese Behauptung zitiert er mich mit den Worten »So etwas, wie eine Sprache, die gelernt werden und die man beherrschen lernen muß, gibt es nicht«. Freilich, selbst wenn es nichts dergleichen zu lernen gäbe, würde daraus nicht folgen, daß wir sprachliche Äußerungen verstehen könnten, ohne etwas zu wissen. Wir müßten sehr viel mehr wissen. In Wirklichkeit ist es eine der Hauptthesen meines Artikels, daß wir sogar dann, wenn es nur darum geht, die buchstäblichen Bedeutungen der Wörter eines Sprechers zu erfassen, sehr viel mehr Kenntnisse einbringen und sehr viel mehr benutzen, als wir durch Erlernen einer festgelegten Regelmenge zu begreifen vermöchten. Das ist aber gar nicht das zentrale Mißverständnis, sondern dieses rührt wieder daher, daß Dummett nicht zur Kenntnis nehmen will, daß ich von einer Sprache geredet habe, die den Vorstellungen mancher Philosophen von einer zu lernenden Sprache genügen würde. Wir alle lernen Sprachen (in jenem normalen, vagen Sinn von Sprache, der Dummett, mir und allen anderen vorschwebt). Was die praktische Seite betrifft, kann man diesen Umstand gar nicht genug herausstreichen. Ich habe getan, was ich konnte, um zu skizzieren, wie es nach meiner Auffassung funktioniert. An dieser Stelle war mir allerdings nicht daran gelegen, die wirkliche Praxis zu beschreiben, sondern ich wollte die notwendigen Bedingungen sprachlicher Kommunikation herausfinden. Und hier glaubte und glaube ich einleuchtende Gründe zu erkennen, die es zweifelhaft erscheinen lassen, daß Sprache wesentlich ist, sofern man eine Vorstellung von Sprache hat, die beinhaltet, daß man in übereinstimmender Weise redet. Die gleichen Zweifel gelten für die Begriffe des Regelfolgens, der Beteiligung an einer Praxis oder des konventionskonformen Verhaltens, *sofern sie so aufgefaßt werden, daß diese Art von Gemeinsamkeit mitgemeint ist.* (Ich bitte den Leser, diese Klausel zu berücksichtigen.)

Was liegt diesen Zweifeln zugrunde? Fangen wir mit den Kleinigkeiten an: Da ist die schlichte Tatsache, daß praktisch keine zwei Personen den gleichen Worthaushalt haben. Auch in einer Unterhaltung wird jeder wahrscheinlich Wörter verwenden, die der andere vor Gesprächsbeginn gar nicht kannte und die daher nicht zu einer Praxis gehören können, die den Sprechern bis ins letzte Detail gemeinsam war. Dabei denke ich vor allem an Namen und Wörter, die im Vokabular des einen oder des anderen Sprechers bisher nicht enthalten waren. Ferner gibt es Malapropismen, die dennoch verstanden werden, sowie Versprecher und all jene »Irrtümer«, die wir für Schnitzer halten und die wir normalerweise (vielleicht) nicht begehen würden, uns als Hörer aber ohne weiteres zurechtlegen können, wie zum Beispiel: »Das Flugzeug wird momentan landen«, »Der Zucchini ist ...«, »Die ökumenische Nachhaltigkeit ...«, »Das abstruse Theater ...«. Dergleichen gehört häufig zur Praxis des einen, aber nicht des anderen Sprechers, ohne daß die Kommunikation jedoch darunter litte, obwohl Zuneigung oder Bewunderung eventuell dahinschwinden. Es fällt uns nicht schwer, den Äußerungen eines Kinds zu folgen, das »Er ist in den Laden gegeht« sagt und generell die Vergangenheitsformen nach einer Regel bildet, die nicht zu »der Sprache« gehört. Je ausgefallener die Beispiele, desto seltener werden sie, aber dennoch fehlt es nicht an Extremfällen. Es kann vorkommen, daß Personen, die Dialekte der – wie wir sagen – gleichen Sprache sprechen, zunächst nichts mit den Äußerungen ihres Gesprächspartners anfangen können. Sobald sie einander verstehen, kann jeder von ihnen auf seine Weise fortfahren. Ich selbst habe mir das gleiche Vorgehen angeeignet, seit ich gelernt habe, deutsch, spanisch oder französisch geschriebene Briefe auf englisch zu beantworten. Es gibt auch die Möglichkeit, daß jemand mit einem einzigartigen und gravierenden Sprachfehler von den Menschen seiner Umgebung verstanden wird.

Nun wollen wir einen Sprung machen. Ich habe den Eindruck, daß es – zumindest theoretisch gesprochen – keinen Grund gibt, warum Sprecher, die einander verstehen, jemals so reden – oder so geredet haben – müssen wie irgend jemand anders, geschweige denn wie ihre Gesprächspartner. Natürlich ist der Begriff »gleich« (wie in »spricht in der gleichen Weise« oder »spricht die gleiche Sprache«), auf den wir uns hier in so hohem Maße verlassen, kein anderer als der in philosophischer Hinsicht vertrackte Begriff der Ähnlichkeit. Ich nehme an, daß zwei Sprecher einander nicht verstehen könnten, wenn jeder von ihnen nicht auf seine Weise (so ziemlich) das gleiche sagen könnte, was der andere auf seine Weise sagt. Wenn wir das Übersetzungsmanual, das die beiden Sprechweisen zueinander in Beziehung setzt, benutzen, um zu definieren, was wir mit »in der gleichen Weise sprechen« meinen, können wir doch noch einen Teil der These, Kommunikation setze eine gemeinsame Praxis voraus, retten. Aber das läuft weder auf das hinaus, was man eine gemeinsame Sprache nennen würde, noch auf das, was man mit einer gemeinsamen Praxis oder einer gemeinschaftlichen Menge von Regeln oder Konventionen gemeint hat. Hier stellt sich die Frage, wie Dummett in nichtzirkulärer Weise angeben könnte, inwiefern Sprecher »der gleichen Sprache« einander ähneln müssen. In diesem Sinne betont Warren Goldfarb im Rahmen seiner Erörterung von Kripkes »skeptischer« Lösung des Wittgensteinschen Problems: »Jede Schwierigkeit, auf die wir beim Regelfolgen stoßen, wird sich auch dort einstellen, wo es um die Frage geht, was als das gleiche gilt.«[8] Anschließend zitiert er Wittgenstein:

> Ist eine Intuition zum Entwickeln der Reihe 1 2 3 4 ... nötig, dann auch zum Entwickeln der Reihe 2 2 2 2 ... (*Philosophische Untersuchungen* § 214)

Hier kommen mir drei Strategien in den Sinn, um mit meinen Zweifeln zurechtzukommen: Erstens kann man behaupten, ich hätte außer acht gelassen, daß die Sprecher einer Sprache selbst dann einer sozialen Norm verantwortlich sind, wenn sie sich nicht nach ihr richten. Zweitens kann man einräumen, daß Kommunikation ohne gemeinschaftliche Praktiken zwar theoretisch möglich sei, aber zugleich geltend machen, daß dies eine witzlose Mutmaßung sei, da dergleichen niemals in reiner Form vorkäme und wahrscheinlich nie so vorkommen könnte. Drittens kann man behaupten, es sei keine Alternativantwort auf Wittgensteins Frage gegeben worden, also auf die Frage: Was ist der Unterschied zwischen richtiger Verwendung der Wörter und dem bloßen Glauben, man verwende sie richtig? Auf diese drei Reaktionen werde ich jetzt nacheinander eingehen.

Nach Dummett gilt:

> Nimmt man bildliche Formulierungen und sonstige bewußt vom Üblichen abweichende Sprachverwendungen aus, erachtet sich der Sprecher für verantwortlich gegenüber den akzeptierten Bedeutungen der Wörter und Ausdrücke der Sprache oder des Dialekts, den er zu sprechen beansprucht. Seine Bereitschaft, das Gesagte zurückzunehmen oder zu korrigieren, sobald man ihn auf einen Fehler bezüglich der Bedeutung des Worts in der gemeinsamen Sprache hinweist, unterscheidet daher falsche von absichtlich abweichenden Verwendungsweisen der Sprache.[9]

Natürlich kann man ohne weiteres zustimmen und sagen, daß die Leute so sprechen, wie es nach ihrer Auffassung die anderen tun – außer wenn sie nicht so sprechen. Und wenn es gelingt, Dialekte so genau auseinanderzuhalten wie nötig, kann

8 Goldfarb, »Kripke and Wittgenstein on Rules«, S. 485.

9 Dummett, »A Nice Derangement«, S. 462.

ich gegen vieles, was der Tendenz des von Dummett Gesagten entspricht, keine Einwände erheben. Die Schwarzen in Brooklyn wollen gar nicht so reden wie die Weißen, und manche Einzelpersonen (wie etwa James Joyce) wollen zwar verstanden werden, aber nicht so reden wie irgend jemand anders. Die Krux ist jedoch die Vorstellung von einer Verpflichtung auf die von den »akzeptierten« Wortbedeutungen konstituierte Norm, denn indem ich diese Vorstellung unberücksichtigt lasse, habe ich offenbar etwas ausgelassen, was für die Kennzeichnung des in der sprachlichen Kommunikation einschlägigen Bedeutungsbegriffs wesentlich ist. Inwiefern das der Fall ist, sehe ich allerdings nicht ein. Angenommen, jemand lernt so zu reden wie die anderen, ohne sich jedoch nicht im geringsten dazu verpflichtet zu fühlen. Was diesen Sprecher betrifft, spielt eine Verpflichtung hier keine Rolle. Wenn wir ihn fragen, warum er so redet wie die anderen, antwortet er: »Ich tue das nicht deshalb, weil ich glaube, daß ich es sollte, sondern das ist einfach meine Weise zu reden. Ich fühle mich auch nicht dazu verpflichtet, aufrecht zu gehen, sondern ich finde es einfach natürlich.« Wenn die Antwort dieses Sprechers wahr ist, hieße das, daß er keine Sprache spricht oder sich nicht mehr verständlich ausdrückt? Anders ausgedrückt: Welches ist das Zaubermittel, das zu der üblichen Redeweise hinzukommt, wenn man sich gegenüber der üblichen Redeweise für verantwortlich erachtet?

Vielleicht wird die Antwort lauten, daß das Pflichtgefühl erst zutage tritt, wenn man auf einen Fehler hinsichtlich der Bedeutung eines Worts in der gemeinsamen Sprache hingewiesen wird und sich bereitwillig korrigiert. Freilich, wenn man glaubt, sich im Hinblick darauf zu irren, was ein Wort nach Ansicht der anderen bedeutet, wird man seine Meinung genauso ändern, wie man es in jedem anderen Fall auch täte. Wille und Verpflichtung haben damit nichts zu tun. Es muß also das öffentliche Handeln sein, auf das es ankommt. Und zweifellos sind die meisten von uns dazu bereit, unter den angemessenen Umständen solche Handlungen zu vollziehen. Meiner Frau ist es peinlich, daß mein Wortschatz das Wort (oder Unwort?) »abschtrakt« enthält. Mir ist es ebenfalls peinlich zu erfahren, daß mein Wort nicht zur deutschen Sprache gehört. Ich mache den – wahrscheinlich erfolglosen – Versuch, meine Angewohnheit zu ändern. Aber warum eigentlich? Nun, ich möchte nicht, daß die Leute glauben, ich wisse nicht, daß die anderen an der Stelle, wo ich »abschtrakt« sage, »abstrakt« sagen. Wer möchte sich denn schon als Ignorant präsentieren? Inzwischen bin ich zu alt, um verlegen zu werden, weil meine Rechtschreibung miserabel ist; außerdem amüsieren sich meine Studenten darüber. Doch wenn ich es könnte, würde ich die Wörter richtig schreiben. Diese Zwänge sind sozialer Art, und sie sind überaus real. Doch soweit ich es zu erkennen vermag, haben sie nichts mit Bedeutung oder Kommunikation zu tun. Wenn man ein Wort aus Unkenntnis in unüblicher Weise verwendet, ist das vielleicht ebenso ein Fauxpas wie dann, wenn man bei einem Bankett die falsche Gabel benutzt, und mit Kommunikation hat es genauso wenig zu tun wie der Gebrauch der falschen Gabel mit Ernährung, sofern das Wort verstanden wird und die Gabel ihren Dienst tut.

Damit meine ich natürlich nicht, daß kein Grund besteht, warum uns beigebracht wird – und warum wir lernen –, mehr oder weniger genauso zu reden wie die anderen in unserer Umgebung. Nichts könnte klarer sein: Wir wollen verstanden werden, und anderen liegt daran, uns zu verstehen. Durch diese Form der Gemeinsamkeit wird der ungehinderte Fluß der Kommunikation enorm gefördert. Die meisten von uns haben weder die Zeit noch die Fähigkeit, eine Vielzahl von Sprachen zu lernen. Was unsere Kinder oder bestimmte Dichter und Schriftsteller betrifft, müssen wir Ausnahmen machen oder wir machen sie einfach, doch im allgemeinen ist unsere Toleranz gegenüber extrem divergierenden Idiolekten aufgrund einleuchtender praktischer Überlegungen begrenzt.

Durch nichts von alledem wird jedoch eine eigenständige Verpflichtung geschaffen. Jede Verpflichtung zur Konformität ist abhängig von unserem Wunsch, verstanden zu werden. Wenn wir uns verständlich machen können, während wir von der sozialen Norm abweichen, hat jede weitere Verpflichtung nichts mit Bedeutung oder gelingender Verständigung zu tun. Dementsprechend sagt Aristoteles: »Es wäre absurd, dem Wein Gutes zu wünschen; sofern man überhaupt dergleichen wünscht, geht es darum, daß sich der Wein halten möge, so daß wir ihn genießen können.«[10] Es ist absurd, einer Sprache verpflichtet zu sein. Was den Zweck der Sprache anlangt, läuft unsere einzige *Verpflichtung* (sofern das Wort überhaupt angemessen ist) darauf hinaus, so zu reden, daß wir unsere Absicht verwirklichen und so verstanden werden, wie wir es erwarten und beabsichtigen. Falls das voraussetzt, daß wir ebenso reden wie die übrigen Angehörigen unserer Gemeinschaft, ist das Zufall – wenn auch einer, der wahrscheinlich eintritt.

»Wenn wir Wörter unserer Sprache benutzen«, schreibt Dummett, »müssen wir im Hinblick auf ihren sozial akzeptierten Gebrauch verantwortlich gemacht werden, andernfalls ist das Gelingen der Kommunikation gefährdet«.[11] Doch wenn das Risiko mißlingender Kommunikation der Grund für die Anpassung ist, ist Verantwortung ohne Belang. Um es weniger tendenziös zu formulieren, hätte Dummett schreiben können: »Wenn wir kommunizieren wollen, sollten wir die Wörter in ihrer sozial akzeptierten Weise gebrauchen.« Das Problem, das diese Formulierung noch mit sich bringt, ist, daß sie in allen Fällen falsch ist, in denen man besser verstanden wird, wenn man vom »sozial akzeptierten« Gebrauch abweicht. Wenn wir verstanden werden wollen, müssen wir uns nur darum kümmern, wie unsere wirklichen Hörer unsere Worte auffassen werden. Der richtige Ratschlag stammt von

10 Siehe Aristoteles, *Nikomachische Ethik*, 1155b 29-31.
11 Siehe Dummett, »Social Character of Meaning«, S. 429.

Lord Chesterfield: »Sprich die Sprache der Gemeinschaft, in der du dich befindest; und sprich sie rein, ohne sie mit fremden Elementen zu spicken!« Welchen Witz hat es denn, in Einklang mit dem »akzeptierten Sprachgebrauch« zu reden, wenn wir es mit Menschen zu tun haben, von denen wir wissen, daß sie uns nur verstehen, wenn wir vom akzeptierten Sprachgebrauch abweichen? Ich behaupte keineswegs, daß das keinen Witz haben könnte, doch was hätte es mit Kommunikation zu tun?

Jetzt möchte ich auf die Behauptung eingehen, es sei sinnlos, über die abwegige Möglichkeit nachzudenken, daß es Sprecher geben könnte, die einander verstehen, obwohl sie sich in verschiedenartigen Idiolekten ausdrücken. Ich habe eingeräumt, daß diese Möglichkeit in der Praxis auf Sonderfälle beschränkt ist, und ich habe sowohl betont, daß die weitreichende Übereinstimmung im Sprachverhalten von miteinander lebenden und redenden Gruppen offensichtlich nützlich ist, als auch hervorgehoben, daß das Lernen und die Förderung angepaßten Verhaltens unumgänglich ist. Das ändert aber nichts an der philosophischen Wichtigkeit der theoretischen Möglichkeit von Kommunikation ohne gemeinsame Praktiken, denn diese Möglichkeit zeigt, daß diese Form der Gemeinsamkeit kein wesentlicher Bestandteil des Bedeutungsbegriffs und der Kommunikation sein kann. Wenn ich recht habe, müssen gewichtige Thesen von Tyler Burge, Saul Kripke und vielleicht auch von Wittgenstein und Dummett falsch sein, denn zumindest die ersten beiden haben nachdrücklich behauptet, es sei ein wesentliches Merkmal der sprachlichen Kommunikation, daß in »sozial akzeptierter« Weise gesprochen wird; und falls dies nicht auch Dummetts Ansicht ist, bleibt unerfindlich, worüber er sich mit mir zu streiten glaubt. Wittgenstein werde ich lieber aus dem Spiel lassen und statt dessen einfach von Kripkenstein sprechen. Außerdem erscheint es mir wichtig zu betonen, daß es viele Fälle erfolgreicher Kommunikation gibt, in denen das Gelingen nicht davon abhängt, daß zunächst gemeinsame Praktiken erlernt wurden. Denn wenn man das erkennt, sieht man eher ein, in welchem Maße das Verstehen – und zwar sogar das Verstehen der buchstäblichen Bedeutung von Sprecheräußerungen – davon abhängt, daß man gemeinsam über allgemeine Informationen verfügt und mit nichtsprachlichen Institutionen (einer »Lebensweise«) vertraut ist.

Nun zur dritten Herausforderung, der sich der Begriff des Idiolekts stellen muß. Diese Herausforderung läuft auf folgendes hinaus: Durch Wittgenstein ist die Unterscheidung zwischen dem richtigen Gebrauch von Wörtern und dem bloßen Glauben, man gebrauche sie richtig, in den Mittelpunkt der Untersuchungen des Bedeutungsbegriffs gerückt worden, und diese Unterscheidung soll nun ohne Berufung auf den Test des gemeinsamen Sprachgebrauchs getroffen werden. Dies ist die schwierigste und die wichtigste Herausforderung; und ich bin ebenso wie Dummett der Ansicht, daß man ihr nur durch Berufung auf einen sozialen Rahmen gerecht werden kann.[12]

Benötigt wird eine Norm – etwas, was dem Sprecher ein (nicht unbedingt in allen Fällen anwendbares) Verfahren an die Hand gibt, um festzustellen, daß er sich geirrt hat. Es geht um eine Norm, deren Nichterfüllung der Betreffende als einen Irrtum einstufen wird. (Hier ist eine weitere Bedingung hinsichtlich der angemessenen Beschreibung der Norm zu nennen, auf die ich weiter unten zu sprechen komme.) Daß man in Übereinstimmung mit dem sozial akzeptierten Sprachgebrauch redet, ist eine solche Norm, allerdings (wie ich dargelegt habe) eine, die nur dann kommunikationsrelevant ist, wenn der Hörer des Sprechers ebenso redet wie er selbst; und in diesem Fall ist die Norm nicht deshalb relevant, weil es sich um eine gemeinsame Praxis oder Konvention han-

12 Die Eigentestverfahren, wie sie zum Beispiel von Simon Blackburn vorgeschlagen wurden, lassen mich ebenso unbeeindruckt wie die ähnliche These, die von David Pears vertreten wird.

delt, sondern weil normkonformes Verhalten in Verständnis resultiert. Bei dieser Feststellung setzt mein eigener Vorschlag an: Das Ausschlaggebende – der Witz der Sprache oder des Sprechens oder wie immer man es ausdrücken möchte – ist die Kommunikation, also daß man einem anderen mitteilt, was einem vorschwebt, indem man Wörter benutzt, die der andere so interpretiert (versteht), wie man es wünscht. Das Sprechen hat noch zahllose weitere Zwecke, doch diesem liegt kein anderer zugrunde. Dagegen ist es kein letzter oder universeller Zweck des Sprechens, das zu sagen, was man für wahr hält, oder so zu reden, wie es nach eigener Überzeugung die anderen tun.

Die Absicht, so verstanden zu werden, als habe man die Bedeutung im Sinn, von der man möchte, daß sie als die gemeinte aufgefaßt wird, ist nach meinem Eindruck so offensichtlich das einzige Ziel, das allem Sprachverhalten gemeinsam ist, daß es mir schwerfällt zu begreifen, wie irgend jemand es bestreiten kann. Ich kann jedoch ohne weiteres verstehen, warum diese Feststellung zu wahr erscheinen kann, um interessant zu wirken, denn der Begriff der gemeinten Bedeutung wird dabei vorausgesetzt. Doch wenn die Feststellung wahr ist, ist sie auch wichtig, denn sie nennt einen Zweck, den jeder Sprecher beim Sprechen haben muß, und damit ist eine Norm gegeben, an der Sprecher und andere Personen den Erfolg des Sprachverhaltens messen können.

Erfolgreiches Mitteilen propositionaler Inhalte – und zwar nicht bloß zufälliger oder sporadischer Erfolg, sondern ein mehr oder weniger zuverlässiger, durch die Anwendung von Mitteln mit großem Ausdrucksspielraum erzielter –, das ist der Erfolg, den wir begreifen müssen, ehe wir Fragen über das Wesen der Bedeutung oder der Sprache aufwerfen, denn der Sprachbegriff oder der Bedeutungsbegriff sind ebenso wie die Begriffe des Satzes, des Namens, der Bezugnahme oder der Wahrheit derart, daß wir sie erst verstehen und anwenden können, wenn die Mitteilung propositionaler Inhalte unter

Dach und Fach ist. Die Bedeutung – in dem speziellen Sinn, der uns interessiert, wenn wir von dem reden, was eine Äußerung buchstäblich bedeutet – empfängt ihr Leben aus jenen Situationen, in denen jemand beabsichtigt (oder annimmt oder erwartet), daß seine Worte in bestimmter Weise verstanden werden, und in denen sie wirklich so verstanden werden. In solchen Fällen können wir ohne zu zögern sagen: Wie der Sprecher verstanden werden wollte und wie er verstanden worden ist, das ist die von ihm und mit seinen Worten bei dieser Gelegenheit gemeinte buchstäbliche Bedeutung. Daneben gibt es noch viele weitere Lesarten des Begriffs der (buchstäblichen, sprachlichen) Bedeutung, doch die übrigen sind von der hier genannten abhängig.[13] Daher tritt bei mir der Begriff »der Bedeutung« eines Wortes oder eines Satzes hinter andere Begriffe zurück, nämlich: Wie sollen die Worte des Sprechers nach seiner Absicht verstanden werden? Wie werden sie vom Hörer verstanden? Dort, wo Verständnis und Absicht einander entsprechen, kann man, wenn es beliebt, von »der« Bedeutung sprechen. Aber es ist das Verstehen, das der Bedeutung Leben verleiht, und nicht umgekehrt.

Das erklärt, warum der von Dummett, Burge und Putnam betonte Hinweis, es könne Wörter mit einer Bedeutung geben, von der weder Sprecher noch Hörer eine Ahnung haben, keinen Eindruck auf mich macht. Ich bezweifle keineswegs, daß wir dergleichen manchmal sagen, und es ist auch ziemlich klar, was uns dabei vorschwebt: Sprecher und Hörer wissen nicht, was im Wörterbuch nachzulesen wäre oder wie die betreffenden Wörter von Leuten mit besserer oder anderer Aus-

13 Es sollte klar sein, daß diese Formulierung des Begriffs der gemeinten Bedeutung nicht der Begriffsbestimmung von Grice entspricht, denn während die hier genannte Formulierung auf dem (an dieser Stelle nicht analysierten) Begriff des Verstehens beruht, ging es Grice darum, sprachliche Bedeutung sowie die nichtnatürliche Bedeutung generell durch Intentionen zu definieren, die gar keine gemeinte Bedeutung beinhalten. Meine Formulierung enthält insofern ein Gricesches Element, als Bedeutung von Absicht abhängt.

bildung oder mit höherem Einkommen verwendet werden. Das ist ein Bedeutungsbegriff, der immer noch auf dem Begriff der erfolgreichen Kommunikation beruht; aber er bringt eine elitäre Norm in die Bedeutungstheorie ein, insofern er impliziert, daß Menschen, die nicht der richtigen Gesellschaftsschicht angehören, eigentlich nicht wissen, was sie meinen.[14]

Was sollen wir im Hinblick auf die zahlreichen Fälle sagen, in denen der Sprecher erwartet oder hofft, in bestimmter Weise verstanden zu werden, aber nicht so verstanden wird? Soweit ich sehe, spielt das keine Rolle. Wenn wir bedenken, daß der Bedeutungsbegriff ein theoretischer Begriff ist, der die Kommunikation nicht zu erklären vermag, sondern von ihr abhängig ist, können wir ihn, ohne Schaden anzurichten, in jeder uns genehmen Weise zum Begriff der erfolgreichen Verständigung in Beziehung setzen. Wenn ein Sprecher also der vernünftigen Überzeugung ist, er werde in bestimmter Weise interpretiert werden, und sich in der Absicht äußert, so verstanden zu werden, kann es sein, daß wir feststellen wollen, er meine eben das, was er (im primären Sinn) gemeint hätte, wenn er so verstanden worden wäre, wie er es erwartete und beabsichtigte. Der Begriff der vernünftigen Überzeugung ist seinerseits so flexibel, daß wir vielleicht hinzufügen wollen, es müsse Personen geben, die den Sprecher seiner Absicht entsprechend verstehen, und der Sprecher glaube vernünftiger-

14 Im »Normalfall«, schreibt Dummett, »behandeln Sprecher und Hörer Wörter als solche, denen ihre Bedeutungen in der Sprache zukommen. [...] Die Ansicht, die ich im Gegensatz zu Davidson geltend machen möchte, ist eine abgewandelte Form des von [Lewis Carrolls] Alice vertretenen Bilds, wonach Wörter als solche und unabhängig von den Sprechern Bedeutungen haben.« Allerdings nicht unabhängig von allen Sprechern, wie Dummett hinzufügt, denn die Bedeutungen seien von einer sozialen Praxis abhängig. Also muß er meinen: unabhängig davon, ob der Sprecher oder seine Hörer zufällig wissen, welches die einer bestimmten Gelegenheit entsprechende soziale Praxis ist. Siehe Dummett, »A Nice Derangement«, S. 472 f.

weise, er rede mit einer solchen Person. Es liegt nahe, diese Bedingungen genauer zu formulieren. Der Punkt, auf den es ankommt, ist jedoch nach wie vor der gleiche: Der Bedeutungsbegriff hätte keine Anwendung, wenn es nicht zahllose Fälle gelungener Verständigung gäbe, und jeder weitere Gebrauch, den wir dem Bedeutungsbegriff zugestehen wollen, ist von der Existenz solcher Fälle abhängig. Diese Anmerkungen sollten klarmachen, warum Dummetts Vorwurf, ich sei ein Verfechter einer Spielart der von Humpty Dumpty vertretenen Bedeutungstheorie, die Bedeutung hänge ausschließlich von der Absicht ab, an seinem Ziel vorbeischießt.

Dummett hat Einwände gegen Auffassungen, wonach das Verstehen von den Sprecherabsichten abhängt, insbesondere von Absichten, die ihrerseits von Überzeugungen darüber abhängen, wie die Hörer die Äußerungen des Sprechers interpretieren werden. Er sagt, im »Normalfall« sei es so, daß »Sprecher und Hörer Wörter als solche behandeln, denen ihre Bedeutungen in der Sprache zukommen. Daß sie die Wörter so behandeln, besteht nicht darin, daß sie irgendwelche Überzeugungen bezüglich der anderen Person haben.« Das, woran sie sich halten,

> sind ihre Überzeugungen (sofern der Ausdruck angemessen ist) darüber, was die Wörter bedeuten, und nicht darüber, was sie nach der Meinung oder Absicht des anderen bedeuten. [...] Kein Sprecher muß ausdrücklich eine Absicht fassen oder eine bestimmte Theorie über seine Hörer oder etwa auch über die Sprache vertreten, um mit einem Wort das zu meinen, was es in der Sprache bedeutet.[15]

Ich für mein Teil bin ebenfalls der Meinung, daß der Sprecher normalerweise weder »ausdrücklich eine Absicht faßt« noch »eine Theorie vertritt«. Dagegen behaupte ich tatsächlich: Auch wenn ein Sprecher in Einklang mit einer sozial akzeptablen Theorie redet, spricht er mit der Absicht, in bestimmter Weise verstanden zu werden, und diese Absicht ist von seinen

15 Ebd., S. 472 ff.

Ansichten über die Hörer abhängig, insbesondere von seinen Überzeugungen oder Annahmen darüber, wie sie ihn verstehen werden. Es mag sein, daß Dummett und ich wieder einmal unterschiedlichen Gebrauch von unseren Wörtern machen, diesmal von den Wörtern »Absicht« und »Überzeugung«. Nach meiner Auffassung handelt jemand absichtlich, wenn es eine Antwort auf die Frage nach seinen Handlungsgründen gibt, und häufig kann man die Gründe eines Akteurs angeben, indem man die Frage aufwirft, ob er ebenso gehandelt hätte, wenn er die betreffenden Gründe nicht gehabt hätte. Meiner Ansicht nach sind bewußt erwogene Überzeugungen oder mit Bedacht erwogene Absichten nicht unsere einzigen Überzeugungen und Absichten. Angenommen, ich setze einen Fuß vor den anderen, während ich in die Küche gehe, um mir etwas zu trinken zu holen. Da vergeude ich keinen Gedanken an die Bewegung meines Fußes, und ich frage nicht, ob diese Bewegung ein geeignetes Mittel ist, um meinen Zweck zu erreichen. Ich gehe nur, wie ich es gewohnheitsmäßig tue. Doch wenn ich befände, daß ich eigentlich doch nichts trinken möchte oder daß die Tür, der ich mich nähere, verschlossen ist, würde ich diesen Schritt nicht tun. Ich hatte Gründe dafür, diesen Schritt zu tun, und ohne diese Gründe täte ich ihn nicht. Ebenso scheint es mir auf der Hand zu liegen, daß ich die geäußerten Worte nicht aussprechen würde, wenn ich glaubte, daß sie nicht verstanden würden. Mit meinem Sprechen beabsichtige ich etwas zu erreichen – vielleicht möchte ich jemanden vor einer Bärenfalle warnen, in die er gleich hineinfallen könnte –, und ich beabsichtige es dadurch zu erreichen, daß er meine Worte versteht. Es mag sein, daß ich sein Verständnis meiner Worte als selbstverständlich voraussetze, aber etwas als selbstverständlich voraussetzen ist eine Form von Überzeugung. Wenn ich nicht glaubte, daß er mich verstehen wird, würde ich etwas anderes sagen oder ihn auf nichtsprachliche Weise warnen.

II.

Wenn die Mißverständnisse ausgeräumt sind, was bleibt dann noch von diesem augenscheinlichen Disput? Am Schluß liegen die Dinge wie folgt: Ich behaupte, daß weder der übliche noch ein bestimmter philosophischer Begriff von Sprache grundlegend ist, um die sprachliche Kommunikation zu verstehen. Dummett meint, daß zumindest der übliche Begriff grundlegend ist – und wahrscheinlich auch der philosophische. In den Artikeln Dummetts, auf die ich mich hier konzentriert habe, bedient er sich eines Bedeutungsbegriffs, den er nicht erklärt, während ich von einem Begriff des Verstehens Gebrauch mache, den ich nicht erkläre. Soweit ich weiß, hat Dummett weder in diesen Artikeln noch an anderer Stelle ein Argument angeführt, um zu zeigen, daß eine gemeinsame Art zu sprechen – eine Praxis oder eine Konvention – wesentlich ist, um mit dem, was man sagt, etwas zu meinen. Wir wissen jedoch, daß es ein solches Argument gibt, und es kann sein, daß Dummett es im Sinn hat. Dieses Argument besagt, daß nur eine gemeinsame Praxis eine Antwort auf Wittgensteins Frage liefern kann, wodurch sich das Befolgen einer Regel von dem bloßen Glauben, man folge der Regel, unterscheide. Daß diese Frage von grundlegender Wichtigkeit ist, akzeptiere ich: Eine angemessene Erklärung des Begriffs der gemeinten Bedeutung muß einen Test dafür angeben, was es heißt, in der gleichen Weise fortzufahren, das heißt: weiterhin in der gleichen Weise zu sprechen wie bisher. An dieser Stelle tut sich eine entscheidende Kluft zwischen meinen Thesen und den Behauptungen Dummetts auf. Er verfügt über ein Argument, das zu zeigen beansprucht, daß eine gemeinsame Praxis erforderlich sei, um Wittgensteins Frage zu beantworten, während ich nur behauptet habe, eine gemeinsame Praxis sei für die Kommunikation nicht nötig, sofern jeder Sprecher in der mehr oder weniger gleichen Weise fortfährt wie bisher. Die Frage, was es heißt, so fortzufahren wie bisher, habe ich nicht beantwortet. Überdies habe ich keinen Grund für die Ansicht genannt, die gemeinte Bedeutung sei ein wesentlich soziales Phänomen.

An dieser Stelle möchte ich mich in aller Kürze bemühen, meine Versuche einer Beantwortung dieser Fragen zusammenzufassen. Ebenso wie Dummett und Kripke und vielleicht auch Wittgenstein bin ich der Meinung, daß eine Bezugnahme auf die soziale Interaktion erforderlich ist, um die Frage zu beantworten, was es heiße, in der gleichen Weise fortzufahren wie bisher. Anderer Meinung bin ich hinsichtlich der Frage, wie man diesem Erfordernis gerecht werden kann.

Nehmen wir an, daß du jedesmal, wenn ich auf meine Nase zeige, »Nase« sagst. In dem Fall machst du's richtig und fährst in der gleichen Weise fort wie bisher. Warum gelten deine sprachlichen Reaktionen als »die gleichen«, das heißt: als in relevanter Hinsicht ähnlich? Nun, ich lasse sie als in relevanter Hinsicht ähnlich gelten. Nach meinem Eindruck ist der Reiz in jedem Fall der gleiche, und die Reaktion ist die gleiche. Außerdem mußt du – in irgendeinem simplen Sinn – meine Zeigegesten für ähnlich erachten. Der Beleg dafür ist, daß du jedesmal ähnlich reagierst. Es ist jedoch nichts zu erkennen, was dir sagen könnte, ob deine Reaktionen in relevanter Hinsicht ähnlich sind oder nicht. Einerlei, wie die Reize beschaffen sind – deine ähnliche Reaktionen werden anzeigen, daß du an den Situationen etwas ähnlich findest. Und offenbar unähnliche Reaktionen auf den gleichen Reiz können als Hinweise darauf aufgefaßt werden, daß du die Reize verschieden aufgefaßt hast, und genausogut als Hinweis darauf, daß die Reaktion nach deiner Meinung ähnlich ist. Wie Wittgenstein sagt: Du allein kannst den Unterschied zwischen einer Situation, die gleich zu sein scheint, und einer, die gleich ist, nicht angeben. (Das gilt, wie viele Interpreten meinen, nach Wittgenstein nur im Hinblick auf Situationen, in denen der Reiz privater Art ist. Nach meiner Auffassung gilt es in allen Fällen.)[16] Wenn du und ich unsere beiderseitigen Reaktionen mit dem Vorkommen eines gemeinsamen Reizes korrelieren können, kommt jedoch ein völlig neues Element ins Spiel. Sobald die Korrelation hergestellt ist, liefert sie jedem von uns einen Grund dafür, die Fälle auszusondern, in denen das nicht gelingt. Fehlgeschlagene natürliche Induktionen können jetzt als Hinweise aufgefaßt werden, aus denen hervorgeht, wann man etwas richtig und wann man es falsch macht, wann man in der gleichen Weise fortfährt wie bisher und wann man über den Begriff der Wahrheit und den Begriff der Falschheit verfügt. Das Verständnis des Begriffs der Wahrheit – der Unterscheidung zwischen dem Glauben, etwas sei so, und dem wirklichen Sosein – ist von der Norm abhängig, die nur durch interpersonelle Kommunikation beigesteuert werden kann. Und natürlich beruht die interpersonelle Kommunikation, wie überhaupt das Haben jeder propositionalen Einstellung darauf, daß man den Begriff der objektiven Wahrheit verstanden hat.

Wer behauptet, gemeinsame Praktiken seien dem Bedeutungsbegriff wesentlich, hat zur Hälfte recht. Es muß eine interagierende Gruppe geben, damit die Bedeutung – und nach meinem Dafürhalten sogar ein propositionaler Gedanke – überhaupt zum Vorschein kommen kann. Eine Interaktion der erforderlichen Art setzt voraus, daß jeder einzelne die anderen als Wesen wahrnimmt, die auf die gemeinsame Umgebung ganz ähnlich reagieren wie er selbst. Erst dann kann man anderen etwas beibringen und angemessene Erwartungen wecken. Daraus folgt: Meinen und Bedeutung setzen voraus, daß man sich im großen und ganzen an eine eigene Praktik hält – eine Praktik, die von anderen verstanden werden kann. Dagegen gibt es keinen fundamentalen Grund, warum Praktiken etwas Gemeinsames sein müßten.

16 Diese Auffassung begründe ich in meinem Aufsatz »Communication and Convention« sowie in mehreren späteren Artikeln.

9
Durch die Sprache sehen

Wir sehen die Welt durch die Sprache. Doch wie sollen wir diese Metapher verstehen? Ist die Sprache ein Medium, das für den Geist bloß wiedergibt oder genau aufzeichnet, was dort draußen ist? Oder ist das Medium so dicht, daß man gar nicht angeben kann, wie die Welt wirklich beschaffen ist? Vielleicht ist die Sprache etwas dazwischen – ein durchscheinendes Material, so daß die Welt von der Tönung und Scharfeinstellung der besonderen Sprache, die wir sprechen, geprägt ist.

Alle diese Einstellungen werden – oder wurden – von ihren jeweiligen Jüngern verfochten, doch nach meinem Eindruck ist keine von ihnen mehr als halb richtig, und keine erfaßt, was das Wichtigste an der Sprache ist. Gewiß ist die Sprache eine praktische menschliche Fertigkeit, von der wir Gebrauch machen, um in unserer gemeinsamen irdischen Umgebung miteinander auszukommen. Ohne sie würden wir nicht in der Weise, in der wir das tun, an Dinge denken. Aber daraus folgt natürlich weder, daß wir niemals wahrnehmen, wie die Welt wirklich beschaffen ist (wie Kant meinte), noch daß jeder Blick notwendig verzerrt ist (wie Bergson und viele andere Autoren geglaubt haben). Für diese Anschauung könnte es ein Argument geben, wenn es zumindest grundsätzlich möglich wäre, ein nicht von Begriffen geprägtes Gegebenes zu isolieren, das vom Geist geformt werden könnte, denn dann wäre es vielleicht sinnvoll, sich eine Vielzahl von Strukturen vorzustellen, in deren Rahmen sich das Gegebene formen ließe. Ohne die Vorstellung von einem solchen Gegebenen fällt es jedoch schwer zu erraten, was hier eigentlich der Formung bedarf; und es gibt nur wenige unter uns, die sich von der Vorstellung eines unverarbeiteten Gegebenen begeistern lassen.

Verstehen wir, was wir mit einer echten Alternative zu unse-

rem Begriffsschema meinen? Wenn es uns gelänge, ein Schema zu entschlüsseln, dann wäre es eben deshalb nicht sonderlich verschieden von unserem eigenen, außer vielleicht hier und da in puncto Beschreibungsbequemlichkeit. Wenn wir in überzeugender Weise erklären oder beschreiben könnten, inwiefern ein Alternativschema von unserem eigenen abweicht, wäre es ebenfalls durch unser Begriffssystem eingefangen. Damit wird keineswegs bestritten, daß manche Leute über begriffliche Ressourcen verfügen, die nicht jedem anderen zu Gebote stehen. Biologen, Flugzeugbauer, Festkörperphysiker, Musikwissenschaftler, Kartographen, Molekularbiologen, Selenologen und Psychoanalytiker – sie alle verfügen über Vokabulare und Theorien, die vielen von uns unbekannt sind. Aber auch wir Durchschnittstypen haben – und sei's in beschränkter Form – unsere Besonderheiten, nämlich: unsere eigene Liste mit Eigennamen, deren Bezug jeweils einzigartig kontextualisiert ist; unsere privaten Kosenamen und Wortverdrehungen; unsere eigenen Ausspracheмängel und Malapropismen. Außerdem ist nicht zu bestreiten, daß manche Dialekte sexistische, nationalistische oder rassistische Merkmale erkennen lassen, und alle menschlichen Sprachen stecken voller kaum verborgener Anthropomorphismen. Dies sind, wenn man sich so ausdrücken möchte, Unterschiede oder Provinzialismen unserer Begriffsschemata. Doch es sind Varianten oder Besonderheiten, die wir einander erklären können oder könnten, wenn auf beiden Seiten genügend Zeit, die entsprechende Aufmerksamkeit und ausreichende Intelligenz vorhanden wären. Nicht jeder kann die Begriffe der Quantenmechanik erfassen (ich zum Beispiel kann's nicht), aber die Sprache der relativitätstheoretischen Quantenphysik bildet kein eigenes Begriffsschema. Sie ist bloß ein – freilich exklusiver – Vorort des universellen Schemas, das eine Ontologie normaler makroskopischer Gegenstände mitsamt deren normalen Eigenschaften voraussetzt.
Das Problematische an der Idee wirklich inkommensurabler

Sprachen und Begriffsschemata liegt nicht darin, daß wir sie nicht verstehen könnten, sondern darin, daß die Kriterien dafür, was ein mit unserem eigenen Schema inkommensurables Begriffsschema ausmachen würde, einfach nicht klar sind. Vielleicht glaubt man sich eine Kultur vorstellen zu können, in der Lebewesen in einer Art und Weise miteinander kommunizieren, in die wir niemals Einblick gewinnen können. Doch wenn man darüber Vermutungen anstellt, kommt man nicht weiter, solange man keine Entscheidung über die Kriterien für Kommunikation getroffen hat. Ungehinderter Informationsaustausch, zielstrebige Interaktion? Aber wie äußern sie sich? Die einzigen Ziele, die wir erkennen, sind die gleichen oder ähnliche wie unsere eigenen. Informationen, wie wir sie kennen und begreifen, haben einen propositionalen Inhalt, der auf Situationen, Gegenstände und Ereignisse zugeschnitten ist, die wir mit unseren hausbackenen Ausdrücken beschreiben können. Natürlich kommt es unter exotischen Rahmenbedingungen vor, daß man feststellt, einem verständlichen Gespräch beizuwohnen, obwohl man von dem Gesagten gar nichts versteht. Es ist auch möglich, daß die Gesprächspartner (in einer Sprache, die wir lernen könnten) übereingekommen sind, einen augenscheinlich unentschlüsselbaren Code zu gebrauchen. Dem, was diese Leute sagen, entspricht eine Übersetzung, die wir verstehen könnten; aber ohne Hilfe können wir diese Übersetzung nicht herausbekommen. In solchen Situationen gibt es jedoch gute Gründe anzunehmen, daß wir das Unverstandene zu entziffern lernen könnten: Es sieht so aus, als seien die Gesprächspartner Personen wie du und ich; und wir glauben zu Recht, vertraute Zwecke und Tätigkeiten zu erkennen. Diese Fälle bereiten dem Gegner des Begriffsrelativismus keine Schwierigkeit. Ein ernsthaftes Problem besteht nur dort, wo keine Übersetzung möglich ist. Bei diesem vermeintlichen Fall wirklich inkommensurabler Sprachen habe ich das Gefühl, daß in der Annahme etwas Unverständliches steckt.

Vielleicht verstehen wir den Begriff der grundverschiedenen Denk- und Redeweisen nicht wirklich. Ist es nicht dennoch sinnvoll zu glauben, daß unsere tatsächlich gegebenen Sprachen unsere Wahrnehmung der Welt in solchem Maße formen, daß das, was wir erfassen, stets verzerrt ist? Was auf der Hand liegt, ist, daß unsere Sprache viele Instrumente enthält, die unseren Interessen entsprechen, und keine Mittel vorsieht, um etwas, was zu diesen Interessen quer steht, mühelos auszudrücken. Unsere Grundvokabulare zeichnen jene Vektoren, die in die Richtung der uns selbstverständlichen Verallgemeinerungen weisen. Abgesehen von Diskussionen darüber, warum es sich so verhält, haben wir kein Interesse an Emerosen und den Klassen von Dingen, die grot, blün oder brelb sind. Dies sind Begriffe, die sich mit Hilfe von Formulierungen, die sich in unseren immer umfangreicheren Wörterbüchern finden, immerhin ausdrücken lassen. Ich bin sicher, daß »blün« bald drinstehen wird, falls es nicht schon verzeichnet ist. Es gibt jedoch endlos viele Klassen, für die wir keinen noch so komplexen Ausdruck kennen. Ist das eine Verzerrung? Wenn ja, dann ist es nicht die Sprache, die dafür verantwortlich ist. Natürlich reflektiert die Sprache unsere eigensten Interessen und unsere im Laufe der Geschichte zusammengekommenen Bedürfnisse und Werte, unsere angeborenen und unsere erworbenen Induktionsneigungen. Aber diese Tatsache dürfte kaum die These stützen, daß unsere Auffassung der Welt erheblich durch die Sprache verzerrt oder geformt wird. Soweit es hier eine Wirkung gibt, geht sie in die andere Richtung. Allenfalls dürfen wir sagen, daß wir als Einzelpersonen gern Kategorien übernehmen, die sich in der Kultur entwickelt haben und zu deren Erfindung wir selbst kaum etwas beigetragen haben. In diesem Fall verzerrt die Sprache nichts, sondern die Gesellschaft gibt uns Hilfestellung, damit wir mit der zum Teil von ihr gebildeten Umwelt zurechtkommen.

Wehren sollten wir uns gegen die Behauptung, es sei die

Wahrheit, die durch die Sprache verdreht oder verzerrt werde. Es mag sein (oder nicht sein), daß meine Sprache mit meinem oder dem gesellschaftlichen Interesse an der Frage zusammenhängt, ob die Rodung des tropischen Regenwalds die Zerstörung der Ozonschicht beschleunigt, aber mit der diesbezüglichen Wahrheit hat die Sprache nichts zu tun. Viele Begriffe sind vag, doch wenn man von Grauzonen und Mehrdeutigkeiten absieht, sind die meisten geäußerten Behauptungssätze schlicht wahr oder falsch – nicht damals wahr und jetzt hingegen falsch, nicht wahr für mich und falsch für den Bewohner der Tuamotuinseln, nicht teilweise falsch und teilweise wahr. Unsere Sprachen verzerren die Wahrheit über die Welt nicht, obwohl sie es uns natürlich gestatten, je nach Vorliebe uns selbst beziehungsweise andere zu täuschen.

Zunächst habe ich drei mögliche Ansichten beschrieben, die man im Hinblick auf die Rolle vertreten kann, welche die Sprache in unseren Gedanken über die Welt spielt. Die erste Ansicht besagt, daß die Sprache undurchsichtig ist und die Wirklichkeit vor uns verbirgt. Diese Anschauung habe ich zurückgewiesen. Der zweiten zufolge ist die Sprache ein durchscheinendes Medium, das allem in seinem Bereich den eigenen Stempel aufdrückt. Diese Ansicht ist, wie es scheint, bestenfalls trivial wahr: eine übertriebene Formulierung des simplen und natürlichen Faktums, daß die Sprache unsere Interessen und unsere Bedürfnisse reflektiert. Jetzt bleibt noch die Vorstellung von der Sprache als einem transparenten Medium, das die Tatsachen genau wiederzugeben vermag.

Leider wissen wir, daß auch diese Vorstellung nichts einbringt. Substantive, Namen und Prädikate mögen zwar auf ein oder mehrere Dinge Bezug nehmen oder zutreffen, aber sie können als solche keine Tatsachen oder Sachverhalte darstellen. Das können nur Sätze, und bis heute hat niemand eine Möglichkeit gefunden, Tatsachen oder Sachverhalte in einer Weise zu individuieren, die zu erklären hülfe, welche Tatsache von einem gegebenen Satz dargestellt wird. Falls mit der

Behauptung, die Sprache stelle Tatsachen dar, nichts weiter gemeint ist, als daß wir Sätze verwenden können, um Gegenstände und Ereignisse zu beschreiben, so ist das unverfänglich. Schließlich ist das lediglich eine ausgeschmückte Formulierung der Binsenweisheit, daß einige Sätze wahr und einige falsch sind. Doch wenn man sagt, durch sprachliche Äußerungen werde die Realität (oder sonst irgend etwas) dargestellt, täuscht man sich selbst, es sei denn, man kann die dargestellten Entitäten in brauchbarer Form angeben.

Ist jetzt noch etwas übrig von unserer Ausgangsmetapher, also von jener sinnbildlichen Rede, der zufolge die Sprache etwas ist, wodurch wir die Welt sehen? Nein, als Metapher ist diese Formulierung arg irreführend. Die Sprache ist kein Medium, durch das wir hindurchschauen; sie vermittelt nicht zwischen uns und der Welt. Wir sollten die Vorstellung verbannen, die Sprache gleiche in epistemischer Hinsicht den Sinnesdaten und verkörpere das, was wir aufnehmen können, sei aber ihrerseits nur ein Zeichen oder ein Stellvertreter dessen, was draußen existiere. Die Sprache spiegelt oder repräsentiert die Realität ebensowenig, wie die Sinne uns nichts weiter darbieten als Erscheinungen. Gelten Vorstellungen und Darstellungen als bloße Stellvertreter oder Bilder, bleiben wir stets einen Schritt hinter dem zurück, wonach die Erkenntnis strebt. Eine Skepsis, die bezweifelt, daß die Sprache die Realität erfassen könne, ist eine sprachlich aufpolierte Form der altmodischen Skepsis bezüglich der Sinneswahrnehmung.

Wir sehen die Welt genausowenig durch die Sprache, wie wir die Welt durch unsere Augen sehen. Wir gucken nicht *durch* unsere Augen hindurch, sondern *mit* ihnen. Wir fühlen die Dinge weder durch unsere Finger, noch hören wir sie durch unsere Ohren. In einem gewissen Sinn allerdings sehen wir die Dinge tatsächlich durch die Augen, nämlich vermittels der Augen. Und durch die Sprache gelingt es uns, uns durchzuschlagen. Meine Überschrift hat auch eine *nicht*metaphorische Pointe. Daß man Augen und Ohren hat, läßt sich in gültiger Weise mit dem Besitz der Sprache vergleichen: Alle drei sind Organe, mit deren Hilfe wir in unmittelbaren Kontakt mit unserer Umwelt kommen. Sie sind keine Zwischeninstanzen, Monitore, Medien oder Fensterscheiben.

Vielleicht stehen wir unter dem Einfluß der Vorstellung, eine Sprache – insbesondere eine Sprache wie Englisch, Kroatisch, Lettisch, Inuit oder Galizisch – sei so etwas wie eine öffentliche Einrichtung von der Art der Telefongesellschaften, mit einer oder zweien von denen jeder von uns einen Vertrag abschließt und die daher in einer Weise von uns unabhängig sind, in der das für unsere Sinnesorgane nicht gilt. Wir vergessen, daß es außer den von Menschen hervorgebrachten Lauten und Zeichen und den damit einhergehenden Gewohnheiten und Erwartungen so etwas wie eine Sprache nicht gibt. Daß man mit anderen eine Sprache »gemeinsam« hat, besteht darin, daß man versteht, was sie sagen, und ungefähr genauso redet wie sie. Es gibt kein weiteres Etwas, worüber wir gemeinsam verfügen, wie es ja auch kein gemeinsames Gehör gibt, wenn ich dir Gehör schenke.

Natürlich gibt es Unterschiede zwischen der Fähigkeit, sich mit anderen zu unterhalten, und der Fähigkeit zu sehen. Das Sehvermögen bilden wir schon früh und ohne sozialen Ansporn aus. Die Bedingungen für den Spracherwerb sind komplexer, und man beherrscht die Sprache erst später. Aber die Entwicklung schreitet erstaunlich schnell voran, wenn sie erst einmal in Gang gekommen ist. Mit den Phonemen der Muttersprache geht es offenbar schon im Uterus los,[1] doch Sätze kommen erst nach einem oder zwei Jahren zum Vorschein. Sobald die Kinder drei Jahre alt sind, erzeugen die meisten von ihnen zungenfertig Sätze und haben sich die Basisgrammatik ihrer Umgebung richtig angeeignet. Ein Sechsjähriger beherrscht im Durchschnitt 13 000 Wörter, und ein guter

1 Locke, *The Child's Path to Spoken Language*.

Gymnasiast kennt vielleicht 120000. Das Zeitfenster, um all dies zu lernen, ist klein. Im Alter von acht Jahren ist praktisch niemand mehr dazu imstande, eine neue (erste oder zweite) Sprache so zu lernen wie ein Muttersprachler. Wie es scheint, besteht kaum Grund zu bezweifeln, daß wir genetisch in recht spezifischer Weise darauf programmiert sind, so zu sprechen, wie wir es tun. Jede Gruppe und jede Gesellschaft hat eine Sprache, und alle Sprachen werden offenbar durch die gleichen willkürlichen Regeln eingeschränkt. Stämme, die wir für primitiv halten, haben Sprachen, die ebenso komplex und vollständig sind wie die Sprachen hochentwickelter Kulturen.

Wir sind zum Teil deshalb geneigt, das Sprachvermögen für etwas von den Sinnen Grundverschiedenes zu halten, weil es kein äußeres Organ gibt, das ausschließlich dem Sprechen dient, und zum Teil wegen der Verschiedenartigkeit der Sprachen. Aber diese Verschiedenheiten sind oberflächlicher Art. Die Sprache hat, ebenso wie die Sinnesorgane, ihren spezialisierten Ort im Gehirn. Infolgedessen kann eine Schädigung des Gehirns den Verlust des Sprachvermögens verursachen, ohne die Intelligenz im allgemeinen zu zerstören. Von noch größerer Bedeutung ist, daß offenbar allen Sprachen – trotz der Oberflächenvielfalt – strukturelle Regeln gemeinsam sind. Der Beleg dafür liegt teilweise in der Entdeckung universeller Einschränkungen der Grammatiken. Nennenswert ist auch die folgende erstaunliche Tatsache: Pidgin ist eine überaus vereinfachte Erfindung von Erwachsenen ohne gemeinsame Sprache, die es an den gleichen Ort verschlagen hat. Kinder, die ausschließlich dieses Pidgin hören, können etwas, wozu Erwachsene nicht imstande sind: Aus dem Pidgin bilden sie eine Kreolsprache, die ebenso hochentwickelt und kompliziert ist wie Französisch oder Türkisch.

Diese Informationen stammen aus verschiedenen Quellen, die zum Teil von Noam Chomsky beeinflußt sind, aber insbesondere aus dem kürzlich erschienenen Buch über den

Sprachinstinkt von Steven Pinker, in dem diese Hinweise in suggestiver Weise zusammengestellt werden. Pinker gelangt zu dem Schluß, daß »die Sprache kein kulturelles Artefakt ist, mit dem wir so umzugehen lernen, wie wir lernen, die Uhrzeit anzugeben. [...] Vielmehr handelt es sich um einen eigenen Teil der biologischen Ausstattung unseres Gehirns.«[2] Wie es scheint, paßt meine Ausgangsmetapher zu der folgenden Bemerkung Pinkers: »Wenn wir Sätze erfassen, ist der Strom der Worte transparent; wir sehen automatisch hindurch auf die Bedeutung [...].«[3] Kein Wunder, daß er die Sprache im Anschluß an Chomsky ein »geistiges Organ« nennt.[4]

Was hat dies alles jedoch mit dem Verhältnis zwischen Sprache und Denken zu tun? Nach Pinker, Fodor und manchen anderen Autoren zeigt die erstaunliche Leichtigkeit der Sprachentwicklung, wenn man die augenscheinliche Existenz von Sprachuniversalien hinzunimmt, daß das Angeborene – das heißt: das genetisch Programmierte – eine innere Sprache ist, die von diesen Autoren als Sprache des Denkens oder Mentalesisch bezeichnet wird. Der Theorie zufolge wird diese innere Sprache nicht gelernt, sondern entsteht als Teil unseres genetischen Erbes und ist jeder gesprochenen Sprache vorgängig. Der springende Punkt ist, daß die Existenz des Mentalesischen nicht von der Entwicklung der Sprache abhänge, sondern umgekehrt. Ist die fest verdrahtete Universalgrammatik gegeben, gilt demnach, daß »die Verbundenheit der Wörter den Zusammenhang der Ideen im Mentalesischen reflektiert«. Das ist die Lösung des »Problems der Verschlüsselung eines Gefüges von im Geist miteinander verknüpften Gedanken durch eine Reihe von Wörtern [...]. Für das Kind ist die unbekannte Sprache das Deutsche (Japanische ... oder

2 Pinker, *The Language Instinct*, S. 18.

3 Ebd., S. 21.

4 Chomsky, *Rules and Representations*, S. 138f. Pinker, *The Language Instinct*, S. 307.

Arabische); die ihm bekannte Sprache ist das Mentalesische.«[5] An dieser zuletzt zitierten Stelle vergleicht Pinker das Kind mit Quines radikalem Übersetzer. Anders als Quines Übersetzer braucht das Kind nach Pinker allerdings nichts herauszubekommen, sondern es weiß einfach von selbst, welche Idee des Mentalesischen von den gehörten Wörtern repräsentiert wird. Pinker hat keinen Zweifel an der Priorität des Mentalesischen. Er stellt die Frage, ob wir auf englisch oder cherokesisch oder in sonst einer Sprache denken – »oder sind unsere Gedanken in ein stummes Medium des Gehirns – eine Sprache des Geistes, ins ›Mentalesische‹ – gefaßt und werden nur dann in Worte gekleidet, wenn wir sie einem Hörer mitteilen müssen?«[6] Er entscheidet sich für das stumme Medium. Dafür gibt es diverse Argumente: Oft weiß man, was man denkt, ohne die Worte finden zu können; manchmal bemerkt man, daß etwas, was man gesagt hat, nicht das ist, was man gemeint hat; die Annahme, Begriffsschemata könnten weit auseinandergehen, ist ein törichter Mythos; es gibt die Universalgrammatik; außerdem ist da die überraschende Geschwindigkeit, mit der wir unsere Muttersprache lernen.

Diese allgemeine Anschauung wird heute von vielen Linguisten und Kognitionswissenschaftlern akzeptiert, doch mir scheint, daß die Argumente dafür fehlerhaft und die Schlußfolgerungen wirr sind. Daß wichtige Aspekte der Sprachfähigkeit fest verdrahtet sind, ist philosophisch nicht von größerer Bedeutung, als daß Farb- und Helligkeitskontraste nicht von einer höheren kognitiven Apparatur verarbeitet, sondern vom Sehnerv ins Gehirn getragen werden. Es lohnt sich, nachdrücklich darauf hinzuweisen, daß die Sprachbegabung zu unserer natürlichen Ausstattung gehört und nicht ein Werkzeug ist, das wir ersonnen haben, um mit Problemen des Verstehens, des Rechnens und der Verständigung klarzukommen. Was mir gefällt, ist der Vergleich mit den Sinnesorganen

5 Pinker, *The Language Instinct*, S. 101, 102, 278.
6 Ebd., S. 56.

und daher die Implikation, daß die Sprache nichts ist, was zwischen uns und die Realität gerät; sie kann nicht dazwischengeraten, weil sie ein Teil von uns ist. Aber durch das Postulat einer Sprache des Geistes wird die attraktive Seite dieses Bilds verdorben. Wenn die Sprache des Geistes einen Teil von uns ausmacht, dann ist unsere gesprochene Sprache eben doch eine Zwischeninstanz, die zwischen dem Denken und dem Gegenstand des Denkens vermitteln soll, und dann droht das genetisch Konstruierte tatsächlich die Welt in ganz ähnlicher Weise zu verbergen oder zu verzerren, in der es nach Kants Auffassung durch die Architektur des Geistes geschieht.

Die Argumente für die Existenz einer Sprache des Geistes, die einer sozial hervorgebrachten Sprache vorgängig oder von ihr unabhängig sein soll, sind schwach. Die Tatsache, daß wir manchmal keine Worte für etwas finden können, was wir sagen wollen, läßt sich auf einfachere Weise erklären als dadurch, daß man postuliert, es gebe im Inneren eine bereits gegebene, aber wortlose Botschaft, die danach strebt, ihre Übersetzung in ein gesprochenes Idiom zu finden. Es genügt anzunehmen, daß wir manchmal außerstande sind, an bereits bekannte Wörter oder Wendungen heranzukommen, oder auch daß uns, da wir bereits über eine Sprache verfügen, neue Dinge in den Sinn kommen können, die gesagt werden sollten. Die Idee der angeborenen Beschränkungen der Syntax, für die Chomsky so eindringlich argumentiert hat, wird, wie er selbst gezeigt hat, durch eindrucksvolle empirische Belege untermauert. Dabei bleibt für einige von uns vielleicht fraglich, inwieweit diese Beschränkungen ein Kunstprodukt der Mittel sind, mit deren Hilfe wir fremde Sprachen in unserer eigenen beschreiben können. Aber die Belege sprechen überzeugend dafür, daß das keineswegs die ganze Erklärung ist. Es ist nicht nur so, daß wir für den Spracherwerb gerüstet sind, wenn wir auf die Welt kommen, sondern außerdem wissen wir einiges darüber, inwiefern das, was für uns natürlich ist, von vornherein eingeschränkt ist. Welche Schlüsse können wir daraus im Hinblick auf die wirkliche Sprache oder wirkliches Denken ziehen? Was an genetisch bewerkstelligter Sprachbegabung nötig ist, um die relative Leichtigkeit des Spracherwerbs und die Ähnlichkeiten zwischen den wirklichen, gesprochenen Sprachen zu erklären, hat nur wenig – wenn überhaupt etwas – mit dem Inhalt unserer Gedanken oder Äußerungen zu tun. Was uns angeboren ist oder im normalen Verlauf der frühen Kindheit zum Vorschein kommt, sind Beschränkungen der Syntax, nicht der Semantik. Es gibt keinen Grund anzunehmen, daß Ideen, Begriffe oder Bedeutungen angeboren sind, sofern damit mehr gemeint ist, als daß die Menschen dahingelangt sind, über Sprachen und Gedanken zu verfügen, die die Bedürfnisse und Interessen menschlicher Lebewesen reflektieren. Angesichts unseres gemeinsamen Erbes nimmt es auch nicht wunder, daß unsere Gedanken und Äußerungen wechselseitig verständlich sind – freilich nur bis zu einem bestimmten Punkt, denn Interpretationserfolg ist stets eine graduelle Angelegenheit. Das heißt nicht, daß Beschränkungen der Syntax keine strukturellen Beschränkungen der Semantik hervorrufen können, obwohl es nicht leichtfällt, sich auszumalen, wie die Argumentation im einzelnen aussähe. Jedenfalls läuft meine These nicht darauf hinaus, was wir denken und sagen, sei nicht durch unsere Gene bedingt, sondern auf die schwächere Behauptung, daß wir nicht von Geburt an über so etwas wie eine gehaltvolle Sprache verfügen. Die Evolution hat dafür gesorgt, daß wir mehr oder weniger geeignet sind, mit unserer Umwelt zurechtzukommen, aber mit Begriffen hat uns die Evolution nicht ausstatten können. Freilich hat die Natur darüber entschieden, welche Begriffe uns natürlich vorkommen; doch damit ist nicht gesagt, daß der Geist von vornherein weiß, wie die Natur beschaffen ist.

Über das Argument, das sich auf »die Dürftigkeit des Reizes« beruft, sollte noch etwas mehr gesagt werden. Dieses Argument besagt, daß vieles von dem, was wir über die von uns gesprochene Sprache wissen, angeboren sein muß, weil wir uns anhand dermaßen spärlicher Belege zutreffende (wenngleich größtenteils unbewußte) Kenntnisse der Grammatik, des Vokabulars und sogar der Semantik unserer Muttersprache aneignen. Meine Zweifel hinsichtlich der Semantik habe ich bereits zum Ausdruck gebracht, jedenfalls sofern Semantik etwas mit Bezugnahme und Wahrheit zu tun hat. Aber die neuere Forschung stellt auch die Vorstellung in Frage, Kleinkinder, die noch keine Sprache können, verfügten nicht über die allgemeine Fähigkeit, anhand von beschränktem und unvollständigem Input sehr rasch und genau zu lernen. Es gibt Versuche, die zeigen, daß acht Monate alte Kinder auf der bloßen Grundlage statistischer Beziehungen zwischen benachbarten Lauten lernen, die gesprochene Sprache in Wörter einzuteilen. Dazu brauchen sie nur zwei Minuten, »was darauf hindeutet, daß Kleinkinder Zugang zu einem leistungsfähigen Mechanismus haben, der dazu dient, statistische Eigenschaften des Sprachinputs zu berechnen«.[7] Anders ausgedrückt: Der Anteil dessen, was fest verdrahtet sein muß, ist gar nicht so groß. Beim Eintritt in das Reich des Sprechens und Denkens hat das Lernen eine wichtige Rolle zu spielen.

Dies sind graduelle Angelegenheiten von großer Bedeutung. Hier allerdings kommt es darauf an, daß die Sprache, sobald sie erworben ist, keine normale erlernte Fertigkeit, sondern eine Wahrnehmungsweise ist (oder geworden ist). Das Sprachvermögen ist jedoch nicht bloß ein zusätzliches Organ – es ist den übrigen Sinnen unentbehrlich, damit sie propositionales Wissen liefern können. Die Sprache ist das Organ der propositionalen Wahrnehmung. Um Sichtbares zu sehen und Klänge zu hören, sind keine Gedanken mit propositionalem Inhalt nötig. Gebraucht werden sie, um wahrzunehmen, wie die Dinge liegen, und diese Fähigkeit entwickelt sich zu-

7 Saffran, Aslin und Newport, »Statistical Learning by 8-Month-Old Infants«.

sammen mit der Sprache. Sobald wir über propositionale Gedanken verfügen, ist die Wahrnehmung insofern direkt und unmittelbar, als es keine epistemischen Zwischeninstanzen gibt, auf denen Wahrnehmungsüberzeugungen beruhen, keine Stützen, die unsere Kenntnis der Welt untermauern.[8] Natürlich sind unsere Sinnesorgane Glieder der Kausalkette, die von der Welt zur Wahrnehmungsüberzeugung führt. Aber nicht alle Ursachen sind Gründe: Die Aktivierung der Netzhaut ist kein Beleg dafür, daß man einen Hund sieht, und die Vibrationen der Haarzellen im Innenohr liefern keinen Grund für die Meinung, daß der Hund bellt. »Ich hab's mit eigenen Augen gesehen« ist ein tadelloser Grund für die Überzeugung, im Supermarkt sei ein Elefant gewesen. Doch damit wird lediglich mitgeteilt, etwas von mir Gesehenes habe mich dazu veranlaßt zu glauben, daß ein Elefant im Supermarkt war. Mitunter hat man Sinnesempfindungen, und gelegentlich darf man sie als Gründe für Überzeugungen bezeichnen. Aber Sinnesempfindungen oder deren schmächtige Boten – wie Perzepte, Sinnesdaten und dergleichen – sind keine Gründe, wogegen die Überzeugung, daß man ein Geräusch gehört oder einen Feuerstrahl am Himmel mitbekommen hat, im Zusammenspiel mit passenden späteren Informationen ein Grund für die Meinung sein kann, man habe eine Explosion gehört oder einen Flugzeugabsturz gesehen.

Es gibt eine einfache Erklärung dafür, daß Sinnesempfindungen, Perzepte und Sinnesdaten nicht dazu imstande sind, Überzeugungen epistemisch zu untermauern: Gründe müssen begrifflich auf das Begründete abgestimmt sein. Die Relation der epistemischen Fundierung verlangt, daß beide Relata propositionalen Inhalt haben; und Entitäten vom Schlage der Sinnesempfindungen und Sinnesdaten haben keinen propositionalen Inhalt. In der neuzeitlichen Philosophie hat man sich vielfach bemüht, zwischen einem imaginären, begrifflich

8 Davidson, »A Coherence Theory of Truth and Knowledge«.

nicht erfaßten Gegebenen und den für die Untermauerung von Überzeugungen erforderlichen Bedingungen zu vermitteln. Heute erkennen wir, daß dieses Vorhaben aussichtslos ist. In Wahrheit ist es so, daß eine Überzeugung nur durch eine weitere Überzeugung (oder viele weitere Überzeugungen) begründet werden kann.[9]

Wahrnehmungsüberzeugungen werden zunächst spontan gebildet. Sie werden einfach durch die Vorgänge bewirkt, die wir sehen, hören, berühren, schmecken und riechen können. Über das Aufkommen solcher Überzeugungen hat man nur insofern Kontrolle, als man seinen Körper bewegen kann, um etwas zu empfangen. Die Steuerung beginnt, sobald eine Überzeugung ausgelöst ist. Ein zweiter Blick kann den ersten Eindruck korrigieren; eine kurze Überlegung kann die Vorstellung tilgen, man habe einen längst verstorbenen Freund erblickt. Was man sieht, kann auslöschen, was man zu hören geglaubt hat. Der Vergleich von Beobachtungen ist etwas, was man den Naturwissenschaftlern zugute hält, aber wir alle tun es ständig, wenn auch vielleicht nicht so systematisch oder methodisch wie die Forscher. Letzten Endes müssen wir uns an die Wahrnehmungen halten, doch auf der Grundlage dieser Wahrnehmungen konstruieren wir Theorien, mit deren Hilfe wir weitere Wahrnehmungen beurteilen. Ich gehe davon aus, daß die Wahrnehmungsüberzeugungen, die wir unwillkürlich – und sei's noch so provisorisch – ausbilden, ihrerseits stark geprägt sind von unseren Erinnerungen, unseren unmittelbar vorangehenden Wahrnehmungen und den relevanten Theorien, die wir in mehr oder weniger hohem Maße akzeptiert haben. Jenseits der Haut herrscht geistlose Kausalität, doch was die Wirkungen abkriegt, ist ein denkendes Tier mit

9 Meine Argumente für diese Auffassung stehen ebd., S. 50. John McDowell hat in seinen vor kurzem gehaltenen John Locke Lectures die These akzeptiert, Gründe müßten propositionalen Inhalt haben, während er den Gedanken, daß Überzeugungen nur durch weitere Überzeugungen begründet werden können, ablehnt. Siehe McDowell, *Mind and World*.

einer durch und durch konditionierten Ausstattung. Zwischen dem Reiz und dem resultierenden Gedanken besteht keine unkomplizierte Beziehung.
Angesichts der zumeist unerforschlichen Komplexität dieser Beziehung fragt es sich, warum unsere empirischen Überzeugungen – und zwar sogar die Wahrnehmungsüberzeugungen – als zuverlässig gelten sollen. Welche Rolle kann die Natur bei der Bestimmung des Inhalts der Überzeugungen spielen, wenn weitere Überzeugungen die einzigen rationalen Gründe für eine Überzeugung liefern? Diese Frage ist mit der Frage hinsichtlich der Sprache verwandt. Man kann zwar darauf pochen, daß die Sprache – ebenso wie die Wahrnehmung – keine Vermittlung beinhaltet, doch gerade wegen dieser Akzentuierung ist es offenbar unmöglich, den Inhalt unserer Beobachtungssätze zu erklären, wie es ja auch offenbar unmöglich ist, den Inhalt unserer Wahrnehmungsüberzeugungen zu erklären. Diese beiden Probleme sind offensichtlich miteinander verknüpft, denn was den Inhalt der Gedanken erklärt, muß auch zumindest einen Teil der Erklärung dafür bilden, warum Beobachtungssätze den ihnen zukommenden Inhalt haben. Was diese Probleme dringlich macht, ist die Frage, inwiefern Überzeugungen, sofern sie in epistemischer Hinsicht ausschließlich durch weitere Überzeugungen untermauert sind, unabhängig oder als Gesamtheit mit der Welt verbunden sein können.
Ein möglicher Ausgangspunkt ist die Frage, wie die direkt an die Wahrnehmung gebundenen Sätze ihren Inhalt bekommen. Diese Sätze kann man *Wahrnehmungssätze* nennen. Es gibt keinen Grund anzunehmen, alle Wahrnehmungssätze seien einfach oder es seien für alle die gleichen. Sie sind nicht unbedingt einfach, denn manche von uns lernen, wie man durch einen bloßen Blick auf das Instrument erkennt, daß das Wetter stürmisch wird. Oder man hört bestimmte Geräusche und weiß schon, daß jemand gesagt hat, die Flut sei gestiegen. Oder man stellt nach einem bloßen Blick in die Nebelkammer

fest, daß man ein Elektron gesehen hat. In diesen Fällen kann man Gründe für die so direkt gebildeten Überzeugungen nennen; man kann erklären, warum das Gesehene gerade diese Überzeugung hervorgerufen hat. Außerdem ist es nicht bei jedem die gleiche Überzeugung. Manche Leute nehmen nicht wahr, daß ein Sturm aufzieht, weil sie nicht gelernt haben, den Barometerstand abzulesen. Jeder von uns verfügt über seinen einzigartigen Vorrat an Personen, die er auf den ersten Blick erkennt.

Wahrnehmungssätze haben einen empirischen Inhalt, der ihnen durch die Situationen verliehen wird, die uns dazu bewegen, sie zu akzeptieren oder abzulehnen, und das gleiche gilt für die durch diese Sätze zum Ausdruck gebrachten Überzeugungen. Aber welchen Grund gibt es für die Annahme, dieser Inhalt sei angemessen? Auch wer eine Sprache beherrscht, in die sich ein neuer Satz einfügen läßt, kann lernen, einen von ihm gar nicht verstandenen Satz in Situationen zu bejahen, in denen er wahr ist. Jemand, der keine Ahnung von Physik hat, kann ohne weiteres dahingelangen, beim Auftauchen der Spur in der Nebelkammer den Satz »Da ist ein Elektron« zu äußern, obwohl er keinen Begriff von einem Elektron hat. Das Verständnis des Satzes hängt von der vorgängigen Theorie ab, ohne die der Inhalt etwas völlig anderes wäre als das, was wir uns unter der Bedeutung vorstellen. Aber ist eine Theorie – in einem weiten Sinn von »Theorie«, in dem auch unausgesprochenes Verständnis darunter fällt – nicht immer nötig, um den Satz so auf die Umstände abzustimmen, daß er den richtigen Inhalt liefert? Nur wer sich mit Segelschiffen auskennt, kann durch bloßes Hinsehen erkennen, daß er eine Brigg und nicht eine Brigantine erblickt, obwohl auch jemand anders die Wörter in den richtigen Situationen verwenden könnte. (Eine Brigg ist ein Segelschiff mit Fock- und Großmast, die mit Rahen getakelt sind, während sich eine Brigantine insofern davon unterscheidet, als bei ihr nur der Fockmast voll getakelt ist.) Selbst bei einem einfachen Satz wie

»Das ist ein Löffel« setzt das Verständnis voraus, daß man weiß, wozu Löffel dienen, daß sie dauerhafte physikalische Gegenstände sind usw. Es muß also mehr mit dem Inhalt auf sich haben, als durch die Feststellung mitgeteilt wird, er sei durch die Situationen gegeben, die uns dazu veranlassen, den Situationen angemessene Sätze zu akzeptieren oder abzulehnen.

Ihr Sprachvermögen erwerben die Menschen nicht allein, sondern von ihren Eltern, den Spielkameraden, den Lehrern und der Sesamstraße werden sie absichtlich oder zufällig unterrichtet. Dabei spielt das hinweisende Lehren – oder ein Vorgang, der aufs gleiche hinausläuft – eine wichtige Rolle. Doch inwiefern unterscheidet sich das hinweisende Lehren von dem Unterricht, den die Natur sowieso bereitstellt? Soweit ich weiß, bevorzugen wir nicht von Geburt an die blauen Beeren vor den roten. Doch den einsamen Sammler lehrt die Natur, lieber die blauen zu nehmen; sie sind mit größerer Wahrscheinlichkeit nahrhaft und süß. Wer noch scharfsinniger ist, wird vielleicht herausfinden, daß die Beeren, die von Vögeln gefressen werden, fast immer auch als menschliche Nahrung geeignet sind. Fehler hinterlassen ihre Spuren: Jene großen, auffälligen, aber giftigen Beeren werden beim nächsten Mal gemieden. Welches ist der Unterschied zwischen diesem normalen Konditionierungsvorgang und einer Form von Konditionierung, bei der mit Hilfe von Belohnung und Bestrafung Satz und Situation so aufeinander abgestimmt werden, daß das hinweisende Lehren zu der erfolgreichen Methode wird, als die es sich bewährt hat?

Einerlei, ob die Korrekturmaßnahmen nun vom Lehrer, von den Eltern, von den Spielkameraden oder von der Natur ergriffen werden, von sich aus können sie nicht mehr leisten als eine Verbesserung der angeborenen Neigungen; und Neigungen haben, wie Wittgenstein betont, keine normative Kraft. Eine glatte Straße neigt dazu, das Rutschen von Autos zu bewirken, doch sofern man vernünftig ist, macht man der Straße daraus keinen Vorwurf. Allerdings ändert man vielleicht ihre Beschaffenheit, damit sie den eigenen Absichten entspricht, indem man Sand oder Salz streut. Tiere sind insofern anders geartet, als sie Lust und Leid empfinden; daher kann ihr Verhalten durch Mittel geändert werden, die bei Straßen nicht zur Verfügung stehen. Das ändert aber nichts an dem folgenden Tatbestand: Eine aus unserer Sicht ratsame Verbesserung der Straße führen wir herbei, indem wir Sand oder Salz streuen; eine aus unserer Sicht ratsame Verbesserung des Kindes führen wir herbei, indem wir ihm Lust oder Leid zufügen. In keinem der beiden Fälle lehrt dieser Vorgang die Straße beziehungsweise das Kind die Unterscheidung zwischen richtigem und unrichtigem Verhalten. Wenn man ein Verhalten korrigiert, lehrt man allein damit noch nicht, *daß* das Verhalten nicht richtig ist. Wenn man ein Kind oder einen Hund auf Stubenreinheit dressiert, ist das so ähnlich wie die Reparatur einer Badewanne, die nicht überlaufen soll. Weder die Apparatur noch der Organismus lernt bei diesem Vorgang einen Begriff beherrschen.

Vielleicht möchte man annehmen, die Begriffsbildung sei etwas Primitiveres als der Eintritt in die Welt der propositionalen Einstellungen, insbesondere in die Welt der Überzeugungen. Das ist jedoch ein Irrtum. Sofern man nicht auch Schmetterlingen und Olivenbäumen Begriffe zuschreiben will, sollte man nicht die bloße Fähigkeit zur Unterscheidung zwischen Rot und Grün oder Feucht und Trocken als Verfügen über einen Begriff gelten lassen, und zwar nicht einmal dann, wenn es sich dabei um ein erlerntes Wahlverhalten handelt. Wer einen Begriff hat, kann Gegenstände, Eigenschaften, Ereignisse oder Situationen *klassifizieren*, während er sich darüber im klaren ist, daß das Klassifizierte womöglich gar nicht der zugeordneten Klasse angehört. Es mag sein, daß der Säugling ausschließlich dann »Mama« sagt, wenn seine Mutter anwesend ist, doch das ist kein Beweis dafür, daß hier – und sei es auf einer primitiven Ebene – eine Begriffsbildung stattgefunden hat, außer wenn es der Fall wäre, daß ein Fehler *als* Fehler erkannt wird. Daher gibt es im Grunde nichts zu unterscheiden zwischen dem Fall, in dem man über einen Begriff verfügt, und dem Fall, in dem man Gedanken mit propositionalem Inhalt hat, denn den Begriff der Mama kann man nur haben, wenn man imstande ist zu glauben, jemand sei (oder sei nicht) die Mama, oder imstande zu wünschen, die Mama möge hier sein, oder imstande, darüber zornig zu sein, daß die Mama diesen oder jenen Wunsch nicht erfüllt hat. Die Verbindung zwischen Begriffen und Gedanken betone ich nur, um darauf hinzuweisen, daß die Begriffsbildung keine Zwischenstation auf einem Weg ist, der von noch so komplexen oder erlernten Neigungen zum Urteil führt.

Was muß zu einem bedeutungslosen Laut, der in einem für diesen Laut geeigneten Augenblick geäußert wird, hinzukommen, damit ebendieser Laut, wenn er als etwas Sprachliches geäußert wird, von jenem in diesen Zustand übergeht? Es genügt nicht, daß der bedeutungslose Laut in der Vergangenheit verstärkt worden ist und jetzt wegen seiner Zauberkräfte geäußert wird. Wenn das genug wäre, würde das Miauen der Katze, die gefüttert werden will, als bedeutungsvolle Rede gelten. Was muß also hinzukommen? Ich bilde mir keineswegs ein, daß ich so etwas wie eine Analyse zu liefern vermöchte. Vielleicht gibt es keine Antwort, die nicht in einen Zirkel führt, denn eine nichtzirkuläre Antwort würde angeben, wie man die Intensionalität mit Hilfe nichtintensionaler Ausdrücke erklären kann. Doch dies ist, wie ich glaube, der Punkt, an dem die Sprache ein notwendiges (wenn auch nicht hinreichendes) Element hinzufügt.

Wie eben festgestellt wurde, kann das Hinweisen allein nicht die Aufgabe erfüllen, denn es ist auf Hilfe angewiesen, die einem vorgängigen Verständnis des Funktionierens der Sprache entspringt. Es lohnt sich jedoch, über die Anfangsphase des hinweisenden Lernens nachzudenken. Zu Beginn kann es für den Schüler keinen Sinn haben, die Richtigkeit der hinweisenden Gesten des Lehrers in Frage zu stellen. Es kann sein oder auch nicht sein, daß der Schüler lernt, wie andere Angehörige einer Sprachgemeinschaft reden, doch das kann der Schüler erst später herausfinden. Beim Privatunterricht wird Wörtern eine Bedeutung verliehen, die ganz unabhängig ist von irgendeinem Gebrauch, den diese Wörter zu anderen Zeiten und bei anderen Leuten haben mögen. Wenn man das Hinweisen nur als Lehren einer gesellschaftlich lebensfähigen Bedeutung auffaßt, verpaßt man die wesentliche Lektion, nämlich daß das Hinweisen für den Schüler nicht heißt, etwas bereits Vorhandenes zu lernen. Der Schüler nimmt an einer Bedeutungstaufe teil.

Wenn man den Unterschied zwischen der Weitergabe einer etablierten Bedeutung und der Erschaffung einer neuen Bedeutung außer acht läßt, verblaßt der Unterschied zwischen Lehrer und Neuerer und damit das Moment, das den Unterschied zwischen Lehrer und Schüler markiert. Wenn wir das Szenario noch weiter beschneiden, können wir uns eine Vorform des Hinweisens vorstellen, die auf einer Stufe vor dem allgemeinen Verständnis der Sprache kommt, das es uns erlaubt, mehr aus dem Hinweisen herauszuholen, als hineingesteckt wird. In dieser Grundsituation können wir einige der Bedingungen untersuchen, die für die Entwicklung des Denkens und der Sprache notwendig sind. Dazu gehört auch die Tatsache, daß alle Menschen von Natur aus in ganz ähnlicher Weise verallgemeinern. Sie meiden, was bitter schmeckt sowie laute, plötzliche Geräusche. Sie streben nach Süßem und nach Ruhe. Das Lernen setzt drei Verallgemeinerungen voraus; die erlernte Assoziation von Feuer und Schmerz verlangt nur zwei, und das Lernen zeigt sich an der Ähnlichkeit der Reaktionen: Man meidet den Schmerz, indem man das Feuer meidet. Ehe es Lernen geben kann, muß es Formen der Verallgemeinerung geben, die nicht erlernt wurden. Ehe es Sprache geben kann, muß es gemeinsame Formen der Verallgemeinerung geben.

Die Gemeinsamkeit der Reaktionen auf Reize, die man ähnlich findet, gestattet das Auftauchen eines interpersonellen Elements. Lebewesen mit gemeinsamen Reaktionen können die Reaktionen des jeweils anderen zu dem Gegenstand der Reaktion in Beziehung setzen. Die Person A reagiert auf die Reaktionen, mit denen Person B auf Situationen anspricht, die sowohl von A als auch von B für ähnlich erachtet werden. So wird ein Dreieck gebildet, dessen drei Ecken von A und B sowie von den Gegenständen, Ereignissen oder Situationen gebildet werden, auf die A und B wechselseitig reagieren. Diese vielschichtige, aber ganz übliche Dreiecksinteraktion zwischen Lebewesen und einer gemeinsamen Umwelt setzt weder Denken noch Sprache voraus. Sehr häufig kommt sie bei Tieren vor, die weder denken noch sprechen. Nicht nur Affen, Elefanten und Wale verfahren so, sondern auch Vögel und Fische.

Was hat es darüber hinaus mit der sprachlichen Verständigung und dem hochentwickelten Denken auf sich? Die Antwort lautet nach meinem Dafürhalten: zwei Dinge, die von dem Basisdreieck abhängen und aus ihm hervorgehen. Das erste ist der Begriff des Irrtums, das heißt: Einsicht in die Unterscheidung zwischen Glauben und Wahrheit. Die Interaktionen des Dreiecks als solche reichen (wie aus dem Beispiel der einfachen Tiere hervorgeht) nicht aus, um diese Einsicht automatisch nach sich zu ziehen. Aber das Dreieck schafft dennoch Raum für den Begriff des Irrtums (und daher auch für den Begriff der Wahrheit), und zwar in Situationen, in denen die beiden Beteiligten sehen können, wie die Korrelation von mehrmals gemeinsamen Reaktionen in die Brüche geht. Das eine Lebewesen reagiert in einer Weise, die zuvor von beiden Lebewesen mit einer bestimmten Situationsart in Verbindung gebracht wurde, während das andere Wesen nicht so reagiert. Das kann einfach dazu führen, daß das nicht reagierende Wesen auf eine unbemerkte Gefahr oder Chance aufmerksam wird, doch wenn die vorhergesehene Gefahr oder

Chance ausbleibt, ist Platz für den Begriff des Fehlers. Wir als Beobachter werden zu dem Urteil gelangen, daß sich das erste Lebewesen geirrt habe. Die beiden Lebewesen sind auch ihrerseits dazu imstande, zur gleichen Schlußfolgerung zu gelangen. Wenn sie das tun, haben sie den Begriff der objektiven Wahrheit erfaßt.

Mit dem zweiten, dem letzten Schritt bewegen wir uns in einem Zirkel, denn den Begriff der Wahrheit erfaßt man erst, wenn man den Inhalt – den propositionalen Inhalt – der gemeinsamen Erfahrung mitteilen kann, und dazu ist Sprache nötig. Das primitive Dreieck, das von zwei (und im Regelfall mehr als zwei) Lebewesen gebildet wird, die gemeinsam auf Merkmale der Welt und die Reaktionen des jeweils anderen reagieren, liefert somit den Rahmen, in dem sich das Denken und die Sprache entwickeln können. Nach dieser Darstellung kann weder das Denken noch die Sprache zuerst kommen, denn jedes der beiden Elemente setzt das andere voraus. Damit werden wir nicht vor ein Prioritäten-Rätsel gestellt, denn die Fähigkeiten des Sprechens, Wahrnehmens und Denkens entwickeln sich nach und nach im Zusammenspiel. Wir nehmen die Welt durch die Sprache wahr, das heißt: dadurch, daß wir eine Sprache haben.[10]

10 Barry Smith und Ernest Lepore möchte ich für überaus hilfreiche Hinweise und Verbesserungen danken.

10
James Joyce und Humpty Dumpty

Es besteht ein Spannungsverhältnis zwischen dem Gedanken, das, was ein Sprecher mit dem Gesagten beabsichtigt, sei bestimmend für das Gemeinte, und dem Gedanken, das von einem Sprecher Gemeinte beruhe auf der Geschichte des Gebrauchs, der bisher von der Sprache gemacht wurde. Diese Spannung abzubauen oder zumindest zu verstehen, was ihr zugrunde liegt, ist eine Hauptaufgabe der Sprachphilosophie. Wer die Rolle der Absicht betont, anerkennt die Kraft der innovativen und kreativen Verwendung der Sprache. Wer die Geschichte für vorrangig hält, glaubt, die Sprache werde von Regeln, Konventionen und dem üblichen Sprachgebrauch eingegrenzt oder sogar genau festgelegt. Eine Metapher zum Beispiel ist sprachlich völlig von den normalen Bedeutungen der Wörter abhängig – einerlei, wie neuartig und überraschend der Gedanke sein mag, zu dessen Äußerung sie benutzt wird. Und selbst wenn es dem Interpreten schwerfällt, eine Metapher zu entschlüsseln oder zu würdigen, braucht er über die Bedeutung der Wörter nicht mehr zu wissen als das, was einem guten Wörterbuch zu entnehmen ist oder zu entnehmen sein sollte. Ein Malapropismus dagegen ist reine Erfindung. Um die von Mrs. Malaprop geäußerten Worte zu verstehen, wird es nichts nutzen, im Wörterbuch nachzuschlagen. Dagegen muß man verstehen, worauf sie hinauswill. (Was den Autor Sheridan betrifft, verhält es sich natürlich anders. Er macht Wortspiele, und deshalb muß man, um alles mitzubekommen, was *er* im Sinn hat, nicht nur herausfinden, was Mrs. Malaprop meint, wenn sie von den Allegorien am Ufer des Nils spricht, sondern man muß auch wissen, was »Allegorie« normalerweise bedeutet. Der Pilot oder Flugbegleiter, der den Passagieren versichert »We will be landing momentarily [für einen Moment]« äußert (leider) keinen

Malapropismus; vielmehr wissen wir, was er meint [»in einem Moment«], weil wir die Worte schon so oft gehört haben.)

Humpty Dumpty tritt hier auf, weil er den optimistischen Neuerer in reiner Form verkörpert: »Wenn *ich* ein Wort gebrauche, bedeutet es genau das, was es nach meinem Willen bedeuten soll.« Bei Joyce liegt der Fall ein wenig anders, obwohl viele Leute vielleicht geneigt sind, den Unterschied zu bestreiten. Damit komme ich zu meinem Thema, nämlich: Joyce, seine Ansichten über den Gebrauch der Sprache und der Gebrauch, den er von der Sprache macht.

Das *Porträt des Künstlers als junger Mann* ist ein unverblümt autobiographischer Text, auch wenn er in dieser Hinsicht nicht sonderlich akkurat ist. Allerdings ist er, wie Harry Levin meint, in höherem Maße Credo als Autobiographie und, wie man vielleicht hinzufügen möchte, in höherem Maße Manifest als Credo. In keiner anderen Schrift hat sich Joyce so unverhüllt normativ über die Ziele und Maßstäbe des Künstlers geäußert.

»Meine Vorfahren«, sagt Stephen Dedalus, der im *Porträt* für Joyce selbst steht, »Meine Vorfahren haben ihre Sprache von sich geworfen und eine andere angenommen [...]. Sie haben sich von einer Handvoll Fremder unterwerfen lassen. Bildest du dir ein, ich zahle mit meinem eigenen Leben und meiner Person Schulden, die sie gemacht haben?« Dann fährt er fort: »Wenn die Seele eines Menschen in diesem Land geboren wird, werden ihr Netze übergeworfen, um sie am Fliegen zu hindern. Du sprichst mir von Nationalität, Sprache, Religion. Ich werde versuchen, an diesen Netzen vorüberzufliegen.«[1]

Über die Art und Weise, in der Joyce an den Netzen der Nationalität und der Religion vorüberzufliegen versucht hat, und über den Sinn, in dem es ihm gelungen ist, hat man nicht nur viel diskutiert, sondern man hat auch einiges davon be-

1 Joyce, *A Portrait of the Artist as a Young Man*, S. 238/*Ein Porträt des Künstlers als junger Mann*, S. 476.

griffen. Sowohl sein Land als auch seinen Glauben hat er verloren, aber er hat sie beide weder vergessen noch ihnen vergeben. Hierzu schreibt Kristian Smidt: »Joyce hegte nicht nur die Befürchtung, das Christentum könne wahr sein, sondern er spürte in seinem Inneren, daß sich hinter den christlichen Symbolen ›zwanzig Jahrhunderte von Autorität und Verehrung auftürmen‹.«[2] Eine ähnlich ambivalente Einstellung zu Irland durchzieht sein ganzes Leben und sein Werk. In seinen Büchern hat er nie davon abgelassen; als Reisender ist er nur selten und nur für kurze Zeit dorthin zurückgekehrt. Aber wie steht es mit dem anderen Netz – dem Netz der Sprache?

Joyce formuliert sein *Non serviam* wie folgt: »Ich will nicht dem dienen, an das ich nicht länger glaube, ob es sich mein Zuhause nennt, mein Vaterland oder meine Kirche: und ich will versuchen, mich in irgendeiner Art Leben oder Kunst so frei auszudrücken wie ich kann, und so vollständig wie ich kann, und zu meiner Verteidigung nur die Waffen benutzen, die ich mir selbst gestatte – Schweigen, Verbannung und List.«[3] Hier ist jegliche Bezugnahme auf die Sprache fortgefallen, und das ist in gewisser Weise nicht überraschend. Joyce konnte sein Land und seine Kirche verlassen, aber seine Sprache konnte er nicht preisgeben, obwohl ihm die Waffe des »Schweigens« zu Gebote stand. Was kann er dann mit dem Netz der Sprache gemeint haben, und was hat ihm wohl vorgeschwebt, als er sagte, er könne daran vorüberfliegen?

In *Stephen der Held* (einem früheren autobiographischen Werk, das in mancher Hinsicht aufschlußreicher ist als das *Porträt*) schildert Joyce, wie ihn seine Freunde drängten, er als patriotischer Ire solle Gälisch lernen. Er weigerte sich. Gä-

2 Smidt, *James Joyce and the Cultic Use of Fiction*, S. 25. Ich möchte Smidt für seine kenntnisreichen Ausführungen danken. Sie haben mein Joyce-Verständnis beeinflußt, obwohl ich weiß, daß er nicht alles, was ich hier sage, billigen würde.

3 *A Portrait of the Artist*, S. 291/526.

lisch – das ist die Sprache, von der Stephen sagt, seine Vorfahren hätten sie von sich geworfen, als sie sich von einer Handvoll Fremder unterwerfen ließen. Stephen will sich nicht von einem seichten Chauvinismus einspannen lassen. Sollen wir demnach, wie Harry Levin vorschlägt, den Schluß ziehen, mit dem Vorüberfliegen am Netz der Sprache sei nicht mehr gemeint als die Weigerung, Unterricht im Gälischen zu nehmen?

Im *Ulysses* kommt das Thema ebenfalls zur Sprache. Haines ist ein Engländer, der Stephen und Buck Mulligan in ihrer Wohnung im Martelloturm von Sandycove besucht. Hier fragt er Stephen über dessen Religion aus. »Sie erblicken in mir, sagte Stephen mit grimmigem Mißvergnügen, ein grausiges Beispiel für die Freigeisterei.« Während sich Stephen Gedanken darüber macht, daß Mulligan ihn um den Schlüssel bitten und ihn so – aus Stephens Sicht – berauben wird, fährt Haines fort: »Schließlich, möchte ich meinen, sind Sie doch imstande, sich freizumachen. Sie sind ja, scheint mir, Ihr eigener Herr.« »Ich bin der Diener zweier Herren, sagte Stephen, eines Engländers und einer Italienerin«, und auf die Frage, was er damit meine, gibt er zur Erläuterung grob zurück: »Den imperialen groß-britannischen Staat [...] und die heilige römische katholische und apostolische Kirche.«[4] Es fällt schwer zu glauben, daß Joyce meinte, am Netz der Sprache vorüberzufliegen bedeute soviel wie: der törichten Verlokkung des Gälischen zu entkommen, um einen anderen fremden Herrn anzuerkennen.

Im *Porträt des Künstlers als junger Mann* unterhält sich Stephen mit einem englischen Geistlichen:

[Stephen] spürte, niedergeschlagen und verletzt, daß der Mann, mit dem er sprach, ein Landsmann von Ben Jonson war. Er dachte:
– Die Sprache, in der wir sprechen, ist seine, ehe sie die meine ist. Wie verschieden sind die Wörter *home*, *Christ*, *ale*, *master* auf seinen Lippen und auf meinen! Ich kann diese Wörter nicht sagen oder schreiben ohne Unrast im

4 *Ulysses*, 17/30f.

Geist. Seine Sprache, so vertraut und so fremdländisch, wird für mich immer eine angelernte Sprache sein. Ich habe ihre Wörter nicht gemacht und nicht akzeptiert. Meine Stimme hält sie auf Distanz. Meine Seele zerfrißt sich im Schatten seiner Sprache.[5]

Eine Formulierung, die man hier beachten sollte, ist »Ich habe ihre Wörter nicht gemacht«.
Aber natürlich schätzte Joyce die Wörter aller Sprachen, und vor allem die Wörter des Englischen.

Er holte einen Satz aus seinem Schatzbehalter und sprach ihn leise vor sich hin:

– Ein Tag gescheckter meergetragner Wolken.

Der Satz und der Tag und die Szenerie harmonierten in einem Akkord. Wörter. Waren es ihre Farben? Er ließ sie aufscheinen und wieder verblassen, Ton um Ton: das Gold des Sonnenaufgangs, das Rostbraun und Grün der Apfelgärten, Azur der Wellen, das graugesäumte Vlies der Wolken. Nein, es waren nicht ihre Farben: es war das Ebenmaß und die Balance der Periode selbst. Liebte er also die rhythmischen Hebungen und Senkungen von Wörtern mehr als ihre Assoziationen zu Legende oder Farbe? Oder war es, weil seine Augen so schwach waren wie sein Geist schüchtern, daß er darum weniger Vergnügen an der Reflexion der sichtbar aufscheinenden Sinnenwelt im Prisma vielfarbener und üppig verwobener Sprache hatte als an der Betrachtung einer inneren Welt privater Emotionen, die sich in klarer schmiegsamer periodischer Prosa perfekt spiegelten?[6]

In der Sprache hängt die Schönheit, wie Stephen behauptet, von Gattung und Form ab, doch in jedem Fall gilt: »Das Bild [...] ist zwischen dem Geist oder den Sinnen des Künstlers und dem Geist oder den Sinnen anderer anzusetzen.« Sodann unterscheidet er die drei Formen, in die sich die Kunst gliedert. Da ist zunächst die lyrische Form, »in der der Künstler sein Bild in unmittelbarer Beziehung zu sich selbst darstellt, [...]. Wer [den Schrei] ausstößt, ist sich des Empfindungsmoments bewußter als der Tatsache, daß er selbst es ist, der eine Empfindung verspürt.« Darauf folgt die epische Form, in der der Künstler »sein Bild in mittelbarer Beziehung zu sich

5 *A Portrait of the Artist*, S. 221/461.
6 Ebd., S. 194/435.

selbst und zu anderen darstellt [...] diese Form entwickelt sich fortschreitend weiter, bis die Mitte der empfindungsmäßigen Schwerkraft vom Künstler und von anderen gleichweit entfernt ist«. Als dritte wird die dramatische Form genannt. Dies ist die Form, in der der Künstler »sein Bild in unmittelbarer Beziehung zu anderen darstellt«:

Die dramatische Form ist erreicht, wenn dieses Vitale, das jede Person umströmt und umstrudelt hat, jede Person mit derart vitaler Kraft erfüllt, daß sie ein eigenständiges und unantastbares ästhetisches Leben annimmt. Die Persönlichkeit des Künstlers [...] sublimiert sich aus der Existenz hinaus [...]. Das Mysterium der ästhetischen Schöpfung ist vollbracht wie das der materiellen. Der Künstler, wie der Gott der Schöpfung, bleibt in oder hinter oder jenseits oder über dem Werk seiner Hände, unsichtbar, aus der Existenz hinaussublimiert, gleichgültig, und manikürt sich die Fingernägel.[7]

Diese häufig zitierten Stellen müssen einen wesentlichen Fingerzeig enthalten, aus dem hervorgeht, was Joyce im Sinn hatte, als er sagte, er wolle versuchen, am Netz der Sprache vorüberzufliegen. Zum Schluß gelangt der Künstler, wie Joyce sagt, dahin, »sich selbst aus der Existenz hinauszusublimieren«. Diese Worte wiederholt Stephen, und sein Hörer sagt sie im Scherz noch einmal. Doch wie ist es für einen Autor möglich, sich selbst durch den Gebrauch der Sprache aus der Existenz hinauszusublimieren?

Joyce' Auffassung von ästhetischer Freiheit verlangte, er dürfe kein Sklave eingebürgerter Bedeutungen sein – kein Sklave von hypostasierten Konnotationen, grammatischen Regeln, etablierten Stil- und Geschmacksformen oder »richtigen« Schreibweisen. Diese Freiheit zu erringen war für ihn ein Akt der Schöpfung ohnegleichen.

Das Problem ist folgendes: In der Malerei zum Beispiel ist keineswegs klar, daß der Künstler, um seinen Effekt zu erzielen, auf einen bestimmten Vorrat an Kenntnissen angewiesen ist, die ihm und dem Betrachter gemeinsam sind. Es liegt nicht

7 Ebd., S. 252/489f.

einmal auf der Hand, daß sie einer gemeinsamen Kultur angehören müssen. Der Schriftsteller hingegen kann nicht außer acht lassen, was seine Leser über die von ihm verwendeten Wörter wissen oder in dieser Hinsicht annehmen; und solche Kenntnisse und Erwartungen können nur daher rühren, daß die Leser dem Gebrauch dieser Sprache bereits ausgesetzt gewesen sind. In Lewis Carrolls *Hinter den Spiegeln* meint Humpty Dumpty, der »vollkommene« Neuerer, er könne mit seinen Worten meinen, was er wolle – jedenfalls wenn er den Worten eine Zulage bezahle. Zum Abschluß seiner Ausführungen sagt er zu Alice: »Da hast du deinen Ruhm!«, worauf Alice erwidert, sie wisse nicht, was er meine, und Humpty Dumpty antwortet: »Natürlich nicht. Du weißt es erst, wenn ich's dir sage. Was ich meinte, war ›Da hast du ein stichhaltiges Gegenargument‹.«

Die Absurdität dieses Standpunkts ist offensichtlich. Wenn wir sprechen oder schreiben, beabsichtigen wir verstanden zu werden. Wir können nichts beabsichtigen, wovon wir wissen, daß es unmöglich ist. Die Menschen können nur solche Wörter verstehen, auf deren Verständnis sie irgendwie vorbereitet sind. Niemand hat das besser gewußt als Joyce. An dem Abschnitt »Anna Livia Plurabelle« aus *Finnegans Wake* hat er eintausendsechshundert Stunden gearbeitet, und dabei hat er nach Flußnamen gesucht, die es wirklich gibt – Namen, die er in verzerrter und verhüllter Form benutzen konnte, um seine Geschichte zu erzählen. Joyce nimmt alle Mittel in Anspruch, über die seine Leser verfügen (beziehungsweise von denen er hofft, daß sie darüber verfügen, oder glaubt, daß sie darüber verfügen sollten) – alle sprachlichen Mittel, alle historischen Kenntnisse und alles Wissen über Geographie, frühere Autoren und Stilformen. Er zwingt uns dazu, seine Worte sowohl zu betrachten als auch zu hören, damit wir die Wortspiele entdecken und die Bezüge ausloten.

Am Netz der Sprache vorbeizufliegen kann demnach nicht die ungezügelte Erfindung von Bedeutungen à la Humpty

Dumpty beinhalten. Aber ebensowenig kann sich dieses Resultat ergeben, wenn man sich die lyrische Form zu eigen macht, in der die Empfindung in »die simpelste Worthülle« gekleidet wird. Auch die epische Form ist nicht dazu angetan, Joyce' sprachliche Ziele zu erreichen, denn dabei stattet der Autor seine Geschichte und seine Figuren bewußt mit Zügen der eigenen Persönlichkeit aus. Irgendwie ist die dramatische Form – zumindest wenn man sie so auffaßt wie Joyce – als einzige zur Erfüllung dieser Aufgabe geeignet, denn es geschieht bei der Anwendung dieser Form, daß sich der Autor »aus der Existenz hinaussublimiert«.

Mitten in der Kirke-Episode des *Ulysses* sagt Stephen ganz unvermittelt: »Was da ging bis ans Ende der Welt, sich nicht selbst zu durchqueren. Gott, die Sonne, Shakespeare, ein Handlungsreisender, hat sich's in Wirklichkeit einmal selbst durchquert, so wird's dieses Selbst. Warte mal einen Moment. Warte doch mal, bloß eine Sekunde. Verdammt, was der Kerl für einen Krach macht auf den Gassen. Dieses Selbst, das zu werden es selber unausweichlich vorbedingt war. *Ecco*!«[8]

Den Künstler erkennen wir auch in der Verkleidung wieder, mit der Joyce ihn ausgestattet hat: Gott als Vater, Gott als Sohn – die Sonne –, Shakespeare – »Nach Gott hat Shakespeare am meisten geschaffen« –, Odysseus (oder Bloom – die beiden Handlungsreisenden). Als Gebrüll auf den Gassen wird Gott an einer früheren Stelle von Stephen beschrieben, und als Lärm auf den Gassen werden auch Joyce' eigene Schriften, wie er in *Finnegans Wake* anmerkt, von vielen Leuten aufgefaßt. *Ecco* – da das Thema der Rückkehr zum Selbst als Folge der ersten Schöpfung bereits angestimmt wurde, haben wir hier ein Echo, einen *Wider*hall.

Ein Echo, ein Lärm auf den Gassen, ein Geist – sie können sehr viel mehr sein, als sie zu sein scheinen. »Was ist denn ein Geist?« fragt Stephen und reagiert damit auf die Bemerkung,

8 *Ulysses*, S. 412/670.

seiner Ansicht nach sei *Hamlet* eine Geistergeschichte. »Einer, der durch Tod, durch Abwesenheit, durch Sittenwandel in die Unfaßbarkeit entschwunden ist. Das elisabethanische London lag von Stratford so weit entfernt, wie das verderbte Paris liegt vom jungfräulichen Dublin. Wer ist der Geist aus dem *limbo patrum*, der zu der Welt zurückkehrt, die ihn vergessen hat? Wer ist König Hamlet?«[9] Indes Stephen uns auf die mit scheinbarem Ernst vorgetragene Theorie einstimmt, Shakespeare habe sich mit dem Geist aus *Hamlet* identifiziert, weshalb Hamlet kein anderer sei als Shakespeares Sohn, vergleicht sich der aus Dublin nach Paris verbannte Joyce mit dem in London lebenden Shakespeare, der sich selbst aus Stratford dorthin verbannt hatte. Der Vater und Schöpfer, der »Herr der Sprache« (wie Shakespeare von Joyce genannt wird) ist der Geist: jemand, der in die Unfaßbarkeit entschwunden ist und sich selbst aus der Existenz hinaussublimiert hat. Wir werden aufgefordert, uns daran zu erinnern, daß Shakespeare nicht nur das Stück geschrieben hat, sondern bei der Uraufführung auch die Rolle des Geists gespielt haben soll. Stephen fragt:

> Ist es möglich, daß dieser Schauspieler Shakespeare, ein Geist durch Abwesenheit, und im Gewand des begrabenen Dänemark, ein Geist durch Tod, der seine eigenen Worte zu seines eigenen Sohnes Namen spricht (hätte Hamnet Shakespeare gelebt, er wäre Prinz Hamlets Zwillingsbruder gewesen), ist es möglich, will ich wissen, oder auch nur wahrscheinlich, daß er den logischen Schluß aus diesen Prämissen nicht zog oder doch vorhersah: du bist der enterbte Sohn: ich bin der ermordete Vater: deine Mutter ist die schuldige Königin: Ann Shakespeare, geborene Hathaway?[10]

In der Skylla-und-Charybdis-Szene des *Ulysses*, aus der diese Zitate stammen, ist Stephen, wie wir allmählich merken, nicht nur Joyce' Stellvertreter, sondern auch sein Hamlet. Während Bloom Stephens Ersatzvater ist, ist Joyce der Schöpfer Stephens. Im *Ulysses* ist Bloom ebenso wie Dante, als er die fol-

9 Ebd., S. 154/264.
10 Ebd., S. 155/265.

gende Zeile schrieb, ein Mann »*nel mezzo del camin di nostra vita* – in der Mitte seiner Lebensbahn«, ebenso wie Shakespeare, als er den *Hamlet* schrieb, und ebenso wie Joyce, als er am *Ulysses* arbeitete. Eine ehebrüchige Gattin können wir zwar nicht in Joyce' Leben hineinlesen – obwohl er an dieser Vorstellung offenbar Gefallen fand –, aber die Ähnlichkeit zwischen Stephens Ann Hathaway und Molly Bloom ist offensichtlich.

Wie es zu Shakespeares Heirat kam, erklärt Stephen so: »Er wurde gewählt, will mir scheinen. Wenn andere ihren Will(en) hatten, Ann hatt' einen Weg. Beim Pimmel, 's war nicht fein. Sie wußte ihn zu berücken, süß und sechsundzwanzig. Die grauäugige Göttin, die sich über den Knaben Adonis beugt, sich ergebend, um zu erobern, als Glücksprolog zu dem schwellenden Akt, ist bloß eine kecke Dirne aus Stratford, die sich in einem Kornfeld mit einem Liebhaber wälzt, jünger als sie selbst.«[11] Was hat die grauäugige Göttin hier zu suchen? Sie ist natürlich Athene, die in Homers *Odyssee* eine größere Rolle spielt als jede andere weibliche Figur: Sie weist Odysseus den Weg, sie ist seine Mentorin, seine Freundin, seine Beraterin und vor allem bewundert und versteht sie ihn. Warum spielt sie im *Ulysses* eine so kleine Rolle? Sie tritt noch einmal auf, und zwar als ausgestopfte Eule, die Bloom, als der Tag vorüber ist, »mit klarem melancholischem klugem hellem reglosem mitleidigem Blick« betrachtet. Ihre Gleichsetzung mit Ann Hathaway – und später mit Molly Bloom – deutet darauf hin, daß Athene, nicht anders als Cordelia oder der Künstler, der sich selbst aus der Existenz hinaussublimiert hat, abwesend eine wichtigere Rolle spielt als auf der Bühne.

Shakespeare heiratet und verläßt Stratford, um in London zu leben. Aber nach seiner Berührung mit Ann/Athene ist er ein anderer. »Er besaß kein träges Gedächtnis«, sagt Stephen. »Er

11 Ebd., S. 155/268.

trug eine Erinnerung in seinem Ränzel, als er nach Romeville stapfte […].« Diese Worte rufen uns ein anderes Stück in Erinnerung, das Joyce während der Arbeit am *Ulysses* stark beschäftigte, nämlich Shakespeares *Troilus und Cressida.* Etwa ein Jahr nach dem *Hamlet* geschrieben, gehört es derselben Schaffensperiode an, in der Shakespeare immer wieder auf die Themen Verrat, Ehebruch und Verbannung zurückkommt. Und natürlich ist der wachsame Held kein anderer als Odysseus. In *Troilus und Cressida* wird Achilles von Odysseus so beschämt, daß er aufs Schlachtfeld zurückkehrt. Er wird von Odysseus daran erinnert, daß Beharrlichkeit allein die Ehre blank hält: »Getane Taten hängen, / Ganz aus der Mode, rostigen Rüstungen gleich, / Als Denkmal für den Spott nur da.« Seine Ausführungen beginnt Odysseus mit den Worten: »Die Zeit, Herr, trägt ’nen Sack auf ihrem Rücken. / Sie steckt Almosen fürs Vergessen ein […].«[12] Das zweite Thema von *Troilus und Cressida* hat ebenfalls mit verräterischer Erinnerung zu tun, nämlich mit dem Gedanken daran, daß Troilus von Cressida betrogen wird.

Während »das Motiv der Verbannung, Verbannung aus dem Herzen, Verbannung aus der Heimat« in Shakespeares mittlerer Periode ununterbrochen erklingt, atmen die Stücke aus seinen späteren Jahren »einen ganz anderen Geist« – »den Geist der Versöhnung«. Davon läßt sich Stephen nicht beeindrucken. Er gibt trocken zurück: »Es kann keine Versöhnung geben […], wenn nicht Entzweiung gewesen ist.« Dennoch beginnt die Vorstellung von der dritten Periode als einer Verkörperung der reifen Kunst des schöpferischen Autors nunmehr einen weiteren Gedanken zu umfassen, der über das stetige Fortschreiten von einer Phase zur nächsten hinausgeht. Dieser neue Gedanke ist die Vorstellung vom *nostos*, von der Rückkehr und dem kühnen Abenteuer mit der darauf folgenden gefährlichen, aber erfolgreichen Odyssee heimwärts, die

12 *Troilus und Cressida*, III, 3 [Übers. von Erich Fried].

Vorstellung vom Sohn, der den Vater tötet und ersetzt, um seinerseits Vater zu werden, die Vorstellung vom Schriftsteller, der an dem Netz der ererbten oder aufgezwungenen Sprache vorüberfliegt, aber seine eigene Sprache erschafft oder neu schafft. »Wie wir [...] unsere Körper weben und entweben, sagte Stephen, von Tag zu Tag, unter fortwährendem Herüber- und Hinüberschießen der Moleküle, so auch webt und entwebt der Künstler sein Bild. Und wie das Mal auf meiner rechten Brust genau noch da ist, wo es war, als ich geboren wurde, obschon mein ganzer Körper im Lauf der Zeit aus neuem Stoff gewoben worden ist, so blickt auch durch den Geist des ruhelosen Vaters das Bild des nicht-lebenden Sohns.«

Bei Joyce wie bei dem Helden Homers ist man sich nie ganz sicher, ob die Verbannung freiwillig oder erzwungen ist, ob das Säumen in der Pariser Höhle der Kalypso Freude ist oder Qual. In der gleichen Atmosphäre der Doppeldeutigkeit bleibt unklar, warum eine Rundreise einen tödlichen Unfall einschließen muß, warum eine Heimkehr eine Entzweiung beinhaltet und warum eine Wiederholung eine Unterbrechung verlangt. Außer Frage scheint jedoch zu stehen, daß in diesem Joyce-Vico-System Schöpfung auf Zerstörung folgt. Ohne den gewaltigen Donnerschlag, der im ganzen *Finnegans Wake* zu hören ist, kann der Zyklus nicht von neuem beginnen. Aus dem »Untergang allen Raums« baut der Künstler seine Sprache auf. »Das Motiv der Verbannung [...] erklingt ununterbrochen, von den *Beiden Veronesern* an, bis Prospero seinen Stab zerbricht, ihn fadentief in der Erde begräbt [...]. Es [...] klingt auf in einem andern, wiederholt sich, protasis, epitasis, katastasis, katastrophe.«[13]

In einem brillanten, schon vor etlichen Jahren geschriebenen Artikel analysiert Nathan Halper eine der schwierigsten Stellen in *Finnegans Wake*.[14] Diese Stelle aus dem elften Kapitel

13 *Ulysses*, S. 174/296.

14 Halper, »James Joyce and the Russian General«.

ist fast zwanzig Seiten lang und betrifft ein Ereignis, das sich während des Krimkriegs zugetragen haben soll: Ein Mann namens Buckley schießt auf einen russischen General und verwundet ihn. Halper überzeugt uns, daß Buckley – ein echter Ire, der tatsächlich am Krimkrieg teilgenommen hat – der archetypische Sohn ist. Der General ist der archetypische Vater. Auf der Leinwand wird ein Pferderennen gezeigt. Die Pferde heißen Emancipator und Immense Pater. Das Rennen ist ein »dawnybreak« – ein Sonnenaufgang –, die Zeit ist heliotropisch. Die Krimhalbinsel ist der Ort, an dem das Urverbrechen des Vatermords stattfand. Wie sich herausstellt, bedeutet »Dublin« auf gälisch soviel wie »black pool« – ein schwarzer Tümpel –, und »Siva's black pool« wird zu »Sea vast a pool« – Sewastopol. Wie die Geschichtsschreibung berichtet, kämpfte im Krimkrieg auf russischer Seite der General von Totleben.

Darauf folgt noch sehr viel mehr dergleichen, und alles macht eine Menge unflätigen Spaß – das gehört zum *funferal* [fun fair + funeral = Jahrmarkt + Beerdigung/fun for all = Spaß für alle] von *Finnegans Wake*.* Zum Schluß wird auf Joyce selbst verwiesen, der einen »Cicilian hurdy-gurdy [Leierkasten]« spielt. »Cicilian« deshalb, weil »Cecil« der Vorname von Buckley ist, aber auch deshalb, weil »Cecil« von dem lateinischen Wort für »blind« hergeleitet ist und daher zur Erinnerung daran dient, daß Joyce nahezu blind war, als er *Finnegans Wake* schrieb. Im Dunkeln webt Joyce seine Welt und webt sie wieder neu. Über von Totleben weiß man, daß er in Sewastopol jede Nacht die Verteidigungsanlagen erneuern ließ. Es kommt zu einer Explosion – der »abnihilisation of the etym« [der Annihilierung des Etymons/Atoms]. Abschließend schreibt Halper: »Joyce zerstört die Sprache. Er vernichtet den Sinn und erschafft die Sprache von neuem. Mit an-

* [Die in eckige Klammern gesetzten Übersetzungshilfen können natürlich nur der Entschlüsselung eines Teils der möglichen Bedeutungen von Joyce' Text dienen. – Übers.]

deren Worten: er schreibt *Finnegans Wake* – ›mit anderen Worten‹.«
Als sich Harry Levin, noch vor Halpers hilfreichem Artikel, mit derselben Stelle befaßte, kam er zu einem ganz ähnlichen Schluß. Über die todbringende Explosion schreibt er: »Pessimisten werden dieses mehrdeutige Phänomen vielleicht als Vernichtung allen Sinns interpretieren, als eine durch die Zertrümmerung des Atoms ausgelöste Kettenreaktion. Optimisten werden die Erschaffung der Materie aus dem Nichts hervorheben und sich darauf verlassen, daß das WORT eine neue Welt erschaffen wird.«[15]
Das Verfahren, mit dessen Hilfe Joyce die Spannung zwischen Erfindung und Herkommen abbaut, liegt in gewisser Weise auf der Hand. Wie jeder Autor muß er sich auf das Wissen verlassen, über das seine Leser beim Herangehen an seine Schriften verfügen können. Ein großer Teil dieses Wissens ist natürlich sprachlicher Art: Man weiß, was die Wörter normalerweise bedeuten. Aber im Falle Joyce' muß vieles, was verlangt wird, aus anderen Quellen kommen. Wenn er das Wort »Dyoublong« verwendet (sofern man hier überhaupt von einem Wort sprechen kann), stehen die Chancen, daß man das von Joyce Gemeinte errät, trotz der Großschreibung des Anfangsbuchstabens nicht sonderlich gut – es sei denn, man denkt sowieso an Dublin (was für Joyce-Leser nachgerade obligatorisch ist). Man muß also zumindest wissen, worauf sich der Name »Dublin« bezieht und was der Ausdruck »Do you belong?« [»Gehörst du dazu?«] bedeutet. Um beides in »Dyoublong« finden zu können, ist mehr erforderlich. Die Zerstörung der normalen Struktur der normalen englischen Sprache ist beinahe vollendet, doch zugleich ist offensichtlich, daß diese Struktur einen sehr großen Teil der Grundlage für Joyce' eigene Struktur bildet. Ein zufällig ausgewählter Absatz aus *Finnegans Wake* beginnt wie folgt: »He beached the

15 Levin, *The Essential James Joyce*, S. 15.

bark of his tale; and set to husband and vine [...]« [»Er setzte die Barke seiner Geschichte in den Sand und begann anzubauen und zu winzern ...«]. Doch in diesem Absatz gehört nicht weniger als ein Drittel der »Wörter« zu gar keiner Sprache. Ungefähr dieser Prozentsatz gilt wahrscheinlich für das Buch insgesamt. Und natürlich ist die Zerstörung nicht darauf beschränkt, vertraute Wörter zu zermahlen und aus den Bruchstücken neue Wörter zusammenzusetzen, sondern es kommt die Zerstörung der Grammatik hinzu. Aber die Zerstörung ist nie Selbstzweck. Es gibt bei Joyce, wie Campbell und Robinson sagen, keine unsinnigen Silben.[16] Diese Behauptung ist bestimmt richtig. Doch dann sollte man sich fragen, was Philosophen und Sprachwissenschaftler meinen, wenn sie sagen, Sprechen und Schreiben seien »regelgeleitete« Tätigkeiten.

Viele von Joyce' Erfindungen sind von der gleichen Art wie »Dyoublong«: »Makefearsome's Ocean«, »Persse O'Reilly« (einer der zahlreichen Namen von Humphrey C. Earwicker – »perce-oreille« ist das französische Wort für »Ohrwurm« [»earwig«]), »the old cupiosity shape« [die alte Form der Fülle/The Old Curiosity Shop – Roman von Dickens] – sie alle tauchen in diesem »meandertale« auf [meander = Mäander + tale = Geschichte/Neanderthal]. Komplexer und für Joyce' Verfahrensweisen grundlegender ist das Vorkommen ganzer Sätze mit systematisch zusammenhängenden Paronomasien (sofern hier überhaupt von Sätzen die Rede sein kann). »Nobirdy aviar soar anywing to eagle it« ist ein Beispiel, das einem hier in den Sinn kommt [nobirdy/nobody = kein Vöglein/niemand, aviar = aves = Vögel, soar = hochschweben, anywing/anything = jeder Flügel/irgend etwas, eagle it/eaglet = wie ein Adler fliegen/junger Adler]. »Why do I am alook alike a poss of porter pease?« ist ein weiteres Beispiel (in dem Anspielungen auf »like as two peas« [so ähnlich

16 Campbell und Robinson, *A Skeleton Key to Finnegans Wake*, S. 360.

wie zwei Erbsen], »a pot of porter, please« [ein Humpen Porterbier, bitte] und Piesporter Wein zu hören sind). Um ein letztes Exponat vorzuführen: »Was he come to hevre with his engiles or gone to hull with the poop« [hevre = heaven = Himmel, engiles = angels = Engel, hull/hell = Schiffsrumpf/Hölle, poop/pope = Heck; Trottel; furzen/Papst]. Es ist klar, daß Joyce, wenn er am Netz der Sprache vorüberflog, nicht die Absicht hatte, uns jede Verstrickung zu ersparen.
Seine Effekte erzielt Joyce offenbar durch einen Prozeß des Anschwellens: Er türmt Wort auf Wort, Bezugnahme auf Bezugnahme, verstohlene Anspielung auf groben Witz, persönliche Anspielung auf Klassikerzitat. Man könnte erwarten, daß das Resultat ein schwerfälliger Wortschwall ist, doch statt dessen gelingt es Joyce, sich in erstaunlich sparsamer Form auszudrücken. Wie er selbst sagt: »When a part so ptee does duty fort the holos we soon grow to use of an allforabit« [ptee = petit, holos = ganz, allforabit = alphabet – »Wenn ein so kleiner Teil Stellvertreter für das Ganze ist, gelangen wir bald dahin, das Gesamte für ein Stückchen zu benutzen«]: Das Kind, das seine Pflicht erfüllt, gelangt alsbald dahin, das Alphabet zu gebrauchen. Ebenso lernt der reife Künstler, Bruchstücke der Sprache in einem an Vico gemahnenden Maßstab widerhallen zu lassen. Das wird von Joyce an einer Stelle so zusammengefaßt: »Atom, Adam, etym.« »Welche universellen binomischen Denominationen würde er als Entität und Nonentität führen?« fragt der unpersönliche Katechet in der Ithaka-Episode des *Ulysses*. Die in drei Wörtern zusammengefaßte Antwort spielt auf [Bunyans] *Pilgrim's Progress* an und imitiert – was bezeichnender ist – die listige Antwort Odysseus' auf den Zyklopen: »Everyman or Noman« – »Jedermann oder Niemand«. Dieses »Niemand« – Joyce' Akt der Unsichtbarmachung – bringt uns »auf einem kommoden *vicus* der Rezirkulation« zurück zu dem Punkt, wo … Nun ja, ich bin von der Frage ausgegangen, was Joyce gemeint haben mag, als er erklärte, er wolle am Netz der Sprache vorüberflie-

gen, und diese Jugendprahlerei habe ich mit zwei Themen von Joyce in Verbindung gebracht: Erstens mit dem Gedanken, Evolution impliziere Revolution und Revolution ziehe sowohl Zerstörung als auch Rückkehr zum Ursprung nach sich, und zweitens mit dem Gedanken, der reife Schriftsteller sublimiere sich aus der Existenz hinaus. Antworten, die offenbar für die Frage relevant sind, in welcher Form Joyce die Sprache zu zerstören und neu zu erschaffen gedachte – also Antworten der eben betrachteten Art –, scheinen nicht einschlägig zu sein, wenn wir uns der zweiten Problematik stellen, nämlich der Frage: Wie ist es Joyce durch die Formung der Sprache nach eigenem Gusto gelungen, den Künstler aus der Existenz hinauszusublimieren? Ich glaube, daß es eine Antwort auf diese Frage gibt, aber sie geht über Probleme der Sprachtechnik hinaus.

So sollte es auch sein, denn viele der Leistungen, die wir Joyce zuschreiben und die von Harry Levin zu Recht als Formen eines (von Joyce mit seinen sprachakrobatischen Kunststücken freilich in neuartiger Art und Weise vorangetriebenen) Symbolismus gekennzeichnet werden, hätten auch mit anderen Mitteln erbracht werden können. Um symbolistisch zu schreiben, wird man sich normalerweise und am bequemsten einer besonders schlichten Sprache bedienen, wobei schlichte Sprache keineswegs schlichtes Denken oder schlichte Wirkungen beinhaltet. Im Grunde vergleicht sich Joyce mit Dante (beide Autoren leben in der Verbannung und schreiben in gedrängter Form und mit allgemeiner Absicht über das von ihnen verlassene Land und dessen Gesellschaft), und Dante, der, wie er sagt, zur gleichen Zeit auf vier verschiedenen Ebenen arbeitet, entscheidet sich für ein verhältnismäßig einfaches, umgangssprachliches Idiom. Dagegen ist der Stil, in dem wahrhaft sprachschöpferische Autoren wie etwa Aristophanes, Rabelais, Sterne und Céline schreiben, im Regelfall nicht sonderlich sinnbildlich, allegorisch oder symbolisch.

Der Gebrauch, den Joyce von der Sprache macht, hängt mit

seiner Auffassung zusammen, daß der avancierteste Künstler – der sich, wie er sagt, der dramatischen Form bedient – »in oder hinter oder jenseits oder über dem Werk seiner Hände unsichtbar bleibt«. Für den Künstler gibt es, ebenso wie für Odysseus, viele Möglichkeiten, sich als Niemand oder als Geist unsichtbar zu machen: Er kann sich den Namen, die Heimat, die Volkszugehörigkeit oder die Sprache eines anderen aneignen; oder er kann sich, wie Proteus, in eine andere Gestalt verwandeln.

Es könnte den Anschein haben, daß die einfachste Möglichkeit des Schriftstellers, sich vom Schauplatz zu entfernen, darin besteht, daß er seine Figuren selbst sprechen läßt und darauf verzichtet, für sie und von ihnen zu reden. Auf diese Möglichkeit wird überdeutlich angespielt, wenn die dritte Stilform als »dramatische« bezeichnet wird. Diese Andeutung dürfte zu der Vorstellung beigetragen haben, das wirklich Originelle an Joyce' Stil sei der Gebrauch des inneren Monologs. Richard Ellmann bezeichnet den inneren Monolog als »das bekannteste Stilmittel des *Ulysses*« und sagt: »Rasch hatte sich Joyce auf eine Auffassung der Persönlichkeit zubewegt, die für den Roman neu war [...]. Seine Protagonisten handeln zwar in der Welt und reagieren auf sie, aber ihre grundlegenden Ängste und Hochstimmungen scheinen sich in ihrer Entwicklung kaum auf die Umwelt zu beziehen. Ja, sie sind so isoliert, daß man nachgerade damit hätte rechnen können, Joyce werde den inneren Monolog erfinden, um seinen Lesern die Möglichkeit zu geben, sich ohne Gängelung durch den Autor in die jeweilige Figur hineinzuversetzen.«[17]

Nach Ellmann ist das Mittel des inneren Monologs demnach ein Verfahren, durch das sich Joyce zwar nicht aus der Existenz, aber doch immerhin aus der sichtbaren Szene hinaussublimiert hat. Diese Behauptung scheint mir aus wenigstens

17 Ellmann, *James Joyce*, S. 368.

zwei Gründen eine übermäßige Vereinfachung zu sein. Wenn es dem Autor gelänge, sich aus seinem Werk zurückzuziehen, indem er seine Figuren in eigener Person sprechen läßt, hätte er keine Möglichkeit, sich selbst in sein Werk einzubringen. Aber nichts, was der Autor sagt, kann garantieren, daß wir ihn als Sprecher für andere begreifen; und genausowenig kann gewährleistet werden, daß wir ihn als Sprecher in eigener Sache verstehen. Vielleicht kommt es manchmal vor, daß wir sicher sind, es sei Fielding selbst, der uns in eigener Person anredet. Bei Sterne sind wir weniger gewiß; und obwohl der Ton oberflächlich gesehen ganz ähnlich ist wie bei Defoe, wissen wir doch, daß Sterne seinen Schabernack treibt. Fingierte Vorworte, Behauptungen über in Flaschen gefundene Manuskripte, endlose Aufrichtigkeitsbeteuerungen – nichts von alledem genügt, um den Menschen für uns sichtbar zu machen, und oft ist das auch gar nicht beabsichtigt. Das kann nur der Gesamtkontext leisten.

Die Kehrseite der Geschichte ist, daß der innere Monolog selten auch nur so tut, als bleibe er völlig im Inneren der betreffenden Figur. Sogar der Monolog von Molly Bloom enthält in ganz auffälliger Form Elemente, von denen man nicht ohne weiteres annehmen kann, sie hätten sich – sei's auch nur unbewußt – im Kopf dieser guten Frau abgespielt.

Harry Levin meint, Joyce sei hier auf einem Irrweg. Im Rahmen seiner Bemerkungen zu Joyce' Schilderung von Earwickers Traum schreibt Levin:

> Die dunkleren Schattierungen des Bewußtseins, das Herumtasten des schläfrigen Geistes, der Zustand zwischen Schlafen und Wachen – sie sind noch nie so raffiniert wiedergegeben worden außer womöglich von Proust. Aber bei Joyce tendiert die Technik dazu, seiner Psychologie den Rang abzulaufen. *Finnegans Wake* respektiert die literarischen Konventionen, obwohl es sie verstümmelt und parodiert. Das Buch schäumt über vor Stegreifeinlagen, deplazierten vertraulichen Mitteilungen und befangenem Bühnengeflüster. Hin und wieder hält es inne, um sich zu verteidigen, um die Zensur zu ködern oder um Möchtegerninterpreten zu übertölpeln. [...] Es enthält eine kurze Skizze des *Ulysses* und sogar den Brief eines unzufriedenen Lesers.

Als Antwort wird der Schwall des Monologs [...] oft und regelmäßig von telegraphischen Appellen des Autors an seine »geistesabcenten« Leser unterbrochen. Der Ursprung dieser Obiter Dicta läßt sich nicht ohne jede Plausibilität einzubüßen auf das vom Trunk blöde Gehirn eines schnarchenden Gastwirts zurückführen. Kein Psychoanalytiker wäre dazu imstande, den enzyklopädischen Schwung von Earwickers Hirngespinsten oder die akustischen Eigenschaften seiner Traumarbeit zu erklären.[18]

Man braucht Levin nicht zuzustimmen, wenn er sagt, diese unbezweifelbaren Merkmale von Joyce' Stil seien ein Mangel (ich für mein Teil bin da anderer Meinung), aber wir können ihm darin beipflichten, daß der innere Monolog, so wie er bei Joyce gehandhabt wird, nicht sein Verfahren ist, sich aus der Existenz hinauszusublimieren.

Wenn wir auf jene bedeutungsvollen Passagen über die literarische Form aus dem *Porträt des Künstlers als junger Mann* zurückblicken, kommt jetzt eine Doppeldeutigkeit zum Vorschein. Im Fall der epischen Form zum Beispiel ist »die Mitte der empfindungsmäßigen Schwerkraft vom Künstler und von anderen gleichweit entfernt«. Wer sind diese »anderen« – die Figuren des Autors oder seine Leser? Wenn sich der Künstler durch Anwendung der dramatischen Form aus der Existenz hinaussublimiert, vergrößert er da den Abstand zwischen sich und Humphrey C. Earwicker oder den Abstand zwischen sich und seinen Lesern? Vielleicht hat Joyce selbst vor allem an das Verhältnis des Künstlers zu seinen Figuren gedacht. Doch wie Levin an der eben zitierten Stelle deutlich macht, hat Joyce es gar nicht fertiggebracht, sich in stilistischer oder sonstiger Hinsicht von seinen Figuren zu entfernen. Der durch seinen Stil hervorgerufene Abstand – ein Abstand, der seit den *Dubliners* über den *Ulysses* bis zu *Finnegans Wake* extrem gewachsen ist – ist der Abstand zwischen dem Text und dessen Lesern.

In einer der ersten kritischen Würdigungen Joyce' weist Ed-

18 Levin, *James Joyce*, S. 175.

mund Wilson darauf hin, daß sowohl Proust als auch Joyce den Begriff der Relativität zum Ausdruck bringen. (Im *Ulysses* ist von »Parallaxe« die Rede.) In diesem Sinne verändert sich die Welt, »wenn sie von verschiedenen Beobachtern beziehungsweise von denselben Beobachtern zu verschiedenen Zeiten wahrgenommen wird«.[19] Es mag sein, daß Wilson ebenfalls nur an Joyce' Verhältnis zu seinen Figuren gedacht hat, aber es wäre gewiß nicht falsch, auch seine Leser einzubeziehen und zu sagen, daß sie eine wesentliche Perspektive ins Spiel bringen. Shem – in *Finnegans Wake* der »Mann der Feder«, mit dem sich Joyce offenbar identifiziert – macht klar, daß dies die Ansicht des Autors ist. »He would not put fire to his cerebrum; he would not throw himself in Liffey; he would not explaud [= durch Beifall von der Bühne vertreiben/explode = sprengen] himself with pneumantics [pneuma = Luft, Geist Gottes, Seelensubstanz + Semantik/new antics = neue Possen].« [»Er wollte sein Gehirn nicht in Brand setzen; er wollte sich nicht in die Liffey stürzen; er wollte sich nicht mit Pneumantik in die Luft sprengen.«]. Dennoch wird man, mit »zunehmendem [...] Interesse an seiner Semantik« feststellen, daß er »beispielsweise unbewußt, mit einer an Irrsinn grenzenden Pingeligkeit die verschiedenen Bedeutungen all der verschiedenen, von ihm mißbrauchten fremdsprachigen Ausdrücke erklärt« [»unconsciously explaining, for inkstands, with a meticulosity bordering on the insane, the various meanings of all the different foreign parts of speech he misused«].[20] Er rechnet zwar mit Sympathie seitens der Leser, wenn er singt: »Flunkey Footle furloughed foul, writing off his phoney« [phoney = unecht/money = Geld: »Speichellekker Stuß bummelte blöd und gab sein Talmi/Geld verloren«], aber trotz allem erwartet er, daß sie die »languish of Tintangle« entschlüsseln [languish = (ver)schmachten/language = Sprache, Tintangle = Tintagel = mit Artus – also auch mit der

19 Wilson, *Axel's Castle*, S. 221 f.
20 *Finnegans Wake*, S. 172 f.

keltischen Sprache – assoziierter Ort in Cornwall/tin = Blech + tangle = Knäuel/tango = Tango].[21]

Alles Lesen ist Interpretieren, und alles Interpretieren setzt ein gewisses Maß an Erfindung voraus. Joyce hat die ungewöhnliche Idee, den Eintrittspreis so hoch zu schrauben, daß wir tendenziell den Eindruck gewinnen, vom Leser werde beinahe ebensoviel verlangt wie vom Autor. Indem Joyce sein Publikum zu ziemlich anspruchsvoller kreativer Tätigkeit anstachelt, baut er seinen eigenen Anteil an dem Geschehen aus und macht ihn zugleich weniger sichtbar. Indem Joyce vertraute Sprachen zerbröselt und den Rohstoff wiederverwertet, fordert er den Leser zu ungewollter Mitarbeit heraus und nimmt ihn als Mitglied in seine private Sprachgemeinschaft auf. In Joyce' Welt der sprachlichen Verbannung einbezogen, sind wir dazu genötigt, bei der Vernichtung alter Bedeutungen ebenso mitzutun wie bei der Erschaffung einer neuen Sprache, die allerdings nicht wirklich aus dem Nichts erfolgt, sondern auf der Grundlage unseres Vorrats an gemeinsamen Kenntnissen. Jegliche Kommunikation setzt bis zu einem gewissen Grad eine gemeinsame Anstrengung dieser Art voraus, aber Joyce ist insofern ein Sonderfall, als er die Sache von vornherein ankündigt, aber uns dann eine so extreme Mühe abverlangt.

Joyce bringt uns zurück zu den Grundlagen und zum Ursprung der Kommunikation. Er versetzt uns in die Lage des Dschungellinguisten, der versucht, sich eine neue Sprache und eine neue Kultur begreiflich zu machen und die Perspektive eines Fremden oder Verbannten einzunehmen. Sobald wir – Joyce' Hörer oder Leser – die Mittel kennenlernen, zu deren Beherrschung er uns veranlaßt hat, stellen wir fest, daß wir uns ein Stück weit von der eigenen Sprache, dem normalen Selbst und unserer Gesellschaft entfernt haben. Wir gesellen uns zu Joyce als Verbannte, die – so scheint es zumindest –

21 Ebd., S. 418, 232.

vorübergehend von den Netzen der eigenen Sprache und der eigenen Kultur befreit sind.
Natürlich hat sich Joyce nicht aus der Existenz hinaussublimiert, aber durch die ungestüme Originalität seiner Sprache ist es ihm gelungen, seinen verwirrten Lesern einen Teil der normalen Last des Verstehens und der Einsicht aufzubürden. Der kreative Schwerpunkt wird damit von dem Künstler entfernt und an eine Stelle zwischen dem Autor und seinem Publikum verlagert. Die durch Joyce' dichtes, unvertrautes Idiom erzwungene Einbeziehung des Lesers in den Prozeß der Interpretation verleiht dem Autor selbst eine Art von Unsichtbarkeit, so daß der in die eigene schöpferische Aufgabe vertiefte Interpret mit dem Werk der Hände des Autors allein gelassen ist. Dadurch, daß Joyce einen hermeneutischen Raum zwischen Leser und Text schafft, verdoppelt er zugleich den eigenen Abstand vom Leser. Das ist es, was Joyce nach meinem Dafürhalten meint, wenn er sagt, der Künstler sublimiere sich aus der Existenz hinaus, und was er implizit meint, wenn er die Absicht kundtut, am Netz der Sprache vorüberzufliegen.

11
Der Dritte

Was mache ich hier? Was ist die Pointe der Zitate aus meinen Schriften, die sich in diesen geheimnisvoll-explosiven Bildern finden, die Robert Morris mit verbundenen Augen angefertigt hat? Es ist nicht das erste Mal, daß ich in unerwarteter Umgebung auf Texte von mir stoße. Nichts ist für mich überraschender als festzustellen, daß ich in Anthologien figuriere, die Titel wie »Postanalytische Philosophie« oder »Nach der Philosophie« tragen. Dieses Wort »nach« beunruhigt mich auch an dem Titel eines demnächst erscheinenden Buchs über Literaturwissenschaft »nach Davidson«. Haben meine Schriften etwas Düsteres oder zumindest einen Hauch von Fin de siècle an sich, der mir bisher entgangen ist – nicht nur ein Vorbote des Verfalls jener Art von Philosophie, mit der ich selbst mich beschäftige, sondern des Untergangs der Philosophie überhaupt? Welchen anderen Grund gibt es dafür, daß mein Name, wie ich sehe, mit Heidegger und Derrida in Verbindung gebracht wird?[1]

Die Antwort auf einige dieser Fragen beruht vielleicht auf meiner Ablehnung subjektivistischer Theorien der Erkennt-

1 »Was mache ich hier?« Wie ich ohne große Überraschung feststelle, bin ich nicht der erste, der diese Frage aufgeworfen hat. »What am I Doing Here?« ist der Titel eines Buchs von Bruce Chatwin, und Jean Genet hat sich die Frage »Was mache ich hier?« gestellt, als er bei den Palästinensern lebte. Siehe Jean Genet, *Ein verliebter Gefangener.*

Was die übrigen Bücher, auf die ich mich im Text beziehe, betrifft, siehe: Rajchman und West (Hg.), *Post-Analytic Philosophy*; Baynes, Bohman und McCarthy (Hg.), *After Philosophy. End or Transformation*; Dasenbrock (Hg.), *Literary Theory after Davidson.* Zu Heidegger siehe D. Frede, »Beyond Realism and Anti-realism. Rorty on Heidegger and Davidson«; zu Derrida siehe Wheeler, »Indeterminacy of French Interpretation. Derrida and Davidson«, sowie Novitz, »Metaphor, Derrida, and Davidson«.

nis und der Bedeutung sowie auf meiner Überzeugung, daß auch das Denken etwas wesentlich Soziales ist. Ich habe allerdings keine Ahnung, ob es das ist, was Morris dazu veranlaßt hat, meine Texte zu benutzen. Da ich nicht weiß, welches seine Gründe gewesen sind, möchte ich an dieser Stelle sagen, was mir an dem Resultat auffällt.

Kunstwerke, Schriften, Artefakte jeglicher Art gehören zu den Dingen dieser Welt. Unsere Sinnesorgane und unser Gehirn sind so strukturiert, daß sie Gegenstände vor ihrem jeweiligen Hintergrund herausgreifen, daß sie aus verschiedenem Blickwinkel, aus verschiedener Entfernung und bei verschiedener Beleuchtung gesehene Dinge als ähnlich erkennen und sogar dasselbe Objekt wiedererkennen, wenn es nach einer Unterbrechung neuerlich erblickt wird. Diese Fähigkeiten, mit denen uns die Natur ausgestattet hat, ermöglichen es uns, Reizmuster zusammen zu gruppieren, die, wenn sie an den Nervenenden registriert werden, oft ganz ungleichartig erscheinen. Daß diese Gruppierungen zu unserer angeborenen Ausstattung gehören, wird durch die Ähnlichkeit unserer Reaktionen belegt. Auf die Mutter reagiert man stets ähnlich, einerlei, ob sie in trübem oder in hellem Licht gesehen wird, ob man sie aus der Ferne oder aus der Nähe hört, ob sie dieses oder jenes Kleid trägt.

Das noch sprachlose Kind legt dieses gegenstandsorientierte Verhalten ebenso an den Tag wie sonst ein Tier ohne Sprache. Aber genügt das als Beweis für die These, daß es über den Begriff des Gegenstands verfügt? Nein, denn die Fähigkeit, Dinge auseinanderzuhalten, impliziert nicht, daß man den entsprechenden Begriff besitzt. Sensorisches Unterscheiden klassifiziert die Phänomene je nachdem, wie sie an der Peripherie des Nervensystems differieren; Begriffe klassifizieren im Hinblick auf Eigenschaften, von denen die Sinne vielleicht gerade erregt oder nicht erregt werden. Mit den Begriffen kommen auch die Urteile: Dies ist genießbar, das ist giftig, hier ist ein Würfel, dort ein Löwe. Urteile können im Gegensatz zu bloßen Reaktionen wahr oder falsch sein. Erst wenn wir über Begriffe und Urteile verfügen, kann gesagt werden, daß wir über die Vorstellung von einer objektiven Welt verfügen – einer Welt, die von unseren Empfindungen oder unserer Erfahrung unabhängig ist.

Wodurch wird die Vorstellung von einem autonomen Gegenstand verfügbar? Ihre Verfügbarkeit setzt vor allem die Bestätigung von seiten anderer voraus, und zwar von seiten anderer, die auf die gleichen Basisereignisse und Basisgegenstände eingestellt sind wie wir selbst und die außerdem auf unsere Reaktionen auf diese Ereignisse und Gegenstände eingestellt sind. Sobald die zweite Person den Schauplatz betritt, kann sie meine Reaktionen zu ihren eigenen in Beziehung setzen, und nun hat es zum ersten Mal Sinn, von »den gleichen« – das heißt in relevanter Hinsicht ähnlichen – Reaktionen zu sprechen. Überdies gibt es zum ersten Mal einen Grund zu sagen, diese Reaktionen seien nicht Reaktionen auf unmittelbare Empfindungen, sondern auf äußere Gegenstände. Sobald zwei (oder natürlich auch mehr) Lebewesen ihre Reaktionen zueinander in Beziehung setzen können, wird der Gegenstand vermittels dieser Reaktionen durch *Triangulation* bestimmt. Er ist die gemeinsame Ursache dieser Reaktionen – eine Ursache, die in einem gemeinschaftlichen, interpersonellen Raum einen Ort hat. Sobald wir die Gleichheit unserer Reaktionen feststellen können, kommt die Möglichkeit einer Überprüfung oder eines Maßstabs ins Spiel sowie die Möglichkeit, daß die erwartete Gleichheit der Reaktionen ausbleibt, und damit die Möglichkeit von Irrtümern.

Das Urdreieck aus zwei Beobachtern, deren jeder eine gemeinsame Welt und den jeweils anderen Beobachter betrachtet, kann ohne Sprache existieren, was auch tatsächlich vorkommt. Aber das Dreieck ist eine notwendige Bedingung der Sprache und des vollen Erfassens der Begriffe »Objektivität« und »Wahrheit«. Sprache ergänzt und bereichert die Basis des Dreiecks, und natürlich reicht die Sprache schon bald viel weiter als das, was unmittelbar und gemeinsam erfahren werden kann. Aber die Fähigkeit, über etwas zu reden und nachzudenken, was zu klein, zu weit entfernt oder zu abstrakt ist, um gesehen oder berührt zu werden, beruht auf dem, was wir in direkter Weise gemeinsam haben wahrnehmen können, denn die Erfahrungen, die wir als gemeinsame Erfahrungen registrieren, verknüpfen unsere Worte und Gedanken mit der Welt.

Kunst, die aus der Vorstellung heraus geschaffen wird, von anderen Personen (oder vielleicht zu einem späteren Zeitpunkt von ihrem Urheber) gelesen, gesehen oder gehört zu werden, betritt die Begriffsbühne in einem fortgeschrittenen Stadium der Entwicklung. Der Künstler, der Autor und das Publikum sind von vornherein mit einer enormen Menge einander überschneidender, gemeinsamer Voraussetzungen ausgestattet. Dennoch kann man einige Aspekte der Kunst im Lichte der Grundlagen des Objektivitätsbegriffs betrachten wollen.

Das Schreiben weicht in verblüffendem Maße von dem Urdreieck ab. Das von Leser und Schreiber unmittelbar wahrgenommene Objekt ist der Text. Er wird von dem Schreibenden hervorgebracht, doch im Fall der Literatur wird der Text durch die Zeitspanne zwischen Erzeugung und Lektüre seinem Schöpfer entfremdet. Die für die Kommunikation grundlegende Interaktion zwischen wahrnehmenden Lebewesen geht verloren. Die Kluft zwischen der Unterhaltung mit einer Person und der Lektüre ihrer Worte wird von Platon wie folgt gekennzeichnet:

> Denn dieses Schlimme hat doch die Schrift […] und ist darin ganz eigentlich der Malerei ähnlich; denn auch diese stellt ihre Ausgeburten hin als lebend, wenn man sie aber etwas fragt, so schweigen sie gar ehrwürdig still. Ebenso auch die Schriften. Du könntest glauben, sie sprächen, als verstünden sie etwas, fragst du sie aber lernbegierig über das Gesagte, so enthalten sie doch nur ein und dasselbe stets.*

* [*Phaidros*, 275d, Übers. Schleiermacher. – Übers.]

Es ist richtig, daß im allgemeinen weder der Text noch dessen Autor dem Leser Rede und Antwort stehen können. Die Interaktion ist von anderer Art. Der Text hat im Gegensatz zu den meisten Gegenständen Sinn, und sein Sinn ist das Ergebnis des Wechselspiels zwischen den Absichten des Autors, der in bestimmter Weise verstanden werden möchte, und der Interpretation, die der Leser den Worten des Schriftstellers angedeihen läßt. Meistens ist dieses Wechselspiel Routinesache und ist auch insofern als solches gemeint, als der Autor ziemlich gut weiß, wie er wahrscheinlich verstanden wird, während der typische Leser recht gut weiß, wie der Autor verstanden werden wollte. Das ist nicht immer der Fall. Schriftsteller wie Shakespeare, Dante, Joyce oder Beckett stellen unsere Interpretationsfähigkeiten auf die Probe und zwingen uns so zu einem retrospektiven Dialog mit dem Text und durch den Text mit dem Autor. Die Autoren können unter zahlreichen Mitteln wählen, die dazu dienen, den Leser zur Auseinandersetzung mit dem Text zu reizen: nachdenklich stimmende Rätsel, eine mehrdeutige Einstellung des Autors, Stücke innerhalb von Stücken, stilistische Bezugnahmen auf andere Schriftsteller, autobiographische Fingerzeige. Aber wie immer es zuwege gebracht und in welchem Maße der Leser zum Mitmachen angehalten wird – tatsächlich ist es den Autoren gelungen, eine Arena der Ideen und Voraussetzungen zu ersinnen oder zu requirieren: einen gemeinsamen Begriffsraum, der groß genug ist, um sowohl die Autoren selbst als auch ihr Publikum zu beherbergen.
Mit der Plastik verhält es sich ähnlich, außer daß der gemeinsame Raum von Betrachter und Objekt kein Begriffsraum, sondern im wortwörtlichen Sinne Raum ist. Von Michael Fried, Annette Michelson und Maurice Berger ist die Art und Weise betont worden, in der Morris' minimalistische Plastiken den Betrachter dazu bringen, auf das Objekt einzugehen, und zwar nicht nur durch die Schaffung eines »gemeinsamen Aufenthaltsorts« – einer »den Betrachter mit einschließenden

Situation« –, sondern dadurch, »daß die Kunst zum Objekt gemacht wird«.[2] Doch hier besteht nach wie vor ein gewaltiger Unterschied zwischen solchen Plastiken und einem geschriebenen Text. Schreiben ist auf Sinn angewiesen und darauf, daß auf etwas Bezug genommen wird, was jenseits der Worte liegt. Eine Plastik kann etwas anderem ähneln, aber sofern sie kein Denkmal (mit Inschrift) ist, bezieht sie sich nicht auf etwas anderes. Einige der Plastiken von Morris sind wegen ihrer Größe und ihres Umfangs vielleicht dazu angetan, den Betrachter zu einer Reaktion aufzufordern, die der Reaktion auf eine Person gleicht. Dazu ist allerdings nicht der Gedanke nötig, daß die Plastik einer Person ähnele, sondern die Plastik ruft ein unmittelbares Erlebnis hervor, das in mancher Hinsicht dem Erlebnis gleicht, das man bei der Begegnung mit einer Person hat. Daß hier etwas gemeint wird, ist nicht im Werk selbst enthalten, sondern das Meinen wird dem Betrachter entlockt. Bei Wittgenstein heißt es: »Ja; meinen ist, wie wenn man auf jemanden zugeht.«[3]

Robert Morris hat gesagt: »Sprache ist nicht bildende Kunst, sondern beides sind Formen menschlichen Verhaltens, und die Strukturen der einen Form können mit denen der anderen Form verglichen werden.«[4] Genau dies ist der Gedanke, dem ich hier nachgegangen bin. Doch wenn man die Parallelen bemerkt, muß einem auch der grundlegende Unterschied auffallen zwischen der Sprache in ihrem allgemeinen Gebrauch – bei dem Sprecher und Hörer einander gegenüberstehen und ihre Rollen vertauschen – und dem Schaffen des Autors oder des bildenden Künstlers, das den Urheber sowohl von dem Werk als auch von seinem Publikum isoliert. Die »Formen

2 Fried, »Art and Objecthood«, S. 15. Siehe auch Michelson, »Robert Morris – An Aesthetics of Transgression«, und Berger, *Labyrinths. Robert Morris, Minimalism, and the 1960s.*

3 Wittgenstein, *Philosophische Untersuchungen*, §457.

4 Morris, »Some Notes on the Phenomenology of Making. The Search for the Motivated«.

menschlichen Verhaltens«, auf die sich Morris bezieht, sind nicht die Texte oder Skulpturen oder Gemälde, denen der Betrachter begegnet, sondern die Handlungen, durch die diese Gegenstände hervorgebracht werden. Die Strukturen, die verglichen werden sollten, sind nicht die Strukturen der Kunstwerke, sondern der Handlungen, durch die sie geschaffen wurden.

Wie ist es möglich, den Akt des künstlerischen Schaffens – als wäre er ein normaler Sprechakt – so darzustellen, daß der Betrachter auf ihn zusammen mit seinem Produkt reagieren kann? Der Schriftsteller kann einfach aus dem Werk heraustreten und uns mitteilen, was er da tut. So verfährt Trollope des öfteren, wenn er sich als Romancier mit dem Schuster vergleicht, der bei seinem Leisten bleibt. Der bildende Künstler kann ein öffentliches Ereignis oder ein Happening veranstalten, bei dem zu sehen ist, wie er Tag für Tag sein Werk verfertigt, verändert, zerstört oder umgestaltet. Er kann dem Objekt eine Beschreibung anheften, aus der hervorgeht, wie es angefertigt wurde. Er kann sogar ein Objekt ersinnen, das den »Klang seiner eigenen Herstellung« enthält.* Aus meiner Sicht treiben die Bilder in dieser Ausstellung das Projekt, den Akt ihrer Verfertigung in das Werk selbst einzubringen, einen Schritt weiter oder zumindest in eine neue Richtung. Es ist nicht nur so, daß diese Bilder in graphischer Form einige der wesentlichen Merkmale aller absichtlichen Handlungen vorführen, sondern sie nehmen außerdem die Mitarbeit des Betrachters in einer Weise in Anspruch, die einen Zusammenhang zum Ursprung des Gegenstandsbegriffs herstellt.

Diese Bilder enthalten vier Elemente, die sich deutlich auseinanderhalten lassen. Wenn man die narrative Reihenfolge umkehrt, handelt es sich um die folgenden Elemente: (1) die Markierungen und Muster, die Morris mit geschlossenen Augen

* [»The Sound of Its Own Making« ist der Titel eines bekannten Werks von Morris (1961). Es besteht aus einem Holzwürfel samt dreistündiger Tonbandaufzeichnung des Vorgangs der Herstellung dieses Würfels. – Übers.]

gezeichnet hat. Ich werde sie »die Handlung« nennen. (2) Die symmetrischen, paarweise angeordneten Quadrate, Rechtecke und sonstigen Formen, die vor der Handlung sorgfältig auf dem Papier angebracht wurden. Sie werde ich »die Ziele« nennen. (3) Die von Morris gegebene Beschreibung des Handlungsvollzugs und der ihn leitenden Regeln. Dies sind zum einen »die Beschreibung« und zum anderen »die Absicht«. (4) Ein Bruchstück einer philosophischen Erörterung der allgemeinen Natur des Handelns. Wenn man in der Reihenfolge von (4) nach (1) voranschreitet, ist leicht zu erkennen, daß es hier einen Fortschritt vom Abstrakten zum Konkreten, vom ganz Allgemeinen zum Besonderen gibt. Die Texte handeln von Handlungen, und »die Handlung« veranschaulicht und exemplifiziert, was die Texte sagen. Außerdem führen die vier Elemente auf unterschiedliche Weise dem Geist und dem Auge die grundlegenden Merkmale jeder absichtlichen Handlung vor. (4) ist ein Bestandteil eines Versuchs, den alltäglichen Begriffsapparat explizit zu machen, mit dem wir alle arbeiten, nämlich der Teil dieses Apparats, den manche Philosophen gern als »Volkspsychologie« bezeichnen. Alle Handlungen werden im Anwendungsbereich dieser Vorstellungen vollzogen. (3) hat zwei Funktionen. Die wichtigere der beiden ist die Äußerung einer Absicht, und zwar der Absicht, innerhalb einer bestimmten (subjektiv geschätzten) Zeitspanne mit geschlossenen Augen eine bestimmte Handlung zu vollziehen. (Auf die zweite Funktion werde ich gleich zu sprechen kommen.) (2) setzt einige der Handlungsparameter fest und bestimmt einen Raum, in dem und in dessen Umgebung die Handlung stattfinden soll. (1) ist natürlich keine Handlung, sondern das Resultat der Handlung. Ich spreche hier nicht deshalb von einer »Handlung«, weil sich etwas bewegt, sondern weil wir – angesichts dessen, was wir über die Absicht wissen, mit der die Handlung vollzogen wurde, sowie über ihre definierenden räumlichen Ziele und den besonderen und allgemeinen Begriffshintergrund des

Handlungsvollzugs – den Akt der Herstellung verstehen und uns anschaulich ausmalen können.

Der Grund, weshalb die Betrachter diese Arbeiten verstehen und mit ihnen interagieren können, liegt nicht darin, daß sie wissen, wie sie produziert wurden, sondern darin, daß sie das Warum kennen. Daß sie fast genau wissen, warum »die Handlung« so und nicht anders ausschaut, liegt nicht daran, daß sie wüßten, welche letzten Gründe Morris bei der Verfertigung dieser Objekte vorgeschwebt haben mögen, sondern daran, daß sie im Hinblick auf jedes Objekt genau wissen, welche Absicht dadurch verwirklicht werden sollte. Was die Anteilnahme der Betrachter garantiert, ist der Umstand, daß die Leistung unmittelbar an der Absicht gemessen werden kann. Manchmal werden wir vor einem Trugschluß gewarnt, von dem es heißt, wir sollten es vermeiden, ihn bei der Lektüre literarischer Werke zu begehen: Wir sollten das Werk nicht im Hinblick auf die Absichten beurteilen, die wir dem Autor zuschreiben. Morris fordert uns nicht eigentlich dazu auf, den »intentionalen Trugschluß« zu begehen, denn wir beurteilen das ästhetische Verdienst dieser Bilder nicht danach, wie genau es ihm gelungen ist, seine eigenen Anweisungen zu befolgen. Aber ebenso wie er selbst können wir nicht umhin, uns auf die Frage einzulassen, wie gut er es geschafft hat. Wir können sehen, wo seine Muster nicht der Linie folgen; und da er »die Ziele« angegeben hat, können wir erkennen, wie weit er sie verfehlt hat. Was wir nicht sehen können, ist, wie gut er die beabsichtigten Zeitspannen geschätzt hat – und darüber gibt er uns Auskunft. Das ist der zweite Beitrag, den (3) leistet. Warum hat er diese Zeichnungen »blind« angefertigt? Wie sonst wäre es möglich, den Abstand zwischen seiner Absicht und dem Ergebnis so deutlich erkennbar zu bewerten?

Was Morris abgebildet hat, ist das wesentliche Element, von dem der Begriff des autonomen Objekts (und der Welt) abhängt: ein intersubjektives Maß des Irrtums und des Erfolgs, der Wahrheit und der Falschheit. Er hat uns in die Lage ver-

setzt, zusammen mit ihm durch Triangulation den Ort seiner schöpferischen Akte zu bestimmen.
Bleibt noch die Frage, von der ich ausgegangen bin: Was machen meine Arbeiten hier? Ich möchte folgende Antwort wagen: Sie erweitern den Hintergrund, vor dem wir den von Morris vollzogenen »Handlungen« begegnen. Seine explizit niedergeschriebenen Absichten und seine sichtbaren Ziele stellen schon einen begrifflichen und physikalischen Raum zur Verfügung, in dem der Betrachter mit dem Werk und seinem Urheber zusammenwohnt. Diese Koordinaten sind jedoch überaus spezifisch. Jenseits dieser Spezifitäten tragen sich alle unsere Gedanken und Handlungen in einem gewaltigen System weitgehend gemeinschaftlicher Voraussetzungen und Ideen zu, und es ist dieses System, von dem sie ihren Sinn herleiten. Vielleicht gelingt es den Zitaten aus meinen Schriften, in denen es um die Natur des Denkens und des Handelns geht, einen Hinweis auf dieses umfassendere Bild zu geben.

12
Die Sprache der Literatur

Die Literatur stellt die Sprachphilosophie vor ein Problem, denn sie ist eine direkte Herausforderung für jede Bedeutungstheorie, die behauptende und auf Wahrheit ausgerichtete Verwendungen der Sprache in den Vordergrund rückt und so tut, als seien andere Sprachhandlungen in irgendeinem Sinne »ausgezehrt« oder »parasitär«.[1] Die Ursachen des Problems dürften allerdings sehr viel weiter verbreitet sein, als der Verweis auf die Literatur suggeriert, denn Witze, Parodien, höfliche Nichtigkeiten und ironische Formulierungen durchbrechen allesamt die Form des Aufrichtigkeit, Buchstäblichkeit und Wahrheit in Anspruch nehmenden Sprachgebrauchs. Die Literatur kann man jedoch in den Mittelpunkt der Problematik rücken, und sei es nur wegen ihrer Affinität zu solchen Wortspielereien und Wortverdrehungen und ihrer Verwendung dieser Mittel. Die Literatur und diese mit ihr einhergehenden sprachlichen Besonderheiten sind ein ausgezeichneter Test für die Angemessenheit jeder Auffassung vom Wesen der Sprache, und das ist ein Test, den viele Theorien, wie ich an anderer Stelle dargelegt habe, nicht bestehen.[2]
Aber obwohl ich mich schon seit langem für die literarischen Verwendungen der Sprache interessiere, habe ich es bisher versäumt anzudeuten oder auch nur eingehend zu bedenken, wie man verfahren sollte, um meine Erklärung der Ursprünge von Intentionalität und Objektivität auf den Fall der Literatur zu übertragen. (Intentionalität und Objektivität kommen nach meiner Anschauung gleichzeitig und als wechselseitig abhängige Faktoren zum Vorschein.) Im Grunde ist mir in-

1 Diese Worte und die dahinterstehende Idee findet der Leser in Austin, *How To Do Things with Words*, S. 22 [dt. Bearbeitung, S. 42].

2 Siehe beispielsweise die Abhandlungen 8, 17 und 18 in *Inquiries into Truth and Interpretation*.

zwischen klar geworden, daß jeder Schritt in die Richtung einer solchen Übertragung zugleich die Notwendigkeit erkennen läßt, die Rolle der Absicht beim Schreiben und daher auch das Verhältnis zwischen Autor und Leser genauer ins Auge zu fassen. Ich danke denen, die zu diesem Band beigetragen haben, und insbesondere dem Herausgeber für die Anregung, in freilich immer noch zu knapper Form auf diese Fragen einzugehen.[3]

Hier werde ich mich auf zwei miteinander zusammenhängende Probleme konzentrieren: die Rolle der Bezugnahme beim »Geschichtenerzählen« und die Veränderungen, die sich ergeben, wenn man das Dreieck aus Sprecher, Hörer und Welt durch das Dreieck aus Autor, Leser und Tradition ersetzt. Was die Geometrie dieser Situation betrifft, bin ich ebenso wie die Verfasser der übrigen Artikel dieses Buchs jemand, der solche Dreiecke kommentiert; und ebenso wie diese anderen Verfasser befinde auch ich mich unweigerlich am Scheitelpunkt meiner eigenen diversen wirklichen und imaginären Dreiecke.

Zunächst sollte ich jedoch ein Wort über meine allgemeine Theorie des Handelns sagen. Ein Interpret hat sich bemüht, deutlich zu machen, daß die Thematik meiner Abhandlung »Handlungen, Gründe und Ursachen« weder dem Autor noch dem Kritiker literarischer Texte viel zu bieten hat. Ich selbst bin durchaus der gleichen Meinung. Sofern meine Analyse des Begriffs der Handlung für diejenigen, die sich eingehend mit den Triebfedern des Handelns befassen wollen, überhaupt einen Wert hat, besteht er darin, daß er sie aus einer begrifflichen Zwickmühle befreit. In diese Zwickmühle sind wir zunächst durch eine Reihe deutscher Philosophen des neunzehnten Jahrhunderts und sodann durch Wittgenstein und seine Anhänger geraten. Diese Autoren haben eine Lehre vertreten, wonach die Methoden des Dichters, des Kritikers und

3 In diesem Artikel beziehen sich Formulierungen wie »dieses Buch« oder »dieser Band« auf Dasenbrock (Hg.), *Literary Theory after Davidson.*

des Sozialwissenschaftlers nicht nur anders sind als die Methoden der Wissenschaften von der (übrigen) Natur, sondern wonach zwischen ihnen ein Gegensatz besteht. Aus ihrer Sicht wird der zweite, der materialistische Bereich von der Kausalität, von Gesetzen und von der nomologisch-deduktiven Methode beherrscht, während im ersten, dem humanistischen Bereich Einsicht, einfühlendes Verstehen und teleologische Erklärung den Ausschlag geben. Mein Beitrag besteht darin, daß ich, ein wenig wie Spinoza, betont habe, daß diese beiden Bereiche – Geist und Körper, Intension und Extension, von Gesetzen geregelte Ereignisse und vom Denken geprägte Handlungen – zu grundverschiedenen, aber gleich legitimen Formen des Beschreibens, Verstehens und Erklärens der Phänomene gehören, aber für eine einzige Ontologie der Ereignisse und Dinge gelten. Die Kausalität findet, wie ich dargelegt habe, in beiden Bereichen Anwendung. Doch indem ich kausale Beziehungen von den Ereignisbeschreibungen unterscheide, unter denen diese Ereignisse so gesehen werden können, daß sie unter Gesetze fallen, entferne ich die Handlungen aus dem Gebiet der deterministischen, nomologischen Erklärungen. Dieser Auffassung gelingt es, wie ich glaube, zwei intuitive, aber offenbar antagonistische Vorstellungen miteinander zu versöhnen. Der ersten intuitiven Vorstellung zufolge beinhaltet das Verstehen der Gedanken und Handlungen von Personen die einfühlsame Anpassung der Überzeugungen und Werte des Interpreten an die Einstellungen des Interpretierten, und dieser Prozeß setzt voraus, daß ein normatives System im Rahmen eines anderen Platz findet. Der zweiten intuitiven Vorstellung zufolge gehören solche Überlegungen in den Naturwissenschaften nicht zur Sache. Die Physik sei bestrebt, Kategorien ausfindig zu machen, von denen Normen und sogar Kausalbegriffe ausgeschlossen sind – Kategorien, die sich dazu eignen, in ein System von Gesetzen mit möglichst wenig Ceteris-paribus-Klauseln aufgenommen zu werden.

Es ist, wenn ich recht habe, ein gravierender Fehler, anzunehmen, bei dem relativ simplen aristotelisch-thomistischen Schema, das ich für die Analyse des Begriffs »aus einem Grund handeln« vorgeschlagen habe, gehe es schon allein wegen der Berufung auf Kausalität darum, diesen Begriff den Naturwissenschaften anzupassen. Das ist ein völliges Mißverständnis, denn die ernsthafte Naturwissenschaft ist darauf bedacht, den Begriff der Kausalität zugunsten strikter Gesetze zu verdrängen. Es ist die teleologische Erklärung, die nicht ohne den Begriff der Kausalität auskommt, und dies ist einer von mehreren Gründen, warum keine Aussicht besteht, mit Gründen operierende Erklärungen auf die Naturwissenschaften zurückzuführen oder in sie zu integrieren.

Das ändert nichts daran, daß meine schematische Erklärung der Absicht, mit der eine Handlung vollzogen wird, niemandem, der eine interessante Psychologie des Handelns konstruieren möchte, eine echte Hilfe ist. Es könnte jedoch sein, daß die Phantasie an dem Punkt angeregt wird, wo es an der Zeit ist, die verschiedenen Überzeugungen, Wünsche, Motive und Einstellungen, die eine absichtliche Handlung verursachen und durch diese Verursachung wiederum die angemessenen Beschreibungen dieser Handlung bestimmen, zu ermitteln und mit propositionalem Inhalt zu versehen.

Ein unumgängliches Merkmal der teleologischen Erklärung ist ihr normativer Charakter. Das bedeutet nicht (wie einer der Autoren dieses Bandes meint), daß ich die in Anspruch genommenen Normen der Logik oder der Bayesianischen Entscheidungstheorie mit deskriptiven Theorien verwechsle.[4] Es gibt keine Definition der »perfekten Rationalität« (wie immer man diese auffassen mag), wonach die Menschen der Definition genügen. Mir kommt es vielmehr darauf an, daß wir Irrationalität nur vor einem Hintergrund der Rationalität erklären und verstehen können, und das ist ein Hintergrund,

4 Daß ich mir hinsichtlich der Idee, solche Theorien ließen sich experimentell testen, keine Illusionen mache, habe ich mehrfach zu Protokoll gegeben. Siehe *Essays on Actions and Events*, S. 235 f. [Übers., S. 330].

den jeder von uns als Interpret selbst beisteuern muß. Es gibt keine feststehende Liste von Standards – keine zeitlose Hierarchie der Werte –, an die wir alle uns gebunden fühlen müssen, doch einige Normen sind für die Verständlichkeit so grundlegend, daß wir gar nicht umhinkommen, die Gedanken nach ihrem Muster zu formen. Wie Quine ausgeführt hat, können wir ein Zeichen fremder Sprecher nur dann als Ausdruck der Konjunktion interpretieren, wenn der Sprecher dieses Zeichen generell in Einklang mit der Wahrheitstafel der Konjunktion behandelt. Doch dann haben wir dem Betreffenden ein Stück Logik unterstellt. Die Normen des Entscheidens unter Ungewißheit, der Induktion usw. sind da weit flexibler, und es fällt uns leicht, Abweichungen zu verstehen, was Meinungsverschiedenheiten darüber einschließt, welches eigentlich die Normen sind. Ich würde jedoch geltend machen, daß wir niemanden verstehen könnten, bei dem uns keine andere Deutung übrig bleibt als anzunehmen, daß er in extremer Form und durchweg von allen derartigen Normen abweicht. Das wäre kein Beispiel für Irrationalität oder eine fremdartige Menge von Standards, sondern es wäre ein Fehlen von Rationalität – etwas, was gar nicht als Gedanke gelten könnte.

Jetzt komme ich auf das Wesen der Interpretation zurück. Es ist naheliegend, das zentrale Problem so zu formulieren, daß es darum geht, die Bedeutung gesprochener oder geschriebener Wörter zu bestimmen. Das ist zwar nicht falsch, aber es kann in die Irre führen. Wörter haben, wie Frege betont, nur im Zusammenhang des Satzes eine Bedeutung. Der Hauptgrund dafür liegt darin, daß die Arbeit der Sprache – Informationen geben, Geschichten erzählen, Fragen stellen, Befehle erteilen usw. – durch Sätze geleistet wird. Ein Wort, das nicht dazu benutzt wird, den Inhalt eines Satzes mitzuteilen, kann nichts dergleichen leisten. Erst auf der Ebene des Satzes berührt sich die Sprache mit den Interessen und Absichten, denen die Sprache dient, und dies ist zugleich die Ebene, auf der die Belege der Interpretation zum Vorschein kommen. Aber ebenso wie Wörter nur im Zusammenhang des Satzes eine Bedeutung haben, hat der Satz nur im Zusammenhang der Verwendung – also irgendwie als Bestandteil einer bestimmten Sprache – Bedeutung. Man könnte gar nicht angeben, welcher Sprache ein Satz angehört, wenn es keine wirklichen Äußerungen oder schriftlichen Aufzeichnungen gäbe, die zwar vielleicht nicht genau diesen Satz wiedergeben, aber doch andere Sätze, die in angemessener Weise mit ihm verbunden sind. Letzten Endes ist die absichtliche Erzeugung von Satz-Zeichen die einzige Quelle der sprachlichen Bedeutung. Wenn solche Akte keine Bedeutung hätten, gäbe es überhaupt keine Bedeutung. Sätzen Bedeutung zuzuschreiben ist harmlos, doch es muß sich stets um eine Bedeutung handeln, die von konkreten Gelegenheiten herstammt, bei denen die Sätze zum Einsatz gebracht werden.

Wenn anerkannt wird, daß die Bedeutung jedweder Art letzten Endes auf Absichten beruht, dann führt das sogleich in das Dickicht der dicht geschichteten Absichten, durch das die Philosophen – zusammen mit Psychologen, Historikern, Soziologen und Kritikern wie Theoretikern der Literatur – ihren Weg zu bahnen trachten. Von »der« Absicht, mit der ein Akt vollzogen wurde, können wir nämlich nur sprechen, indem wir die Aufmerksamkeit ausschließlich auf eine einzige unter den vielen verwickelten Absichten lenken, die bei jeder Handlung ins Spiel kommen. Da die meisten, wenn nicht sogar alle Mehrdeutigkeiten der »Bedeutung« aus der Verschiedenartigkeit der Absichten hervorgehen, werde ich zunächst einige dieser Spielarten auseinanderhalten.

Es gibt meines Erachtens drei deutlich verschiedene Arten von Absichten, die bei allen Sprechakten vorkommen. Erstens gibt es Zwecke oder Absichten, die sozusagen jenseits der Wortäußerung liegen – Zwecke, die zumindest prinzipiell durch nichtsprachliche Mittel erreicht werden könnten. So kann es sein, daß man mit der Absicht spricht, zum Bürgermeister gewählt zu werden, ein Kind zu unterhalten oder den Piloten davor zu warnen, daß die Tragfläche vereist ist. Schreiben kann man mit der Absicht, Geld zu verdienen, die eigene Klugheit unter Beweis zu stellen, die Willensfreiheit zu feiern, eine quälende Erinnerung oder Gemütsbewegung zu neutralisieren. Solche Zwecke setzen insofern keine Sprache voraus, als in ihrer Beschreibung nicht von Sprachlichem die Rede sein muß. Diese Absichten bezeichne ich als »Hintergrundabsichten«. Es ist eine frappierende Tatsache (sofern ich recht habe und wirklich eine Tatsache vorliegt), daß alle echten Sprachverwendungen einen Hintergrundzweck voraussetzen. Der Gebrauch der Sprache ist kein Spiel: Er ist niemals Selbstzweck.

Zweitens wird jede sprachliche – vokale oder schriftliche – Äußerung mit der Absicht hervorgebracht, daß ihr eine bestimmte Kraft eignen möge. Es wird beabsichtigt, daß sie eine Behauptung, ein Befehl, ein Witz oder eine Frage, ein Versprechen oder eine Beleidigung sei. Es kann zwar Grenzfälle geben, aber nur dann, wenn das Überschreiten einer Grenze beabsichtigt ist. Dementsprechend ist es möglich, eine Äußerung von »Geh schlafen« so zu meinen, daß sie irgendwo zwischen einem Befehl und einer Wunschäußerung liegt, oder zu beabsichtigen, daß die Worte »Wir sehen uns im Juli« zum Teil ein Versprechen und zum Teil eine Vorhersage sind.

Drittens ist es ein notwendiges Kennzeichen einer Sprachhandlung, daß der Sprecher oder Schreiber die Absicht hat, daß seine Worte als Worte mit einer bestimmten Bedeutung interpretiert werden. Dies sind die strenggenommen semantischen Absichten.

Jede dieser Kategorien kann mehr – in manchen Fällen sehr viel mehr – Absichten beherbergen, aber zumindest eine Absicht jeder Art ist immer vorhanden. Ein einfaches Beispiel: Ich rufe »Dünnes Eis«, während der andere auf seinen Schlittschuhen der Katastrophe entgegenläuft. Mein Hintergrundmotiv ist, daß ich ihn warnen möchte; die Kraft meiner Äußerung ist behauptend; und ich beabsichtige, daß er meine Worte in der Bedeutung auffaßt, das Eis, auf das er zuläuft, sei dünn. Aber selbst hier gibt es noch mehr Absichten. Ich möchte den anderen warnen, aber ich möchte ihn warnen, um ihn davor zu bewahren, daß er ins kalte Wasser stürzt. Ich habe die Absicht, daß sein Verständnis der Bedeutung und der Kraft meiner Äußerung das Werkzeug seiner Rettung ist. In diesem Fall habe ich keinen Grund zu wünschen, daß dem anderen irgendwelche Absichten meinerseits verborgen bleiben, obwohl es nicht unbedingt mit zu meinen Absichten gehört, daß der andere alle meine Hintergrundabsichten erfaßt. Doch hier (wie auch sonst immer) gebrauche ich die Sprache mit der Absicht, daß sein Verständnis der von mir gemeinten Bedeutung und Kraft so wirkt, daß ich meinen Hintergrundzweck erreiche. (Das ist der Reflex à la Grice.) Eine Sprachhandlung mißlingt, wenn die intendierten Hörer die vom Urheber gemeinte Bedeutung und Kraft nicht begreifen. Allerdings kann es sein, daß der Sprecher oder Schreiber gute Gründe für den Wunsch hat, daß Hintergrundmotive unerkannt bleiben. So singt Don Giovanni, an Zerlina gewendet, »Là ci darem la mano«. Die semantische Bedeutung der Äußerung und deren Kraft (inständige Bitte) sind anscheinend durchaus klar, doch was seine Hintergrundziele betrifft, möchte er, daß sie nur die besonders offenkundigen erfaßt, nämlich daß sie ihm ihre Hand reichen möge. Er kann es sich ebensowenig wie ein Lügner leisten, seine Hauptabsicht zu erkennen zu geben.

Vielleicht ist es offensichtlich, daß Hintergrundzwecke so komplex sein können, wie sie von unseren Gedanken über die Beziehungen zwischen Mitteln und Zwecken ersonnen werden können. Es ist kaum weniger offensichtlich, daß semantische Absichten ebenso kompliziert sein können. Thersites sagt, während er auf Ajax blickt, zu Achilles: »... für wen du ihn auch halten magst, das ist Ajax.«[5] Um nur auf die Dinge

5 Shakespeare, *Troilus und Cressida*, Akt II, 1. Aufzug.

hinzuweisen, die auf der Hand liegen: Nach Thersites' Absicht sollen seine Worte in der buchstäblichen Bedeutung aufgefaßt werden, daß Achilles denken mag, was er will – die Person, die er vor sich hat, sei Ajax. Da Achilles das natürlich weiß (»Ich kenne den, Narr«), *behauptet* Thersites nicht, daß dies Ajax ist, sondern daß Ajax so grotesk sei, daß es jeder Beschreibung spotte. (»Ja, aber dieser Narr kennt sich selbst nicht.«) Die von Thersites behauptete Proposition ist nicht die Proposition, die von seinen Worten zum Ausdruck gebracht wird. Das ist ein harmloses Beispiel für das, was bei Grice »Implikatur« heißt – etwas, wovon die Äußerungsumstände deutlich machen, daß der Sprecher es mitzuteilen beabsichtigt. Daß die Antwort des Achilles mehrdeutig ist (da das Komma in »Ich kenne den, Narr« nicht ausgesprochen werden kann), wird von Thersites deutlich gemacht. Diese Mehrdeutigkeit ist zwar von Achilles wahrscheinlich nicht beabsichtigt, aber durch sie wird die Aufmerksamkeit auf die Implikatur gelenkt, die in der ersten Äußerung von Thersites enthalten ist. Der Autor möchte, daß wir erfassen, wovon wir vielleicht glauben sollen, daß Achilles es nicht begriffen hat.

Ich habe mich eben so ausgedrückt, als wäre die Unterscheidung zwischen der von einem Satz ausgedrückten Proposition und dem, was durch den Gebrauch des Satzes behauptet wird, ohne weiteres einleuchtend. Doch Sätze bringen nur insofern etwas zum Ausdruck, als sie bei bestimmten Gelegenheiten gebraucht werden; und was sie ausdrücken, ist unter anderem von den Absichten des Sprechers oder Schreibers abhängig. Inwiefern gestatten es die Absichten des Urhebers einer Sprachhandlung, einen Unterschied zu machen zwischen dem, was seine Worte mitteilen, und dem, was er durch den Gebrauch seiner Worte mitzuteilen beabsichtigt? Von Grice stammen einige subtile und überzeugende Prinzipien, um diese Unterscheidung auf Implikaturen bestimmter Art anzuwenden. Es ist jedoch nicht zu erkennen, daß diese Prinzipien dazu bestimmt sind, mit der ganzen Skala von Beispielen zurechtzukommen, die man in der Literatur antrifft. Überraschend ist ferner, daß diese Prinzipien nicht auf den Absichten der Sprecher beruhen.[6] Zum Glück gibt es jedoch ein einfaches Prinzip, das unseren jetzigen Zwecken entgegenkommt.

Die Absichten, mit denen eine Handlung vollzogen wird, haben eine Reihenfolge. Sie bilden eine Kette, die von der aus der Perspektive des Akteurs gesehenen Zweck-Mittel-Beziehung ausgeht. Also: Jemand bewegt seine Hand, um einen Füller über das Papier zu bewegen, um seinen Namen zu schreiben, um einen Scheck zu unterschreiben, um eine Rechnung zu bezahlen, um .... Oder: Jemand bewegt seine Lippen und seine Zunge, um die Laute »Das ist ein Emu« zu bilden, um Wörter auszusprechen, die von einem Hörer genau dann als wahr interpretiert werden, wenn ein Emu gut sichtbar ist, um den Hörer darüber zu informieren, daß ein gut sichtbarer Gegenstand ein Emu ist, um den Hörer darüber aufzuklären, wie man ein Emu erkennt, um .... Bei dieser Abfolge ist die erste Absicht, die mit der Bedeutung beziehungsweise mit der gemeinten Bedeutung von Wörtern zu tun hat, die Absicht, Wörter auszusprechen, denen ein Interpret eine bestimmte Bedeutung zuordnen wird. Das nenne ich die *erste Bedeutung*. Sie entspricht in etwa dem, was manchmal als buchstäbliche Bedeutung bezeichnet wird. Doch da dieser letztere Ausdruck Assoziationen ins Spiel bringt, die mir unerwünscht sind, habe ich mir meine eigene Terminologie zurechtgelegt.

Die Nützlichkeit des Begriffs der ersten Bedeutung kommt zum Vorschein, sobald man Fälle betrachtet, in denen sich das Gesagte oder Implizierte von dem unterscheidet, was die Wörter bedeuten. »Manchmal scheint das Auge des Himmels zu heiß« bedeutet, daß die Sonne manchmal zu grell scheint. Doch die erste Bedeutung von »das Auge des Himmels« beansprucht sich auf das eine und einzige Auge des Himmels zu

6 Grice, »The Causal Theory of Perception«.

beziehen. Das können wir deshalb sagen, weil Shakespeare (vermutlich) die Absicht hatte, Wörter zu benutzen, von denen der Hörer merken würde, daß sie sich auf das eine und einzige Auge des Himmels bezögen (wenn es dergleichen gäbe), um diesen Hörer darauf zu bringen, daß die Sonne gemeint ist. Es bleibt uns zwar unbenommen, das Wort »Bedeutung« sowohl für die erste Bedeutung als auch für das zu verwenden, worauf uns die Metapher bringt, aber nur die erste Bedeutung hat in der Sprache des Autors einen systematischen Ort.[7]

Es gibt zwei miteinander verwandte Hinsichten, in denen die erste Bedeutung zuerst kommt: Zuerst kommt sie in der Reihenfolge der semantischen Absichten des Sprechers oder Schreibers, und außerdem ist sie die notwendige Basis für alle weiteren Untersuchungen der Frage, was Wörter, bei einer bestimmten Gelegenheit gebraucht, bedeuten. Man versteht nicht einmal ansatzweise, was Shakespeare mit dem »Auge des Himmels« gemeint hat, wenn man die normale Bedeutung von »Auge« nicht kennt; und Shakespeare wollte, daß man seine Metapher auf dem Weg über das Verständnis der normalen Bedeutungen seiner Wörter versteht. Die These der Abhängigkeit der übrigen Bedeutungen oder Implikaturen von der ersten Bedeutung sollte nicht dahingehend aufgefaßt werden, daß sich der Rest ergibt, sobald die erste Bedeutung gegeben ist. »Er war ausgebrannt« hat (wie wir annehmen wollen) eine eindeutige erste Bedeutung; aber was die Worte implizieren, hängt vom Kontext ab. Woher wissen wir, wenn Herrick von der Verflüssigung der Gewänder Julias spricht, daß die Kleider nicht in ein Säurebad gefallen sind?

Die erste Bedeutung und das, was sie unter spezifischen Umständen implikieren kann, reichen nicht aus, um die Kraft ei-

7 In meinem Aufsatz »What Metaphors Mean« (Abhandlung 17 in *Inquiries into Truth and Interpretation*) habe ich mit törichter Hartnäckigkeit darauf bestanden, daß es sich um die Wortbedeutung handelt, während es mir eigentlich nur um den Vorrang der ersten Bedeutung ging.

ner mündlichen oder schriftlichen Äußerung festzulegen. Im Grunde sind Kraft und erste Bedeutung völlig unabhängig voneinander – eine Tatsache, die gerade durch das Beispiel der Literatur verdeutlicht wird. H. L. A. Hart hat einmal gemeint, in gewissem Sinne sei der Gebrauch der Sprache in Romanen ein »kalkulierter Mißbrauch«.[8] Doch was wird hier eigentlich mißbraucht? Man kann zwar sagen, daß der Lügner die Sprache mißbraucht, aber das heißt nicht, daß er der Sprache etwas antut, sondern dem Belogenen. Der durch eine erfolgreiche Lüge Getäuschte versteht die Worte des Lügners vollkommen, und zwar sowohl die erste Bedeutung als auch die (behauptende) Kraft. Was ihm entgeht, ist ein Hintergrundmotiv. Wenn der Lügner mit seinen Worten nicht das gleiche meinen könnte wie der Ehrliche, wäre das Lügen unmöglich, denn sonst hieße verstanden werden, daß man entlarvt wird.

Freilich hat der Schriftsteller zumindest im allgemeinen nicht das Ziel, seine Leser zu betrügen. Aber er tut auch nicht so, als gebrauche er die Sprache. Wer die Sprache benutzt, um uns etwas vorzugaukeln, gaukelt nicht mit der Sprache. Es gibt ein paar Dinge, die ich vorgaukeln kann, indem ich so tue, als gebrauchte ich eine Sprache – zum Beispiel, daß ich das Tagalog beherrsche –, doch daß Laios von Ödipus getötet wurde, kann ich nicht vorgaukeln, indem ich so tue, als gebrauchte ich die Sprache. Aber selbst das ist keine natürliche Bedeutung von »vorgaukeln« oder »so tun, als ob …«. Wer eine Geschichte erzählt, gibt normalerweise nicht (wie der Lügner) eine falsche Darstellung seiner eigenen Überzeugungen. Er behauptet nicht, Laios sei von Ödipus getötet worden. Allenfalls tut er so, als behaupte er es.

Es gibt Fälle, in denen man nicht ohne weiteres angeben kann, ob es sich um eine fiktive Geschichte handelt. Auf der Seite nach dem Titelblatt der Modern-Library-Ausgabe von E. E. Cummings' *The Enormous Room* lese ich die folgenden

8 »A Logician's Fairy Tale«, S. 204.

Worte: »Eine Anmerkung zur Person des Autors von *The Enormous Room*: Im Krieg diente Edward Estlin Cummings bei den Norton-Harjes-Sanitätern. Ohne Anklage zu erheben, wurde er im französischen Ferté Macé in ein Konzentrationslager gesperrt. Das war der Ort, an dem er Material für sein erstes und erfolgreichstes Buch sammelte.« In einem Vorwort berichtet Cummings' Vater über die Schwierigkeiten, die er hatte, seinen Sohn ausfindig zu machen und schließlich freizubekommen. Im ersten Satz des Buches heißt es unter anderem: »Uns, meinem Freund B. und mir, war es gelungen, fast drei der sechs Monate als *conducteurs volontaires*, zu denen wir uns verpflichtet hatten, hinter uns zu bringen, [...] und wir hatten soeben die leidige Aufgabe hinter uns gebracht, den Privatflitzer eines Herrn mit dem praktischen Namen ›Monsieur A.‹ zu putzen und die Maschine zu ölen.« Wieviel davon ist wahr oder so gemeint, für bare Münze genommen zu werden? Stammt das Vorwort wirklich von Cummings' Vater, oder gehört es mit zu der Geschichte? Gewiß hieß niemand »B.« oder »Monsieur A.«. Der einfache Punkt, auf den es ankommt, ist der: daß nichts von dem, was im Buch gesagt wird, die Kraft dieser Sätze bestimmen kann. Das Vorwort zu *Moll Flanders* beginnt ja mit den Worten: »In letzter Zeit läßt sich die Welt so von Romanen und romantischen Geschichten beeinflussen, daß es für einen historischen Bericht über private Tatsachen schwierig ist, für echt genommen zu werden, sofern die Namen und die übrigen Umstände der Personen verschleiert sind.« Sollen wir erwidern, es sei eigentlich keine historische Darstellung, wenn die Namen verändert wurden? Natürlich nicht. Aber dann müssen wir offenbar die populäre Ansicht zurückweisen, wonach Eigennamen nur dann auf eine Person Bezug nehmen, wenn sie durch ihre Kausalgeschichte mit so etwas wie einer Taufe verknüpft werden.

Eigennamen sind ein Problem, einerlei, ob man unter dem Gesichtspunkt der nüchternen Tatsachenfeststellung oder der

Literatur an sie herangeht. Aus der ersten Perspektive betrachtet, erscheint es natürlich, zu behaupten, daß ein Name ohne Bezug einfach keinen Sinn hat. Ein Satz, der einen solchen Namen enthält, sage nichts, er bringe keine Proposition zum Ausdruck. Im Rampenlicht der Literatur betrachtet, können wir hingegen nicht umhin, Sätzen mit Namen fiktiver Figuren eine ebenso komplette Bedeutung zuzuordnen wie sonst irgendeinem Satz. »War Bloom verheiratet?« Ja, mit Molly Bloom. »War Bloom eine wirkliche Person?« Nein, natürlich nicht. Es kann nicht sein, daß beide Antworten wahr sind. Aber weder die Fragen noch die Antworten hätten Sinn, wenn Namen ohne Bezug keine Bedeutung hätten.

Hier ist nicht der Ort, eine detaillierte Theorie der Semantik von Eigennamen vorzulegen. Aber ich möchte für den folgenden Grundsatz eintreten, dem jede richtige Theorie entsprechen muß: Eine Bedeutung, die erfaßt werden kann, ohne daß man weiß, ob sie in einem historischen oder einem fiktiven Kontext erzeugt wurde, kann nicht von diesem Kontext abhängen. Natürlich kann unsere Reaktion auf ein Buch variieren, je nachdem, ob wir es als faktenbezogene oder als fiktive Darstellung auffassen, und sie kann variieren, je nachdem, ob sie nach unserer Auffassung als Faktenschilderung oder als fiktive Darstellung gemeint ist (was nicht dieselbe Frage ist wie die vorige). Dieser Unterschied in der Reaktion ist natürlich angemessen. Wenn wir uns nach dem Weg in die nächste Stadt erkundigen oder das Sexualverhalten der Eingeborenen studieren, zerbrechen wir uns den Kopf darüber, ob unser »Informant« ein Märchen erzählt oder mit der Wahrheit herausrückt. Unsere Sorgen sind jedoch witzlos, wenn wir die Worte noch nicht verstanden haben. Wenn wir diesen einfachen Gedanken auf den Fall der Eigennamen übertragen, sollten wir meiner Meinung nach die übliche Strategie umkehren, der zufolge der Bezug nehmende Gebrauch der Namen Vorrang hat, während der nicht Bezug nehmende Gebrauch als Schein- oder Truggebrauch gilt. Der Gebrauch von

Namen in der Literatur ist, wie gesagt, ein wirklicher Sprachgebrauch. Die Art und Weise, in der Namen in Erzählungen fungieren, kann also nicht nur, sondern muß die Art und Weise sein, in der sie auch sonstwo fungieren. (Damit soll keineswegs bestritten werden, daß wir die Funktion der Eigennamen vielleicht nie verstanden hätten, wenn wir es nicht schon mit Fällen zu tun gehabt hätten, in denen sich die Namen tatsächlich auf etwas bezogen.)

Die strukturierte Hierarchie der Absichten, mit denen Sätze ausgesprochen oder niedergeschrieben werden, habe ich zum Teil deshalb betont, weil ich den Eindruck habe, daß viele Diskussionen über die Relevanz von Absichten für die Interpretation die Unterschiede zwischen diesen Absichten übersehen. Jetzt ist es an der Zeit, daß wir uns dem umfassenderen Bild zuwenden, in dessen Rahmen diese Absichten ihre jeweilige Rolle spielen.

Wenn es keine anderen Personen gäbe, die uns verstehen und die wir verstehen, hätten wir weder eine Sprache noch die Gedanken, die von der Sprache abhängen (und zu diesen Gedanken gehören alle Überzeugungen, Wünsche, Hoffnungen, Erwartungen, Absichten und die übrigen Einstellungen mit propositionalem Inhalt). Dieses wechselseitige Verständnis setzt eine in kausaler und begrifflicher Hinsicht gemeinsame Welt voraus. Recht ausführliche Argumente für die Vorrangstellung dieser Dreiecksbeziehung habe ich an anderer Stelle genannt,[9] und sie wird auch von einigen Mitautoren des vorliegenden Bands gut erklärt. Die intersubjektive Interaktion mit der Welt ist eine notwendige Bedingung dafür, daß wir über die Begriffe der Wahrheit und der Objektivität verfügen. Darum lehne ich die meisten Formen der Skepsis und des Begriffsrelativismus ab, denn ich halte sie für unverständlich. Das Dreieck kommt unmittelbar ins Spiel, sobald zwei (oder mehr) Lebewesen gleichzeitig auf einen gemeinsamen Reiz in

9 Siehe meine Artikel »Meaning, Truth and Evidence«, »Epistemology Externalized« und »Three Varieties of Knowledge«.

der Welt und auf die Reaktionen des jeweils anderen reagieren. Das ist der Kausalzusammenhang, der schon existieren muß, ehe es Antworten auf Fragen geben kann wie »Welches ist der für diese Reaktion relevante Reiz?« oder »Wann sind Reize oder Reaktionen ähnlich?«. Damit ein komplexes Gefüge solcher Beziehungen jene Verständigungsform bilden kann, die wir Sprache nennen, ist noch sehr viel mehr erforderlich, aber weniger wird nicht genügen. Das Dreieck ist ein Modell der primitiven Situation, in der wir die ersten Schritte in die Sprache tun oder anfangen, eine völlig fremde Sprache zu entschlüsseln. Wie es funktioniert, kann man sich am ehesten dort vorstellen, wo es einen Lehrer (oder einen Informanten) sowie einen Schüler (oder einen Forscher) gibt, aber es muß auch auf die Entstehung der Sprache und die allernormalsten Gespräche anwendbar sein.

Die durch intersubjektive Triangulation ermöglichte Objektivierung von Teilen und Aspekten der Welt ist den Ursprüngen der Sprache und der radikalen Interpretation (wie sie in meiner Terminologie heißt) angemessen. Doch was hat das Urdreieck mit Literatur zu tun? Einerseits ist klar, daß die Elemente des Dreiecks erhalten bleiben. Da sind der Autor, sein Publikum und eine gemeinsame Überlieferung. Aber die Entfernungen zwischen den Elementen sind größer geworden, die Zusammenhänge schwächer und schlechter zu erkennen.

Die Modifikation des Urdreiecks hat beinahe schon zu Beginn des Sprachlernens begonnen. Was bei gemeinsam beobachteten Reaktionen auf gemeinsam beobachtete Phänomene anfängt, mausert sich schon bald zu etwas Nützlicherem: Der »Sprecher« beobachtet den Gegenstand oder das Ereignis (eine Schlange nähert sich), und der »Hörer«, dem die Schlange in der einen oder anderen Weise verborgen ist, reagiert auf die Reaktion des Sprechers auf die Schlange so, wie er normalerweise auf eine Schlange reagieren würde. Das Kommunikationsdreieck triumphiert über den Verlust der direkten kausalen Beziehung zwischen Hörer und Schlange. Danach werden die kausalen Zusammenhänge immer schwächer: Der Hörer oder Schüler lernt Wörter, ohne daß die relevanten Gegenstände vorhanden sind, indem er die Wörter mit solchen verbindet, die auf direktere Weise erworben wurden. Wer also die Wörter »Hund« und »Bild eines Hundes« anwenden lernt, während die entsprechenden Gegenstände da sind, wird vielleicht das Wort »Gürteltier« verstehen, wenn er das Bild eines Gürteltiers sieht. Doch wenn es nicht an manchen Stellen[10] direkte kausale Verbindungen zwischen Sprache und Welt gäbe, hätte kein Wort Inhalt – es gäbe keine Sprache.

In der Schrift können die deiktischen und demonstrativen Hilfsmittel, die in der gesprochenen Sprache ohne weiteres verfügbar sind, nicht ebenso wie dort das Dreieck vervollständigen, das den Schreibenden mit dem Leser und dem Gegenstand, Ereignis oder Zeitpunkt verbindet. Dem Hinweisen, das oft dazu dient, Namen und Gesichter zu verknüpfen, oder das dazu beiträgt, eine neue Farbe, einen neuen Klang oder eine neue Kategorie einzuführen, entspricht in der Schrift kein unmittelbares Analogon. Allerdings verfügt auch das Schreiben über Möglichkeiten, um Verbindungen zwischen Verfasserabsichten, Leser und Welt herzustellen. Ein persönlicher Brief kann sich auf eine Welt der auf beiden Seiten etablierten Zusammenhänge stützen; und eine Gebrauchsanweisung kann sich hinweisend auf Diagramme oder das zusammenzubauende Gerät beziehen. Warnschilder oder Wegweiser (»Keinen Abfall«, »Gefährliche Straßenkurven«, »Festhalten«, »Wanderweg«) lassen einfach die offenkundige hinweisende Bezugnahme auf Zeit, Ort oder Richtung aus, die durch Position und Ausrichtung des Zeichens ergänzt wird. Solche Requisiten stehen der Literatur im allge-

10 Es müssen keine *bestimmten* Stellen sein. Die Sprecher werden durch verschiedene Zusammenhänge und auf verschiedenen Wegen in die gleiche Sprache geführt.

meinen nicht zu Gebote, doch sie verfügt über andere Mittel. Fast alle zusammenhängenden schriftlichen Aufzeichnungen, die aus mehr als nur wenigen Sätzen bestehen, hängen von deiktischen Bezugnahmen auf den eigenen Text ab. Die lineare Abfolge der Wörter und Sätze gibt oft die zeitliche Reihenfolge an, in der sich die Ereignisse nach dieser Darstellung abspielen. Ein enormes Netz anaphorischer Bezugnahmen verbindet die verschiedenen Teile eines Texts miteinander, indem es Pronomen, demonstrativ gebrauchte Adjektive, Tempora und parataktische Fügungen zum Einsatz bringt.[11]
Die meisten Wörter, die in einem literarischen Werk vorkommen, haben eine normale Extension in der Welt. Prädikate, Adjektive, Verben, Gattungsnamen und Adverbien verlieren ihre normale Verbindung mit realen Gegenständen und Ereignissen nicht, sobald sie in Romanen verwendet werden. Diese Verbindung könnten sie nur verlieren, wenn sich ihre Bedeutung änderte; und wenn sich ihre Bedeutung änderte, würden wir sie nicht verstehen.[12] Rätselhafter ist, wie bereits angemerkt, der Gebrauch von Eigennamen. Einige Eigenna-

11 In diesem Absatz habe ich versucht, die offenkundige Bezugnahme auf jeweils frühere Sätze zu vermeiden. »Allerdings« hat jedoch nur im Lichte dessen, was vorangeht, Sinn, und das gleiche gilt für »solche Requisiten«. Daneben gibt es viele subtilere Querverweise. Wenn man die Bezugnahme ausbuchstabiert, spielt der Text selbst immer eine Rolle: »solche Requisiten« = »Requisiten der gleichen Art, die im vorangehenden Satz genannt wurde«. Wer die überwältigende Häufigkeit dieser den Text verknüpfenden demonstrativen Querverweise bezweifelt, sollte einmal versuchen, ein paar Absätze ohne sie zu schreiben.

12 Natürlich kann ein Schriftsteller, ebenso wie ein Sprecher, die Dinge so einrichten, daß wir ein vertrautes Wort, das in seinem Text vorkommt, in neuer Weise interpretieren. Das kann aber nicht die Normalsituation sein. Das Wort »Katze« verstehen wir – einerlei, ob es in einem Roman oder in einem Reklametext für Katzenfutter steht –, wenn wir dazu imstande sind, eine Katze zu erkennen, sobald wir eine sehen. Die Einführung einer fiktiven Katze in einer Erzählung verändert die Liste der Gegenstände, auf die das Wort zutrifft, genausowenig wie die Bedeutung des Worts.

men in literarischen Texten beziehen sich offensichtlich auf gar nichts. Das ist zwar ein beunruhigendes semantisches Phänomen, aber in Romanen ist es nicht rätselhafter als in anderen Zusammenhängen. Was soll man jedoch sagen, wenn Namen, die beim Gebrauch in einem historischen Roman in einer Zeitung vorkommen, tatsächlich auf jemanden Bezug nehmen oder wenn in einem Schlüsselroman erfundene Namen verwendet werden? Beziehen sich die Namen »Daubeny« und »Gresham« in Trollopes Roman *Phineas Phinn* tatsächlich auf Disraeli und Gladstone? Der *Daily Telegraph* tadelte Trollope dafür, daß er wirkliche Politiker in seinen Romanen auftreten ließ und kritisierte ihn insbesondere wegen seines »gehässigen« Porträts von John Bright. Trollope behauptete, er habe bewußt jede Ähnlichkeit mit dem wirklichen Bright vermieden, doch ein anderer Rezensent schrieb:

> Trollope hat mit erbarmungsloser Sorgfalt dafür gesorgt, daß auch das kindlichste Gemüt nicht übersieht, daß dieses Pseudonym für den Lieblingsfeind unseres Autors steht. Mit historischer und unnötig ausgefeilter Detailtreue beschreibt Trollope Körperkraft, Alter, Frisur, Größe, Gang, Gesichtsfarbe, Augen, Nase, Lippen, Jacke, Hose und Weste [...]. Der künftige Historiker kann in diesem Roman nachschlagen, um herauszubekommen, aus welchem Stoff die Westen von Mr. Bright geschneidert waren.[13]

In einer Erzählung von Damon Runyon heißt ein Journalist »Waldo Winchester« (Walter Winchell), ein Restaurant »Mindy's« (Lindy's) und eine durch einen Ort namens »Manhattan« führende Straße »Broadway«. Dennoch meint T. J. Binyon: »Wer denkt, Runyons Geschichten hätten irgend etwas mit der Wirklichkeit zu tun, zeigt damit, daß er sich ein absurd falsches Bild vom Wesen der Kunst macht.«[14]

Das hängt davon ab, was man mit der Formulierung »irgend etwas mit der Wirklichkeit zu tun haben« meint. Aber vielleicht sieht es so aus, als sei das von mir aufgeworfene Problem von eher begrenzter Bedeutung: Es geht darum, ob sich

13 Siehe Hall, *Trollope. A Biography*, S. 336f.

14 Siehe Binyons Rezension von Breslin, *Damon Runyon: A Life*.

die Namen auf wirkliche Personen und Orte beziehen. Diese Frage stelle ich nicht, um sie zu beantworten, sondern um darauf hinzuweisen, daß die Rechtfertigung jeder vorgeschlagenen Antwort von den folgenden beiden Dingen abhängen muß: von den Absichten des Autors und von der Relevanz dieser Absichten für die richtige Interpretation des Texts. Jene betreffen Tatsachen, diese ist maßgeblich für ästhetische und andere Entscheidungen. Ob Trollope die Absicht hatte, daß seine Leser den Namen »Turnbull« auf Bright beziehen sollten, ist eine empirische Frage – einerlei, wie leicht oder schwer sie zu beantworten ist (in diesem Fall ist sie anscheinend nicht sonderlich schwer zu beantworten). Aber selbst diese Absicht ist nicht völlig ungetrübt. Welche Leser hatte er im Sinn? Vielleicht das kindlichste Gemüt, aber doch sicher nur solche Gemüter, die sich einigermaßen auskannten. Hat Trollope dabei an mich gedacht? Wenn ja, ist seine Absicht unerfüllt geblieben, bis ich kürzlich mehr über die politischen Verhältnisse erfahren habe, für die sich Trollope interessierte. Falls Homer die Absicht hatte, seine Leser sollten den von ihm gebrauchten Namen »Troja« auf einen wirklichen Ort beziehen, ist seine Absicht viele Jahrhunderte lang fehlgeschlagen – bis Schliemann daherkam.

Jedenfalls ist die Absicht des Urhebers einer mündlichen oder schriftlichen Äußerung, diese möge in bestimmter Weise interpretiert werden, nur eine notwendige Bedingung für die Richtigkeit der Interpretation. Hinzu kommt, daß die Absicht vernünftig sein muß. Es wäre unvernünftig gewesen, wenn Trollope (sofern er einen Augenblick darüber nachgedacht hätte) damit gerechnet hätte, daß ein Leser, der sich in der Geschichte der englischen Politik nicht auskennt, hundert Jahre später die von ihm gebrauchten Namen entschlüsseln könnte. Joyce war verärgert darüber, daß seine Leser die Ähnlichkeiten zwischen seinem und dem Homerischen Odysseus nicht bemerkten. Daher unternahm er den gelungenen Versuch, einen in seinem Werk nicht enthaltenen Hinweis anzu-

bringen, indem er Frank Budgen alles verriet. Hier stoßen wir direkt auf folgende Fragen: Welche Absichten hat der Autor wirklich? Und welche Deutung seines Texts kann er von seinen Lesern »vernünftigerweise« erwarten? Diese Fragen hängen unmittelbar miteinander zusammen, denn man kann nur etwas beabsichtigen, wovon man glaubt, es bestehe die Aussicht auf erfolgreiche Verwirklichung. Im Bereich der Literatur wird die Frage um so komplizierter, je mehr das vorgestellte Publikum in puncto Zeit, Ort, Überlieferungskenntnis, Bildungsstand, politische Einstellung und Geschmack auseinandergeht. Doch zugleich sind die Fakten über die Absichten eines Autors ansatzweise von unserem Urteil über die Vernünftigkeit dieser Absichten abhängig.
Der von Joyce gehegte Wunsch, sein Werk möge im Licht einer bestimmten Tradition gelesen werden, verdeutlicht einen Gegensatz zwischen großen Teilen der Literatur und anderen Verwendungen der Schrift. Die Verfasser von Proklamationen, Warnungen, Kriegserklärungen, gerichtlichen Anordnungen, Verkaufskatalogen und politischen Kampfschriften haben normalerweise eine recht genaue Vorstellung vom Hintergrundwissen und Bildungsstand ihres Publikums. Im Vergleich damit kann der Romancier oder Dichter relativ wenig detaillierte Informationen über die Alltagswelt als selbstverständlich voraussetzen. Es ist jedoch eine vernünftige Annahme auf seiten des Romanciers oder Dichters, daß seine Leser andere Romane oder Gedichte in der gleichen Sprache gelesen haben, genauso wie es (normalerweise) vernünftig ist anzunehmen, daß der Leser die erste Hälfte eines Romans gelesen hat, ehe er die zweite Hälfte liest. Die Literatur liefert also einen wichtigen Teil des Hintergrunds, von dem der Autor wahrscheinlich annimmt, daß er ihm und seinen Lesern gemeinsam ist. Andere Bücher wirken mit bei der Konstitution der Welt, die das Dreieck zwischen ihr, Autor und Leser vervollständigt, ebenso wie frühere Gespräche einen großen Teil dessen liefern, worauf Sprecher und Hörer angewiesen

sind, um sich gut miteinander verständigen zu können. Eine damit zusammenhängende Idee äußert T.S. Eliot in seinem Aufsatz »Tradition and Individual Talent«, wo er folgende Bedingung des Interpretierens aufstellt:

Kein Dichter – kein Künstler irgendeiner Kunstgattung – verfügt ganz allein über das, was er meint. Seine Geltung, das Urteil über ihn, ist das Urteil über sein Verhältnis zu den verstorbenen Dichtern und Künstlern. Man kann ihn nicht allein bewerten, sondern man muß ihn, zur Kontrastierung und zum Vergleich, unter die Toten versetzen.

Hier habe ich mich auf die erste Bedeutung und die Absichten konzentriert, von denen diese Bedeutung am unmittelbarsten beeinflußt wird, doch das sollte nicht über die Tatsache hinwegtäuschen, daß es auf seiten des Autors gewiß zahllose weitere Absichten gibt. Die Frage, welche dieser Absichten allenfalls ästhetisch relevant sind, interessiert mich nicht sonderlich. In diesem Bereich finde ich weder Gesetzgebung nutzbringend noch jene Form von Rhetorik, die dazu dient, die Maßstäbe eines Kritikers in den Stand der »Richtigkeit« zu erheben, indem man andere dazu überredet, sich dieser Meinung anzuschließen. Dagegen erscheint es mir sehr vorteilhaft einzuräumen, daß fast alles, was man über das Leben und die Interessen eines Autors in Erfahrung bringen kann, potentiell zur kritischen Würdigung seines Werks beiträgt. Meiner Ansicht nach hat Freud in einem gewissen, von ihm selbst vielleicht nicht intendierten Sinn recht, wenn er in der *Traumdeutung* schreibt:

[...] so wird auch jede echte dichterische Schöpfung aus mehr als aus einem Motiv und einer Anregung in der Seele des Dichters hervorgegangen sein und mehr als eine Deutung zulassen.*

Sollen wir also Gadamer zustimmen, wenn er sagt, was der Text bedeute, ändere sich, sobald sich das Publikum verän-

* [Freud, *Traumdeutung*, S. 272. – Übers.]

dere? Wenn er sagt, daß »ein Text nur verstanden wird, wenn er jeweils anders verstanden wird«?[15] Nein, das glaube ich nicht. Es kann, wie Freud meint, mehrere Interpretationen geben, denn es gibt keinen Grund zu behaupten, eine Interpretation schließe andere aus. Was Gadamer vorschwebt, sind unvereinbare Interpretationen. Richtig ist, daß sich jede Person, jedes Zeitalter, jede Kultur den ihr möglichen Reim auf einen Text machen wird. Und Personen, Zeiten und Kulturen sind verschieden. Aber wie soll es möglich sein, daß ein einschneidender Relativismus aus einem Gemeinplatz folgt? Wenn du und ich Erfahrungen über unsere Interpretation eines Texts auszutauschen versuchen, gelingt uns das nur insoweit, als wir über eine breite Grundlage von Übereinstimmungen verfügen oder eine solche Grundlage schaffen können. Wenn das, worin wir übereinstimmen, einen gemeinsamen Standard von Wahrheit und Objektivität bereitstellt, haben Meinungsverschiedenheiten Sinn. Dagegen setzt der Relativismus bezüglich der Standards etwas voraus, was es nicht geben kann – einen Standpunkt jenseits aller Standards.

15 Gadamer, *Wahrheit und Methode*, S. 314.

Anomaler Monismus

13
Denkende Ursachen

1970 habe ich unter der Bezeichnung »Anomaler Monismus« (AM) eine Theorie über das Verhältnis zwischen dem Mentalen und dem Physischen vorgeschlagen.[1] Dem AM zufolge sind mentale Entitäten (in Zeit und Raum eingebundene Einzelgegenstände und -ereignisse) physikalische Entitäten, ohne daß es jedoch möglich wäre, mentale Begriffe durch Definitionen oder Naturgesetze auf physikalische Begriffe zurückzuführen. In allgemeiner Form ist dieser Standpunkt bekannt: Er bejaht eine ontologische Zurückführung, scheut aber eine begriffliche Zurückführung. Neu war seinerzeit die Argumentation, die beanspruchte, den AM aus den folgenden drei Prämissen abzuleiten: (1) Mentale Ereignisse stehen in kausalen Beziehungen zu physikalischen Ereignissen, (2) kausale Einzelbeziehungen werden durch strikte Gesetze gestützt, (3) es gibt keine strikten psychophysikalischen Gesetze.[2] Die erste Prämisse war nach meinem Eindruck selbstverständlich; die zweite wahr, obwohl strittig (ich habe keine Argumente für sie angeführt); die dritte wahr und einer Begründung wert. Vielen Lesern haben meine Argumente gegen die Existenz strikter psychophysikalischer Gesetze nicht eingeleuchtet. Andere sind zu dem Schluß gekommen, die drei Prämissen seien untereinander inkonsistent. Besonders häufig jedoch sind die Beanstandungen in der These zusammengefaßt worden, das Mentale werde durch den AM als kausal träge hingestellt. Diese Kritikpunkte hängen zusammen: Sofern das Mentale durch den AM als kausal wirkungslos hinge-

1 »Mental Events«.

2 Diese Zusammenfassung gibt These und Argumentation des ursprünglichen Artikels in vereinfachter Form wieder. Wer den Aufsatz »Geistige Ereignisse« nicht kennt, sollte sich dort über Einschränkungen und weitere Annahmen kundig machen.

stellt wird, impliziert der AM offenbar die Falschheit der ersten Prämisse und folglich die Inkonsistenz der drei Prämissen. Viele Kritiker meinen, schuld sei eigentlich die dritte Prämisse. Daher dringen sie darauf, diese Prämisse fallenzulassen.

Hier habe ich mir dreierlei vorgenommen: Erstens versuche ich, den AM gegen Mißverständnisse und falsche Darstellungen zu verteidigen. Dazu gehört, daß die ursprüngliche These erläutert und vielleicht ein wenig modifiziert wird. Zweitens möchte ich geltend machen, daß die drei Prämissen, von denen ausgehend ich für den AM argumentiere, zusammengenommen konsistent sind und daß der AM daher eine vertretbare These darstellt (sie ist schwächer als die Prämissen). Drittens werde ich sagen, wieso der AM das Mentale nach meiner Meinung nicht als kausal wirkungslos hinstellt. Was ich nicht vorhabe, ist das Anführen von Gründen für die Wahrheit des AM oder der Prämissen, auf denen er beruht.

In »Geistige Ereignisse« habe ich mich für die Idee ausgesprochen, daß mentale Begriffe[3] in einem dort erläuterten Sinn auf physikalische Begriffe supervenieren. Das, so glaubte ich, würde deutlich machen, daß der AM und seine ihn implizierenden Prämissen entgegen dem ersten Eindruck doch konsistent sind. Das, wofür ich mich hier stark mache, ist also nicht nur der AM selbst, sondern der AM zusammen mit den drei Prämissen und der Supervenienzlehre. (Im folgenden werde ich die Formulierung »der anomale Monismus zusammen mit den Prämissen (1)-(2)« durch die Abkürzung »AM + P« wiedergeben; und »AM + P + S« wird soviel bedeuten wie »AM + P zuzüglich Supervenienz«.)

Als ich »Geistige Ereignisse« schrieb, glaubte ich zu wissen, daß G. E. Moore das Wort »Supervenienz« gebraucht hatte, um das Verhältnis zwischen wertenden Ausdrücken wie

3 Im vorliegenden Artikel werden Begriffe nicht von Eigenschaften oder Prädikaten unterschieden außer insofern, als ich einräume, daß die Physik vielleicht Prädikate benötigen wird, die jetzt noch nicht zu Gebote stehen.

»gut« und deskriptiven Ausdrücken wie »scharf«, »billig« oder »lusterzeugend« zu beschreiben. Moores Idee schien durchaus klar zu sein: Etwas ist nur deshalb gut, weil es Eigenschaften hat, die in deskriptiver Terminologie angegeben werden können; Güte jedoch läßt sich nicht auf eine deskriptive Eigenschaft zurückführen. Anscheinend ist es allerdings so, daß Moore das Wort »supervenieren« in Wirklichkeit nie benutzt hat. Wahrscheinlich war ich in dem Buch *The Language of Morals* von R. M. Hare auf das Wort gestoßen und hatte es, ebenso wie Hare selbst, auf Moore bezogen. (Inzwischen hat sich Hare tadelnd über mich geäußert und gemeint, ich hätte den Begriff falsch verstanden: Nach seiner Auffassung impliziert Supervenienz eine Form dessen, was ich nomologische Zurückführung nenne.[4]) Jedenfalls läßt sich der Gedanke, der mir vorschwebte, ganz unaufwendig wie folgt ausdrücken: Ein Prädikat p superveniert genau dann auf eine Menge von Prädikaten S, wenn p keine Entitäten unterscheidet, die nicht durch S unterschieden werden können.[5] Die so

4 In seinem Artikel »Supervenience« schreibt Hare: »[...] Supervenienz beinhaltet die These, daß es wirklich ein ›Gesetz‹ gibt, welches das Supervenierende mit der Supervenienzbasis verknüpft. [...] Supervenienz verlangt, daß das Supervenierende als Exemplifizierung eines universellen Satzes gesehen wird, der es mit der Supervenienzbasis verbindet« (S. 3). Doch soweit ich sehe, impliziert die Kennzeichnung der Supervenienz, die Hare auf der Seite vor dem angeführten Zitat gibt, keineswegs die Existenz von Gesetzen oder gesetzesartigen Verallgemeinerungen, durch die das Supervenierende mit der Supervenienzbasis verknüpft wird. Hare vergleicht seine Lesart der Supervenienz mit Kims »schwachem« Supervenienzbegriff, doch nach Kims eigener (und meines Erachtens richtiger) Einschätzung ist meine Deutung der Supervenienz seinem »schwachen« Supervenienzbegriff ganz ähnlich und impliziert keine verknüpfenden Gesetze.

5 In »Geistige Ereignisse« habe ich geschrieben: Supervenienz »ließe sich in einem Sinne auffassen, daß es keine zwei Ereignisse geben kann, die in allen physischen Hinsichten gleich, aber in einer geistigen Hinsicht verschieden sind« (S. 301). Das sollte auf das gleiche hinauslaufen wie die eben angeführte Formulierung, wird aber offenbar leicht mißverstanden. Zur Beantwortung einer Frage bezüglich »Geistige Ereignisse« habe ich eine unzweideutige Definition der Supervenienz gegeben, die offensichtlich

aufgefaßte Supervenienz gilt offenbar in einem uninteressanten Sinn für Fälle, in denen *p* zu S gehört; für Fälle, in denen *p* explizit durch in S enthaltene Prädikate definiert werden kann; und für Fälle, in denen es ein Gesetz gibt, welches besagt, daß die Extension von *p* mit der Extension eines durch die in S enthaltenen Prädikate definierbaren Prädikats identisch ist. Die interessanten Fälle sind jene, in denen *p* auf keine dieser Weisen weiter zurückgeführt werden kann. Als unstrittiges Beispiel eines interessanten Falls habe ich das Supervenienzverhältnis zwischen semantischen und syntaktischen Prädikaten genannt: Ein Wahrheitsprädikat für eine Sprache kann keine Sätze unterscheiden, die sich nicht rein syntaktisch unterscheiden ließen, aber für die meisten Sprachen läßt sich der Wahrheitsbegriff nicht rein syntaktisch definieren. Durch dieses Beispiel erhält der folgende Gedanke eine mögliche Bedeutung: Wahrheiten, die durch die subvenierenden Prädikate ausgedrückt werden können, »bestimmen« die Extension des supervenierenden Prädikats, oder anders gesagt: Die Extension des supervenierenden Prädikats ist von den Extensionen der subvenierenden Prädikate »abhängig«.
Wie kann die Möglichkeit eines Supervenienzverhältnisses zwischen dem Mentalen und dem Physischen zeigen helfen, daß der AM (oder der AM + P) konsistent ist, da die Supervenienz doch gar nichts über Kausalität sagt? Die Antwort ist nicht schwer zu geben: Supervenienz impliziert in jeder ihrer Formen Monismus, aber sie impliziert weder eine definitorische noch eine nomologische Zurückführung. Wenn also die (nichtreduktive) Supervenienz konsistent ist (was durch das

mit der jetzigen äquivalent ist: Ein Prädikat *p* superveniert auf eine Menge von Prädikaten S, wenn es für jedes Gegenstandspaar dergestalt, daß *p* auf den einen, aber nicht auf den anderen Gegenstand zutrifft, in S ein Prädikat gibt, das auf den einen, aber nicht auf den anderen Gegenstand zutrifft. Ferner habe ich angedeutet, daß es ein in der Philosophie verbreiteter Trugschluß ist, die Reihenfolge der Quantoren dieser Formel zu vertauschen (auch der naturalistische Fehlschuß gehört zu dieser Kategorie). Siehe meinen Beitrag »Replies to Essays X-XII«, S. 242.

Syntax-Semantik-Beispiel bewiesen wird), gilt das gleiche auch für den AM. Supervenienz ist aber auch mit den nicht vom AM implizierten Prämissen (1) und (2) konsistent, denn in (1) und (2) geht es um Kausalität, und Supervenienz besagt nichts über Kausalität.

Es ist daher schwer zu erkennen, inwiefern der AM + P zusammen mit Supervenienz einen Widerspruch implizieren kann. Dementsprechend war ich überrascht, in einem neueren Artikel von Jaegwon Kim zu lesen, nicht nur seien die Prämissen des AM untereinander inkonsistent, sondern außerdem sei »der von Davidson bevorzugte Supervenienzbegriff« nicht mit der ersten Prämisse des AM zu vereinbaren.[6]

Werfen wir einen Blick auf diese vermeintlichen Inkonsistenzen. Nach Kim verhält es sich so:

> Wenn man Davidsons anomalen Monismus zugrunde legt, ist es faktisch so, daß das Mentale keine kausale Arbeit leistet. Man bedenke nämlich: Dem anomalen Monismus zufolge sind Ereignisse Ursachen nur als solche, die unter physikalische Gesetze fallen, und das bedeutet, daß die mentalen Eigenschaften eines Ereignisses kausal unerheblich sind. Und wenn man annimmt, daß die Veränderung der mentalen Eigenschaften eines Ereignisses auch dessen physikalische Eigenschaften verändern und dadurch seine kausalen Beziehungen beeinflussen würde, nimmt man zugleich an, daß der psychophysische Anomalismus – ein besonders wichtiger Grundsatz des anomalen Monismus – falsch ist.[7]

Freilich, wenn »das Mentale leistet keine kausale Arbeit« heißt, daß mentale Ereignisse nicht in Kausalbeziehungen hineinspielen, dann ist die erste Prämisse des AM falsch, denn sie besagt, daß geistige Ereignisse physikalische Ereignisse verursachen und ihrerseits von physikalischen Ereignissen verursacht werden. Das genügte zwar nicht, um nachzuweisen, daß der AM selbst inkonsistent ist, aber es würde gewiß zeigen, daß die drei Prämissen des AM untereinander inkonsi-

6 Kim, »The Myth of Nonreductive Materialism«.
7 Ebd., S. 35.

stent sind. Und falls der letzte Satz des obigen Kim-Zitats zutrifft, ist der AM mit jeder Form von Supervenienz unvereinbar.

Warum glaubt Kim, AM + P + S sei inkonsistent? Zumindest ein Teil der Antwort steckt in dem Satz, in dem wir von Kim dazu aufgefordert werden, zu »bedenken«, was er für ein Merkmal des AM + P hält. Und hier spricht Kim vermutlich für viele Kritiker meines Standpunkts. Er fordert uns auf zu »bedenken«, daß »dem anomalen Monismus zufolge Ereignisse Ursachen nur als solche sind, die unter physikalische Gesetze fallen«. Das ist nicht etwas, was ich behauptet habe. Ich hätte es auch gar nicht behaupten können, denn unter Voraussetzung meines Begriffs von Ereignissen und Kausalität hat es gar keinen Sinn zu sagen, ein Ereignis sei »als« irgend etwas eine Ursache. Der AM + P + S ist unter der Voraussetzung formuliert, daß Ereignisse nichtabstrakte Einzeldinge und kausale Beziehungen extensionale Beziehungen zwischen solchen Ereignissen sind. Diese beiden Thesen bestreitet Kim in seinem Artikel nicht. Doch dann ist kein Platz für einen Begriff von einer »Ursache als«, der die Kausalität zu einer Relation machen würde, die nicht zwischen zwei, sondern zwischen drei oder vier Entitäten bestünde. Die Aussage, das Ereignis *c* habe das Ereignis *e* als ein unter Gesetz *l* fallendes verursacht, ist nach der hier vorausgesetzten Auffassung von Ereignissen und Kausalität[8] ebenso sinnlos wie die Aussage, *a* wiege als zur Sorte *s* gehörender Gegenstand weniger als *b*. Sofern die Kausalität eine Beziehung zwischen Ereignissen ist, besteht sie unabhängig davon, wie sie beschrieben werden, zwischen ihnen. Es kann also (physikalische) Beschreibungen zweier Ereignisse geben, die es uns gestatten, aus einem Gesetz zu folgern, daß das zweite Ereignis einträte, wenn das erste einträte, und daneben kann es andere (men-

8 Die Einzelheiten dieser Auffassung werden in den Abhandlungen des zweiten Teils der Sammlung *Essays on Actions and Events* ausführlich dargelegt.

tale) Beschreibungen geben, die zu keiner derartigen Folgerung anregen. Man kann also, wenn man will, sagen (und sich damit einer meines Erachtens nicht sonderlich geschickten Formulierungsweise bedienen), daß Ereignisse nur als so, aber nicht als anders beschriebene unter ein Gesetz fallen, aber man kann nicht sagen, ein Ereignis habe ein anderes nur als so beschriebenes verursacht. Durch die Neubeschreibung eines Ereignisses kann weder das, was es verursacht, noch die kausale Wirksamkeit des Ereignisses verändert werden. Ereignisse – im Gegensatz zu Akteuren – kümmern sich nicht darum, wie das, was sie verursachen, beschrieben wird. Es kann sein, daß ein Akteur einen Vogel tötet, weil er eine Handlung vollbringen wollte, die sich als »mein Töten dieses Vogels« beschreiben ließe. Es könnte jedoch sein, daß die Tötung dieses Vogels identisch ist mit der Tötung der Gans, die goldene Eier legt, obwohl »Meine Tötung der goldene Eier legenden Gans« keinesfalls eine Beschreibung ist, von der der Akteur wünscht, daß sie auf eine seiner Handlungen zuträfe.

Nach Kims Auffassung kann der AM + P nicht in konsistenter Weise anomal bleiben, wenn er die These vertritt, eine Veränderung der mentalen Eigenschaften eines Ereignisses würde auch seine physikalischen Eigenschaften verändern. Das ist offenbar ein Irrtum. Der AM + P + S (also einschließlich Supervenienz) vertritt tatsächlich die These, daß die Veränderung der mentalen Eigenschaften eines Ereignisses auch eine Veränderung seiner physikalischen Eigenschaften nach sich zöge. Doch Supervenienz impliziert nicht die Existenz psychophysikalischer Gesetze. Um das zu erkennen, muß man nur folgendes einsehen: Supervenienz impliziert zwar, daß jede Veränderung einer mentalen Eigenschaft *p* eines bestimmten Ereignisses *e* mit einer Veränderung der physikalischen Eigenschaften von *e* einhergeht, aber sie impliziert nicht, daß eine Veränderung von *p* bei *anderen* Ereignissen mit der gleichen Veränderung der physikalischen Eigenschaften dieser anderen Ereignisse einhergeht. Nur wenn diese zuletzt genannte Implikationsbeziehung bestünde, gäbe es einen Konflikt mit AM + P.

Die Definition der Supervenienz impliziert, daß eine Veränderung der mentalen Eigenschaften immer mit einer Veränderung der physikalischen Eigenschaften einhergeht, aber sie impliziert nicht, daß eine Veränderung der gleichen physikalischen Eigenschaften mit einer Veränderung der gleichen mentalen Eigenschaften einhergeht. Die Supervenienz impliziert das erstere, denn wenn eine Veränderung einer mentalen Eigenschaft nicht mit einer Veränderung der physikalischen Eigenschaften einherginge, gäbe es zwei durch ihre mentalen Eigenschaften unterschiedene Ereignisse, die nicht durch ihre physikalischen Eigenschaften unterschieden wären, und das wird durch die von mir definierte Form der Supervenienz ausgeschlossen. Kim sagt, es sei am besten, die Supervenienz als »unabhängig« von der These AM + P zu betrachten. Das ist insofern richtig, als weder die Supervenienz AM + P noch AM + P die Supervenienz impliziert. Was hingegen nicht stimmt, ist, daß die Konsistenz der Supervenienz nicht für die Konsistenz von AM + P von Belang ist. Denn die Supervenienz trägt nicht nur, wie ich eben dargelegt habe, zu dem Nachweis bei, daß AM + P konsistent ist, sondern auch zu dem Nachweis, daß es eine Lesart von AM + P gibt, die ein einleuchtendes Bild vom Verhältnis zwischen dem Mentalen und dem Physischen vermittelt. Seine Behauptung hat Kim vielleicht deshalb aufgestellt, weil er fälschlich glaubt, meine »schwache« Form der Supervenienz impliziere, daß »sich die Entfernung aller mentalen Eigenschaften von den Ereignissen dieser Welt in keiner Weise darauf auswirken würde, wie sich die physikalischen Eigenschaften auf sie verteilen«.[9] In Wirklichkeit impliziert Supervenienz das Gegenteil. Betrachten wir nämlich zwei Ereignisse mit den gleichen physikalischen

9 Kim, »The Myth of Nonreductive Materialism«, S. 35, Anm. 8.

Eigenschaften, deren eines eine bestimmte mentale Eigenschaft hat, während sie dem anderen fehlt. Dann kann es sich bei den beiden nicht um dasselbe Ereignis handeln, denn das eine hat eine Eigenschaft, die dem anderen abgeht. Doch dann würden mentale Eigenschaften – im Widerspruch zur Definition der Supervenienz – zwei Ereignisse unterscheiden, die nicht durch ihre physikalischen Eigenschaften unterschieden werden, und damit gegen die Definition der Supervenienz verstoßen.

Doch offenbar ist die Sache durchaus klar – einerlei, was man über Supervenienz sagen möchte. Sofern kausale Beziehungen und Kausalkräfte den einzelnen Ereignissen und Gegenständen innewohnen, können weder die Art und Weise, in der diese Ereignisse und Gegenstände beschrieben werden, noch die Eigenschaften, deren wir uns zufälligerweise zu ihrer Ermittlung oder Charakterisierung bedienen, ihre Wirkungen beeinflussen. Wenn man die amerikanische Invasion Panamas als »Operation Gerechte Sache« bezeichnet, ändert das nichts an den Konsequenzen dieses Ereignisses.

Bisher habe ich nur wenig über Gesetze gesagt, denn Gesetze werden in der Definition der Supervenienz nicht erwähnt, und die logische Möglichkeit der Supervenienz spielt beim Nachweis der Konsistenz des AM + P eine wichtige Rolle. Aber natürlich ist die These, es gebe keine strikten psychophysikalischen Gesetze eine der Prämissen, auf die ich mich zur Begründung des AM gestützt habe. Also selbst wenn der AM konsistent ist, stellt sich die Frage, ob die Leugnung solcher Gesetze irgendwie die Behauptung untergräbt, mentale Ereignisse seien kausal wirksam. Ich sage »irgendwie«, denn offenbar kann die Wirksamkeit eines Ereignisses nicht davon abhängen, wie das Ereignis beschrieben wird, während es völlig von der möglichen Art der Beschreibung eines Ereignisses abhängt, ob man es als mentales Ereignis bezeichnen und ob man behaupten kann, es falle unter ein Gesetz.

Hier möchte ich ein wenig abschweifen. Die zweite Voraussetzung meiner Argumentation für den AM lautete: Wenn zwei Ereignisse in der Beziehung von Ursache und Wirkung stehen, muß es ein Gesetz geben, das diesen Fall abdeckt. In »Geistige Ereignisse« habe ich recht detailliert erklärt, was ich in diesem Zusammenhang unter einem Gesetz verstehe und was ich mit »abdecken« meine. Ein (in irgendeiner Sprache formuliertes) Gesetz deckt einen Fall ab, wenn das Gesetz, sofern es – mit einem das Vorkommen des (angemessen beschriebenen) Ereignisses aussagenden Satz zusammengenommen – einen Satz impliziert, der die Existenz der (angemessen beschriebenen) Wirkung behauptet. Dabei habe ich klargestellt, daß das, was ich in diesem Kontext als Gesetz bezeichne, allenfalls in einer hochentwickelten physikalischen Theorie zu finden sein könnte, nämlich: eine Verallgemeinerung, die nicht nur »gesetzesartig« und wahr ist, sondern auch so deterministisch wie in der Natur überhaupt möglich und außerdem frei von Vorbehalten und Ceteris-paribus-Klauseln; eine Verallgemeinerung also, die man als eine auffassen kann, die das Universum als geschlossenes System behandelt. Nachdrücklich betont habe ich auch, daß ich nur im Hinblick auf derartige (sogenannte »strikte«) Gesetze geltend machen wollte, daß sie keine Ereignisse abdecken können, sofern diese in mentaler Terminologie beschrieben werden. Ferner habe ich eingeräumt, daß es solche Gesetze in den Spezialwissenschaften nicht gibt und daß man dort vielleicht auch nicht mit ihnen rechnen könne. Das meiste, wenn nicht sogar das gesamte praktische Wissen, über das wir (beziehungsweise Ingenieure, Chemiker, Genetiker oder Geologen) verfügen und das es uns gestattet, gewöhnliche Geschehnisse zu erklären und zu prognostizieren, beinhaltet keine strikten Gesetze. Die besten Beschreibungen, die wir von den meisten Ereignissen zu geben vermögen, sind keine Beschreibungen, die unter strikte Gesetze fallen oder je unter solche Gesetze fallen werden.[10]

10 »Geistige Ereignisse«, S. 303-313. Dort heißt es: »Der größte Teil unseres praktischen Wissens (und unserer Wissenschaft) ist, wie ich annehmen

Es gibt zwei Gründe, weshalb man denen, die sich für den AM (beziehungsweise den AM + P oder den AM + P + S) interessieren, diese Fakten ins Gedächtnis rufen sollte. Der erste Grund besteht einfach darin, daß viele Kritiker des AM + P die in »Geistige Ereignisse« mühsam ausbuchstabierte Unterscheidung außer acht gelassen haben, nämlich die Unterscheidung zwischen den »strikten« Gesetzen, die nach meiner Auffassung existieren und kausale Einzelbeziehungen abdekken, und den nicht an strikte Gesetze herankommenden Gesetzen, die in mentaler Terminologie formuliert werden können. So schreibt Kim in dem genannten Artikel zunächst ganz richtig, der AM + P bestreite, daß es präzise oder strikte Gesetze über mentale Ereignisse gebe, beanstandet dann jedoch, daß der AM + P behaupte, »das Mentale sei nicht nur insofern anomal, als es keine Gesetze gebe, durch die mentale Ereignisse zu anderen mentalen Ereignissen in Beziehung gesetzt werden, sondern auch insofern, als es keine Gesetze gebe, durch die sie zu physikalischen Ereignissen in Beziehung gesetzt werden«.[11] In Wirklichkeit habe ich mehrmals gesagt, daß ich nichts dagegen habe, wenn man bestimmte, unbestreitbar wichtige Regelmäßigkeiten als Gesetze bezeichnen möchte, beispielsweise die vertrauten Regelmäßigkeiten, die (etwa in der entscheidungstheoretisch artikulierten Form) das Mentale mit dem Mentalen verbinden oder das Mentale mit dem Physischen. Ich behaupte lediglich, daß dies keine *strikten* Gesetze sind und daß sie nicht auf solche Gesetze zurückgeführt werden können.

Da Kim die Unterscheidung zwischen strikten Gesetzen und

möchte, heteronom [d.h. nicht in der Form strikter Gesetze artikuliert und nicht auf solche Gesetze zurückführbar]. Dies liegt daran, daß ein Gesetz nur dann Aussicht auf Präzision, Explizitheit und möglichst ausnahmslose Geltung hat, wenn es seine Begriffe aus einer umfassenden, abgeschlossenen Theorie bezieht« (S. 308). Siehe ferner Vermazen u. Hintikka (Hg.), *Essays on Davidson. Actions and Events*, S. 242-252, sowie meinen Aufsatz »Problems in the Explanation of Action«, S. 41-48.

11 Kim, »The Myth of Nonreductive Materialism«, S. 33.

andersartigen Gesetzmäßigkeiten außer acht läßt, ist keineswegs klar, daß die von ihm verfochtenen Ansichten wirklich in einem Widerspruch zum AM + P stehen. Er vertritt die nach meinem Eindruck einleuchtende Behauptung, jede befriedigende Erklärung des Verhältnisses zwischen dem Geistigen und dem Physischen müsse es zulassen, daß man sich auf »lokale Korrelationen und Abhängigkeiten zwischen spezifischen mentalen und physikalischen Eigenschaften« beruft. Doch dann fährt er fort und sagt:

Das Mißliche ist, daß wir, sobald von Korrelationen und Abhängigkeiten zwischen spezifischen psychologischen und physikalischen Eigenschaften die Rede ist, eigentlich über psychophysikalische Gesetze sprechen; und diese Gesetze wecken das Gespenst des unerwünschten physikalischen Reduktionismus. Wo es psychophysikalische Gesetze gibt, da gibt es auch immer die drohende Gefahr – oder die Verheißung – der psychophysikalischen Zurückführung.[12]

Doch wenn die Gesetze keine strikten sind, ist die Gefahr abgewendet und die Verheißung falsch. Kim nennt keinen Grund für die Annahme, es könne sich um strikte Gesetze handeln. Ich für mein Teil habe (in Kims Artikel weder genannte noch erörterte[13]) Argumente für meine Überzeugung angeführt, daß es sich nicht um strikte Gesetze handeln kann. Es liegt nicht auf der Hand, daß sich Kim wirklich mit dem AM + P angelegt hat.

Kim ist beileibe nicht der einzige Kritiker des AM + P, dem die ausschlaggebende Bedeutung der Unterscheidung zwischen strikten und nichtstrikten Gesetzen entgangen ist. So schreibt J.A. Fodor, er werde die Ansicht verteidigen, intentionale (mentale) Eigenschaften seien »kausal wirksam« und »im Gegensatz zu den Behauptungen des sogenannten ›anomalen Monismus‹« gebe es »intentionale Kausalgesetze«. Seine Begründung lautet, daß es dem Common sense zufolge und in

12 Ebd., S. 42.

13 An anderer Stelle jedoch hat Kim eine wohlwollende Darstellung meiner Argumente gegeben. Siehe seinen Artikel »Psychophysical Laws«.

vielen (allen?) »speziellen« Wissenschaften eine Vielzahl von Gesetzen gebe, die alles andere als strikt seien. Als Beispiel nennt er ein geologisches Gesetz, wonach es wahrscheinlich ist, daß Berge auf ihren Gipfeln Schnee haben: Der Mount Everest ist, *weil* er ein Berg ist, von Schnee bedeckt.[14] Doch diese Begründung der These von der kausalen Wirksamkeit des Mentalen ist, wie ich eben dargelegt habe, mit dem AM + P zu vereinbaren.

Hier stellt sich die Frage, ob die übrigen Kritiker des AM + P die Unterscheidung zwischen verschiedenen Arten von Gesetzmäßigkeiten zur Gänze berücksichtigt haben. Fred Dretske etwa hat ebenfalls geltend gemacht, der AM + P stelle das Mentale als kausal träge hin, doch er hat niemals behauptet, es gebe strikte psychophysikalische Gesetze. Daher besteht kein offenkundiger Grund anzunehmen, daß die von ihm vorgeschlagene Erklärung der Verursachung des Physischen durch das Geistige ihrerseits nicht mit dem AM + P zu vereinbaren ist. Ich glaube zwar nicht, daß seine Erklärung funktioniert; aber das ist eine andere Sache. Dagfinn Føllesdal hat ebenfalls gemeint, es müsse psychophysikalische Gesetze

14 Fodor, »Making Mind Matter More«. Die Begründung, die Fodor hier anführt, ist, obwohl er es nicht merkt, eine *Verteidigung* des AM, denn er argumentiert wie folgt: Obwohl es in der Geologie vielleicht keine strikten Gesetze gibt, zeige das nicht, daß Eigenschaften wie *ein Berg sein* kausal unwirksam sind. Wie Fodor sagt, ist die Annahme, durch das Fehlen derartiger strikter Gesetze würden geologische Eigenschaften epiphänomenal, absurd: »Wahrscheinlich gibt es parallele Argumente dafür, daß *alle Eigenschaften außer denen, die durch das Vokabular der Physik zum Ausdruck gebracht werden, wirkungslos sind.*« Das ist nach meinem Urteil ganz richtig, sofern man hinzufügt: »... die im Vokabular der Physik ausgedrückt werden können oder in einem Vokabular, das sich definitorisch oder nomologisch auf das Vokabular der Physik zurückführen läßt.«
Den gleichen Gedanken äußert Fodor auch in seinem Buch *Psychosemantics*. Dort lautet das Beispiel: »Ein mäandernder Fluß wäscht seine Uferböschungen aus, außer es kommt etwa zu einem Wetterwechsel, so daß der Fluß austrocknet« (S. 5 u. 6).

geben. Doch als Beispiel eines solchen Gesetzes nennt er den Satz »Jedem, der unter schwerem Flüssigkeitsentzug leidet und Wasser trinkt, wird es besser gehen«.[15] Solche Gesetze werden von AM + P nicht ausgeschlossen, denn ein Gesetz dieser Art ist offenbar alles andere als strikt; und eine Formulierung, bei der es ausnahmslos gilt, läßt sich wahrscheinlich nicht geben.

Der zweite Grund dafür, die Unterscheidung zwischen den Gesetzen einer idealen Physik und sonstigen Verallgemeinerungen zu beachten (einerlei, ob man diese Verallgemeinerungen »Gesetze« nennt oder nicht), hängt mit der Logik der Argumentation zusammen, die von den Prämissen zum AM führt. Diese Argumentation hängt nicht von der These ab, daß es keine psychophysikalischen Gesetze gebe, sondern sie setzt lediglich voraus, daß es keine Gesetz gibt, welche (a) psychologische Ausdrücke enthalten, die weder aus den Gesetzen eliminiert noch auf das Vokabular der Physik zurückgeführt werden können, und (b) ebenso wie die Gesetze einer vollendeten physikalischen Theorie einem geschlossenen System angehören, ohne Ceteris-paribus-Klauseln zu enthalten. Mit anderen Worten, meine Argumentation führt von den Voraussetzungen, daß mentale Ereignisse in kausalen Beziehungen zu physikalischen Ereignissen stehen und daß alle kausal zusammenhängenden Ereignisse unter die Gesetze der Physik fallen, zu der Konklusion, daß mentale Ereignisse mit physikalischen Ereignissen identisch sind. Daher der Monismus. An dem Ausmaß, in dem sich mentale Begriffe nicht auf physikalische Begriffe zurückführen lassen, bemißt sich der Grad der Anomalie. Soweit ich sehe, sind die von Kim und Fodor vertretenen Ansichten über das Verhältnis zwischen dem Physischen und dem Geistigen mit dem AM und dem AM + P vereinbar; und nach meinem Eindruck ist es durchaus

15 Føllesdal, »Causation and Explanation. A Problem in Davidson's View on Action and Mind«, S. 321.

möglich, daß das gleiche auch für Dretske und Føllesdal gilt.

Es gibt jedoch eine weitere Frage, an der sich meine Anschauungen von den Meinungen Kims und vielleicht auch Fodors scheiden. Nach Fodor ist es nicht möglich, mentale (beziehungsweise intentionale) Begriffe auf die Begriffe einer vollendeten physikalischen Theorie zurückzuführen. In dieser Hinsicht ist sein Standpunkt also der gleiche wie der des AM + P. Kim hingegen hält eine Zurückführung für möglich. Es kann jedoch sein, daß er einfach andere Zurückführungsstandards hat als ich; und wenn dem so ist, ist unsere diesbezügliche Meinungsverschiedenheit hauptsächlich verbaler Art. Doch diesem möglicherweise nur verbalen Problem liegt ein substantieller Dissens zugrunde: Fodor wie Kim halten es offenbar für erwiesen, daß das Mentale wirkungslos ist, sofern es *überhaupt* keine psychophysikalischen Gesetze gibt. Die Überlegungen, durch die sie (und andere Autoren) zu dieser Schlußfolgerung gelangen, sind nach meinem Urteil konfus.

Zunächst wollen wir uns klar werden über das, worum es hier eigentlich geht. An diesem Punkt bin ich nicht interessiert an der Frage, ob es psychophysikalische Gesetze gibt oder nicht. Wenn man den Sinn zugrunde legt, in dem es nach der Ansicht von Kim und Fodor Gesetze gibt, die mentale und physikalische Begriffe miteinander verbinden, bin ich ebenfalls der Meinung, daß es solche Gesetze gibt. Meine These besagt, daß es keine strikten Gesetze sind und daß sich mentale Begriffe nicht definitorisch oder durch strikte »Brückengesetze« auf physikalische Begriffe zurückführen lassen. Doch im Gegensatz zu meinen Kritikern halte ich es deshalb nicht für erwiesen, daß das Mentale kausal unwirksam ist, selbst wenn es gar keine psychophysikalischen Gesetze irgendeiner Art gäbe.

Nehmen wir an, ich erstelle eine Tabelle, deren sämtliche Einträge definite Kennzeichnungen verschiedenartiger Ereignisse sind. Auf diese Ereignisse beziehe ich mich, indem ich Spalte und Zeile der jeweiligen Kennzeichnung angebe. Spalte 179/Zeile 1044 zum Beispiel ist das Ereignis, daß ich diesen Satz hinschreibe. Die in der Tabelle aufgeführten Ereignisse wollen wir »Tabellenereignisse« nennen. Das Vokabular, das gebraucht wird, um jedes einzelne Ereignis zu beschreiben – das also gebraucht wird, um eine definite Kennzeichnung jedes Ereignisses zu geben –, ist genau das Vokabular, das nötig ist, um Spalte und Zeile herauszugreifen. Diese Ereignisse haben ihre Ursachen und ihre Wirkungen. Das Ereignis 179/1044 zum Beispiel hat eine bestimmte Umordnung elektrischer Ströme im Arbeitsspeicher meines Computers verursacht. Vermutlich gibt es überhaupt keine interessanten tabello-physikalischen Gesetze, das heißt Gesetze, durch die tabellensprachlich beschriebene Ereignisse mit physiksprachlich beschriebenen Ereignissen verbunden werden. Doch diese Tatsache zeigt nicht, daß Tabellenereignisse kausal wirkungslos sind.

Darauf wird man erwidern, für die kausale Wirksamkeit von Tabellenereignissen sei es schlicht irrelevant, daß sie Tabellenereignisse sind, das heißt tabellensprachlich beschrieben werden. Das stimmt. Aber für die kausale Wirksamkeit physikalischer Ereignisse ist es ebenfalls irrelevant, daß sie physiksprachlich beschrieben werden können. Nicht unsere diversen Möglichkeiten, Ereignisse zu beschreiben, können Veränderungen herbeiführen, sondern es sind die *Ereignisse*, welche die Kraft haben, Dinge zu verändern. Da die Tatsache, daß ein Ereignis ein mentales Ereignis ist – das heißt: in psychologischer Terminologie beschrieben werden kann –, hinsichtlich der Ursachen und Wirkungen dieses Ereignisses keinesfalls etwas ausmacht, ist es sinnlos anzunehmen, die Beschreibung eines Ereignisses in psychologischer Terminologie könne es seiner Wirksamkeit berauben. Ein Ereignis, sei es mentaler oder physikalischer Art, duftet immer gleich stark – egal, wie man es benennt.

Diese Einsicht scheint so simpel und so klar zu sein, daß es schwerfällt zu erkennen, wie man daran zweifeln kann. Nehmen wir an, Magellan bemerkt, daß er auf Felsen zusteuert. Das ist ein Ereignis, das auf dem Weg über einige Zwischenereignisse – Befehle an den Steuermann usw. – eine Kursänderung des Schiffs bewirkt. Daß Magellan etwas bemerkt, ist ein geistiges Ereignis, und es ist kausal wirksam. Dieses Ereignis ist zugleich ein physikalisches Ereignis, eine Veränderung in Magellans Körper, die in physikalischer Terminologie beschrieben werden kann. Solange die Prädikate, die zur Beschreibung des mentalen Ereignisses verwendet werden, nicht in striktem Sinn auf physikalische Prädikate zurückgeführt werden können, steht dies alles in Einklang mit dem AM + P.

Doch nach Kim und anderen Autoren impliziert der AM + P, daß das Mentale wirkungslos ist. Kim stellt die Frage: »Welche Rolle spielt das Mentale nach Davidsons anomalem Monismus [...]?«, und seine Antwort lautet: »Gar keine.« Wieso ist er dieser Meinung? Einen Hinweis erhalten wir, wenn er sagt: »[...] dem anomalen Monismus zufolge sind Ereignisse nur insofern Ursachen oder Wirkungen, als sie unter physikalische Gesetze fallen.« Der gleiche Gedanke wird auch mit Hilfe des Ausdrucks »vermöge« ausgedrückt: Das Mentale sei nur dann kausal wirksam, wenn Ereignisse *vermöge ihrer mentalen Eigenschaften* Ursachen sind.[16] Das Wort »wegen« ist ebenfalls eingesetzt worden, um die gleiche Idee auszudrücken. Kim hat sogar implizit behauptet, ich verträte explizit die Ansicht, »nur unter der physikalischen Beschreibung eines Ereignisses sei zu erkennen, daß dieses in eine kausale Beziehung zu einem physikalischen (oder sonst einem) Ereignis eintritt, indem es unter ein Kausalgesetz subsumiert wird«.[17] Wer sich in der Literatur auskennt, wird hier noch weitere Möglichkeiten erkennen, diesen Gedanken zu formu-

16 Siehe Kim, »The Myth of Nonreductive Materialism«, S. 43.
17 Kim, »Epiphenomenal and Supervenient Causation«, S. 267.

lieren. Man liest etwa, dem AM + P zufolge verursache das Mentale *als* Mentales gar nichts; das Mentale *als solches* sei wirkungslos. In diesem Sinne schreibt Ernest Sosa: »Der Schlüssel zu der von [Davidson] vorgeschlagenen Lösung [...] ist der Gedanke, daß mentale Ereignisse *nicht* als mentale, sondern nur als physikalische in kausale Beziehungen eintreten.«[18] Sosa sieht immerhin ein, daß ich mich nicht in dieser Weise ausdrücke. Aber er merkt nicht, daß ich mich gar nicht so ausdrücken könnte. Nach meiner Auffassung sind es Ereignisse, die Ursachen und Wirkungen haben. Diese extensionalistische Auffassung kausaler Beziehungen vorausgesetzt, hat es, wie bereits festgestellt, buchstäblich keinen Sinn zu sagen, ein Ereignis sei als mentales – oder vermöge seiner mentalen Eigenschaften oder als soundso beschriebenes – die Ursache von etwas.

Aber könnte es nicht geschehen, daß die mentalen Eigenschaften eines Ereignisses im Hinblick auf seine kausalen Beziehungen unerheblich sind? Etwas von dieser Art haben die Kritiker im Sinn, wenn sie behaupten, das Mentale sei dem AM + P zufolge wirkungslos. Natürlich ist die Vorstellung, daß mentale Eigenschaften in kausaler Hinsicht unerheblich sind, mit der Ansicht zu vereinbaren, es gebe keine (sei es strikten oder nicht strikten) psychophysikalischen Gesetze, sowie mit der Annahme, jede kausale Einzelbeziehung zwischen zwei Ereignissen werde durch ein striktes (physikalisches) Gesetz gestützt. Sie ist außerdem mit der These verträglich, daß mentale Ereignisse (das heißt Ereignisse, die durch mentale Eigenschaften herausgegriffen werden) in kausalen Beziehungen zu physikalischen Ereignissen stehen. Also ist AM + P mit der (epiphänomenalistischen) Anschauung *vereinbar*, daß die mentalen Eigenschaften von Ereignissen im Hinblick auf kausale Beziehungen unerheblich sind. Das genügt aber nicht, um AM + P in Mißkredit zu bringen, denn

18 Sosa, »Mind-Body Interaction and Supervenient Causation«, S. 277.

daraus folgt nicht, daß AM die kausale Trägheit des Mentalen *impliziert*. Was die Kritiker zeigen müssen, ist, daß AM (beziehungsweise AM + P) die Wirkungslosigkeit der mentalen Eigenschaften impliziert. Doch ich sehe keine Möglichkeit, diesen Nachweis zu erbringen.

Der Gedanke läßt sich auch wie folgt formulieren: Wir haben hier Ansätze zu einer Widerlegung des AM + P, sofern gezeigt werden kann, daß AM + P unvereinbar ist mit der Supervenienz der mentalen Eigenschaften auf physikalische Eigenschaften. Die Widerlegung würde nicht darin bestehen, daß man die Inkonsistenz des AM + P zeigt, sondern darin, daß man nachweist, daß der AM + P mit der Supervenienz unvereinbar ist, also mit der Voraussetzung, daß die mentalen Eigenschaften eines Ereignisses im Hinblick auf dessen kausale Beziehungen etwas ausmachen. Denn die Supervenienz in dem von mir definierten Sinn impliziert, daß sich zwei Ereignisse, sofern sie sich in ihren psychologischen Eigenschaften unterscheiden, auch in ihren (laut Voraussetzung kausal wirksamen) physikalischen Eigenschaften unterscheiden. Wenn das Supervenienzverhältnis besteht, machen psychologische Eigenschaften im Hinblick auf die kausalen Beziehungen etwas aus, denn sie sind von Belang für die physikalischen Eigenschaften, die ihrerseits für die kausalen Beziehungen von Belang sind. Diese Argumentation läßt sich nicht widerlegen, indem man einwendet: »Aber die mentalen Eigenschaften machen nicht *als* mentale etwas aus, sondern nur deshalb, weil sie bezüglich der physikalischen Eigenschaften etwas ausmachen.« Entweder sie machen etwas aus, oder sie machen nichts aus; sofern die Supervenienzthese zutrifft, machen sie tatsächlich etwas aus.

Wie könnte man zu zeigen versuchen, daß der AM + P nicht mit der Supervenienz zu vereinbaren ist? Kim glaubt, wie bereits angemerkt, meine Lesart der Supervenienz impliziere, daß alle mentalen Eigenschaften von der Welt abgezogen werden könnten, ohne daß das im Hinblick auf kausale Beziehungen den geringsten Unterschied machen würde. Diese Annahme ist jedoch, wie sich herausgestellt hat, nicht mit meiner Auffassung von Supervenienz zu vereinbaren. An einer späteren Stelle seines Artikels macht Kim geltend,[19] es gebe keine einleuchtende Möglichkeit, meinen Supervenienzbegriff zu verstehen, denn es gebe keine einleuchtende Möglichkeit, die Forderung, das Mentale dürfe sich nicht auf das Physische zurückführen lassen, mit der Bedingung in Einklang zu bringen, dennoch müsse das Mentale vom Physischen »abhängig« sein. Aber offenkundig gibt die Supervenienz dem Abhängigkeitsbegriff hier einen gewissen Sinn, jedenfalls genug Sinn, um zu zeigen, daß mentale Eigenschaften in kausaler Hinsicht etwas ausmachen. Sofern also nicht gezeigt werden kann, daß sogar die schwache Supervenienz in Widerspruch zum AM + P steht, ist nicht nachgewiesen, daß der AM + P das Mentale als kausal wirkungslos hinstellt.

In einer Hinsicht hat Kim allerdings recht: Wenn man meine Definition zugrunde legt, ist die Supervenienz vereinbar mit der Konjunktion aus AM + P und der Annahme, es gebe überhaupt keine psychophysischen Gesetze – weder strikte noch sonst welche. Daß es keine wichtigen allgemeinen Kausalzusammenhänge zwischen den mentalen und den physikalischen Eigenschaften von Ereignissen gibt, ist jedoch nicht im geringsten plausibel. Ich habe immer schon die Ansicht vertreten, daß es solche Zusammenhänge gibt. Ja, in vielen meiner Schriften zur Handlungstheorie geht es darum, deutlich zu machen, welche allgemeinen Kausalzusammenhänge maßgeblich sind für unsere Art und Weise, Handlungen sowie deren Ursachen und Wirkungen zu verstehen, zu beschreiben, zu erklären und vorherzusagen. Aber wieso sollte die Bedeutung und Allgegenwart solcher Zusammenhänge darauf hindeuten, daß sich psychologische Begriffe auf physikalische Begriffe zurückführen – und zwar *strikt* zurückfüh-

19 Kim, »The Myth of Nonreductive Materialism«, S. 39-41.

ren – lassen? Doch daß die These der strikten Zurückführbarkeit scheitert, ist die einzige Bedingung, die erfüllt sein muß, um dem AM zum Durchbruch zu verhelfen.
Wie kommt es, daß bei der Diskussion des AM, des AM + P und der Supervenienz so viele wirre und schlechte Argumente angeführt worden sind? Die Hauptquelle der Konfusion ist meines Erachtens der Umstand, daß es, sobald es um Ereignisse geht, schwerfällt, die Unterscheidung zwischen Typen und Einzelfällen zu beachten. Das wiederum ist der Grund, warum kausale Einzelverknüpfungen und Kausalgesetze leicht durcheinandergeworfen werden und warum es naheliegt, den Unterschied zwischen der Erklärung eines Ereignisses und der schlichten Feststellung des Bestehens einer kausalen Beziehung zu vernachlässigen.
Natürlich kann es denen, die sich über den AM + P geäußert haben, nicht entgangen sein, daß die Argumentation von der Unterscheidung zwischen Einzelereignissen und Ereignistypen abhängt. Dennoch wird diese Unterscheidung, wie sich gezeigt hat, leicht übersehen. Kim wirft zum Beispiel die Frage auf, ob die Identität mentaler Ereignisse mit physikalischen Ereignissen das Problem der kausalen Wirksamkeit des Mentalen löse. Darauf antwortet er: Nein, das tue sie nicht, denn es gehe um »die kausale Wirksamkeit der mentalen Eigenschaften von Ereignissen im Verhältnis zu den physikalischen Eigenschaften dieser Ereignisse. Demnach sind die Sachen, die gleichgesetzt werden müssen, Eigenschaften – das heißt, wir müßten mentale Eigenschaften mit physikalischen Eigenschaften gleichsetzen.«[20] Eigenschaften sind jedoch dann kausal wirksam, wenn sie im Hinblick auf die Wirkungen *individueller* Ereignisse etwas ausmachen; und die Supervenienz gewährleistet, daß mentale Eigenschaften im Hinblick auf die Wirkungen mentaler Ereignisse etwas ausmachen. Warum also ist die Identität von *Eigenschaften* erforderlich, um men-

20 Ebd., S. 45.

talen Eigenschaften kausale Wirksamkeit zu verschaffen? Sie ist nicht erforderlich. Man könnte jedoch auf diesen Gedanken kommen, wenn man Einzelereignisse mit Klassen von Ereignissen verwechselte, also mit Gesamtheiten von Ereignissen, denen eine Eigenschaft gemeinsam ist.

Eine ähnliche Argumentationsschwäche fällt mir an einer Stelle auf, an der Kim ein Problem ins Spiel bringt, das er »das Problem der Ausschließung durch kausale Erklärung« nennt. Dieses Problem, sagt er, »entsteht offenbar dadurch, daß eine Ursache – oder eine kausale Erklärung – eines Ereignisses, sobald sie als vollständige, hinreichende Ursache oder Erklärung angesehen wird, anscheinend *ausschließt*, was sonst an unabhängigen Ursachen oder kausalen Erklärungen in Frage käme«.[21] Der Grundgedanke ist folgender: Falls die Physik tatsächlich solche »vollständigen, hinreichenden« Erklärungen liefert, gibt es keinen Platz für mentale Erklärungen, es sei denn, diese können (zur Gänze, strikt?) auf physikalische Erklärungen zurückgeführt werden. Was kann dieses sonderbare Prinzip bedeuten? Wenn wir ein *Ereignis* betrachten, das eine »vollständige, hinreichende« Ursache eines anderen Ereignisses ist, muß es, wie Mill schon vor langer Zeit dargetan hat, alles in dieser Welt umfassen, was der Wirkung vorangeht und kausal für sie von Belang ist, also einen Querschnitt durch den ganzen vorhergehenden Lichtkegel. Und selbst dann müssen wir, wenn wir das Wort »hinreichend« ernst nehmen, vollkommenen Determinismus voraussetzen. Wie kann die Existenz eines solchen Ereignisses andere Ursachen »ausschließen«? Sie kann es nicht, denn sie umfaßt per definitionem alles, was eine Ursache sein könnte. Wenn man Supervenienz unterstellt, würde ein solches Ereignis alle relevanten mentalen Ereignisse als echte Teile enthalten. Was hat das alles mit Erklärung zu tun? Nun, wenn wir die Gesetze der Physik richtig ermittelt hätten und über die geeignete physikalische

21 Ebd., S. 44.

Beschreibung eines Ereignisses und eines Querschnitts durch den vorhergehenden Lichtkegel verfügten, könnten wir imstande sein, eine vollständige und hinreichende Erklärung des zweiten Ereignisses zu geben. Inwiefern könnte das irgendeine Erklärung anderer Art ausschließen? Es könnte weniger vollständigen physikalischen Erklärungen *vorbeugen*, und zwar insofern, als wir an ihnen kein Interesse hätten. Doch wenn sich mentale Begriffe nicht auf physikalische Begriffe zurückführen lassen, besteht kein Grund anzunehmen, daß wir uns bloß deshalb, weil wir über eine vollständige physikalische Erklärung verfügen, nicht mehr für Erklärungen in mentaler Terminologie interessieren würden. Richtig ist freilich, daß psychologische Erklärungen niemals vollständig und hinreichend sind. Sie sind, ebenso wie die meisten Erklärungen, interessenabhängig und setzen einfach voraus, daß eine enorme Vielzahl von (nicht spezifizierten und nicht spezifizierbaren) Faktoren, die zwischen Ursache und Wirkung hätten intervenieren können, nicht zum Zuge gekommen sind. Das heißt weder, daß sie keine kausalen Erklärungen sind, noch daß sie durch physikalische Erklärungen ausgeschlossen werden. Nur wenn man kausale Beziehungen – die allein zwischen Einzeldingen bestehen – mit kausalen Erklärungen verwechselt – die, insofern sie »hinreichend« sind, mit Gesetzen und daher mit Ereignistypen zu tun haben müssen –, wäre man versucht, das Prinzip der »Ausschließung durch kausale Erklärung« zu akzeptieren.[22]

22 Durch eine vollständige, hinreichende Ursache oder Erklärung werden, wie Kim sagt, andere *unabhängige* Ursachen oder Erklärungen ausgeschlossen. Diese Bedingung der Unabhängigkeit habe ich, wie es vielleicht scheint, bei meiner Erörterung vernachlässigt. Das habe ich tatsächlich, denn Abhängigkeit bedeutet bei Ereignissen etwas völlig anderes als bei Erklärungen. Ereignisse sind kausal voneinander »abhängig«, und das Scheitern psychophysikalischer Gesetze ist nicht von Belang für die Frage, ob mentale und physikalische Ereignisse in kausalen Beziehungen zueinander stehen. Erklärung hingegen ist ein intentionaler Begriff. Bei einer Erklärung ist die Abhängigkeit darauf abgestimmt, wie die Dinge

Nun möchte ich ein weiteres Beispiel für Irrtümer nennen, die meines Erachtens dadurch entstehen, daß die Unterscheidung zwischen Einzelereignissen und Ereignistypen nicht ernst genommen wird. Dieses Beispiel entnehme ich einem Artikel von Ernest Sosa, doch ähnliche Fälle lassen sich ohne weiteres auch den Schriften von Kim, Dretske, Føllesdal, Honderich, Achenstein, Stoutland und Mark Johnston entnehmen.[23] Wir wollen annehmen, sagt Sosa, daß jemand durch einen lauten Schuß getötet wird. In diesem Fall sei die Lautstärke des Schusses irrelevant dafür, daß er den Tod verursacht hat. »Wäre das Gewehr mit einem Schalldämpfer ausgestattet gewesen, hätte der Schuß das Opfer dennoch getötet.«[24] Ebenso, meint Sosa, folge aus AM + P, daß mentale Eigenschaften für die von den Eigenschaften hervorgerufenen Wirkungen irrelevant seien. Doch solche Beispiele – einerlei, ob sie von mentaler oder physikalischer Verursachung handeln – reichen nicht aus, um die Konklusion zu begründen. Das entscheidende kontrafaktische Konditional ist von (Pardon!) verhängnisvoller Mehrdeutigkeit. Wäre das Gewehr mit einem Schalldämpfer ausgestattet gewesen, hätte ein leiser Schuß – wenn er ebenso gezielt und ansonsten in relevanter Hinsicht ähnlich ausgeführt worden wäre wie der tödliche – wohl *einen* Tod nach sich gezogen. Es wäre jedoch nicht *derselbe* Schuß gewesen wie der tödliche, und der dadurch verursachte Tod hätte nicht derselbe Tod sein können. Die Mehrdeutigkeit liegt in der definiten Kennzeichnung »der Schuß«. Wenn sich »der Schuß« auf den Schuß bezieht, der leise abgegeben worden wäre, dann ist es richtig, daß dieser Schuß das Opfer hätte töten können. Aber wenn sich »der Schuß« auf den ursprünglichen, lauten Schuß beziehen soll,

beschrieben werden. Es gibt keinen Grund, warum es nicht möglich sein soll, logisch unabhängige Erklärungen desselben Ereignisses zu geben (wie Sokrates im *Phaidon*, 98 ff., darlegt).

23 Literaturhinweise bei Lepore und Loewer, »Mind Matters«, S. 633 f.

24 Sosa, »Interaction and Supervenient Causation«, S. 278.

geht das Argument daneben, denn ein und derselbe Schuß kann nicht sowohl laut als auch leise sein. Lautstärke superveniert, ebenso wie eine mentale Eigenschaft, auf physikalische Basiseigenschaften[25] und ist daher nicht unerheblich hinsichtlich der Wirkungen eines Ereignisses mit dieser Eigenschaft. Natürlich können sowohl laute als auch leise (einzelne) Schüsse zum Tod führen; aber nicht zum selben Tod.

25 Manche Autoren meinen: Wenn wir uns keinen Reim machen können auf die Idee, ein Ereignis könne alle seine psychologischen Eigenschaften verlieren und dennoch dasselbe Ereignis bleiben, sind wir auf die Vorstellung festgelegt, daß *alle* Eigenschaften eines Ereignisses »wesentliche« Eigenschaften sind. Ich habe zwar keine Theorie über die Frage, welche Eigenschaften eines Ereignisses allenfalls wesentliche Eigenschaften sind, aber offenbar ist klar, daß mentale Eigenschaften, damit sie die Zwecke meiner Argumentation erfüllen, nur auf jene physikalischen Eigenschaften supervenieren müssen, die für eine vollständige kausale Erklärung des Universums erforderlich sind (das heißt: die ausreichen, um ein geschlossenes System »strikter« Gesetze zu formulieren).

14
Gesetze und Ursache[1]

In ihrer Antrittsvorlesung als Professorin für Philosophie an der Universität Cambridge untersucht G. E. M. Anscombe die »häufig vertretene oder offenkundig vorausgesetzte« Meinung, Kausalität sei »eine notwendige Verbindung oder, anders gesagt: Wenn etwas verursacht wird, fällt es in nichttrivialer Weise unter eine ausnahmslos gültige Verallgemeinerung, die besagt, auf derartige frühere Vorgänge folge immer ein Ereignis der genannten Art«.[2] Anscombe beklagt sich darüber, daß »über die Wahrheit dieser Auffassung kaum diskutiert wird«, und um ihre Ansicht zu bestätigen, gibt sie einen historischen Überblick von Aristoteles bis zur damaligen Gegenwart. Mir wird die Ehre zuteil, als letzter genannt zu werden: »Sogar Davidson«, schreibt sie im letzten Absatz, »wird, ohne eine Begründung für seine These anzuführen, behaupten, eine singuläre Kausalaussage impliziere, daß es wirklich eine solche wahre Allaussage gibt«.[3]

Weder in dem Artikel, auf den Anscombe Bezug nimmt,[4] noch in meinem späteren Aufsatz »Geistige Ereignisse«[5] nenne ich einen Grund für die Behauptung, daß wahre singuläre Kausalaussagen die Existenz von Gesetzen implizieren, von denen dieser Fall abgedeckt wird. (Ein Beispiel für eine singuläre Kausalaussage ist »Der Ausbruch des Vesuvs im

1 David Albert und Noa Latham möchte ich für ihre Unterstützung danken. Der Grundgedanke des vorliegenden Artikels hat etwas Kantianisches, und verwendet wurde er von Gordon Brittain in seinem Buch *Kant's Theory of Science*. Dort weist der Autor großzügigerweise darauf hin, daß ihm dieser Gedanke in meinen Seminaren an der Universität Stanford zum ersten Mal zu Ohren gekommen ist.

2 *Causality and Determination*, S. 1.

3 Ebd., S. 29.

4 Davidson, »Causal Relations«.

5 Davidson, »Mental Events«.

Jahre 79 n. Chr. hat die Zerstörung von Pompeji verursacht«.) In den genannten Texten schreibe ich, daß ich dieses Verhältnis zwischen den Begriffen »Gesetz« und »Ursache« als Voraussetzung behandle. Gleichzeitig merke ich an, daß sich auch jemand, der diese Voraussetzung in Frage stellt, für eine Argumentation interessieren könnte, die zu zeigen beansprucht, daß diese Voraussetzung zusammen mit weiteren häufig vertretenen (wenn auch umstrittenen) Prämissen eine Form von Monismus impliziert. Ich spreche hier von einem »Anomalen Monismus«.

In »Geistige Ereignisse« bezeichne ich die vorausgesetzte Beziehung zwischen Gesetz und Kausalität recht wortreich als »Prinzip des nomologischen Charakters der Kausalität«. Ebenso wie einige meiner Kritiker habe ich festgehalten, daß meine Argumentation für den Anomalen Monismus scheitert, sofern das genannte Prinzip falsch ist. Von einigen Autoren bin ich dazu angehalten worden, einen Grund für die Bejahung dieser Voraussetzung vorzulegen. Von anderen Autoren, zu denen auch Anscombe gehört, sind Zweifel an der Wahrheit dieser Voraussetzung geäußert worden. So schreibt Jennifer Hornsby: »Ich muß [...] Davidsons Prämisse in Frage stellen, wonach alle durch ›verursachen‹ verknüpften Ereignispaare unter Gesetze subsumiert werden.«[6] Und Ernest Sosa wirf die Frage auf: »Warum muß es immer ein Gesetz geben, das jede kausale Beziehung abdeckt, welche die Ereignisse x und y miteinander verbindet? Was gibt uns die Möglichkeit, eine derartige allgemeine Wahrheit vorauszusetzen?«[7] Noch skeptischer äußert sich Tyler Burge: »Daß kausalen Beziehungen Gesetze bestimmter Art zugrunde liegen müssen, halte ich nicht für a priori wahr, ja, ich halte es nicht einmal für offenkundig, daß es ein heuristisches Prinzip der Wissenschaft oder der Vernunft ist.«[8]

6 Hornsby, »Which Mental Events are Physical Events?«, S. 86.
7 Sosa, »Mind-Body Interaction and Supervenient Causation«, S. 278.
8 Burge, »Philosophy of Language and Mind: 1950-1990«, S. 35.

Burge hat recht: Wenn es einen Grund dafür gibt, die Ursache-Gesetz-These zu vertreten, muß das Argument in irgendeinem Sinne apriorischer Art sein, denn die These ist offenbar weder ein Befund der normalen Logik, noch läßt sie sich empirisch bestätigen – eine negative Einsicht, über die sich Hume und Kant einig waren. Wer sagt, die Ursache-Gesetz-These gelte a priori, behauptet damit natürlich nicht, daß bestimmte Kausalgesetze a priori gültig sind. Sofern die These wahr ist, wissen wir schon unabhängig von irgendwelchen Belegen, daß es, wenn eine singuläre Kausalbehauptung wahr ist, ein sie stützendes Gesetz gibt; und das können wir wissen, ohne zu wissen, wie das Gesetz lautet.

I.

Die Ursache-Gesetz-These muß präziser formuliert werden. Unter einer singulären Kausalaussage verstehe ich eine Aussage der folgenden Art: Sie enthält (sofern sie auf deutsch geäußert wird) zwei von einer Form des Verbs »verursachen« verknüpfte singuläre Termini (Namen oder definite Kennzeichnungen), die sich auf Ereignisse beziehen oder zu beziehen beanspruchen. Natürlich können andere Verben das gleiche leisten, so zum Beispiel die Ausdrücke »hervorbringen«, »resultieren«, »zur Folge haben« usw. Die folgenden Sätze sind Beispiele für singuläre Kausalaussagen: »Sein Anzünden des Streichholzes hat die Explosion verursacht«, »Das nächste Erdbeben in Kalifornien wird die Zerstörung der Golden Gate Bridge verursachen«, »Der Orkan verursacht den Anstieg des Wasserstands«. »Der Orkan hat es verursacht, daß der Wasserstand steigt« ist dagegen keine singuläre Kausalaussage, denn »daß der Wasserstand steigt« ist kein singulärer Terminus. Dieser zuletzt angeführte Satz sagt lediglich, daß der Orkan (also ein bestimmtes Ereignis) zumindest ein Ereignis verursacht hat, das ein Ansteigen des

Wasserstands war. Der Ausdruck »der Anstieg« beanspruch ein bestimmtes Ereignis zu erfassen, während »ein Anstieg« einen allgemeinen Existenzanspruch kennzeichnet, ohne Singularität zu implizieren.

Singuläre Kausalaussagen sind extensional: Ihr Wahrheitswert ändert sich nicht, wenn ein Name oder eine Kennzeichnung eines Ereignisses durch einen anderen Namen oder eine andere Kennzeichnung desselben Ereignisses ersetzt wird. Demnach gilt: Wenn Sokrates der Ehemann von Xanthippe war, und wenn Sokrates' Trinken des Schierlings in Sokrates' Tod resultierte, folgt, daß Sokrates' Trinken des Schierlings im Tod von Xanthippes Ehemann resultierte. Diese Erkenntnis scheint vielleicht auf der Hand zu liegen, und so verhält es sich tatsächlich. Dennoch ist sie allen entgangen, die folgendes anzunehmen versucht sind: Wenn singuläre Kausalaussagen die Existenz eines Einzelfälle abdeckenden Gesetzes [*covering law*] implizieren, müssen sie ein bestimmtes, den betreffenden Fall abdeckendes Gesetz implizieren oder irgendwie andeuten. Es ist leicht einzusehen, warum diese Folgerung nicht stimmt. Angesichts der zahllosen Möglichkeiten, Ereignisse (oder sonst etwas) mit Hilfe nichtäquivalenter Ausdrücke neu zu beschreiben, ist klar, daß die bei einer bestimmten Gelegenheit zur Charakterisierung eines Ereignisses benutzten Begriffe vielleicht keinen Hinweis auf die Beschaffenheit eines passenden Gesetzes enthalten. Es mag sein, daß eine singuläre Kausalaussage, um in einem bestimmten gewünschten Sinn zu einer *Erklärung* beizutragen, den Hörer zumindest in allgemeiner Form an ein relevantes Gesetz erinnern muß. Außerdem mag es der Fall sein (oder nicht der Fall sein), daß der einzige oder der beste Grund dafür, eine singuläre Kausalaussage für richtig zu halten, Belege dafür sind, daß ein den Fall abdeckendes Gesetz wahr ist. Aber solche Fragen der Erkenntnistheorie und der Erklärung sollten uns – unabhängig von ihrer Beantwortung – nicht dazu veranlassen, singuläre Kausalaussagen als intensional hinzustellen.

Was sollen wir, wenn wir die Ursache-Gesetz-These formulieren wollen, als Gesetz anerkennen? Gesetze müssen wahre allquantifizierte Aussagen sein. Außerdem müssen sie gesetzesartig sein: Sie müssen kontrafaktische Aussagen stützen, und sie müssen von den unter sie fallenden Einzelfällen bestätigt werden. (Diese Bedingungen sind nicht unabhängig voneinander.) Um als strikt gesetzesartig zu gelten, sollten sie keine auf einzelne Gegenstände, Orte oder Zeitpunkte Bezug nehmenden singulären Termini enthalten (strikt gesetzesartige Aussagen sind mit Bezug auf Zeit und Ort symmetrisch). Strikt gesetzesartige Aussagen enthalten keine offenen Formulierungen wie »unter gleichbleibenden Randbedingungen« oder »unter normalen Verhältnissen«. Dabei muß zugegeben werden, daß solche Ausdrücke – stillschweigend oder explizit – zum Inhalt vieler legitimer Gesetze gehören. Also sind viele Gesetze keine strikten Gesetze, unter anderem die für Wissenschaften wie Geologie, Biologie Ökonomie, Soziologie und Psychologie charakteristischen Gesetze.

Die Unterscheidung zwischen strikten und nichtstrikten Gesetzen ist für die den Anomalen Monismus begründende Argumentation von wesentlicher Bedeutung. Die Argumentation für den Anomalen Monismus hat drei Prämissen: (1) Es gibt kausale Beziehungen zwischen Ereignissen, die als physische beschrieben werden, und Ereignissen, die als mentale beschrieben werden. (2) Es gibt keine strikten Gesetze, durch die Beziehungen zwischen in physikalischer Sprache beschriebenen Ereignissen und in mentalistischer Sprache beschriebenen Ereignissen hergestellt werden. (3) Wenn zwei Ereignisse im Verhältnis von Ursache und Wirkung zueinander stehen, gibt es ein striktes Gesetz, das diesen Fall abdeckt. Die erste Prämisse halte ich für selbstverständlich: In physikalischer Sprache beschriebene Ereignisse dieser Welt verursachen Gedanken und werden ihrerseits von Gedanken verursacht. Die zweite Prämisse habe ich recht ausführlich verteidigt, wobei ich mich hauptsächlich auf den unabänderlich normativen oder rationalen Aspekt intentionaler Redeweisen berufen habe sowie auf die daraus folgende Unmöglichkeit einer Zurückführung mentaler Begriffe auf Begriffe, die sich in ein geschlossenes System von Gesetzen einbinden lassen. Meine seinerzeit dargelegte Argumentation lautet wie folgt: Es ist einleuchtend, daß es eine Menge (oder vielleicht viele Mengen) von Begriffen gibt, die zur Formulierung eines geschlossenen Kausalsystems geeignet sind. Diese Begriffe wollen wir die Begriffe der Physik nennen. In diesem Fall wird es für jedes beliebige Paar von Ereignissen, die zueinander im Verhältnis von Ursache und Wirkung stehen, ein striktes, das heißt ein physikalisches Gesetz geben, das diesen Fall abdeckt. Da mentale Begriffe nicht in ein geschlossenes System eingebracht werden können, muß es möglich sein, die strikten Gesetze, von denen die (zumindest teilweise) in mentaler Terminologie artikulierten singulären Kausalbeziehungen abgedeckt werden, auch in physikalischer Terminologie zum Ausdruck zu bringen. Also müssen in mentaler Terminologie beschriebene Ereignisse auch in physikalischer Terminologie ausgedrückt werden können: Ontisch gesprochen, sind mentale Ereignisse mit physischen Ereignissen identisch. Daraus folgt, daß mentale Begriffe im folgenden Sinn auf physikalische Begriffe supervenieren: Wenn eine mentale Eigenschaft zwei Ereignissen nicht gemeinsam ist, wird es zumindest eine physikalische Eigenschaft geben, die ihnen ebenfalls nicht gemeinsam ist.

Anscombe erhebt, wie wir gesehen haben, Einwände gegen die Auffassung, wonach Ursachen ihre Wirkungen »notwendig nach sich ziehen«, wozu nach ihrer Erläuterung erforderlich ist, daß es ein Gesetz gibt, das »eine ausnahmslos gültige Verallgemeinerung« darstellt, »die besagt, auf derartige frühere Vorgänge folge immer ein Ereignis der genannten Art«. Der Begriff der Notwendigkeit kommt vermutlich zusammen mit dem Gedanken ins Spiel, man könne eine Aussage über die Existenz der Wirkung aus einer Aussage über die Ursache und dem entsprechenden Gesetz deduzieren. Nach Anscombe werden die indeterministischen Gesetze der Quantentheorie dadurch ausgeschlossen. Dagegen beinhalten die von mir genannten Bedingungen für Gesetze, die der Ursache-Gesetz-These zufolge existieren, keine Ausschließung probabilistischer Gesetze. Solche Gesetze gelten allgemein und ohne Ausnahme (die von ihnen prognostizierten Wahrscheinlichkeiten kennen keine Ausnahmen). Es ist somit möglich, wenn auch unwahrscheinlich, daß Anscombe die Ursache-Gesetz-These in der von mir aufgestellten Form gar nicht in Frage stellt. (Über eine Konsequenz der Zulassung probabilistischer Gesetze sind wir verschiedener Meinung, denn sie glaubt, ein solcher Indeterminismus lasse Raum für einen sinnvollen Begriff menschlicher Freiheit, während nach meinem Dafürhalten der Indeterminismus der Quantentheorie die Handlungsfreiheit nicht begünstigen kann, obwohl es denkbar ist, daß er dieser Freiheit manchmal entgegensteht.)

Da die Ursache-Gesetz-These probabilistische Gesetze zuläßt, impliziert sie (in einem durchaus gebräuchlichen Sinn dieses kunterbunten Begriffs) keinen Indeterminismus. Demnach impliziert sie weder eine sei's auch nur grundsätzliche Form der vollständigen Prognostizierbarkeit noch der Retrodizierbarkeit.

II.

In der *Untersuchung über den menschlichen Verstand* definiert Hume eine Ursache als »einen Gegenstand, dem ein anderer folgt, wobei allen Gegenständen, die dem ersten gleichartig sind, Gegenstände folgen, die dem zweiten gleichartig sind«. Wenn wir dies als stipulative Definition auffassen, ist eine Bedingung für die Existenz eines Gesetzes – die Bedingung der Allgemeinheit – von vornherein in Humes Definition eingebaut. Doch wenn die Definition als Analyse des üblichen Begriffs der Ursache gemeint ist, können wir ebenso wie Anscombe verfahren und die Frage nach ihrer Richtigkeit stellen. Auf jeden Fall ist klar, daß diese Definition nicht der Ursache-Gesetz-These genügt, denn sie trifft keine Unterscheidung zwischen wahren, aber nicht gesetzesartigen Verallgemeinerungen der Tag/Nacht-Art und gesetzesartigen Generalisierungen. Nun ist es nicht so, als enthielten Humes Äußerungen gar nichts, was uns zur Einhaltung dieser Unterscheidung auffordert. Seine Erörterung der Induktion setzt diese Unterscheidung voraus. Humes eben zitierte Definition der Ursache besagt, daß die Wahrheit einer singulären Kausalaussage von der Existenz einer wahren Verallgemeinerung abhängt, die nicht nur den gegebenen Fall abdeckt, sondern auch alle übrigen Fälle – die beobachteten wie die unbeobachteten, die vergangenen ebenso wie die gegenwärtigen und die künftigen. Dadurch wird die offenkundige Frage aufgeworfen, was uns denn dazu berechtige, an die Wahrheit einer solchen Verallgemeinerung, ja an die Wahrheit irgendeiner singulären Kausalaussage zu glauben. Humes Antwort lautet bekanntlich, daß es nichts gibt, was uns zu einer dieser beiden Überzeugungen berechtigt. Aber dann fragt man sich, wieso wir überhaupt irgendwelche derartigen Überzeugungen haben. Auf diese Frage kann Hume eine Antwort geben, deren Kern in seiner alternativen »Definition« der Ursache steckt: Eine Ursache sei »ein Gegenstand, dem ein anderer folgt, und dessen Erscheinen stets das Denken zu jenem andern führt«. Hier steht »ein Gegenstand«, wie das Wort »stets« deutlich macht, für eine Klasse von Gegenständen. Diese Behauptung hat zwar zu vielen Interpretationen angeregt, aber ich werde sie hier so auffassen, daß sie zumindest folgendes impliziert: Wir glauben, daß ein Ereignis ein anderes verursacht hat, wenn auf jedes Ereignis, das dem ersten ähnlich zu sein scheint, ein Ereignis folgt, das dem zweiten ähnlich zu sein scheint. Dem wird etwas hinzugefügt, wenn man (wie Hume) sagt, diese Paarung von Mengen von Ereignissen oder Erscheinungen sei eine Gewohnheit des Geistes, denn das impliziert, daß eine Disposition auch dann vorhanden ist, wenn sie nicht in Funktion ist – eine Disposition, die Paarung über das Gegebene hinaus zu projizieren. Wir *erwarten*, es werde auch in der Zukunft so sein, daß Feuer brennt und Brot nährt. Nelson Goodman lobt Hume in seinem grundlegenden Buch *Tatsache, Fiktion und Voraussage*,[9] da er erkannt habe, daß man sich zur Charakterisierung des induktiven Denkens nur auf die menschliche Neigung berufen könne, lieber so als anders zu klassifizieren und zu assoziieren. Andererseits kritisiert er Hume aus zwei Gründen: Erstens deshalb, weil Hume seinen eigenen Ansatz für skeptisch gehalten habe. Nach Goodmans Meinung bedarf die Induktion keiner Rechtfertigung, sondern nur einer richtigen naturalistischen Beschreibung. Zweitens deshalb, weil Hume die Schwierigkeit verkannt habe, die sich auch bei einem rein beschreibenden Vorgehen im Begriff der Ähnlichkeit verbirgt. Das hat Goodman durch seine Erfindung des Prädikats »blün« verdeutlicht. Etwas ist blün, wenn es vor einem künftigen Zeitpunkt *t* untersucht und für grün befunden wird und ansonsten blau ist. Dieses Prädikat zu verstehen, fällt uns nicht schwer. Es ist auf unkomplizierte Weise und in verständlicher Terminologie definiert worden. Daher können wir erkennen, daß Dinge, die blün sind, einander ähneln: Das Prädikat »blün« trifft auf sie alle zu; diese Dinge ähneln einander insofern, als sie alle blün sind. Doch wir sehen ein, daß »Alle Smaragde sind grün« selbst dann, wenn es nicht wahr ist, zumindest gesetzesartig ist, während »Alle Smaragde sind blün« nicht gleichfalls gesetzesartig sein kann, sofern die Induktion Orientierung für die Zukunft liefern soll. Sogar wenn wir die Suche nach einer letzten Rechtfertigung unserer induktiven Verfahrensweisen aufgeben, ist es legitim zu fragen, um welche Verfahrenswei-

9 Goodman, *Fact, Fiction, and Forecast.*

sen es sich im reflektierten Bestzustand überhaupt handelt. Der Begriff der Ähnlichkeit ist als solcher außerstande, die Last der Unterscheidung zwischen dem Gesetzesartigen und dem nicht Gesetzesartigen zu tragen.

Ist es jedoch wirklich zutreffend zu behaupten, Hume begnüge sich mit dem unreflektierten Begriff der Ähnlichkeit? Nach Goodman verhält es sich so:

> Die wirkliche Schwäche von Humes Analyse lag nicht in seinem beschreibenden Vorgehen, sondern in der Ungenauigkeit seiner Beschreibung. Er sagt, Regelmäßigkeiten in der Erfahrung erzeugten Gewohnheiten, etwas zu erwarten; daher seien Voraussagen, die den bisherigen Regelmäßigkeiten entsprechen, normal oder gerechtfertigt. Doch Hume übersieht, daß einige Regelmäßigkeiten solche Gewohnheiten erzeugen, andere aber nicht; daß Voraussagen, die auf gewissen Regelmäßigkeiten beruhen, berechtigt sind, wenn sie auf anderen beruhen, dagegen nicht. [...] Regelmäßiges Grünsein bestätigt die Voraussage weiterer Fälle, regelmäßiges [Blünsein] nicht. [...] Regelmäßigkeiten sind da, wo man sie findet, und man kann überall welche finden.[10]

Wenn man sich an Humes erste Definition der Ursache hält, ist diese Kritik zutreffend. Aber im Zuge seiner Umformulierung definiert Hume »Ursache« nicht durch Bezugnahme auf induktive Schlüsse, die wir hätten ziehen können, wenn wir anders gebaut gewesen wären, sondern durch Bezugnahme auf jene Induktionen, die wir tatsächlich vornehmen. Wenn Hume schreibt, daß »nach einer Wiederholung gleichartiger Fälle der Geist aus Gewohnheit veranlaßt wird, beim Auftreten des einen Ereignisses dessen übliche Begleitung zu erwarten und zu glauben, daß sie ins Dasein treten werde«,[11] stellen wir fest, daß die Wörter »gleichartig« und »üblich« unkritisch verwendet werden. Aber die zweite Definition von »Ursache« bedient sich dieser Wörter nicht und kann statt dessen als Definition des relevanten Ähnlichkeitsbegriffs angesehen

10 Ebd., S. 82 [Übers., S. 107f.].

11 *An Enquiry Concerning Human Understanding*, Abschnitt VII, Teil II [Übers., S. 91].

werden. Nehmen wir eines von Humes eigenen Beispielen: Wenn auf jede bisherige Wahrnehmung einer bestimmten Saitenschwingung ein bestimmter Ton gefolgt ist, dann werden wir beim nächsten Mal, wenn wir diese Schwingung wahrnehmen, diesen Ton und keinen anderen erwarten. Die Ausdrücke »eine bestimmte Schwingung« und »ein bestimmter Ton« setzen die im Hinblick auf induktive Schlüsse angemessenen Klassifikationen voraus. Wir können aber auch annehmen, daß die Klassifikationen durch die tatsächlich wirksamen Erwartungen bestimmt werden. Auf diese Weise sind es unsere Erwartungen oder »Projektionen«, die das Gesetzesartige vom nicht Gesetzesartigen unterscheiden. Diese Darstellung unterscheidet sich zwar in einigen Hinsichten von der Analyse Goodmans, aber nicht insofern, als Hume (wie Goodman nahelegt) gar keine Lösung von Goodmans »neuem Rätsel der Induktion« anzubieten hätte.

Goodmans Analyse ist natürlich sehr viel expliziter, detaillierter und präziser als die Analyse Humes. Sie unterscheidet sich von dieser auch in einer weiteren interessanten Hinsicht. Bei Goodmans detaillierter Erklärung beruht die Gesetzesartigkeit einer Aussage auf der Projizierbarkeit ihrer einzelnen Prädikate (die ihrerseits von früheren Prognosen abhängt). Humes Erklärung hingegen behandelt ganze Aussagen (Sätze) als gesetzesartig oder nicht (und das ist von den durch frühere Erfahrungen geprägten derzeitigen Gewohnheiten abhängig). Humes Analyse läßt also die Möglichkeit zu, daß eine Verallgemeinerung der Form »Alle *F* sind *G*« gesetzesartig ist, während »Alle *F* sind *H*« nicht gesetzesartig ist, obwohl *H* in anderen Aussagen vorkommen kann, die tatsächlich gesetzesartig sind. Mit anderen Worten: Im Hinblick auf Dinge, welche *F* sind, kann *G* ein projizierbares Prädikat sein, während *H* im Hinblick auf Dinge, welche *F* sind, vielleicht nicht projizierbar ist. In Goodmans Analyse sind solche Fälle nicht zugelassen, denn nach seiner Auffassung ist Projizierbarkeit eine Eigenschaft von Prädikaten und nicht von Prädikaten im Verhältnis zu anderen Prädikaten. In dieser Hinsicht halte ich Humes Vorgehen für überlegen, und zwar aus Gründen, auf die ich gleich eingehen werde.[12]

III.

Hume behauptet (wenn auch nicht mit durchgängiger Konsequenz), daß wir nur dann an einen kausalen Zusammenhang zwischen zwei Ereignissen glauben, wenn wir mehrfaches Zusammengehen und keine Ausnahmen erlebt haben (die weiteren Bedingungen der Aufeinanderfolge und der Berührung lasse ich hier unberücksichtigt). Daher lohnt sich der Hinweis darauf, daß die Ursache-Gesetz-These nicht an diese Vorstellung gebunden ist. Ebensowenig ist sie auf die Auffassung festgelegt, eine singuläre Kausalaussage lasse sich ausschließlich durch Bezugnahme auf in relevanter Hinsicht ähnliche Fälle stützen oder bestätigen. Ich bin der gleichen Meinung wie jene Philosophen, die (wie beispielsweise Anscombe, Ducasse und McDowell) die Ansicht vertreten, Hume habe sich geirrt, als er annahm, daß wir nie unmittelbar wahrnehmen, wie ein Ereignis ein anderes verursacht, auch wenn wir über keine von ähnlichen Fällen hergenommenen stützenden Belege verfügen.

Wie John McDowell erkannt hat, bin ich nicht der Meinung, Kausalgesetze seien nichts weiter als wahre Verallgemeinerungen. (Allerdings glaube ich, wie bereits gesagt, auch nicht, daß dies eine erschöpfende Charakterisierung von Humes Auffassung ist.) Jedoch macht McDowell außerdem geltend, es sei, wenn wir auf diesen reduktionistischen Schritt verzichten, schwer zu erkennen, warum man die Ursache-Gesetz-These akzeptieren sollte, die McDowell für einen Bestandteil des »im großen und ganzen Humeschen Bildes der Verursa-

12 Diesen Gedanken habe ich bereits in »Geistige Ereignisse« dargelegt, aber vielleicht in zu grober Form.

chung« erachtet. Er ist, anders ausgedrückt, der Meinung: Wenn wir Humes epistemische These aufgeben, beobachtete Regelmäßigkeiten seien unsere einzigen Belege für kausale Zusammenhänge, »ist schwer zu erkennen, was nun das [im großen und ganzen Humesche] Bild der Verursachung aufrechterhält«:

Humes eigene Empfehlung dieses Bilds läuft im Grunde darauf hinaus, daß die Verursachung, da singuläre Kausalbeziehungen nicht in der Erfahrung gegeben sind, in nichts anderem bestehen könne als in einer passenden Form von Allgemeinheit. Und diese Empfehlung scheint unauflöslich verknüpft zu sein mit einem gewissen »Dualismus von Schema und Inhalt, von ordnendem System und etwas, was darauf wartet, geordnet zu werden«. Niemand hat mehr als Davidson dazu beigetragen, die Unhaltbarkeit dieses Dualismus deutlich zu machen. Aber ohne diesen Dualismus ist nicht klar, worin die Attraktivität des Gedankens, singuläre Kausalzusammenhänge seien nicht in der Erfahrung gegeben, bestehen soll.[13]

Der Zusammenhang mit dem Dualismus von Schema und Inhalt ist mir nicht klar geworden, aber er ist sowieso nicht von Belang, denn ich habe ja nie behauptet, singuläre Kausalbeziehungen seien nicht in der Erfahrung gegeben. Der Begriff »in der Erfahrung gegeben« gehört nicht zu denen, mit denen ich – in diesem oder in sonst einem Zusammenhang – viel anzufangen wüßte. Doch wenn er hier nichts weiter bedeutet, als daß uns die Reizung unserer Sinne manchmal zu Recht, mit Recht und ohne Folgerung zu der Überzeugung bringen kann, ein bestimmtes Ereignis habe ein anderes verursacht, werde ich gewiß der These zustimmen, daß singuläre Kausalzusammenhänge oft in der Erfahrung gegeben sind.[14] McDowell ist offenbar der Meinung, daß es, sobald wir einge-

13 McDowell, »Functionalism and Anomalous Monism«, S. 398. Die dort angeführte Stelle aus meinem Aufsatz »On the Very Idea of a Conceptual Scheme« steht auf S. 189 des Bandes *Inquiries into Truth and Interpretation* [Übers., S. 270].

14 Diese Auffassung habe ich immer schon vertreten. Siehe »Actions, Reasons and Causes«, in: *Essays on Actions and Events*, S. 16 [Übers., S. 38].

räumt haben, es sei möglich wahrzunehmen, daß ein bestimmtes Ereignis von einem anderen verursacht worden ist, keinen weiteren Grund gibt, die Ursache-Gesetz-These zu akzeptieren. Doch warum sollten wir diesen speziellen Zusammenhang oder Nichtzusammenhang zwischen einer epistemischen und einer nichtepistemischen Frage annehmen?

Von C. J. Ducasse ist die Meinung vertreten worden, eine wahre singuläre Kausalaussage impliziere die Existenz eines allgemeinen Gesetzes, und es sei möglich, die Verursachung eines Ereignisses durch ein anderes wahrzunehmen, ohne daß man einen unabhängigen Grund dafür hätte, eine Verallgemeinerung zu akzeptieren. Nach Ducasse beruht alles Kausalwissen auf der Beobachtung einzelner Fälle, obwohl wir, wenn wir wüßten, daß ein Ereignis *u* in einer Situation *S* ein Ereignis *w* verursacht hat, auch wüßten, daß jedes *u* genau gleichende Ereignis in einer *S* genau gleichenden Situation ein *w* genau gleichendes Ereignis verursachen würde. Leider scheint Ducasse' Begründung dieser Auffassung auf zwei Verwechslungen zu beruhen, vor denen er uns an anderer Stelle warnt: auf der Verwechslung eines bestimmten Ereignisses mit Ereignissen »desselben« Typs und auf der Vorstellung, der Begriff der hinreichenden Bedingung lasse sich nicht nur auf Sätze über Ereignisse und deren Beschreibungen, sondern auch auf die Ereignisse selbst anwenden.[15] Was ich im Hinblick auf meine jetzigen Zwecke besonders interessant finde, ist Ducasse' Definition der Ursache.

Ducasse berichtet, daß er mit seinen Studenten das folgende »Experiment« durchzuführen pflegte: Er stellte einen in Papier eingewickelten Karton auf seinen Tisch und forderte die Studenten dazu auf, ihn nicht aus den Augen zu lassen. Dann legte er seine Hand auf den Karton, und das Ende des Pakets, auf das die Studenten blickten, begann sofort aufzuleuchten. Sodann fragte Ducasse die Studenten, welche Ursache den

15 Ducasse' ausführlichste Erörterung der Kausalität findet sich in seinem Buch *Nature, Mind, and Death*.

Karton in dem betreffenden Augenblick zum Leuchten gebracht habe, und sie antworteten natürlicherweise alle, das Aufleuchten sei dadurch verursacht worden, daß Ducasse seine Hand auf den Karton gelegt hatte.[16] Ducasse weist darauf hin, daß das Experiment nicht wiederholt wurde: Es wurden keine ähnlichen Fälle vorgeführt, die man hätte beobachten können. Er räumt ein, daß sich die Studenten hinsichtlich der Ursache hätten irren können, aber es war ihm nur darum gegangen, Feststellungen hinsichtlich der Kriterien zu treffen, auf deren Basis sie ein Urteil über die Ursache des Aufleuchtens des Pakets abgaben. Auf der Grundlage eines einzigen »Experiments« glaubten sie, es bestünde ein kausaler Zusammenhang, der natürlich tatsächlich gegeben war. Auf diesem Weg gelangt Ducasse zu der folgenden Definition der Ursache: Wenn *u* die einzige Veränderung in einer der einzigen späteren Veränderung *w* in *S* voraufgehenden Situation *S* ist, dann ist *u* die Ursache von *w*. Das ist meine eigene Formulierung, und sie wird der vorsichtigeren Formulierung von Ducasse nicht ganz gerecht. Meine Formulierung verdeutlicht allerdings eine Schwierigkeit, die von Ducasse verständlicherweise übersehen worden ist. Er hat nicht innegehalten, um sich zu fragen, was eigentlich eine Veränderung ausmacht, und dementsprechend die Frage aufzuwerfen, welche Arten von Entitäten als Ursachen und Wirkungen gelten können.

Ein naheliegender erster Versuch anzugeben, was eine Veränderung ist, sieht ungefähr folgendermaßen aus: Zu einem bestimmten Zeitpunkt *t* trifft das Prädikat *P* auf einen Gegenstand oder eine Situation zu, und nach *t* trifft *P* nicht mehr auf diesen Gegenstand oder diese Situation zu. Wenn etwas zunächst grün und anschließend blau ist, dann ist das eine Veränderung, ein Ereignis. Würde sich ein bisher grüner Smaragd vor unseren Augen blau färben, wären wir bestrebt, eine Erklärung für ein solches Ereignis zu finden: eine andere Verän-

16 Ebd., S. 95.

derung, von der die beobachtete Veränderung verursacht worden ist. Wie es scheint, funktioniert unser erster Versuch, eine Veränderung oder ein Ereignis zu definieren. Doch halt! Wäre ein Smaragd grün geblieben, als der Zeitpunkt *t* verstrich, hätte es eine Veränderung von blün zu glün gegeben (etwas ist glün, wenn es bei einer Betrachtung vor dem Zeitpunkt *t* für blau befunden wird und sonst grün ist). Das Prädikat »blün« hätte nicht mehr darauf zugetroffen, denn der Smaragd wäre nun unter das Blün ausschließende Prädikat »glün« gefallen. Ducasse selbst hat, soweit ich weiß, meinen »ersten Versuch«, eine Veränderung oder ein Ereignis zu definieren, nicht vorgeschlagen, aber er hat auch keine Alternative vorgebracht.[17] Solange wir keine Vorstellung davon haben, was eine Veränderung ausmacht, läßt uns Ducasse' auf »die einzige Veränderung« abhebende Analyse der Ursache völlig im unklaren. Natürlich ist etwas Grünes einem anderen Gegenstand, der ebenfalls grün ist, ähnlich; beide haben dieselbe Farbe. Doch damit kommen wir nicht weiter. Wenn Blün und Glün keine Farben sind, wollen wir sie Tarben nennen: eine Eigenschaft ist eine Tarbe, wenn sie zum Zeitpunkt *t* ihre Farbe ändert. Dann ist etwas Blünes einem anderen Gegenstand ähnlich, der blün ist; beide haben dieselbe Tarbe.

IV.

Zwischen Humes Problem und dem Problem von Ducasse besteht eine offenkundige Entsprechung. Bei Humes Problem geht es um relevante Allgemeinheit. Er muß angeben können, wann ein Ereignis in relevanter Hinsicht einem anderen »ähnlich« ist, um gesetzesartige von nicht gesetzesartigen Verallgemeinerungen zu unterscheiden. Auf den ersten Blick

17 Dagegen scheint Lawrence Lombard meinen »ersten Versuch« tatsächlich akzeptiert zu haben. Siehe Lombards Artikel »Events and their Subjects«, S. 138.

sieht es so aus, als habe das Problem von Ducasse damit nichts zu tun, denn anscheinend betrifft es Einzelfälle. Es ergibt sich bei dem Versuch, »Ursache« in einer Weise zu definieren, die nach Ducasse' Ansicht dem Humeschen Ansatz völlig zuwiderläuft, nämlich in einer Weise, die sich gar nicht auf andere Fälle beruft. Aber in Wirklichkeit hat Ducasse' Definition der Kausalbeziehung nur dann einen Gehalt, wenn wir Veränderungen und Nichtveränderungen auseinanderhalten können,[18] und diese Unterscheidung setzt, wie sich herausstellt, insofern Allgemeinheit voraus, als es genau die projizierbaren Prädikate – also die in gültige Induktionen hineinspielenden Prädikate oder Eigenschaften – sind, die bestimmen, was als Veränderung gilt.

Das Grundproblem ist in beiden Fällen das gleiche: Weder Hume noch Ducasse haben angegeben, wann Fälle in relevanter Hinsicht ähnlich sind. Hume muß sagen, wann eine Veränderung in relevanter Hinsicht einer anderen ähnelt (»Gleiche Ursache, gleiche Wirkung«). Ducasse muß sagen können, wann ein Zustand in relevanter Hinsicht *nicht* einem anderen ähnelt, das heißt, wann sich eine Veränderung beziehungsweise ein Ereignis abspielt. Die von Hume und Ducasse gegebenen und allem Anschein nach unvereinbaren Definitionen von »Ursache« sind also im Grunde äquivalent. Hume sagt, *u* sei genau dann die Ursache von *w*, wenn auf jedes *u* ähnliche Ereignis ein *w* ähnliches Ereignis folgt, das heißt genau dann, wenn auf jedes *u*-artige Ereignis ein *w*-artiges Ereignis folgt. Ducasse sagt, daß *u* genau dann die Ursache von *w* ist, wenn *w* die einzige auf *u* folgende Veränderung und *u* die einzige *w*

18 Ducasse läßt »Nichtveränderungen« ebenso wie Veränderungen als Ereignisse gelten. Aber diese terminologische Besonderheit hat nichts mit dem Problem zu tun, dem er sich gegenübersieht, wenn er Ereignisse, die Veränderungen sind, von Ereignissen unterscheiden möchte, die Nichtveränderungen sind. In der vorliegenden Abhandlung halte ich mich nicht an die von Ducasse vorgeschlagene Terminologie. Ich bezeichne nur Veränderungen als Ereignisse.

vorausgehende Veränderung ist. Nehmen wir an, das *u*-artige Ereignis sei das Anreiben eines bestimmten Streichholzes, und das *w*-artige Ereignis sei das Aufflammen dieses Streichholzes. Ein Ereignis ist *u*-artig, wenn es das Anreiben eines Streichholzes ist, und es ist *w*-artig, wenn es das Aufflammen eines angeriebenen Streichholzes ist. Nach Hume hat *u* genau dann *w* verursacht, wenn auf jedes *u*-artige Ereignis ein *w*-artiges Ereignis folgt. Nach Ducasse hat *u* genau dann *w* verursacht, wenn *u* die einzige Veränderung in einer Situation ist, in der *w* die einzige unmittelbar folgende Veränderung ist. Aber *u* ist nur dann die Ursache von *w*, wenn *u* und *w* die relevanten Veränderungen sind, und das sind sie nur dann, wenn *u* eine Veränderung von der Nichtangeriebenheit zur Angeriebenheit, also ein *u*-artiges Ereignis ist, und wenn *w* eine Veränderung von der Nichtentflammtheit zur Entflammtheit, also ein *w*-artiges Ereignis ist. Das ist, wie Ducasse geltend macht, genau dann der Fall, wenn auf jedes *u*-artige Ereignis ein Ereignis folgt, das *w*-artig ist. Diese Formulierungen sind zwar grob, aber sie dienen dazu, die zentrale Tatsache zu verdeutlichen, daß die angeführten Verallgemeinerungsschemata, sofern wahr, nur dann Gesetze sind, wenn »*u*-artig« und »*w*-artig« zusammengenommen Prädikate der richtigen Art sind.

Es ist demnach keine Überraschung, daß singuläre Kausalaussagen die Existenz von Einzelfälle abdeckenden Gesetzen implizieren: Ereignisse sind Veränderungen, die etwas erklären und die solcher Erklärungen bedürfen. Das ist keine empirische Tatsache. Der Natur ist es egal, was wir als Veränderung bezeichnen; also entscheiden wir, was als Veränderung zählt, und das tun wir auf der Basis dessen, was wir erklären wollen und was unserer Meinung nach als Erklärung zur Verfügung steht. Indem wir entscheiden, was als Veränderung gilt, entscheiden wir auch, welche Verallgemeinerungen als gesetzesartige gelten sollen.

Falls auf den Urknall ein einheitlich expandierendes Universum folgt, sollten wir erwarten, daß, indes wir zusammen mit dem Universum expandieren, die Intensität der Mikrowellenstrahlung im Hintergrund in allen Richtungen die gleiche ist. Das ist nicht der Fall. In einer Richtung ist die Strahlung meßbar stärker als in anderen Richtungen. Das hat man mit Hilfe der Annahme erklärt, der Unterschied gehe darauf zurück, daß sich unsere Galaxie im Verhältnis zur allgemeinen Expansion bewegt. Spätere Beobachtungen haben jedoch gezeigt, daß sich alle Nachbargalaxien eines enorm großen Bereichs zusammen mit uns auf einen gemeinsamen Punkt am Himmel zubewegen. Dies wiederum ist durch die Hypothese einer an diesem Punkt befindlichen gewaltigen, aber nicht beobachteten Masse (»der große Attraktor«) erklärt worden. Im Dezember 1993 zeigten sorgfältige Untersuchungen der Bewegung von Galaxien, die viermal weiter entfernt waren als bei früheren Forschungen, daß sie ebenfalls zusammen mit den übrigen unterwegs sind und mit einer Geschwindigkeit von ungefähr 500 Kilometer pro Sekunde durch die Hintergrundstrahlung rasen. Bis jetzt ist nichts aufgetaucht, was sich nicht zusammen mit der übrigen Schar bewegt. Also ist es entweder so, daß das Universum in weit höherem Maße ungleichmäßig ist, als von der derzeitigen Theorie angenommen oder erklärt worden ist, oder die Hintergrundstrahlung liefert uns keinen wirklichen Ruherahmen. In diesem Fall, sagt der in Princeton tätige Astrophysiker Bohdan Paczynski, ist etwas nicht in Ordnung mit unserer vorgängigen Definition dessen, was ruht und was in Bewegung ist.[19] Genauso ist es. Wenn man etwas mit Hilfe einer Annahme über das, was als Veränderung zählt, nicht erklären kann, sollte man sich neue Kategorien zu eigen machen, die eine Neudefinition der Veränderung gestatten.

Die Geschichte der Physik ist reich an Beispielen für solche Anpassungen bei der Wahl der Eigenschaften, die der Definition von »Veränderung« dienen sollen, so daß sich im Hin-

19 Nach dem Bericht von Flam, »Galaxies Keep Going With the Flow«, S. 31.

blick auf das, was einer kausalen Erklärung bedarf, manches wandelt. Auf einer bestimmten Ebene der Common-sense-Physik ist nichts statischer als ein Stein in der Wüste. (Es sei denn natürlich, er wird von jemandem hochgehoben; hier ist die Ursache der Veränderung seiner Lage offensichtlich, und es kommt ein vages Gesetz zum Vorschein.) Auch ungeschulte Beobachtung kann eine Veränderung der Temperatur des Steins registrieren, doch diese ist auf eine noch stärker merkliche Veränderung im Verhältnis zwischen der Sonne und dem Stein abgestimmt. Eine seriösere Form von Wissenschaft entdeckt Veränderungen der Positionen unsichtbarer Teilchen im Inneren des Steins, die unabhängig von Temperaturschwankungen stattfinden. Durch Einsicht in diese Veränderungen wird die kausale Erklärung einer sehr viel umfassenderen Reihe von Phänomenen möglich.

Ein Weg, auf dem die Naturwissenschaft voranschreitet, ist die Erkenntnis von Veränderungen, wo früher keine gesehen wurden. Es kann aber auch anders herum funktionieren. Galileo löste eine revolutionäre Verbesserung der Physik aus, als er den Vorschlag machte, eine gleichbleibende, geradlinige Bewegung sollte nicht als erklärungsbedürftige Veränderung, sondern als bleibender Zustand gedeutet werden. Das Resultat war, daß man die Suche nach Ursachen dieser Bewegungsform aufgab und nur Abweichungen von ihr als Veränderungen interpretierte. Durch weitere Fortschritte wurde die gleichbleibende, geradlinige Geschwindigkeit zu einem bloßen Spezialfall der gleichbleibenden Beschleunigung. Noch größer wurde der Bereich der Nichtveränderungen, als die Idee aufkam, die Gravitation nicht mehr als Kraft aufzufassen, so daß die Bewegung eines Körpers auf geodätischen Linien (die durch einen anhand der Verteilung von Massen im Raum bestimmten räumlichen Rahmen definiert sind) zu einem Zustand geworden ist, der keine Ursache voraussetzt.[20]

20 Meine Erörterung basiert zum Teil auf Robert Cummins, »States, Causes, and the Law of Inertia«.

In den Dispositionen, auf die wir uns beziehen, um zu erklären, was mit Gegenständen geschieht oder wie sie sich verhalten, ist das Verhältnis zwischen Kausalität und Gesetz konzentriert zusammengefaßt. Warum sich der Zuckerwürfel bei Eintauchen in Wasser aufgelöst hat, erklärt man, indem man sagt, er sei wasserlöslich gewesen; und etwas ist wasserlöslich, wenn Eintauchen in Wasser die Ursache dafür ist, daß es sich auflöst. Wir verstehen, warum jemand wegen einer Kleinigkeit einen Wutausbruch hatte, wenn wir wissen, daß er jähzornig ist; und jemand ist jähzornig, wenn Kleinigkeiten die Ursache dafür sind, daß er wütend wird. Die kausalen Kräfte physischer Gegenstände sind wesentlich für die Feststellung, welcher Art diese Gegenstände sind, denn sie definieren, welche Formen von Veränderung mit fortbestehender Identität verträglich sind und welche Formen von Veränderung ihre Entstehung oder ihr Ende ausmachen. Unser Begriff des physischen Gegenstands ist der Begriff von einem Gegenstand, der sich gesetzmäßig verändert.

Es wäre, wie bereits angemerkt, ein großer Fehler, wenn man annähme, jede Art der Bezugnahme auf eine Ursache oder eine Wirkung gebe Auskunft darüber, wie die Veränderung in gesetzestauglicher Terminologie zu charakterisieren wäre. Der Ausdruck »Hurrikan Andrew« ist zwar völlig ausreichend, um ein bestimmtes Ereignis herauszugreifen, aber der Begriff des Hurrikans enthält nichts, was uns die Möglichkeit gäbe, präzise allgemeine Gesetze über die Ursachen oder Wirkungen von Hurrikans aufzustellen. Sofern ein Hurrikan ein Ereignis ist, bietet er sich als Objekt einer kausalen Erklärung an. Wer sagt, etwas (beispielsweise die Bildung eines extremen Tiefdruckgebiets) habe den Hurrikan verursacht, beansprucht damit, daß die dabei ins Spiel kommenden Veränderungen in einer Terminologie beschrieben werden können, die der Formulierung eines allgemeinen Kausalgesetzes entgegenkäme.

Kehren wir nun zu dem Gedanken zurück, das, wodurch eine

Aussage gesetzesartig wird, sei nicht von der Projizierbarkeit seiner einzelnen Prädikate abhängig, sondern von der entsprechenden Paarung oder Gruppierung der Prädikate. Fragen wir uns, wie projizierbar das Prädikat »grün« ist, dem Goodman unter den projizierbaren Prädikaten eine Sonderstellung einräumt. Es greift eine Klasse von Gegenständen heraus, die wir schon früh und problemlos projizieren. »Alle Smaragde sind grün« ist eine gesetzesartige Aussage, aber sie ist es natürlich nur so lange, bis sie durch Gegenbeispiele widerlegt wird. Aber selbst wenn ihre Falschheit nicht bewiesen wird, ist sie kein striktes Gesetz. Denn wann ist etwas grün? Wir neigen zu der Antwort, etwas sei genau dann grün, wenn es für normale Betrachter unter normalen Bedingungen grün aussieht. Aber »sieht grün aus« und »normal« sind keine Prädikate, die exakt definiert werden können, und bestimmt lassen sie sich nicht auf die Prädikate der Physik zurückführen. In den Gesetzen eines geschlossenen Systems können sie keine Rolle spielen. Wenn wir uns vorstellen, es gelänge, im Vokabular der Physik eine befriedigende Definition von »Smaragd« aufzustellen, wäre »grün« kein strikt projizierbares Prädikat von Smaragden. Natürlich ist »grün« ein in höherem Maße von Smaragden projizierbares Prädikat als »blün«; aber »grün« und »blau« sind als Prädikate von Smaragden und Saphiren nur im gleichen Maße projizierbar, wie es die Prädikate »blün« und »glün« von Smaphiren beziehungsweise Saphragden sind. Diese Unterscheidung zwischen Prädikaten wie »grün« und »blün« einerseits und Prädikaten, die zusammen in strikten Gesetzen vorkommen können, ist, wie schon gesagt, von ausschlaggebender Bedeutung für die Argumentation zugunsten des Anomalen Monismus. Das ist es, was psychophysische Gesetze von den Gesetzen einer avancierten physikalischen Theorie unterscheidet.

Von Geburt an behandeln wir, wie Quine betont,[21] manche

21 Quine, »Natural Kinds«, in: *Ontological Relativity and Other Essays.*

Paare von Dingen als solche, die einander ähnlicher sind als andere. Auf plötzliche laute Geräusche reagieren wir unterschiedlich, und da wir solche Töne nicht mögen, lernen wir rasch, vor Dingen zurückzuschrecken, die solchen Tönen schon oft vorhergegangen sind. Also schon lange vor dem Spracherwerb oder ehe etwas eintritt, was sich zu Recht als Begriffsbildung ansehen ließe, handeln wir so, als hätten wir vage Gesetze gelernt. Wir verfahren von Geburt an induktiv. Wenn wir es nicht täten, wäre Säuglingssterblichkeit die Regel, sofern es überhaupt Säuglinge gäbe. Begriffe, begrifflich artikulierte Gesetze, die Vorstellung von kausalen Beziehungen zwischen Ereignissen – sie bauen auf diesen Grundlagen auf. Im Zuge der Vorgänge des Vermeidens und Suchens, der allmählichen Beherrschung unserer Umwelt, des erfolglosen und des erfolgreichen Verhaltens bilden wir jene gesetzesartigen Gewohnheiten aus, die dem Überleben förderlich und dem Leben günstig sind. Diese Gesetze des Handelns gewinnen nicht nur durch ihre auffälligen Bindungen an unser Tun etwas höchst Pragmatisches, sondern auch durch ihre nonchalante Mißachtung des Irrelevanten oder Unplausiblen. Die Verallgemeinerungen, auf die sich nicht nur das ungeschulte Kleinkind meistens verläßt, sondern auch unser erwachsenes Ich, sind auf »das Normale«, »das Übliche« abgestimmt. Wir wissen nicht, was geschähe, wenn es keinen Sauerstoff gäbe, wenn die Temperatur auf den absoluten Nullpunkt fiele oder wenn im Schrank ein schwarzes Loch wäre (was, wie ich soeben erfahre, durchaus sein könnte). Und was unsere praktischen Zwecke betrifft, kümmern wir uns nicht darum. Aber praktische Zwecke können sich ändern, und die Bedingungen, die wir zu einem Zeitpunkt getrost den Ceteris-paribus-Klauseln überlassen, können relevant werden oder als relevant anerkannt werden. In diesem Fall verfeinern wir unsere Klassifikationen, um unsere Gesetze zu verbessern.

Daß wir uns allgemeinere Gesetze aneignen, liefert keinen Grund dafür, unsere mit diversen Vorbehalten bestückten

Kausalgesetze des Alltags über Bord zu werfen. Wenn ich den Lichtschalter anknipse, habe ich keinen Grund, über die Lichtgeschwindigkeit nachzudenken, obwohl mir diese magische Konstante vielleicht flüchtig in den Sinn kommt, wenn meine Telefonanrufe nach Perth durch die Satellitentechnik übertragen – und wahrnehmbar verzögert – werden. Je präziser und allgemeiner die Gesetze, desto geringer die Wahrscheinlichkeit, daß wir in der Lage sein werden, sie zur Vorhersage der Ergebnisse unserer normalen Handlungen oder des Wetters zu benutzen. Durch unser ausgeprägtes Interesse an der Erklärung und am Verstehen absichtlichen Verhaltens sind wir unwiderruflich auf Begriffe wie »glauben«, »wünschen«, »Absicht« und »Handlung« festgelegt. Doch diese Begriffe können nicht auf die Begriffe einer alles umfassenden Physik zurückgeführt werden, ohne die ihnen zukommende und uns an sie bindende Erklärungsfähigkeit einzubüßen.

Wir haben auch Interessen, die nicht praktischer Art sind. Es gibt Dinge, die wir verstehen wollen, einerlei, ob wir sie steuern können oder nicht, und einerlei, ob dieses Wissen unseren irdischen Bedürfnissen zugute kommt oder nicht. Das Streben nach Wahrheit kann in solchen Fällen grundsätzlich auch ohne die Zwänge der praktischen Naturbeherrschung und des Profits voranschreiten. Wenn wir in dieser Stimmung sind, können wir Gesetze entdecken wollen, die ausnahmslos gelten.

Die gleiche Strategie, die der Verbesserung unserer praktischen Kenntnisse dient – also jene Strategie, die uns dazu bringt, das, was als Veränderung oder als einer Kausalerklärung bedürftig gilt, neu anzupassen – funktioniert auch in diesem Bereich. Das zeigt sich an den physikalischen Fortschritten, die auf Galileo, Newton und Einstein zurückgehen.

Robert Cummins formuliert das wie folgt:

Eine Entscheidung darüber, wie [ein Zustand] zu charakterisieren ist – eine Auswahl von Zustandsvariablen –, zwingt uns zu Unterscheidungen zwischen Zuständen und Nichtzuständen und bestimmt folglich, was als Wirkung gedeutet wird und was nicht. Solche Entscheidungen werden nicht willkürlich getroffen, und zum Teil deshalb nicht, *weil* sie diese Konsequenz nach sich ziehen. Wirkungen bedürften einer direkten kausalen Erklärung. Wenn keine befriedigende Erklärung zu haben ist, werden wir unsere Taxonomie umgestalten. Das klingt wie Metaphysik, und das ist es tatsächlich [...]. Dies alles setzt eine bestimmte Erklärungsstrategie voraus, deren Umrisse ohne weiteres angegeben werden können: Was der Erklärung bedarf, sind Veränderungen, und Veränderungen müssen als Wirkungen erklärt werden. Der Trick besteht darin, die Dinge in einer Weise zu kennzeichnen, durch die das möglich wird, das heißt in einer Weise, die echte Veränderungen von Zuständen unterscheidet.[22]

Die Physik hat sich, wie Cummins festhält, bis hin zu der klassischen Mechanik und den »mit ihr verwandten« Theorien an die von ihm beschriebene Strategie gehalten. Doch diese Strategie scheint, wie er ein wenig verdrossen hinzufügt, »auf der Ebene der Quantenmechanik zu versagen«. Ich bin nicht dazu in der Lage, alle Implikationen dieser letzten Andeutung zu beurteilen, aber ich glaube nicht, daß die Quantentheorie eine Gefahr für die Ursache-Gesetz-These darstellt. Wenn Cummins damit meint, daß das Ideal einer völlig deterministischen Theorie aufgegeben werden muß, falls die Quantentheorie das letzte Wort ist, hat er natürlich recht. Aber seine Strategie dürfte auch für die Quantentheorie gelten, wenn man das Wort »direkt« aus der Bedingung streicht, Wirkungen bedürften einer direkten kausalen Erklärung, und wenn man einsieht, daß die zu erklärenden Veränderungen manchmal Veränderungen der Wahrscheinlichkeit sind.

Das ist eine Ansicht, die schon vor vielen Jahren von Henry Margenau vertreten worden ist. Er formuliert das sogenannte »Kausalitätsprinzip« folgendermaßen: »Es ist ein Verstoß gegen die Kausalität, wenn auf einen gegebenen Zustand A nicht immer derselbe Zustand B folgt.«[23] Ebenso wie Cummins weist er darauf hin, daß das überhaupt keinen Aufschluß gibt, sofern wir nicht verstehen, was einen Zustand ausmacht. So-

22 Cummins, »States, Causes, and the Law of Inertia«, S. 33.

23 Margenau, »Meaning and Scientific Status of Causality«, S. 140.

bald wir jedoch entschieden haben, was einen Zustand ausmacht, haben wir auch entschieden, was als Kausalgesetz gilt. Warum sollten wir uns aber darauf verlassen, daß es eine Möglichkeit der Bestimmung von Zuständen gibt, die die Formulierung ausnahmslos gültiger Gesetze zuläßt? Margenaus Antwort lautet:

Immer wenn ein physikalisches System anscheinend kein geschlossenes ist – also wenn die es beschreibenden Differentialgleichungen eine explizite Zeitangabe enthalten – [...], kommen wir zu dem Schluß, daß die den betreffenden Zustand bestimmenden Variablen nicht vollständig bekannt sind. Dann suchen wir sogleich nach verborgenen Eigenschaften, deren Wechsel die Widersprüchlichkeiten hervorgerufen haben kann und deren Einbeziehung in die Analyse zur Beseitigung dieser Widersprüche führen würde. Wenn wir keine derartigen Eigenschaften ermitteln können, erfinden wir sie. Dieses Verfahren ist deshalb möglich, weil [...] der Ausdruck »Zustand« nicht definiert ist [...]. Es gewinnt dann den Anschein, als reduziere sich das Kausalitätspostulat auf eine Definition dessen, was man unter »Zustand« versteht.[24]

Aus diesem Grund, sagt Margenau, »kann uns die Physik niemals über ein Versagen des Kausalitätsprinzips informieren«. Die Quantenmechanik stellt, wie er abschließend meint, keine Gefahr für das Kausalitätsprinzip dar. Sie ist bloß eine weitere Neudefinition des Begriffs »Zustand«.
Von Bells Ungleichung konnte Margenau natürlich ebensowenig eine Ahnung haben wie von den Experimenten, die sich dieser Ungleichung bedient haben, um zu beweisen, daß es keine Theorie der lokalen verborgenen Variablen geben kann. Doch nach Margenaus Auffassung setzt das Prinzip der Kausalität keine deterministische Physik voraus. Gefordert ist lediglich, daß durch die Formulierung des Begriffs des Zustands die Striktheit der Gesetze gesichert ist. Deutlich wird das anhand der folgenden neueren Erörterung der philosophischen Nebenwirkungen des experimentellen Beweises der Unmöglichkeit einer Theorie der verborgenen Variablen:

24 Ebd., S. 144f.

> Die vollständige Kenntnis des zu einem bestimmten Zeitpunkt gegebenen Zustands eines klassischen Systems ist gleichbedeutend mit der genauen Kenntnis aller zu diesem Zeitpunkt gegebenen Observablen. Die vollständige Kenntnis des Zustands eines quantenmechanischen Systems ist gesichert, wenn man lediglich eine Teilmenge der zu ebendiesem Zeitpunkt gegebenen Observablen genau kennt. [...] Erst wenn man sich nach dem Wert einer Observablen erkundigt, die nicht in der vollständigen Menge der gleichzeitig erkennbaren Observablen enthalten ist, wird man mit der probabilistischen Natur der QM konfrontiert. In diesem Sinne findet das probabilistische Elemente Eingang in die QM durch den Meßvorgang, der das beobachtete System verändern muß. [...] Die verschiedenen möglichen Ergebnisse einer solchen Messung treten mit einer Wahrscheinlichkeit ein, die genau vorhergesagt werden kann. Dagegen ist es nicht möglich, das Ergebnis jeder derartigen Messung [...] vorherzusagen.[25]

Damit wird Margenau bestätigt: Der Begriff des Zustands eines quantenmechanischen Systems ist so definiert worden, um sicherzustellen, daß alles, was zu einem bestimmten Zeitpunkt darüber gewußt werden kann, diesen Zustand vollständig bestimmt. Die Identität eines quantenmechanischen Zustands spricht, anders als die der Zustände von klassischen Systemen, auf die Wirkung von Messungen an. Bei einem klassischen System wird angenommen, daß die Wirkung von Messungen prinzipiell auf ein willkürlich festgelegtes Maß reduziert werden kann, während es in der Quantenphysik so ist, daß die Wirkung der Messungen einen integralen Bestandteil der Theorie bildet: Das Meßgerät gehört demselben physikalischen System an wie das Gemessene und unterliegt denselben Gesetzen. Die Quantenmechanik verzichtet auf den Determinismus, und dieser Verzicht ist der Preis dafür, daß sie Universalität gewinnt. »Sie artikuliert wunderbar, was in der klassischen Physik völlig außer acht gelassen wird: Durch den Menschen kann die Natur sich selbst beobachten.«[26] Weit davon entfernt, Einwände gegen die Ursache-Gesetz-These

25 Rohrlich, »Facing Quantum Mechanical Reality«, S. 1254.
26 Ebd., S. 1253.

zu erheben, ist die Quantentheorie vielmehr ein Beispiel für diese These.

V.

Es kann natürlich sein, daß die Quantenphysik nicht das letzte Wort ist. Einstein ist nicht der einzige, der sich eine Theorie ausgemalt hat, die an die Stelle der Quantentheorie tritt oder die Quantentheorie so ummodelt, daß sie im Grunde deterministisch wird. Steven Weinberg zum Beispiel träumt nicht nur von einer vereinheitlichten Universaltheorie, sondern seinen Spekulationen zufolge könnte eine solche Theorie auch vollständig deterministisch sein.[27] Es fällt jedoch schwer zu glauben, daß die Frage, ob es eine solche Theorie gibt, eine rein begriffliche Frage ist – zumindest wenn es sich um eine Theorie handelt, welche die Menschen immerhin im Prinzip ersinnen und testen können. Bestimmt müssen wir die Möglichkeit zulassen, daß die beste physikalische Theorie, die wir aufstellen können, eine irreduzibel probabilistische Theorie ist. Heißt das, daß die Ursache-Gesetz-These nicht haltbar ist? Meiner Meinung nach heißt es das nicht. Margenaus Prinzip, das im Grunde auf das gleiche hinausläuft wie Humes Prinzip »Gleiche Ursache, gleiche Wirkung«, hat uns auf eine Spur gebracht, die zu dem Gedanken führt, daß natürliche und konstruierte Ähnlichkeitsstandards sowohl bei der Vorstellung von Veränderungen als auch bei der Vorstellung von Gesetzen eine grundlegende Rolle spielen. Damit wird ein legitimer Zusammenhang hergestellt zwischen dem Begriff der Kausalität und dem Begriff des Gesetzes. Wir können uns ausmalen, daß dieser Zusammenhang eng genug ist, um völlig deterministische Gesetze zu tragen. Ja, im Grunde entspricht dies der Vorstellung, die sich die klassische

27 Weinberg, *Dreams of a Final Theory*, siehe die Rezension von John Leslie, S. 3.

Mechanik von der Wirklichkeit gemacht hat. Doch wenn die Physik nicht deterministisch formuliert werden kann – also wenn die ultimativen Gesetze des Universums, soweit wir sie je kennen werden, probabilistisch sind –, dann müssen wir die Kausalität als etwas Probabilistisches begreifen. Singuläre Kausalaussagen werden auch auf der Ebene der Quantentheorie nach wie vor die Existenz strikter Gesetze implizieren, aber die Gesetze werden nicht den Maßstäben Humes, Kants oder Einsteins genügen.

Philosophiegeschichtliche Überlegungen

15
Platons Philosoph

Es ist eine reizvolle Frage, wie wir das Ziel und die Methode des philosophischen Unterfangens zu den Überzeugungen in Beziehung setzen sollen, mit denen wir an dieses Unterfangen herangehen. Es ist nutzlos, so zu tun, als könnten wir zunächst irgendwie das Rüstzeug ausklammern, mit dem wir uns der Philosophie nähern, denn dann gäbe es nichts, womit wir arbeiten könnten. Wir können jedoch die Frage stellen, ob es beim Philosophieren vor allem darum geht, die anfangs gegebenen Überzeugungen oder Annahmen zu untersuchen, zu klären, in Einklang zu bringen, zu kritisieren, umzuschichten oder überhaupt erst ans Licht zu bringen, oder ob eine weitergehende Möglichkeit besteht, nämlich die Möglichkeit einer Suche, die zu Einsichten oder Werten führen könnte, die am Anfang noch nicht zu erkennen und nicht unbedingt in unserem damaligen Wissen enthalten waren.

Jedes dieser Unterfangen geht mit offenkundigen Schwierigkeiten einher. Niemand kann etwas gegen die Bekämpfung von Verwirrung, Konflikt, Dunkelheit und Selbstbetrug in unseren Alltagsüberzeugungen haben. Unsere Ansichten über uns selbst und die Welt enthalten diese Mängel in Hülle und Fülle, und wenn es einigen Philosophen mit Geschick oder Glück gelingt, etwas zu ihrer Verminderung beizutragen, so gebührt diesen Philosophen unser Respekt und unsere Unterstützung.

Es wäre jedoch enttäuschend, wollte man annehmen, das sei schon alles, was die Philosophie ausrichten kann, denn dann müßte sie mit der Aufgabe vorliebnehmen, Widersprüche zu beseitigen, ohne den Anspruch anzumelden, zur Wahrheit gelangen zu können. Widerspruchsfreiheit ist natürlich eine notwendige Bedingung, wenn *alle* unsere Überzeugungen wahr sein sollen. Aber in der bloßen Widerspruchsfreiheit liegt nicht viel Trost. Unter der Voraussetzung, daß einige unserer Überzeugungen nachgerade mit Sicherheit falsch sind (obwohl wir nicht wissen, welche), kann die Beseitigung von Widersprüchen zwischen unseren Überzeugungen genausogut zu einer Verminderung wie zu einer Vermehrung unseres Wissensvorrats führen.

Andererseits ist nicht leicht zu erkennen, wie die Suche nach Wahrheiten unabhängig von unseren Überzeugungen durchgeführt werden soll. Das Problem besteht darin, solche Wahrheiten zu erkennen, wenn man auf sie stößt, denn die einzigen Maßstäbe, deren wir uns bedienen können, sind unsere eigenen. Sofern man beim ersten Vorstoß keinen Versuch unternimmt, objektive Standards festzulegen, kann der zweite Vorstoß scheinbar nur glücken, wenn man einen Teil des Subjektiven durch Etikettenschwindel als etwas Objektives ausgibt.

Zwischen diesen beiden Bildern der Methode und des Ziels der Philosophie und zwei traditionellen Auffassungen des Wesens der Wahrheit besteht ein offenkundiger Zusammenhang: Die eine Methode geht ganz natürlich mit Kohärenztheorien der Wahrheit einher, während sich die andere mit Korrespondenztheorien zusammentut. In ihrer kühnsten und klarsten Form erklärt die Kohärenztheorie, alle Elemente einer widerspruchsfreien Menge von Überzeugungen seien wahr; Kohärenz sei der einzig mögliche Wahrheitstest, und somit müsse Kohärenz wahrheitskonstitutiv sein. In dieser Formulierung kann man die Kohärenztheorie der Wahrheit als Verteidigung einer philosophischen Methode ansehen, die nur Widersprüche zu tilgen beansprucht. Denn sobald Inkonsistenzen entfernt sind, wird der Rest, wie uns die Kohärenztheorie versichert, ein unverfälschtes Korpus von Wahrheiten sein.

Korrespondenztheorien hingegen behaupten, die Wahrheit lasse sich als Beziehung zwischen einer Überzeugung und einer Realität erklären, deren Existenz und Beschaffenheit zum größten Teil unabhängig ist von unseren Kenntnissen und Überzeugungen. Diese Art von Wahrheit ist genau das, wonach der zweite philosophische Ansatz strebt. Aber leider geben Korrespondenztheorien keine verständliche Antwort auf die Frage, wie wir generell erkennen können, daß unsere Überzeugungen in der erforderlichen Weise mit der Realität übereinstimmen.

Kein Thema wird bei Platon ausdauernder angestimmt als die Betonung der philosophischen Methode, die Suche nach einem systematischen Verfahren zur Erreichung wichtiger Wahrheiten und nach sicherer Bestätigung dafür, daß es sich wirklich um Wahrheiten handelt. Dennoch darf man vermutlich getrost sagen, daß Platon nicht nur keine völlig befriedigende Methode entdeckt hat, sondern daß er keine Methode gefunden hat, mit der er längere Zeit zufrieden gewesen ist. In den frühen Dialogen, in denen Sokrates die Sache in die Hand nimmt, dominiert die elenktische Methode; und diese Dialoge enthalten nichts, was den Verdacht aufkommen ließe, Platon bzw. Sokrates sähe die Notwendigkeit irgendeiner Ergänzung. Doch offenbar führt diese Methode bestenfalls zur Widerspruchsfreiheit. Sofern angenommen wird, daß sie Wahrheit ergibt, bleibt der Grund für diese Annahme ungenannt. In den mittleren und einigen der späten Dialoge deutet Platon eine Reihe von Möglichkeiten an, wie sich der Elenchos durch Verfahren mit höherer Zielsetzung ergänzen oder ersetzen ließe. Auffallend ist jedoch, daß sich Platon auf keine dieser Methoden festlegt und meint, sie werde mit Sicherheit zur objektiven Wahrheit führen. Nacheinander werden die neuen Methoden verworfen oder zu bloß nützlichen Hilfsmitteln degradiert. Wie Platon oft klarmacht, sieht er durchaus ein, daß seine Methoden nicht genügen, um die selbstgesteckten Ziele zu erreichen; und diese Unzulänglichkeit ist für den heutigen Leser oft peinlich offenkundig.

Häufig werden Platon und Aristoteles als paradigmatische Vertreter gegensätzlicher Methoden hingestellt. Zumindest was die Moralphilosophie betrifft, betont Aristoteles, daß Ansichten, die in unserer eigenen Gemeinschaft weit verbreitet sind und mit Nachdruck vertreten werden, ernst genommen und als generell wahr aufgefaßt werden müssen. Über Platon hingegen erfahren wir folgendes:

> In den mittleren Dialogen erhebt [Platon] durchweg und mehrmals Einwände gegen die philosophische Zulänglichkeit jeder Methode, die darin besteht, unsere Meinungen und Äußerungen zu registrieren und umzuformulieren. Gerade Platon bringt die *phainomena* und die sie betreffenden kognitiven Zustände ganz explizit in Gegensatz zur Wahrheit und zum echten Verstehen. Platon ist es auch, der geltend macht, daß die *paradeigmata*, deren wir für das Verständnis der wichtigsten philosophischen und wissenschaftlichen Gegenstände bedürfen, in der Welt der menschlichen Überzeugungen und Wahrnehmungen gar nicht zu finden sind.[1]

Das ist tatsächlich die übliche Meinung, und wenn sie – wie in diesem Zitat – auf die Dialoge der mittleren Periode eingeschränkt wird, ist sie in etwa zutreffend. Aber selbst mit dieser Einschränkung sollte sie nicht vorbehaltlos akzeptiert werden. Als frappierendes Beispiel für den Gegensatz der Methoden bei Platon und Aristoteles nennt Nussbaum die Ansichten der beiden über die *akrasia*, also die Willensschwäche. Sokrates hat, wie wir wissen, die paradoxe These aufgestellt, *akrasia* sei unmöglich. Wenn ein Akteur weiß, was gut ist, dann könne er, wie Sokrates meint, gar nicht umhin, in Einklang mit diesem Wissen zu handeln. Aristoteles hingegen ist der Meinung, die übliche Meinung müsse richtig sein: Es gebe – den sokratischen Argumenten zum Trotz – wirklich Fälle von *akrasia*.

Wie klar ist hier der Gegensatz zwischen Platon (eigentlich Sokrates) und Aristoteles? In den frühen Dialogen stoßen wir auf besonders nachdrücklich formulierte Beispiele für Konklusionen, die der üblichen Überzeugung deutlich widersprechen. Es wird jedoch nichts gesagt, um zu zeigen, daß die

1 Nussbaum, »Saving Aristotle's Appearances«, S. 270.

elenktische Methode mehr zu leisten vermag als Widersprüche aufzudecken. In den Dialogen der mittleren Periode finden sich die eben genannten Beteuerungen, die Philosophie könne zu Wahrheiten gelangen, von denen sich normale Menschen nichts träumen lassen und die durch keine Erfahrung auf die Probe gestellt werden können. Doch das Paradoxe der zum Vorschein kommenden Lehrsätze wird gerade in diesen Dialogen sehr viel weniger herausgestrichen. Insbesondere wird die sokratische Leugnung der Möglichkeit der *akrasia* ausdrücklich fallengelassen. Wenn wir unser eigenes kleines Paradox formulieren dürfen: Man könnte sagen, daß in den frühen Dialogen dogmatische Thesen auf der Grundlage einer Methode aufgestellt werden, die diese Thesen nicht stützen kann, und daß in den mittleren Dialogen weniger anspruchsvolle Resultate durch Methoden gewonnen werden, von denen verkündet wird, daß sie zur absoluten und objektiven Wahrheit führen.

Nach meiner Auffassung hat Platon letzten Endes das Vertrauen in die Fähigkeit dieser Methoden verloren, gesicherte ewige Wahrheiten hervorzubringen, die den ernsthaften Zielsetzungen und Überzeugungen der meisten Menschen nichts verdanken. Statt dessen erwartete er sich wieder mehr von dem in verschiedenen Hinsichten ergänzten und bearbeiteten Elenchos, durch den er auf dem Weg über die Widerspruchsfreiheit zur Wahrheit zu gelangen hoffte. Er kehrte also, anders ausgedrückt, zu einer Form der sokratischen Methode und deren Herangehensweise an das philosophische Unterfangen zurück. Es fällt nicht schwer, sich Gründe zu überlegen, warum Platon in den mittleren Dialogen befand, der Elenchos sei nicht ausreichend, um jene Thesen zu beweisen, deren Begründung ihm am Herzen lag. Es fällt aber auch nicht schwer, sich auszumalen, warum er mit den Alternativen unzufrieden war. Man kann Vermutungen über den Grund anstellen, aus dem Platon die Suche nach einer narrensicheren, überirdischen Methode aufgab, denn er selbst hat kritische

Einwände vorgebracht, die ihn ebenso skeptisch gestimmt haben müssen wie uns.

Es wäre töricht zu versuchen, die historische Wahrheit der Idee zu beweisen, daß Platon am Ende seines Denkwegs zu einer Form des sokratischen Vertrauens in das Potential des Elenchos zurückkehrte. Platons Schriften sind mit Erfolg so angelegt, daß wir im Zweifel darüber bleiben, was er wirklich geglaubt hat. Ich werde mehr als zufrieden sein, wenn es nicht gelingt, meine Mutmaßungen als offenbar verfehlt hinzustellen.

Der Gedankengang, dem ich hier nachgehe, wurde durch einen brillanten und provokanten Artikel von Gregory Vlastos über den sokratischen Elenchos angeregt.[2] Logisch gesehen ist der Elenchos nichts weiter als eine Methode, um nachzuweisen, daß eine Menge von Aussagen inkonsistent ist. In der Praxis wird die elenktische Methode von Sokrates oder einem anderen Fragesteller benutzt, um zu zeigen, daß ein Gesprächsteilnehmer Dinge gesagt hat, die (da sie widersprüchlich sind) nicht allesamt wahr sein können. Wenn damit schon alles gesagt wäre, bestünde die Funktion des Elenchos ausschließlich darin, Inkonsistenzen aufzudecken. Ein solcher Nachweis sollte natürlich jeden interessieren, der versucht ist, alle in der inkonsistenten Menge enthaltenen Aussagen zu *glauben*.

Es gibt keinen offenkundigen Grund, warum sich ein Philosoph oder sonst jemand nur dann für inkonsistente Mengen von Aussagen interessieren sollte, wenn sie de facto geglaubt werden. Es ist schließlich so, daß man die Wahrheit und damit die Glaubwürdigkeit einer Aussage beweisen kann, indem man zeigt, daß ihre Negation einen Widerspruch ergibt. Das nützt nichts, wenn man keine logischen, sondern gehaltvolle oder moralische Wahrheiten untermauern möchte. Dennoch ist es oft hilfreich, die Inkonsistenz einer noch nicht aner-

2 Vlastos, »The Socratic Elenchus«.

kannten Aussagenmenge einzusehen, wenn man festzustellen versucht, wo die Wahrheit liegt.

Daher ist es überraschend und aufschlußreich, daß Sokrates in den sokratischen Dialogen normalerweise darauf besteht, der Gesprächspartner müsse sich ernsthaft an die auf den Prüfstand gestellten Aussagen gebunden fühlen. Es gehört zu den Vorzügen des Artikels von Vlastos, daß ihm dieses bemerkenswerte Merkmal der sokratischen Methode auffällt und daß er die Wichtigkeit dieses Merkmals erkennt. Vlastos führt die folgenden Zitate aus den Dialogen an: »Beim Gott der Freundschaft, Kallikles! Glaub ja nicht, daß du mit mir deine Spielchen treiben und antworten kannst, was dir in den Sinn kommt und deiner wirklichen Meinung widerspricht« (*Gorgias*, 500b). »Mein Bester, gibt mir keine Antwort, die deiner wahren Meinung widerspricht; dann können wir etwas zustande bringen« (*Staat*, 346a). Als Protagoras eine Frage des Sokrates mit folgenden Worten beantwortet: »Was macht das schon? Wenn du magst, lassen wir das so gelten«, wird Sokrates zornig und erwidert: »Das lasse ich nicht zu. Denn ich möchte nicht, daß dieses ›wenn du magst‹ und ›wenn du meinst‹ widerlegt wird, sondern du und ich. Ich sage ›du und ich‹, denn ich glaube, daß die These am besten widerlegt wird, wenn du das ›wenn‹ herausnimmst« (*Protagoras*, 331c).

Dieses zuletzt angeführte Zitat verdeutlicht ein weiteres Merkmal des Elenchos und hilft die Frage zu beantworten, warum Sokrates soviel daran liegt, daß die von ihm befragten Personen ihre wahre Meinung zum Ausdruck bringen. Sokrates geht es um *Widerlegung*. Der typische Elenchos beginnt damit, daß Sokrates eine Frage stellt, die der Gesprächspartner beantwortet. Sodann entlockt Sokrates dem Gesprächspartner einige weitere Ansichten (was nicht selten so geschieht, daß er sie selbst formuliert und den anderen zur Zustimmung bewegt), um anschließend zu beweisen, daß diese weiteren Ansichten die Falschheit der ersten Antwort implizieren. Sofern der Befragte nicht die seine erste Antwort widerlegenden

Aussagen akzeptiert, hat er keinen Grund, diesen ersten Vorschlag fallenzulassen. Es ist keine *bestimmte* These widerlegt worden.

Sokrates hat, wie Vlastos darlegt, nichts weiter gezeigt, als daß die Überzeugungen des Gesprächspartners widersprüchlich sind, weshalb wenigstens eine dieser Überzeugungen falsch sein muß. Die elenktische Methode enthält aber nichts, woraus hervorginge, welche Überzeugung oder welche Überzeugungen preisgegeben werden sollten. Zum Schluß stellt sich immer heraus, daß es der ursprüngliche Vorschlag ist. Das ist aus Gründen der Pädagogik und der Veranschaulichung offenbar die richtige Strategie. Aber es ist eine Strategie, die nur dann zu wahren Schlußfolgerungen führen wird, wenn man darauf achtet, mit einer falschen Überzeugung zu beginnen und dann weitere, aber wahre Überzeugungen heranzuziehen, um die Ausgangsbehauptung zu widerlegen. Woher kann Sokrates wissen, was wahr und was falsch ist, ehe er seine Methode zum Einsatz gebracht hat? Ist die Methode doch bloß ein Mittel zur Überredung?

Offenbar verläßt sich Sokrates darauf, daß die elenktische Methode wirklich zu moralischen Wahrheiten hinführt, und zwar im allgemeinen zur Negation einer Überzeugung, die der Gesprächspartner zu Beginn der Unterhaltung vertreten hat. Wenn *p* die Ausgangsbehauptung ist, faßt Sokrates das Ergebnis der elenktischen Argumentation des öfteren zusammen, indem er sagt, die Negation von *p* sei »uns klar geworden« oder der Gesprächspartner »erkenne« oder »wisse« jetzt, daß nicht-*p*.[3] Im *Gorgias* sagt Sokrates, die Wahrheit seiner These (der Negation der vom Gesprächspartner vertretenen Aussage *p*) sei »bewiesen« worden (*Gorgias*, 479e). (Nicht-*p* besagt hier, daß es besser sei, Unrecht zu erdulden als Unrecht zu begehen.) Wenig später benutzt Sokrates eine noch stärkere Formulierung: »Da diese Dinge nun durch die

3 Siehe die Textverweise in Vlastos' »Afterthoughts on the Socratic Elenchus«, S. 71 f.

bisherigen Argumente klar geworden sind, möchte ich sagen, obwohl es vielleicht derb wirkt, daß sie durch Gründe aus Eisen und Stahl festgeklammert und angebunden worden sind [...]« (*Gorgias*, 508e-509a).

Nach Vlastos, dessen Argumentation ich bis jetzt weitgehend gefolgt bin (und dessen Übersetzungen ich benutzt habe*), unterscheiden sich die letzten beiden Zitate in puncto Anspruch ganz erheblich von den früheren Behauptungen. Wenn man etwas beweist, so ist das mehr als eine bloße Klarstellung. Vlastos meint, die These, der Elenchos könne Wahrheiten »beweisen«, sei nicht Sokratisch. Nach seiner Ansicht ist Sokrates tatsächlich davon ausgegangen, daß der Elenchos zur Wahrheit führt, aber über diese Annahme habe er nicht bewußt nachgedacht. Darum habe er nicht das Bedürfnis empfunden, sie zu verteidigen. Vlastos fährt fort und schreibt:

> In den Dialogen, die früher sind als der *Gorgias*, wird Sokrates von Platon als jemand geschildert, der mehr oder weniger genauso für seine Ansichten argumentiert, wie es auch andere Philosophen vor und nach ihm getan haben, wenn es ihnen darum ging, andere Menschen zu ihrer eigenen Ansicht zu bekehren. Er wählt Prämissen, die er als solche für so überaus vernünftig und im Überzeugungssystem seiner Gesprächspartner so tief verankert erachtet, daß er kein ernstzunehmendes Risiko in der Möglichkeit sieht, sie könnten die Prämissen umstoßen, um ihre These zu retten, wenn er sie mit der Tatsache konfrontiert, daß diese Prämissen die Negation ihrer These implizieren. [...] Da es sich so verhält, ist das »Problem des Elenchos« in diesen früheren Dialogen für Sokrates kein Grund zur Beunruhigung.[4]

Platon dagegen hat sich (nach Vlastos' Theorie) tatsächlich gefragt, wodurch denn die Wahl wahrer Prämissen gewährleistet werde. Und diese Frage war sicher berechtigt, wenn man bedenkt, wie oft Dinge, die fast allen übrigen Menschen ganz normale Erkenntnisse zu sein schienen, von Sokrates für falsch befunden wurden. Die Worte werden zwar Sokrates in

* [Diese Übersetzungen liegen auch den deutschen Übersetzungen zugrunde. – Übers.]

4 Vlastos, »Afterthoughts«, S. 73.

den Mund gelegt, aber nach Vlastos ist es Platon, der einsieht, was man voraussetzen muß, damit der Elenchos Wahrheiten hervorbringt. Diese Voraussetzung lautet: *Wenn es um moralische Fragen geht, hat jeder wahre Überzeugungen, die er nicht preisgeben kann und von denen die Negation seiner falschen Überzeugungen impliziert wird.* Aus dieser Voraussetzung folgt, daß alle Überzeugungen in einer widerspruchsfreien Menge von Überzeugungen wahr sind, also wird eine Methode, die, wie der Elenchos, Inkonsistenzen ausmerzt, zum Schluß ausschließlich Wahrheiten übriglassen. Darum brauchte Sokrates weder im voraus zu wissen, welche Überzeugungen wahr sind, noch brauchte ihn die Möglichkeit zu beunruhigen, daß man eine Inkonsistenz nach ihrer Entdekkung dadurch beseitigen könnte, daß man versehentlich etwas Wahres ausschließt. Man würde dann nämlich feststellen, daß die beibehaltene Falschheit ihrerseits weiteren Überzeugungen widerspricht.

Die Textbelege aus dem *Gorgias*, die für diese Theorie sprechen, werde ich hier nicht betrachten, denn unabhängig davon, ob sich Platon oder Sokrates dessen bewußt waren, ist einerseits klar, daß eine Voraussetzung der hier genannten Art nötig ist, damit der Elenchos als Verfahren zur Ermittlung von Wahrheiten gerechtfertigt werden kann, und andererseits ist ebenso offensichtlich, daß es weder im *Gorgias* noch in irgendeinem anderen der frühen Dialoge ein Argument zur Stützung dieser Voraussetzung gibt. Vlastos meint, Platon habe das erkannt und dies sei der Grund, warum der Elenchos in den nächsten drei, gleich nach dem Gorgias geschriebenen Dialogen (*Euthydemos*, *Lysis* und *Hippias Maior*) gar nicht auftaucht. In diesen Dialogen wird zwar philosophisch argumentiert, doch im wesentlichen führt Sokrates allein das Wort: Er stellt nicht nur die Thesen auf, sondern er kritisiert sie auch selbst.

Im *Menon* findet Platon einen neuen Weg, um den Elenchos zu verteidigen, nämlich die Theorie der Wiedererinnerung.

Dieser Theorie zufolge wird jeder mit vollständigem Wissen geboren, aber die Wechselfälle des Lebens bewirken es, daß man sein Wissen vergißt und falsche Aussagen zu glauben beginnt. Auch hier ist klar, daß eine Methode, die nicht mehr für sich beansprucht als die Fähigkeit zur Beseitigung von Aussagen, die dem Wissen widersprechen, ausreicht, um zur Wahrheit zu gelangen. Vlastos kennzeichnet die Theorie der Wiedererinnerung als ein »großzügiges Geschenk« Platons für Sokrates. »Zur Zeit dieses Geschehens«, schreibt Vlastos abschließend, »ist aus dem Moralisten der frühen Dialoge der Metaphysiker der mittleren geworden. Die Metamorphose, durch die Platons Lehrer in Platons Sprachrohr verwandelt wird, ist vollzogen.«[5]

Vlastos sieht einen gewaltigen Unterschied zwischen Platons beiden Wegen zur Rettung des Elenchos: zwischen dem Weg des *Gorgias*, der nichts weiter voraussetzt als das Vorhandensein von genügend tief verwurzelten Wahrheiten im Inneren eines jeden, und dem Weg des *Menon* mit dem Gedanken der Seelenwanderung und der Theorie der Wiedererinnerung. Zwischen der Abfassung dieser Dialoge vergingen Jahre, in denen Platon alles Vertrauen in den Elenchos verloren habe. Dann sei Platon »eines Tages«, wie Vlastos schreibt, auf die Theorie der Wiedererinnerung gekommen.

Das ist eine faszinierende Geschichte, und Vlastos macht sie plausibel, indem er eine Fülle von Textbelegen heranzieht und die menschlichen wie die logischen Wahrscheinlichkeiten in kluger Weise berücksichtigt. Ich beabsichtige nicht, Einwände dagegen anzuführen, außer in bezug auf einen Gedanken, der in Vlastos' Artikel zwar nicht explizit ausgesprochen, aber doch deutlich impliziert wird. Diese Implikation besagt, daß Platon nach dem *Gorgias* die Hoffnung *für immer* aufgab, moralische Wahrheiten könnten den Menschen durch so etwas wie den Elenchos entlockt werden. Jedenfalls

5 »Afterthoughts«, S. 71.

möchte ich die Hypothese aufstellen, daß Platon an einem bestimmten späten Punkt seines Werdegangs auf zwei Dinge zurückkommt (sofern er sich überhaupt je von ihnen entfernt hat): Erstens beschäftigt ihn wieder das sokratische Interesse am guten Leben, an der richtigen Art zu leben; und zweitens verläßt er sich auf die Voraussetzung, daß jedem genug Wahrheit innewohnt, um uns die Hoffnung zu geben, wir könnten herausbekommen, worin das gute Leben besteht.

Zunächst sollten wir folgendes festhalten: Es ist zwar gewiß richtig, daß die Lehre der Seelenwanderung und der Wiedererinnerung im *Menon* neu auftaucht, aber dennoch steht diese Lehre in engem Zusammenhang mit der methodologischen Voraussetzung, die, wie Platon im *Gorgias* erkennt, zur Verteidigung des Elenchos erforderlich ist. Eigentlich tritt die Theorie der Wiedererinnerung nicht *an die Stelle* der Voraussetzung des *Gorgias*, sondern sie *impliziert* diese. Wenn man die Theorie der Wiedererinnerung nur als Ergänzung des Elenchos betrachtet, bedarf die Theorie der Wiedererinnerung nicht der Lehre von der Seelenwanderung. Ähnlich der methodologischen Voraussetzung des *Gorgias* postuliert die Theorie der Wiedererinnerung, es müsse in jedem von uns genug tief verwurzelte Wahrheit geben, um zu gewährleisten, daß die Beseitigung von Widersprüchen letztlich in der Beseitigung von Irrtümern resultiert. Sobald alle Inkonsistenzen ausgeräumt sind, wird der Rest wahr sein. Von einem streng methodologischen Standpunkt betrachtet, besteht der Hauptunterschied zwischen den beiden Theorien in folgendem: Während die Voraussetzung des *Gorgias* darauf hindeutet, daß der Elenchos der einzige sichere Weg zur Erkenntnis sei, verheißt die Theorie der Wiedererinnerung keinen Bonus für die Beseitigung von Inkonsistenzen und legt es daher nahe, wir sollten auf der Suche nach der Wahrheit andere Methoden in Betracht ziehen als den Elenchos.

Natürlich treten in den mittleren und späten Dialogen andere Methoden in den Vordergrund: die verschiedenen Methoden des »Aufstiegs« im *Staat*, im *Symposion* und im *Phaidros*, die »Methode der Hypothese«, des »Sammelns und Teilens«, sowie die Methode oder Methoden des *Philebos*. Es gibt einen offenkundigen Wechsel des Interesses von moralischen Problemen hin zu erkenntnistheoretischen und ontologischen Problemen und (im *Theaitetos*) ein neuerwachtes Interesse an der Möglichkeit von Wahrnehmungserkenntnis sowie nicht abreißende Sorgen um die philosophische Methode.

Die elenktische Methode hat Platon nicht preisgegeben – welcher Philosoph hätte das getan? Uns geht es um die Frage, was man von dieser Methode erwarten kann und was sie nach Platons Meinung beizusteuern vermag. Das wesentliche Problem ist die Frage, von der wir ausgegangen sind: Kann sich die Philosophie erhoffen, über das hinauszugehen, was in den Überzeugungen und Werten, bei denen sie ansetzt, enthalten ist? Wenn nicht, dann ist Widerspruchsfreiheit – aber nicht Wahrheit – das gesamte Ergebnis, das wir von ihr erwarten können, und das ist das Ergebnis, das der nicht ergänzte Elenchos zu liefern verspricht. Doch sofern die Theorie der Wiedererinnerung recht hat, kann der Elenchos nichts weiter leisten. Das Mißliche ist, daß die als unerläßliche Voraussetzung für die Unterstützung von Erkenntnisansprüchen gedeutete Theorie der Wiedererinnerung fast genauso schnell aus den Dialogen verschwindet, wie sie dort auftaucht. Im *Menon* spielt sie eine ausschlaggebende, im *Phaidon* eine wichtige Rolle. Doch gegen Ende des *Phaidon* wird die Theorie der Wiedererinnerung von der Methode der Hypothese verdrängt. Das ist, wie wir gleich sehen werden, keine Methode, die besser dazu geeignet wäre, Wahrheiten zu beweisen. Das Wichtige ist, daß Platon offenbar nicht mehr bereit ist, auf die Theorie der Wiedererinnerung zu bauen. Die Wiedererinnerung kommt im *Staat* ins Spiel, aber es liegt auf der Hand, daß sich Platon in diesem Werk auf ganz andere Methoden verläßt. Auch im *Phaidros*, im *Philebos* und in den *Nomoi* wird die Theorie der Wiedererinnerung noch erwähnt, aber in keinem dieser Dialoge erfüllt sie eine bedeutsame erkenntnistheoretische Rolle.[6]

Es scheint klar zu sein, daß Platon nicht bereit war, die Theorie der Wiedererinnerung langfristig als Quelle substantieller moralischer Wahrheiten ernsthaft gelten zu lassen. Doch was glaubte er dann an ihre Stelle setzen zu können? Sofern das »Problem des Elenchos«, wie Vlastos überzeugend geltend macht, den an methodologischen Problemen brennend interessierten Platon anhaltend beschäftigte, fragt es sich, wie er auf den wesentlichen Gehalt des »großzügigen Geschenks« für seinen Lehrer verzichtet haben kann, ohne einen passenden Ersatz zu finden?

Die Antwort, die bei den meisten Platonforschern Anklang findet, besagt, Platon habe tatsächlich andere Methoden ausfindig gemacht, denen er etwas zutraute. Das mag durchaus stimmen. Zweifellos werden viele Methoden erwähnt, einige von ihnen des öfteren, und manche dieser Methoden werden von Figuren namens »Sokrates« oder »Der eleatische Fremdling« und dergleichen höchlich empfohlen. Dennoch gibt es drei gute Gründe, weshalb man diese Antwort nicht als Platons letztes Wort über die Methode der Philosophie akzeptieren sollte. Der erste Grund ist der, daß wir in den Dialogen Argumente finden können, die zeigen, wieso diese Methoden in der einen oder anderen Hinsicht unzulänglich oder unvollständig sind. Der zweite Grund ist der, daß Platon, wenn er im *Philebos* erneut auf die Frage des Wesens des guten Lebens zurückkommt, von diesen Methoden keine Antwort erwartet. Trotz mehreren ausführlichen und schwierigen Erörterungen der Methode ist es der Elenchos, der das grundlegende Argument liefert. Der dritte Grund, den die historisch Gesinnten vielleicht als belanglos ansehen, ist der, daß wir auch auf uns selbst gestellt einsehen können, daß keine der Alternativmethoden eine sichere Grundlage für moralische Wahr-

6 Siehe Sayre, *Plato's Late Ontology. A Riddle Resolved*, S. 188-193.

heiten liefern kann, während es doch tatsächlich Belege für die Voraussetzung gibt, die im *Gorgias* als ausreichend anerkannt wird, um den Elenchos zu verteidigen, nämlich die Voraussetzung, daß es (zumindest was die Ethik und vielleicht auch die Metaphysik generell betrifft) in jedem von uns genügend Wahrheiten gibt, um es plausibel zu machen, daß unsere diesbezüglichen Überzeugungen, sobald sie widerspruchsfrei sind, auch wahr sein werden. Ich halte es nicht für lächerlich anzunehmen, daß sich Platon diesen Gedanken auch selbst hat zurechtlegen können. Aber die direkten Belege sind allenfalls suggestiver Art.

Die Aufgabe, einen Überblick über alle von Platon erörterten philosophischen Methoden und die von ihm genannten Argumente gegen diese Methoden zu geben, geht weit über alles hinaus, was ich hier in Angriff nehmen kann. Ich möchte auch nicht so tun, als hätte ich irgendwelche neuen Entdeckungen gemacht. Was ich geben werde, ist ein Hinweis darauf, inwiefern im *Philebos* einzig und allein der Elenchos dafür in Frage kommt, eine zutreffende Beschreibung des guten Lebens zustande gebracht zu haben.

Der *Philebos* ist ein vielsagender Testfall. Es ist ein sehr später Dialog; wahrscheinlich sind nur die *Nomoi* später entstanden. Es geht darin unmittelbar um eine sokratische Frage, ja, man könnte sagen: *die* sokratische Frage, nämlich das Wesen des guten Lebens. Im *Philebos* wird gefragt: »Welches ist der beste Besitz, den der Mensch haben kann?« (19c) und »welches denn das richtige Ziel für alles Lebendige« sei (60a). Im *Staat* sagt Sokrates: »Es geht uns nicht um etwas Beliebiges, sondern um die Art und Weise, wie wir leben sollten« (*Staat*, 352d; vgl. *Gorgias*, 500c).

Der *Philebos* beginnt mit einem doppelten Elenchos. Sokrates faßt die beiden Ausgangspositionen wie folgt zusammen: »Philebos meint, das Gute sei [...] Genuß, Lust, Freude und dergleichen. Ich hingegen glaube, daß Verstand, Denken, Erinnerung [...] für alles, was dazu fähig ist, vorzüglicher und höher sind als Lust. Eigentlich bieten sie allen, die jetzt oder künftig daran teilhaben können, den größtmöglichen Vorteil« (*Philebos*, 11c).[7] Ebenso wie in den frühen Dialogen wird hier ohne Einschränkung vorausgesetzt, daß »alles, was zur Erkenntnis fähig ist«, nach dem Guten »strebt«. Das wird als unfehlbarer Test dafür angesehen, was als das gute Leben akzeptiert werden kann. Mit Hilfe dieser Voraussetzung vermag Sokrates zu beweisen, daß sowohl der Standpunkt Philebos' als auch sein eigener falsch sind.

PROTARCHOS: Keine dieser beiden Lebensweisen scheint es mir wert zu sein, gewählt zu werden, [...] und vermutlich würde mir jeder zustimmen.
SOKRATES: Wie steht es mit einem zusammengesetzten Leben, Protarchos, einem Leben, das aus einer Mischung beider Elemente besteht?
PROTARCHOS: Du meinst zusammengesetzt aus Lust, Denken und Verstand?
SOKRATES: Ja, und was dergleichen mehr ist.
PROTARCHOS: Diese Lebensweise würde jeder, ohne Ausnahme, den anderen beiden vorziehen.
SOKRATES: Sind wir uns im klaren darüber, was sich daraus für unsere jetzige Auseinandersetzung ergibt?
PROTARCHOS: Ganz bestimmt. Wir haben drei mögliche Lebensweisen vor uns, und zwei dieser Lebensweisen sind weder für Mensch noch Tier angemessen oder wünschenswert.
SOKRATES: Dann dürfte feststehen, daß zumindest keine dieser beiden das Gute sein kann [...]. Denn wenn sich einer von uns für etwas anderes entschiede, würde er der Natur des wahrhaft Wünschenswerten zuwiderhandeln [...]. (*Philebos*, 21e-22b)

Die Argumentation entspricht genau dem Muster, das Vlastos bei der Betrachtung der frühen Dialoge problematisch erscheint: Ein Gesprächspartner beantwortet eine Frage; Sokrates bringt ihn dahin, weiteren Prämissen zuzustimmen; es wird gezeigt, daß die ursprüngliche Antwort den weiteren Prämissen widerspricht; sodann wird allseits eingeräumt, daß

7 Hier und im folgenden benutze ich durchweg die Übersetzung von J.C.B. Gosling, *Plato. Philebus*. Außerdem stütze ich mich auf Goslings ausgezeichneten Kommentar. [Platon-Stellen werden hier nach Davidsons Text übersetzt. – Übers.]

die Wahrheit der Negation der ursprünglichen Antwort (im *Philebos*: Antworten) bewiesen worden ist. Die Richtigkeit der Konklusion beruht auf der Wahrheit der nicht geprüften weiteren Prämissen. Genau deshalb kommt Vlastos zu dem Schluß, Platon könne es nicht gelten lassen, daß der Elenchos zur Wahrheit führe. Doch hier im *Philebos* gibt es offenbar keinen Spielraum für Zweifel an der Feststellung, daß Platon den Elenchos benutzt und dessen Resultate akzeptiert.

Zwei weitere Merkmale des frühen Elenchos sind auch im *Philebos* augenfällig. Zunächst ist ein Merkmal zu nennen, das auch von Vlastos betont wird, nämlich die nachdrückliche Forderung, der Gesprächspartner müsse seine eigenen Überzeugungen aufrichtig zum Ausdruck bringen. Daß Platon diesen Punkt betonen möchte, ist vielleicht der Grund, weshalb er Protarchos anstelle von Philebos als Hauptgesprächspartner auftreten läßt. Philebos ist zu eigensinnig und zu derb, als daß man sich auf die Aufrichtigkeit seiner Antworten verlassen könnte. Doch mehrmals vergewissert sich Sokrates, daß Protarchos seine eigenen Ansichten äußert. An einer Stelle wendet sich Sokrates an Philebos und fragt ihn, ob er der gleichen Meinung sei. Darauf folgt diese Wechselrede:

> PHILEBOS: Ich bin jetzt *und für alle Zukunft* der Meinung, daß die Lust fraglos den Sieg davonträgt – aber du, Protarchos, bist derjenige, der zu entscheiden hat.
> PROTARCHOS: Da du mich zum Wortführer gemacht hast, ist es nicht mehr deine Sache zu sagen, ob dem Vorschlag des Sokrates zugestimmt werden soll oder nicht. (*Philebos*, 12a)

Ein zweites auffälliges Merkmal ist Sokrates' stets von neuem erhobene Forderung, dem, was er für wahr hält – jeder ungeprüften Annahme, von der weitere Resultate abhängen –, müsse zugestimmt werden. Bei Philebos hat er damit, wie wir eben gesehen haben, nicht viel Erfolg. Aber die Zustimmung, auf die er sich stützen muß, ist die der Teilnehmer am dialektischen Wortwechsel. An der vorhin zitierten Stelle sorgt Sokrates nicht weniger als drei Mal dafür, daß Protarchos »dem, was jeder bevorzugen würde«, zustimmt. Wenn die Frage richtig gestellt ist, ist das, wofür sich jeder entscheiden würde, das Gute; und wenn die Frage richtig gestellt ist, wird jeder zugeben, daß das aus Lust und Verstand gemischte Leben besser ist als das nur der Lust oder das nur dem Verstand gewidmete Leben. An einer frühen Stelle des Dialogs macht Sokrates deutlich, daß sein eigener Standpunkt ebenso gefährdet ist wie der des Protarchos. Er sagt: »Ich nehme an, daß wir jetzt nicht bloß miteinander wetteifern, um zu beweisen, daß mein Kandidat beziehungsweise dein Kandidat der Sieger ist. Vielmehr werden wir unsere Kräfte zugunsten dessen, was der Wahrheit am nächsten kommt, bündeln« (*Philebos*, 14b). An einer anderen Stelle meint er: »Sollen wir also unsere Übereinstimmung mit früheren Generationen festhalten und, anstatt bloß gefahrlos die Ansichten anderer zu zitieren, selbst eine Meinungsäußerung wagen [...]?« (*Philebos*, 29a). Gegen Ende stellt Sokrates noch einmal die Frage, ob jeder der Hauptvoraussetzung, auf der das Argument beruht, zustimmen würde sowie der Konklusion, der zufolge das aus Lust und Verstand gemischte Leben das beste ist. Er schlägt sogar vor: »Wenn jemand meint, wir hätten etwas übersehen, [...] wird er jetzt hoffentlich zurückgehen und die Sache genauer formulieren« (Philebos, 60d). Ganz am Schluß verkündet Protarchos: »Jetzt, Sokrates, sind wir uns alle einig über die Wahrheit deines Standpunkts« (Philebos, 67b). Das ist natürlich nicht der Standpunkt, von dem Sokrates ausgegangen ist, sondern der, der durch Befolgen der elenktischen Argumentation erreicht wurde.

Die zentrale Argumentation eines der letzten Dialoge Platons betrifft demnach ein sokratisches Hauptproblem, sie bedient sich des sokratischen Elenchos und bejaht das Ergebnis des Elenchos ohne Wenn und Aber. Warum kehrt Platon, nachdem er diesbezüglich so tiefreichende Zweifel gehegt hat, ohne Einschränkung zur Methode des Sokrates zurück?

Wer den *Philebos* kennt, wird natürlich bemerkt haben, daß

ich hier nur einen ganz kleinen Teil des in diesem Dialog behandelten Stoffs erörtert habe. Die Niederlage der ausschließlich der Lust und dem Verstand gewidmeten Lebensweisen und der Sieg des gemischten Lebens sind Resultate des ersten Fünftels des Dialogs, und für die Argumentation selbst werden kaum mehr als drei Stephanus-Seiten gebraucht. Das ist zwar das Kernstück des Dialogs, aber daneben kommen zahlreiche weitere Themen zur Sprache. Und ein großer Teil des Übrigen ist weit von allem entfernt, was in den frühen Dialogen oder auch sonstwo in Platons Text zu finden ist. Es gibt viele verwirrende Diskussionen über Methodenfragen, und es werden ontologische Theorien vorgetragen, die mehr oder weniger pythagoreisch und vielleicht so ähnlich klingen wie die Lehren, von denen Aristoteles in der *Metaphysik* behauptet, sie seien von Platon vertreten worden. Kaum etwas von diesen Gedanken läßt sich Sokrates unterstellen. Früher waren die Gelehrten sogar nur zögernd bereit, sie Platon zuzuschreiben. Hier brauchen wir uns weder mit der Frage zu befassen, wie sich diese sonderbaren Anschauungen mit dem Rest dessen vereinbaren lassen, was wir über Platons Spätphilosophie zu wissen glauben, noch mit der Frage, wie sie miteinander in Einklang gebracht werden können. Denn meiner Meinung nach ist ziemlich klar, daß der Rest des *Philebos* nichts enthält, was zur Lösung von Vlastos' »Problem des Elenchos« beiträgt. Das heißt, der Rest zeigt nicht, warum der Elenchos Wahrheiten liefert und wie es, wenn dem so ist, möglich ist, daß die zentrale Argumentation und das Resultat des Dialogs auf nichts weiter beruhen als dem ungeschönten Elenchos.

Es gibt ein wichtiges Argument, das nicht elenktisch ist (ich habe es bereits genannt). Indem Sokrates mit Hilfe des Elenchos beweist, daß weder das nur der Lust noch das nur dem Verstand gewidmete Leben das gute Leben ist, benutzt er, wie wir gesehen haben, zwei ungeprüfte Annahmen, die von ihm und allen übrigen Beteiligten für wahr erklärt werden. Dies sind: (1) Das Gute ist das, was jeder (»alles, was zur Erkenntnis fähig ist«) bevorzugt oder wählen würde, wenn es möglich wäre. (2) Niemand würde sich, wenn er nachdenkt (und durch die Argumente des Sokrates angeleitet wird), für das ausschließlich der Lust oder das ausschließlich dem Verstand gewidmete Leben entscheiden. Damit ist der Elenchos abgeschlossen. Anschließend gelingt es Sokrates, Zustimmung zu einer weiteren These einzuholen: (3) Jeder würde das aus Lust und Verstand gemischte Leben den beiden anderen Lebensweisen vorziehen. Das impliziert die negative Konklusion des Elenchos und hätte daher anstelle von (2) verwendet werden können. Es wird jedoch als unabhängige Konklusion eingeführt. Daran ist aber nichts, was von der elenktischen Methode abwiche. Die Aussage (3) wird ebenso wie (1) und (2) akzeptiert, sobald ihr zugestimmt worden ist.

Der größte Teil des Dialogs befaßt sich mit einer detaillierten Untersuchung der verschiedenen Formen der Lust, und die Argumente sollen zeigen, warum die meisten Formen der Lust nicht geeignet sind, im guten Leben eine Rolle zu spielen. Der erste Schritt besteht darin, daß Sokrates zu zeigen trachtet, daß es, obschon alle Formen der Lust einander insofern ähnlich sind, als sie Formen der *Lust* sind, dennoch möglich ist, daß sie sich insofern unterscheiden, als einige gut und andere schlecht sind. Der Beweis dieser elementaren Einsicht beginnt mit einer ziemlich ausführlichen, aber verwirrenden Beschreibung einer Methode. Protarchos bittet Sokrates um Hilfe bei dem Bemühen, eine »bessere Art der Argumentation« ausfindig zu machen. Sokrates erklärt sich bereit: »Es kann kein schöneres Verfahren geben als das, dem ich mich seit eh und je verschrieben habe, obwohl es mir schon oft durch die Finger geschlüpft ist, so daß ich mit leeren Händen dastand und völlig verblüfft war. [...] Es ist zwar nicht schwer zu erläutern, aber es ist sehr schwer anzuwenden. Es ist für alle Entdeckungen verantwortlich, die auf dem Gebiet irgendeiner Fertigkeit gemacht worden sind. [...] Es war ein

Geschenk der Götter für die Menschen [...]« (*Philebos*, 16b, c). Die anschließende Beschreibung der Methode läßt viele Interpretationen zu, besonders wenn man versucht, sie mit der späteren vierfachen Einteilung aller Dinge in Begrenztes, Unbegrenztes, Mischungen aus beiden und Ursache oder Ursachen von Mischungen in Einklang zu bringen. Aber die Anwendung, die Sokrates von dieser Methode beziehungsweise diesen Methoden macht, ist leichter zu verstehen. Folgendes ist die erste Anwendung: Wenn wir mit einer Sammlung von Gegenständen beginnen, müssen wir zunächst »einen einzigen Begriff postulieren« und diese Idee in zwei oder drei weitere gliedern, bis keine strukturierten Unterteilungen mehr vonnöten sind. Dazu bedarf es einer gewissen Geschicklichkeit, und man gerät leicht in die Irre. Bis hierhin klingt das nach der Methode der Sammlung und Teilung, die im *Sophisten* und im *Politikos* gerechtfertigt und praktiziert wird. Das ist auch genau die Anwendung, die hier von ihr gemacht wird. Sokrates unterteilt die Klasse der Lustformen mit dem Endziel, die guten von den schlechten Formen der Lust zu unterscheiden. Die Methode der Sammlung und Teilung ist aber nicht dazu imstande, diese Unterscheidungen durchzuführen. Allenfalls zeigt sie, daß man widerspruchsfrei sagen kann, die Einheit der Lustformen bestehe darin, daß sie Formen der *Lust* sind, die sich jedoch in anderen Hinsichten unterscheiden.

Die Methode wird weiter ausgearbeitet, und dabei wird die Wichtigkeit von Grenzen, Maßen, Proportionen und Symmetrien immer stärker betont. Gute Dinge – wie zum Beispiel gute Arten zu leben – sind das Ergebnis der Bestimmung einer Grenze oder eines Maßes für ein oder mehrere unbegrenzte Kontinua. Dies ist der Ort der Mischungen, unter denen auch das gute Leben zu finden ist. Mit Bezug auf die meisten, wenn auch nicht alle Formen der Lust wird geltend gemacht, sie seien nicht dazu geeignet, in ein wohlausgeglichenes und stabiles Leben aufgenommen zu werden. Dagegen sind die meisten Formen der Klugheit und sogar die mei-

sten praktischen Fertigkeiten der Aufnahme wert. Der Geist spielt eine Doppelrolle. Seine Funktionen und Gegenstände sind an und für sich bewunderns- und wünschenswert; außerdem ist der Geist, da er mit der kosmischen Ursache verwandt ist, die der Grund alles Guten im Universum ist, selbst die Ursache des proportionierten Lebens.
Hier möchte ich mich darauf beschränken, auf zwei Aspekte dieser ein wenig verkrampften Stellen des *Philebos* aufmerksam zu machen. Der erste Aspekt ist der, daß von keiner Interpretation der »gottgegebenen Methode« – jedenfalls von keiner, die mir bekannt ist – vernünftigerweise behauptet werden kann, sie nenne einen Ersatz oder eine Ergänzung des Elenchos, wie sie von der Voraussetzung des *Gorgias* oder der Theorie der Wiedererinnerung bereitgestellt werden. Die Methode der Sammlung und Teilung liefert als solche keinen Anhaltspunkt dafür, welches die wahren »Einheiten« sind, und sie gibt auch nicht an, wann eine Teilung wirklich »an den Gelenken« durchgeführt wurde. Aber selbst wenn die Methode dazu imstande wäre, könnten dadurch keine substantiellen moralischen (oder sonstigen) Wahrheiten zutage gefördert werden. Sokrates deutet auch gar nicht an, daß dies möglich wäre. Die vierfache Klassifikation der ontologischen Merkmale der Welt leistet sehr viel mehr Arbeit, denn es ist klar, daß sich sowohl die Kategorisierung, durch die viele Formen der Lust als im Grunde »unbegrenzt« eingestuft werden, als auch die Prinzipien, welche die Konstruktion des guten Lebens steuern, in hohem Maße darauf berufen, daß für alles Wünschenswerte, Schöne oder Stabile eine Grenze nötig ist. Was der Methode völlig mißlingt, ist die Aufstellung von Kriterien, um angeben zu können, wann eine Mischung gut ist. Manchmal drückt sich Sokrates so aus, als sei jede wahre Mischung etwas Gutes und jede Grenze ein Prinzip, das eine Mischung entstehen läßt. Das nützt aber nichts, denn dann wollen wir erfahren, wie man eine Grenze von sonstigen Anordnungen der Teile und eine Mischung von einem bloßen

Sammelsurium verschiedener Ingredienzien unterscheiden kann.

Platon ist sich offenbar der Tatsache bewußt, daß die »gottgegebene« Methode in diesen Dingen keine klare Richtschnur bietet. Er betont zwar die Überlegenheit der reinen Wissenschaften – etwa der Mathematik – im Verhältnis zu den angewandten Künsten wie dem Flötespielen und der Baukunst, aber dennoch vergleicht er die Auswahl der Bestandteile des guten Lebens und ihre Mischung mit der Arbeit des Handwerkers. Sobald es um die Beschreibung des guten Lebens geht, sagt Sokrates: »Nun ja, was diese Tätigkeit der Mischung von Verstand und Lust betrifft, wäre ein Bild angemessen, das uns mit Bauleuten vergleicht und besagt, daß wir die Materialien vor uns haben, aus denen oder mit denen der Bau errichtet werden soll.« Protarchos: »Das ist ein treffender Vergleich.« Sokrates: »Dann muß unsere nächste Aufgabe darin bestehen, daß wir sie zu mischen versuchen« (*Philebos*, 59e). Das erinnert an die detaillierten Beispiele, die an einer früheren Stelle des Dialogs aus der Musik und der Phonetik herangezogen werden und veranschaulichen, daß die Herstellung eines angenehmen oder akzeptablen Produkts von mehr abhängt als den analytischen Methoden, die der Unterscheidung der Ingredienzien dienen. Sie hängt ebensosehr von der Fertigkeit und dem Wissen des Schaffenden ab. Man kennt das Thema aus den sokratischen Frühdialogen.[8]

Der zweite Aspekt der Methodologie des *Philebos*, auf den ich aufmerksam machen möchte, ist die Rolle der Ideenlehre beziehungsweise das Fehlen einer solchen Rolle. Die Fachleute haben sich endlos über die Frage gestritten, ob eines der vier Elemente der »gottgegebenen« Methode mit den Ideen gleichzusetzen ist. Vom Standpunkt der hier dargelegten These kommt es darauf nicht an. Denn wie wir bereits gesehen haben, gibt es nichts, was in dieser Methode enthalten ist

8 Zu diesem Thema siehe die aufschlußreiche Abhandlung von Irwin, *Plato's Moral Theory*.

oder für sie in Anspruch genommen wird und gehaltvolle moralische Wahrheiten liefert. Es ist auch nicht wahrscheinlich, daß sich Platon in diesem Stadium seiner Entwicklung zu diesem Zweck auf die Ideenlehre verlassen hätte. In den späten Dialogen findet er immer mehr Gründe zur Unzufriedenheit mit seinen früheren Theorien über die Ideen, und kein Aspekt dieser Unzufriedenheit ist offenkundiger als die Preisgabe jeder engen Verbindung zwischen Ideen und Werten. Die Einheit der Ideen, die früher ihre Reinheit gewährleistet hatte, wird aufgegeben, sobald deutlich wird, daß die Analyse eine Vermischung der Ideen verlangt. (In dieser Weise mischt sich die Lust mit dem Guten und dem Bösen – die entscheidende Entdeckung wird im *Sophisten* gemacht.) Im *Parmenides* erkennt Platon, daß die Vorstellung, Wert beruhe irgendwie auf Gleichheit oder Ähnlichkeit mit einer Idee, nicht mit den erkenntnistheoretischen oder semantischen Funktionen der Ideen zu vereinbaren ist. Im *Philebos* ist es nicht mehr möglich, zwischen Werten und den Ideen als solchen einen Zusammenhang herzustellen. Es kann sein, daß Grenzen oder Mischungen mit Grenzen sowohl Ideen als auch etwas Gutes sind. Doch gut werden sie nicht dadurch, daß sie Ideen, Grenzen oder Mischungen sind, sondern dadurch, daß ihnen Symmetrie, Kommensurabilität und Wahrheit zukommen – also daß es *passende* Grenzen oder *geeignete* Mischungen sind.

Ich möchte also folgenden Vorschlag machen: Als Platon in diesem Dialog, der fast sein letzter ist, auf die Frage nach dem guten Leben zurückkommt, kehrt er auch zum sokratischen Elenchos als der klarsten und zuverlässigsten Methode zurück, mit deren Hilfe man herausfinden kann, wie man leben sollte. Daher kommt es aus meiner Sicht nicht überraschend, daß der Wortführer in diesem Dialog wieder Sokrates ist. Wie wir wissen, spielt Sokrates in fast allen übrigen Spätdialogen kaum noch eine Rolle. Im *Parmenides* wird er als sehr junger Mann dargestellt, und es ist der große Parmenides, der hier die Fragen stellt, während Sokrates antwortet. Im *Kritias* und im *Timaios* ist Sokrates zwar anwesend, aber er leistet keinen wichtigen Beitrag. In den *Nomoi* ist er gar nicht anwesend. Im *Sophisten* und im *Politikos* – also in den beiden Dialogen, die am engsten mit dem *Philebos* zusammenhängen – überläßt Sokrates die Gesprächsleitung dem eleatischen Fremdling. Nur im *Philebos* spricht er wieder für Platon, und wenn ich recht habe, spricht er hier, was die Grundmethode betrifft, wieder für sich selbst. Er ist Platons Philosoph.

Im *Sophisten* wird uns anscheinend ein Trio von Dialogen versprochen: einer über den Sophisten, einer über den Staatsmann und einer über den Philosophen. Die ersten beiden Dialoge sind überliefert; über den dritten ist nichts bekannt. Der wahrscheinlichsten Datierung zufolge wurde der *Philebos* kurz nach dem *Politikos* geschrieben, also ungefähr zu der Zeit, da *Der Philosoph* hätte geschrieben werden sollen. Es gibt eine Reihe von Gründen, aus denen wir erkennen können, warum es nicht anginge, den *Philebos* als den *Philosophen* zu bezeichnen. Aber ich möchte meinen, daß er die Stelle dieses ungeschriebenen Dialogs eingenommen hat. Er handelt vom Philosophen Platons; er kommt auf das Problem zurück, mit dem sich dieser Philosoph am intensivsten beschäftigt hat; und er akzeptiert, was die wichtigsten Resultate dieses Dialogs anlangt, seine Art des Philosophierens.

Falls Platon, wie ich behauptet habe, im *Philebos* zum zuversichtlichen Gebrauch des Elenchos zurückkehrt, muß das daran liegen, daß er schließlich zu der Überzeugung gelangt ist, Sokrates habe recht gehabt, als er sich auf diese Methode verließ. Platon selbst hatte offenbar nichts Besseres gefunden – nichts, was er nicht seinerseits anschließend kritisiert hätte. Was ist die Erklärung für Platons neuerliches Vertrauen in den Elenchos? Wie Vlastos darlegt, würde der Elenchos durch bloße Herstellung der Widerspruchsfreiheit einer Menge von Überzeugungen die Wahrheit begünstigen, wenn man annehmen könnte, daß jeder von uns stets unerschütterliche, wahre Überzeugungen hat, die mit dem Falschen nicht zu vereinbaren sind. Es ist weder nötig, daß diese Wahrheiten bei jedem von uns dieselben sind, noch müssen wir dazu imstande sein, sie auf andere Weise zu ermitteln als durch den anhaltenden Gebrauch des Elenchos. Wer den Elenchos anwendet, kann also – wie Sokrates es des öfteren tut – behaupten, er wisse nicht, was wahr ist. Es genügt, daß er eine Methode kennt, die zur Wahrheit führt. Die einzige Frage ist, ob es Gründe gibt, die Annahme gelten zu lassen.

Meines Erachtens gibt es gute Gründe dafür, die Annahme für wahr zu halten – jedenfalls für wahr genug, um zu gewährleisten, daß unsere Überzeugungen, wenn sie widerspruchsfrei sind, in den meisten wichtigen Angelegenheiten wahr sein werden. Meine Begründung für diese Meinung nimmt viel Platz in Anspruch, und ich habe sie an anderer Stelle so gut es geht ausbuchstabiert.[9] Diese Argumentation beruht allerdings auf einer guten sokratischen Einsicht: Nur im Zusammenhang einer freimütigen Diskussion, eines Prozesses der Verständigung und des gegenseitigen Austauschs kommen zuverlässige Wahrheiten zum Vorschein. Die Dialektik bürdet dem Fragenden und dem Befragten die ständige Last der Interpretation auf, und der Vorgang der gegenseitigen Interpretation kann nur deshalb voranschreiten, weil wahren Übereinstimmungen, die den Elenchos überstehen, ein Vorurteil zugunsten der Wahrheit anhaftet.

Indem Platon erkannte, daß Sokrates recht hatte, als er dem Elenchos mehr zutraute als die Gewährleistung von Widerspruchsfreiheit, kehrte er zu einem seiner Ausgangspunkte zurück. Bei James Joyce gibt es ein Zitat (oder Pseudozitat), wonach Maeterlinck gesagt haben soll: »Wenn Sokrates heute sein Haus verließe, er fände den Weisen auf seiner Schwelle sitzen.«* Das gleiche läßt sich nach meiner These auch über Platon sagen – vielleicht sogar über die Philosophie.

9 Siehe »A Coherence Theory of Truth and Knowledge«.
* [Joyce, *Ulysses*, Übers., S. 298. – Übers.]

16
Der Sokratische Wahrheitsbegriff

Warum hat sich Sokrates der elenktischen Methode bedient? Eine Antwort besagt: Er glaubte, die Anwendung dieser Methode werde ihn zu moralischen Wahrheiten führen. Doch dann stellt sich die weitere Frage, warum man denn glauben sollte, die Methode werde zu solchen Wahrheiten führen. Hier werde ich einen Grund nennen. Nehmen wir an, daß ich recht habe und tatsächlich ein guter Grund besteht, damit zu rechnen, daß der Elenchos zu moralischen Wahrheiten führt. Dann bleibt nach wie vor rätselhaft, warum Sokrates es für lohnend hielt, jeden, der ihm Gehör schenkte, mit seinen beharrlichen Fragen zu quälen. Warum ging er zu jeder Tages- und Nachtzeit durch Athen und ließ nicht locker, Freund und Feind, Jüngling und Grauschopf, Staatsmann und Feldherrn, Sophisten und Sklaven, Weisen und Begriffsstutzigen mit Fragen zu behelligen, die sie nicht beantworten konnten und von denen er wußte, daß sie sie nicht beantworten konnten? Er war jedoch so entschlossen, seiner Umgebung auf die Nerven zu gehen, daß er, wie er zugab, bei seinen Landsleuten im Ruf stand, alles »verschwenderisch jedermann zu sagen, nicht nur unentgeltlich, sondern auch noch gern etwas dazugebend, wenn [ihn] nur jemand hören will« (*Euthyphron*, 3d [Übers. Schleiermacher]). Im Gefängnis schiebt er die Warnung beiseite, wenn er nicht aufhöre zu sprechen, werde er vielleicht die doppelte oder dreifache Portion Schierling trinken müssen, und redet unbeeindruckt weiter (*Phaidon*, 63d-e). Den Geschworenen bei seinem Prozeß sagt er, sein Tod werde kein Verlust sein, sofern er die Möglichkeit habe, die Toten im Hades zu prüfen und zu befragen (*Apologie*, 40c-41b). Demnach stellen sich zwei Fragen. Die erste lautet: Warum sollte man annehmen, daß der Elenchos zur Wahrheit führt? Die zweite: Selbst wenn es vernünftig ist, zu erwarten oder zu erhoffen, daß die Anwendung der Methode zur Wahrheit führen könne, aus welchem Motiv hat Sokrates sie anderen aufgedrängt? Die Antworten auf diese Fragen brauchen zwar nicht die gleichen zu sein, doch nach meiner Überzeugung hängen sie tatsächlich sehr eng miteinander zusammen; und philosophisch gesehen sind die Antworten in beiden Fällen tief.

Die Wiederentdeckung von Sokrates als einem faszinierenden, originellen und von Platon deutlich verschiedenen Philosophen verdanken wir vor allem der begeisterten Forschungsarbeit, die Gregory Vlastos geleistet hat. Die beiden eben gestellten Fragen ergeben sich ganz natürlich aus Vlastos' Erörterung des sokratischen Elenchos.[1]

Vlastos charakterisiert den Elenchos wie folgt: Sokrates entlockt seinem Gesprächspartner eine Antwort *A* auf eine diesem gestellte Frage. Sodann bringt er den Gesprächspartner zu weiteren Zugeständnissen, die, wie sich herausstellt, die Falschheit von *A* implizieren. Die Implikation wird von beiden akzeptiert, und sie sind sich (fast immer) darüber einig, daß dies die Falschheit von *A* zeige (oder sogar beweise). Daraufhin wirft Vlastos folgende Frage auf: Selbst wenn man einräumt, daß der Gesprächspartner widersprüchliche Ansichten bejaht hat, warum sollte man zustimmen, daß es die Falschheit von *A* ist, die aufgezeigt worden ist? Sofern der Elenchos logisch in Ordnung ist, zeigt er nichts weiter, als daß *A* den späteren Zugeständnissen des Gesprächspartners widerspricht. Einem Widerspruch können wir, wie wir von Duhem gelernt haben, entrinnen, indem wir eine beliebige Ausgangsprämisse fallenlassen. Es gibt kein logisches Prinzip, das uns zur Preisgabe unserer ursprünglichen Annahme veranlaßt. Der Nutzen wäre der gleiche, wenn man eines der späteren Zugeständnisse fallenließe.

Die Logik des Elenchos kann, wie Vlastos betont, nicht mehr

1 Die Artikel, auf die ich mich besonders stütze, sind »The Socratic Elenchus« [SE], »Afterthoughts on the Socratic Elenchus«, »Socratic Irony« und »The Paradox of Socrates« [PS].

leisten, als Widersprüche aufzudecken. Dennoch bedeutet die Einsicht in die Widersprüchlichkeit der eigenen Überzeugungen einen gewissen Fortschritt. Wer widersprüchliche Überzeugungen vertritt, hat die Gewähr, daß wenigstens eine seiner Überzeugungen falsch ist. Wenn man also durch die Einsicht in die Widersprüchlichkeit dazu veranlaßt wird, den Widerspruch zu beseitigen, wird die *Gewißheit*, etwas Falsches zu glauben, ausgeräumt. Allerdings garantiert nichts an diesem Ablauf, daß eine der verbleibenden Überzeugungen wahr ist.

Da es eindeutige Textbelege dafür gibt, daß sich Sokrates oft der Wahrheit einiger seiner moralischen Überzeugungen sicher ist,[2] ist es rätselhaft, warum er meinen sollte, der Elenchos allein sei dazu imstande, solche Wahrheiten zu beglaubigen. Vlastos gibt eine überraschende Antwort: Sokrates stütze sich gar nicht ausschließlich auf die Logik des Elenchos. Vielmehr verlasse er sich auf einen Gedanken, der nicht zum Elenchos gehört, sondern eine Annahme über das Wesen des menschlichen Denkens enthält. Diese Annahme besagt, daß ein Sprecher, wenn er eine falsche Antwort gibt, stets weitere Überzeugungen haben wird, in deren Licht seine Antwort falsch ist. Es kann sein, daß diese weiteren Überzeugungen nicht immer klar oder explizit sind, aber Klarheit und Explizitheit können durch elenktisches Befragen hergestellt werden. Vlastos formuliert es so: »[...] man darf sagen, daß wir alle von zahllosen Dingen ›überzeugt sind‹, die uns zwar noch nie in den Sinn gekommen sind, aber trotzdem aus unseren Überzeugungen *folgen*, wenn man das Wort ›Überzeugung‹ im alltäglichen Sinn des Wortes versteht« (SE, S. 51). Der Elenchos stöbert diese weiteren Überzeugungen auf und zeigt, daß sie dem ursprünglichen Vorschlag widersprechen.

Diese »grandiose« Annahme, auf die sich Sokrates verläßt, wird von Vlastos folgendermaßen formuliert:

2 Das gilt zum Beispiel für die Ansicht, es sei besser, ein Unrecht zu erleiden, als ein Unrecht zu begehen (*Gorgias*, 482a-c).

A Jeder, der jemals eine falsche moralische Überzeugung vertritt, wird stets zur gleichen Zeit wahre Überzeugungen haben, aus denen die Negation jener falschen Überzeugung folgt.[3]

Auch diese Annahme reicht jedoch nicht aus, um zu gewährleisten, daß der Elenchos zur Wahrheit führen wird, denn es ist kein Grund für die Annahme genannt worden, daß die dem ursprünglichen Vorschlag widersprechenden Überzeugungen wahr sind. Was die Logik betrifft, kann man ebenso leicht (und zwar wirklich *genauso* leicht) durchweg falsch liegen, wie man durchweg recht haben kann. Zusätzlich ist etwas von der folgenden Art erforderlich: Es gibt Grundwahrheiten, von denen niemand einräumen wird, daß sie falsch seien. Deshalb ist jeder, der eine falsche moralische Überzeugung vertritt, dazu verdammt, im Zustand der Widersprüchlichkeit zu verharren. Es gibt Hinweise darauf, daß Sokrates dies geglaubt hat (*Gorgias*, 482a-c), und seine Praxis scheint es mit Sicherheit vorauszusetzen. Nun wollen wir die Annahme explizit machen, die Sokrates braucht, um die These zu begründen, der Elenchos werde jeden, der Widersprüche vermeiden will, dazu zwingen, seine falschen Überzeugungen preiszugeben:

B Jeder, der jemals eine falsche moralische Überzeugung vertritt, wird stets zur gleichen Zeit wahre Überzeugungen haben, die er nicht aufgibt und aus denen die Negation jener falschen Überzeugung folgt.

Vermutlich hat Vlastos nicht A, sondern B im Sinn.[4] Jedenfalls stellt er fest, daß Sokrates nie Argumente anführt, um seine Methode zu untermauern. Es kann durchaus sein, daß

3 SE, S. 52.

4 Die Vlastos' Formulierung von A vorausgehende Erörterung macht es ziemlich deutlich, daß ihm B vorschwebt.

sie auf Annahmen beruht, über die er sich nicht im klaren war. Nach Vlastos war Sokrates nicht von methodologischen Fragen fasziniert. Er hielt seine Methode zwar für richtig, aber weder dachte er über sie nach, noch verteidigte er sie. Platon war es, der dahingelangte, die Methode in Frage zu stellen, und sodann eine Reihe von Alternativen ersonn, von denen sich jedoch keine schließlich als überlegen erwies.[5]

Müssen wir B oder etwas Ähnliches auf Treu und Glauben akzeptieren? Nein, das glaube ich nicht. Meiner Meinung nach gibt es hervorragende Gründe dafür, B in geringfügig modifizierter Form zu akzeptieren. Es gibt weder Belege dafür, daß Sokrates diese Gründe wirklich kannte, noch dafür, daß er immerhin erfahren wollte, aus welchen Gründen man seine »grandiose Annahme« akzeptieren sollte. Daher möchte ich betonen, daß ich hier den Weg der Forschung verlasse und die unhistorische Frage stelle: Hatte Sokrates recht, als er soviel Vertrauen in seine Methode setzte, und wenn ja, warum?

A ist, wie ich dargelegt habe, nicht ausreichend, um den Gebrauch des Elenchos zu rechtfertigen. Jetzt möchte ich behaupten, daß weder A noch B eine notwendige Bedingung ist. Der Elenchos läßt sich auf der Basis der folgenden, ein wenig schwächeren Annahme rechtfertigen:

> C Es ist zu vermuten, daß ernstgemeinte (mit Entschiedenheit vertretene) moralische Überzeugungen wahr sind.

Sofern es sich so verhält, ist es höchst unwahrscheinlich, daß es möglich ist, eine falsche moralische Überzeugung mit dem

5 Dies ist nicht Vlastos', sondern meine eigene Schlußfolgerung. In »Platons Philosoph« (Abhandlung 15 in diesem Band) mache ich geltend, daß Platon selbst in der Spätschrift *Philebos* die Hoffnung auf eine bessere Methode aufgibt und zum Elenchos zurückkehrt.

Gewicht der eigenen ernstgemeinten moralischen Überzeugungen in Einklang zu bringen.
Elenktische Reflexionen, die zur Beseitigung von Widersprüchen beitragen, werden demnach wahrscheinlich in wahren moralischen Überzeugungen resultieren. Wenn wir C akzeptieren und unsere moralischen Überzeugungen tatsächlich wahr sind, darf man behaupten, daß wir über moralisches Wissen verfügen, denn dann haben wir wahre moralische Überzeugungen gerechtfertigt.
Aber ist C richtig? Daß C wirklich zutrifft, können wir nach meinem Dafürhalten erkennen, indem wir fragen, wie wir es anstellen, den Gedanken anderer Personen Inhalt zuzuschreiben. Zunächst möchte ich eine sokratische Annahme machen: Es gibt einen engen Zusammenhang zwischen Denken und Sprache, speziell der gesprochenen Sprache. Zumindest was unsere besonders sorgfältigen und durchsichtigen Gedanken betrifft – und hier mache ich keinen Unterschied zwischen Werturteilen und »faktenbezogenen« Überzeugungen –, gibt das, was wir sagen, wenn wir aufrichtig unsere Meinung äußern, Aufschluß über das, was wir wirklich denken. Es mag zwar sein, daß unsere Gedanken konfus sind und daß wir vieles denken, was wir im Augenblick nicht artikulieren können, doch mit dem, was wir tatsächlich artikulieren, ist ein echtes Fenster zur Seele gegeben. Die Sprache ist notwendig öffentlich. Die buchstäbliche Bedeutung unserer Worte kann nichts enthalten, was von einem wohlwollenden und hartnäckigen Interpreten nicht verstanden werden könnte. Die Feststellungen, die ein solcher Interpret über unsere Gedanken trifft, geben – von Konfusionen abgesehen – die wirkliche Beschaffenheit dieser Gedanken wieder.
Die Grundlagen der richtigen Interpretation sind derart, daß sie ein hohes Maß an Wahrheit gewährleisten. Damit andere Personen verständlich, also überhaupt wie denkende Wesen wirken, müssen wir zu der Feststellung gelangen, daß ihre Überzeugungen weitgehend widerspruchsfrei und richtig

sind. Doch da das Festgestellte das wirklich Gegebene ist, folgt, daß vernünftige Lebewesen – das heißt Lebewesen, die Gedanken denken – weitgehend widerspruchsfreie und zutreffende Überzeugungen haben müssen.

Dies ist eine umfassende und schwierige Thematik, über die ich mich an anderer Stelle ausführlich geäußert habe.[6] Hier möchte ich ein Beispiel anführen, um einen Eindruck von meinem Standpunkt zu vermitteln. Angenommen, ich versuche, eine Sprecherin, die ich nicht verstehe, zu interpretieren. Ich bemerke, daß sie dann und nur dann zur Äußerung der Wörter »Sta korg« veranlaßt wird, wenn ein roter, gut beleuchteter Gegenstand vor den Augen der Sprecherin ohne weiteres zu erkennen ist. Wenn dies durch weitere Experimente bestätigt wird, übersetze ich ihren Satz vorläufig mit »Das ist rot«. Es liegt auf der Hand, daß es genau solche Belege sind, auf die wir uns beim Lernen der Sprache verlassen; und es muß diese Verbindung zwischen Sprecher, Interpret und Welt sein, die tatsächlich die Bedeutung der simpelsten und grundlegendsten Sätze und folglich auch den Inhalt der von diesen Sätzen ausgedrückten Gedanken bestimmt. Aber diese schlichte Beobachtung hat gewichtige Implikationen. Wenn es zutrifft, daß die Bedeutung von Sätzen und der Inhalt von Gedanken in dieser Weise bestimmt werden, kann unser Gesamtbild von der Welt und unserer Stellung in ihr unmöglich falsch sein. Die Grundlage allen sozialen Verstehens ist ein Hintergrund von Gedanken, über die wir uns weitgehend einig sind.

Etwas Ähnliches, wenn auch Komplexeres scheint mir für Werturteile zu gelten. Genauso wie Verständigung und Nachdenken über »faktische« Angelegenheiten durch allgemeine Übereinstimmung ermöglicht werden, so beruht unser Verständnis der Werte anderer Personen darauf, daß genügend

6 Siehe die Abhandlungen in *Inquiries into Truth and Interpretation* und den Aufsatz »Rational Animals«. Zur Anwendung auf Werturteile siehe »Expressing Evaluations«.

Gemeinsamkeiten vorhanden sind, um das nicht Gemeinsame zu verstehen und zulässige Gründe für die Beilegung moralischer Meinungsverschiedenheiten zu liefern. Das gilt natürlich nur insofern, als wir die Gedanken und Werte der anderen Person wirklich verstehen. Hier möchte ich den allereinfachsten Fall anführen, und ich möchte ihn in einer Weise anführen, bei der ein hohes Maß an Ausschmückung nötig ist, ehe man die Sache akzeptieren kann: Zu Anfang kann es keine völlige Diskontinuität geben zwischen der Weise, in der wir die Bedeutung des Worts »rot« und mithin seine zumeist richtige Anwendung lernen, und der Weise, in der wir die Wörter »gut« und »richtig« lernen. Es gibt zwar wichtige Unterschiede, aber sie sind nicht so wichtig wie die Ähnlichkeiten.

Diese Überlegungen können, wenn sie angemessen entfaltet werden, eine Begründung dafür liefern, daß Sokrates auf den Elenchos als eine Methode zur Ermittlung der Wahrheit vertraute, und sie können dafür sorgen, daß dieses Vertrauen nicht auf der Basis einer ungestützten Intuition oder eines bloßen Glaubens akzeptiert werden muß. Klar ist allerdings, daß Überzeugungen, die eine elenktische Untersuchung überstehen, nicht garantiert wahr sind. Wenn der Elenchos richtig angewendet wird, ist man berechtigt, die Resultate zu akzeptieren, und wahrscheinlich sind diese Resultate wahr. Wenn sie wahr sind, bilden sie daher Wissen im üblichen Sinne begründeter, wahrer Meinungen, doch der Elenchos verleiht, wie Vlastos sagt, keine Gewißheit. Wenn es um ein Wissen geht, das Gewißheit voraussetzt, dann sagt Sokrates (nach Vlastos), er habe kein Wissen von moralischen Wahrheiten.

Jetzt komme ich auf mein zweites Rätsel zu sprechen: Welches Motiv könnte Sokrates dafür gehabt haben, den Elenchos in der von ihm praktizierten Weise anzuwenden? (Welches Motiv könnte *irgend jemand* haben?) Vielleicht sieht es so aus, als sei diese Frage bereits beantwortet worden, denn wenn ich recht habe, ist der Elenchos eine Methode, die im allgemeinen zur Wahrheit führt. Doch für wen gilt das? Wenn Sokrates derjenige ist, der nach Wahrheit strebt, was soll ihn dann davon abhalten, seine Methode in der Einsamkeit anzuwenden? Wie es scheint, akzeptiert er den Orakelspruch, daß niemand weiser sei als er, obwohl der Grund vielleicht schlicht darin besteht, daß er als einziger weiß, daß er nicht über Weisheit (im Sinne von Gewißheit) verfügt. Außerdem deutet seine Erfahrung mit der Befragung anderer nur selten, wenn überhaupt je darauf hin, daß er bei dem Gespräch etwas gelernt hat.[7] Sokrates kann, wie aus den Dialogen immer wieder von neuem hervorgeht, zeigen, daß seine Gesprächspartner verwirrt sind und daß ihre Ansprüche zu wissen, was es mit Frömmigkeit, Mut oder Tugend auf sich hat, im Lichte anderer Meinungen, die sie selbst vertreten, verfehlt sind. Die Weisheit, die hier erworben wird, ist rein negativer Art. Eine Reihe falscher Ansichten werden als solche entlarvt, doch nie wird gezeigt, daß der Elenchos zu einer wichtigen moralischen Wahrheit führt. Sokrates behauptet zwar, bestimmte moralische Wahrheiten zu kennen, aber diese werden nicht als Konklusionen, sondern als Prämissen elenktischer Argumente präsentiert, und dies sind Prämissen, denen seine Gesprächspartner zustimmen. Es gibt demnach keinen Grund zu glauben, Sokrates wende den Elenchos auf andere an, weil er hofft, sie wüßten etwas, was er selbst nicht weiß.

Tut er es also, um anderen zu helfen? Das läßt sich aus zwei Gründen bezweifeln. Der erste Grund ist einfach der, daß es, wie die sokratischen Dialoge bezeugen, nicht funktioniert. Die Opfer Sokrates' sind zum Schluß konfus, verärgert oder sogar gekränkt, aber nur selten kommt es vor, daß sie behaup-

7 Eine Ausnahme enthält vielleicht der *Philebos*, doch diesen Dialog hat Platon viel zu spät geschrieben, als daß er nach Ansicht der meisten Forscher als sokratisch gelten könnte. Hier behauptet Sokrates zunächst, ein ausschließlich Verstandesdingen geweihtes Leben sei das beste, doch der (von Sokrates selbst zum Einsatz gebrachte) Elenchos zeigt, daß ein aus Verstand und Lust gemischtes Leben noch besser ist.

ten oder den Eindruck erwecken, es gehe ihnen jetzt besser als vorher. Vlastos schreibt: »Platons Sokrates wirkt gar nicht überzeugend. Er gewinnt zwar bei jeder Auseinandersetzung, aber es gelingt ihm nie, einen Opponenten für sich zu gewinnen« (PS, S. 2). Es mag ja sein, daß das ungeprüfte Leben nicht lebenswert ist, aber kein Anzeichen deutet darauf hin, daß sich am Leben der Patienten etwas gebessert hat, nachdem Sokrates seine Untersuchungen durchgeführt hat.

Der zweite Grund zum Zweifel an der Meinung, Sokrates habe andere Personen in erster Linie deshalb einer Prüfung unterzogen, weil er ihrer Seele etwas Gutes tun wollte, ergibt sich aus dem ersten. Wenn man davon ausgeht, es habe unverkennbar auf der Hand gelegen, daß die von ihm verabreichte bittere Arznei den anderen eher Ärger als Hilfe verschaffte, fällt es schwer zu glauben, er habe trotzdem aus Selbstüberhebung weiterhin versucht, ihnen zu helfen. Vielleicht fehlte es Sokrates, wie Vlastos nahelegt, tatsächlich an einem gewissen menschlichen Wohlwollen, wenn er nicht einsehen wollte, daß es möglich ist, tugendhaft zu sein, ohne die Frage »Was ist Tugend?« zu Sokrates' Zufriedenheit zu beantworten. Aber er war weder dumm noch grausam.

Es gibt einen weiteren Grund beziehungsweise eine weitere Entschuldigung, die Sokrates selbst für die anhaltenden Belästigungen seiner Mitbürger (oder wer sonst in Reichweite sein mochte) anführt. Diese Entschuldigung lautet, daß er lieber mit guten als mit schlechten Bürgern zusammenlebe. Also muß er, zu Recht oder zu Unrecht, überzeugt gewesen sein, daß seine Fragen sowohl anderen als auch ihm selbst einen gewissen Nutzen brachten (*Apologie*, 25c ff.). Das verleiht vielleicht der Vorstellung ein gewisses Gewicht, Sokrates habe geglaubt, seine Fürsorge nütze den anderen trotz der augenscheinlichen Fehlschläge. Doch damit ist kein solides Motiv genannt, es sei denn, man nimmt an, er sei töricht genug gewesen zu glauben, er könne eine ganze Gesellschaft gegen ihren eigenen Willen reformieren.

Schließlich ist noch Sokrates' Dämon zu nennen, der ihn, wie er sagt, angewiesen habe, sich der Aufgabe zu widmen, jeden, den er trifft, zu befragen und zu prüfen, insbesondere jene, die sich selbst für weise halten. Als einen *zusätzlichen* Grund zur Anwendung des Elenchos kann man das nur dann ernst nehmen, wenn man meint, Sokrates habe geglaubt, er solle die Anweisungen einer autoritativen Stimme akzeptieren, ohne daß Argumente genannt würden. Diesen Vorschlag kann ich nicht gelten lassen. Die Gebote und Verbote des Dämons haben zwar bestimmt mit ausgeprägten, in einem gewissen Sinn vielleicht religiösen Intuitionen Sokrates' in Einklang gestanden, aber er hätte sie nur beherzigt, wenn er sie für rational gehalten hätte.

Es mag sein, daß ich die Überzeugungskraft einiger hier nur oberflächlich betrachteter Argumente für die öffentliche Anwendung des Elenchos ebenso unterschätze wie die diesbezüglichen Textbelege. Ich möchte jedoch geltend machen, daß es ein weiteres Argument gibt, das überzeugender und interessanter ist als die bisher erwähnten. Dieses Argument besagt, daß Sokrates davon überzeugt war, er für sein Teil könne in puncto Weisheit und Klarheit von elenktisch geführten Gesprächen profitieren, selbst wenn seine Gesprächspartner weniger weise seien als er selbst.

Zweifellos liegt viel Ironie in Sokrates' häufig geäußertem Wunsch, von anderen zu lernen. Es steckt jedoch etwas Ernstes hinter Sokrates' Erwiderung auf Euthyphron, wenn dieser sagt, Sokrates habe ihn genau verstanden. Sokrates sagt: »Ich trage eben große Lust, o Freund, zu deiner Weisheit und richte alle Gedanken darauf, so daß nichts zur Erde fallen soll, was du sagen wirst« (*Euthyphron*, 14d [Übers. Schleiermacher]). Es mag zwar sein, daß sich Sokrates lustig macht, wenn er Euthyphron Weisheit zuschreibt; aber er meint es ernst, wenn er sagt, er wolle ihn verstehen. Sokrates bemerkt häufig, er sei darauf, einen eigenen Fehler zu bemerken, ebenso eingestellt wie darauf, daß sich die von ihm Befragten irren. Als

Protagoras fragt, ob er für sich selbst antworten soll oder so, wie »die Masse« antworten würde, erwidert Sokrates: »Mir ist es egal, sofern du es bist, der die Antwort gibt. Denn was ich vor allem untersuche, ist der Satz. Doch daraus kann sich die Konsequenz ergeben, daß ich, der Fragende, und du, der Antwortende, ebenfalls untersucht werden« (*Protagoras*, 333b-c). Menon ist angetan vom Stil der Antworten Sokrates', und Sokrates erwidert: »Nun, so werde ich mir sowohl deinet- *als auch meinetwegen* [meine Hervorhebung] alle erdenkliche Mühe geben, in diesem Stil fortzufahren« (*Menon*, 77a). Im selben Dialog sagt Sokrates wenig später:

Nicht aus eigener Selbstgewißheit veranlasse ich andere zum Zweifel, sondern weil ich stärker zweifle als alle übrigen, erwecke ich Zweifel in anderen. So habe ich für mein Teil jetzt nicht die geringste Ahnung, was die Tugend eigentlich sei, während du, der du es zwar vielleicht gewußt hast, ehe du mit mir in Berührung gekommen bist, jetzt ebenfalls nachgerade unwissend bist. Dennoch bin ich bereit, mich mit dir zusammen auf eine Untersuchung einzulassen und ihr Wesen zu ergründen. (*Menon*, 80c-d)

Als Kritias den Vorwurf erhebt, Sokrates versuche nicht die Begründung, sondern *ihn* zu widerlegen, antwortet Sokrates:

Und wenn es so wäre? Wie kommst du darauf, daß ich, wenn ich dich widerlege, ein anderes Motiv habe als dann, wenn ich mich selbst ausfrage? Dieses Motiv wäre bloß Angst davor, daß ich mir unbewußt etwas zu wissen einbilde, wovon ich keine Ahnung habe. Und in diesem Augenblick, das kann ich dir versichern, gehe ich der Auseinandersetzung hauptsächlich um meiner selbst willen nach und bis zu einem bestimmten Grad vielleicht auch um meiner übrigen Freunde willen. (*Charmides*, 166c-d)

Um eine weitere Stelle anzuführen: »Denk nur ja nicht, Protagoras, daß ich bei der Diskussion mit dir einen anderen Wunsch habe als den, die Schwierigkeiten zu untersuchen, die mir jeweils in den Sinn kommen« (*Protagoras*, 348c).
Diese Stellen sind ebenso wie Sokrates' tatsächliche Praxis deutliche Hinweise darauf, daß er daran glaubte – und dafür wissentlich sein Leben zu riskieren bereit war –, daß der *sprachliche Austausch* in der Gestalt des Elenchos den wich-

tigsten oder einzigen Zugang zur moralischen Weisheit darstellt. Ich nehme Sokrates ernst, wenn er erklärt, warum die gesprochene Sprache dem geschriebenen Wort überlegen sei. Die Schrift, sagt er, ist wie ein Gemälde. Die Figuren stehen dort, als ob sie lebendig wären, doch wenn man ihnen eine Frage stellt, bleiben sie stumm. Mit geschriebenen Worten verhält es sich so: Sie scheinen Verstand zu haben, doch wenn man sie befragt, sagen sie immer wieder das gleiche (*Phaidros*, 275d).

Warum glaubte Sokrates jedoch, die richtig praktizierte sprachliche Verständigung könne ihn zur Anerkennung von Wahrheiten führen? Dazu hat er nichts gesagt, und ich kann die Frage nicht für ihn beantworten. Ich kann jedoch einen Grund dafür nennen, warum *ich* es für richtig halte. Die Antwort liegt – ebenso wie die Antwort auf unsere erste Rätselfrage – in der Art und Weise, in der der Inhalt der Gedanken und Urteile einer Person von ihren Beziehungen zu anderen Personen und zur Welt abhängen. Unter einem Dialog stellen wir uns einen Prozeß vor, bei dem vollständig geformte Gedanken ausgetauscht werden, und dabei übersehen wir, daß der Dialog den Zusammenhang bereitstellt, in dem Gedanken und Begriffe gebildet und mit einer Bedeutung versehen werden. Denken und Rationalität sind, wie ich bereits gesagt habe, soziale Phänomene. Ohne Sprache haben Gedanken keine klare Form. Aber die Form, die ihnen durch die Sprache verliehen wird, kommt erst im Kontext der aktiven Kommunikation zum Vorschein. Was wir denken, hängt davon ab, wie die anderen uns und unsere Beziehungen zu der ihnen und uns gemeinsamen Welt deuten können. Daraus folgt, daß wir keine klaren Gedanken haben außer insofern, als sie bei dem Prozeß, durch den sie von anderen erfaßt werden, eine prägnantere Gestalt bekommen. Wenn Sokrates im *Menon* immer wieder betont, es sei vergeblich zu fragen, ob Tugend gelehrt werden könne, ehe man wisse, was Tugend überhaupt ist, beklagt er nicht, wie häufig angenommen wird, das Scheitern des Versuchs, eine griffige und endgültige Antwort auf die Frage »Was ist Tugend?« zu geben. Vielmehr fordert er seine Gefährten dazu auf, die Suche nach allseitiger Klarheit und wechselseitigem Verständnis fortzusetzen und damit die einzige ihm bekannte Methode zur Ermittlung moralischer Wahrheiten anzuwenden.

Zwischen Mangel an Widerspruchsfreiheit und Mangel an Klarheit sollten wir einen Unterschied machen. In den sokratischen Dialogen geschieht es, daß die Gesprächsteilnehmer widersprüchliche Dinge *sagen*. Das zeigt aber nicht unbedingt, daß sie klare Vorstellungen haben, die einander widerstreiten. Häufiger geschieht es, daß der Anschein des Widersprüchlichen echte Konfusion verrät. Es gibt wirklich einen Sinn, in dem jemand, der verwirrt ist, nicht direkt unrecht haben kann, denn er weiß einfach nicht, was er denkt. Vor allem in der Form des Elenchos bietet der Dialog die einzige Plattform, auf der Wörter Bedeutung annehmen und Begriffe nach und nach geklärt werden. Je besser wir die anderen verstehen, desto besser wissen wir, was wir denken.

Es scheint ein Rätsel darin zu liegen, daß Sokrates immerfort fragt »Was ist Tugend?«, »Was ist Frömmigkeit?«, »Was ist Gerechtigkeit?« und niemals eine befriedigende Antwort findet. Niemals. Versucht er herauszufinden, was Tugend, Frömmigkeit oder Gerechtigkeit ist, oder versucht er herauszubekommen, was er und andere mit diesen Wörtern meinen? Wie können wir diese Fragen trennen? Der Versuch zu erfahren, was es mit diesen positiven Eigenschaften auf sich hat, ohne zu erfahren, was die Wörter bedeuten, ist ebenso aussichtslos wie der Versuch zu erfahren, was die Wörter bedeuten, ohne herauszubekommen, was Menschen – wir selbst und andere – mit ihnen meinen. Menschen meinen, was ihnen durch eine Deutung von anderen zugeschrieben werden kann; herauszubringen, was wir meinen, heißt erfahren, was andere, mit denen wir reden, damit meinen. Das Verstehen anderer, die Einigung mit ihnen über Grundbegriffe, Klarheit über das von uns Gemeinte – diese Dinge kommen, insofern sie sich überhaupt einstellen, zusammen zum Vorschein. Der Elenchos ist ein Modell der einzigen Methode, die wir haben, um diese Ziele zu erreichen.

17
Dialektik und Dialog

Dies ist der Text der Rede, die ich gehalten habe, als mir in Stuttgart die Ehre der Verleihung des Hegel-Preises zuteil wurde. Da ich der erste nichteuropäische Philosoph war, der diesen Preis bekommen hat, habe ich diese Gelegenheit als einen weiteren Schritt auf dem Weg jener erstaunlichen Annäherung interpretiert, die sich heute zwischen philosophischen Methoden, Einstellungen und Traditionen zuträgt, die eine Zeitlang offenbar getrennt waren, ja einander feindlich gegenüberstanden. Der Vorgang, dessen Zeugen wir derzeit werden, ist im Grunde natürlich nichts weiter als die neuerliche Aufnahme von Gesprächen zwischen Traditionen, die ein gemeinsames Erbe haben. Das macht die Sache aber nicht weniger überraschend, denn wie wir wissen, sind diejenigen, deren Voraussetzungen besonders nahe beieinander liegen, am ehesten dazu geneigt, ihre Differenzen zu übertreiben und herauszustreichen. Verstehen heißt keineswegs vergeben, und was man nur halb versteht, wird allzu oft abgelehnt.

Die Annahme, daß es hier zwei grundverschiedene Traditionen gibt, ist nicht auf Kontinente oder Länder beschränkt. Das Gefühl, es gebe eine philosophische Hauptwasserscheide, ist in meinem Heimatland vielleicht stärker ausgeprägt als in Europa. Vor kurzem las ich eine Geschichte der philosophischen Entwicklung von Husserl bis zur Gegenwart. Das Buch stammt von einem vortrefflichen Forscher, der in den späten 1930er Jahren, also zur gleichen Zeit wie ich selbst, an der Harvard University studiert hat. Soweit man es anhand dieser Darstellung beurteilen kann, hat nichts, was in England, Australien oder in den Vereinigten Staaten in der Zeit zwischen Russell und Moore und der Gegenwart geschehen ist, einen Beitrag geleistet, der für die Philosophie von ernsthaftem Interesse sein könnte. Das Register nennt einen einzigen englischsprachigen Philosophen, und dieser wird nur erwähnt, um ihn als einen seichten Interpreten deutscher und französischer Denker zu attackieren. (Natürlich ignoriert der Autor auch den Einfluß, den Frege, der Wiener Kreis, Wittgenstein und die polnischen Logiker gehabt haben.) Ich freue mich, feststellen zu können, daß diese Einstellung in Deutschland heute meines Wissens nicht weit verbreitet ist. Der Band, in dem mein Text erscheint, ist einer von vielen Belegen für die neue Offenheit für die Freuden und Vorteile des freien Austauschs von Ideen aus philosophischen Kulturen, die bis vor kurzem häufig so disparat wirkten, daß ein fruchtbarer Gedankenaustausch ausgeschlossen zu sein schien.

Als ich den Titel dieses Vortrags wählte, war mir nicht bewußt, daß er beinahe identisch ist mit dem englischen Titel einer Platon gewidmeten Aufsatzsammlung von einem anderen Träger des Hegel-Preises, nämlich von Hans-Georg Gadamer.[1] Die Übereinstimmung der Titel war jedoch kein reiner Zufall. Als ich vor einem halben Jahrhundert meine Doktorarbeit über Platons *Philebos* schrieb, entdeckte ich, daß der bei weitem profundeste Kommentar zum *Philebos* in Gadamers veröffentlichter Habilitationsschrift zu finden war.[2] Unser gemeinsames Interesse an Platon, der dialektischen Methode und Interpretationsproblemen hat also eine lange Vorgeschichte. Es ist naheliegend, daß Hegel ebenfalls zum Brückenschlag beitragen sollte.

Der *Philebos* ist einer von Platons spätesten Dialogen, und in ihm tritt Sokrates zum letzten Mal als wichtigster Gesprächsteilnehmer auf. Dabei ist bemerkenswert, daß Platon hier nach den didaktischen Glanzleistungen der mittleren und der übrigen späten Dialoge zur elenktischen Methode seiner Frühschriften zurückkehrt, zur nicht endgültig schlüssigen

1 Gadamer, *Dialogue and Dialectic*.

2 Gadamer, *Philebus. Platos dialektische Ethik*. Meine Dissertation ist kürzlich unter dem Titel *Plato's Philebus* veröffentlicht worden.

Dialektik des gesprächsweisen Gebens und Nehmens, zum Verfahren von These und Replik, das wir zu Recht als für Sokrates typisch erachten. Was ist an dieser Methode so Besonderes, und warum sollte man annehmen oder damit rechnen, daß sie wertvolle Ergebnisse zeitigen würde?

An der einfachsten Form des Elenchos brauchen nur zwei Personen beteiligt zu sein: eine, welche die Fragen stellt, und eine, welche die Antworten gibt. Jene wirft eine gewichtige Frage auf: Was ist Mut? Was ist Gerechtigkeit? Was ist Tugend? Sobald dem anderen eine Antwort entlockt worden ist, macht sich der Fragende daran, dem Antwortenden nachzuweisen, daß seine Antwort in Widerspruch steht zu anderen Dingen, von denen er überzeugt ist. Nun versucht der Antwortende, die ursprüngliche Antwort zu berichtigen oder durch eine andere zu ersetzen, um seine Antwort mit seinen übrigen bekundeten Überzeugungen in Einklang zu bringen. Dieser Prozeß kann durch mehrere Schritte fortgesetzt werden, doch er gelangt nie zu einem befriedigenden Abschluß. Dies ist das bloße Gerippe der Methode; so wie es in den sokratischen Dialogen ausstaffiert wird, gibt es weitere Merkmale, die unsere Aufmerksamkeit auf sich lenken. Der Antwortende ist normalerweise jemand, der die Antwort zu kennen behauptet oder in der Lage sein sollte, dies zu behaupten. Er ist etwa ein wohlhabender Gutsbesitzer, der zu wissen erklärt, was Frömmigkeit ist, oder ein Feldherr, der wissen sollte, was Mut ist. Das elenktische Verfahren enthüllt, daß der Betreffende gar nicht weiß, was er zu wissen vorgibt. In Anbetracht des unabgeschlossenen Ergebnisses ist diese Methode, wie es scheint, eher dazu bestimmt, das Opfer in Verlegenheit zu bringen, als die Wahrheit ausfindig zu machen.

Und wie sollte es denn überhaupt möglich sein, mit diesem Verfahren die Wahrheit herauszubringen? Von der ursprünglichen Antwort, die der andere bei seiner Erwiderung vorbringt, wird gezeigt, daß sie zu seinen sonstigen Überzeugungen in Widerspruch steht, und dies wird als Nachweis dafür aufgefaßt, daß die erste Antwort falsch ist. Doch damit haben wir die Möglichkeiten der Logik überfordert. Sofern in einer Menge untereinander inkonsistenter Aussagen jede einzelne dieser Aussagen erforderlich ist, um zum Widerspruch zu gelangen, genügt es, eine beliebige der in dieser Menge enthaltenen Aussagen zurückzunehmen, um Widerspruchsfreiheit herzustellen. Ginge es einzig und allein um Widerspruchsfreiheit, könnten diejenigen, die Sokrates antworten, genausogut bei ihren ursprünglichen Antworten bleiben, indem sie eines der späteren Zugeständnisse preisgeben. Schlimmer noch, es gibt gar keinen Grund, von irgendeiner in einer widerspruchsfreien Menge enthaltenen Aussage anzunehmen, sie sei wahr. Allem Anschein nach kann man zugunsten des Elenchos bestenfalls sagen, daß er durch die Beseitigung von Widersprüchlichkeiten die logische Gewißheit ausräumt, daß zumindest eine der Überzeugungen des Betreffenden falsch ist. Und das ist ein relativ schwacher Trost als Gegenleistung dafür, daß man recht viel Zeit und Selbstrespekt aufs Spiel gesetzt hat.[3]

Ein Interpretationsvorschlag besagt, Sokrates sei überzeugt gewesen, daß jeder Mensch im Besitz gewisser Grundwahrheiten ist, so daß man zur Weisheit gelangen kann, indem die Überzeugungen ausgemerzt werden, welche zu den Grundwahrheiten im Widerspruch stehen.[4] Ich bin mir nicht sicher, ob es der Fall ist oder nicht, daß Sokrates dies geglaubt oder vorausgesetzt hat, aber ich meine, daß ein in diese Richtung gehender Gedanke durchaus vernünftig ist. Es gibt sehr gute Gründe, die für die Annahme sprechen, es sei nicht möglich, daß die meisten – oder auch nur viele – unserer einfachsten und in diesem Sinne grundlegendsten Überzeugungen falsch sind. Wir können uns nicht irren, wenn wir glauben, außer-

3 Wie wichtig dieses Merkmal des Elenchos ist, wird in dem brillanten Sokrates-Buch von Gregory Vlastos hervorgehoben: *Socrates. Ironist and Moral Philosopher.*

4 Einen recht ähnlichen Vorschlag macht Vlastos in »The Socratic Elenchus«.

halb unseres Bewußtseins gebe es eine Welt: eine Welt, die weitere Personen enthält sowie Pflanzen und Tiere, Weiden und Berge, Gebäude und Sterne. Diese Ansicht zu begründen ist eine gewaltige Aufgabe, die ich jetzt nicht in Angriff nehmen kann.[5] Es würde auch nichts nützen, denn obwohl die Voraussetzung einer allgemein verbreiteten Ausstattung mit wahren Aussagen die Chancen des Elenchos verbessern kann, das tote Holz des Irrtums fortzuschaffen und die Bäume der Wahrheit stehenzulassen, kann es doch nicht ausreichen, Sokrates' Vertrauen in seine Methode zu erklären. Der Grund ist, daß damit nicht erläutert werden kann, wieso der Elenchos den einzigen oder auch nur einen tauglichen Weg zur Wahrheit darstellt.

Wenn Sokrates den Weg zur Wahrheit kannte, fragt es sich, warum er ihm nicht selbständig gefolgt ist und denen, die es hören wollten, das Ergebnis verkündet hat. Statt dessen beharrt Sokrates darauf, daß er die Wahrheit nicht wisse. Viele Gelehrte haben diese Behauptung des Nichtwissens als sokratische Ironie aufgefaßt, als eine Art offener Verstellung. Ich meine jedoch, daß wir Sokrates beim Wort nehmen müssen, denn er behauptet auch hartnäckig und ohne einen Anflug erkennbarer Ironie, daß er selbst damit rechne, aus dem elenktischen Austausch Gewinn zu schlagen, obwohl der Elenchos nicht mehr zu leisten scheint, als das Unwissen seiner Gegenüber zum Vorschein zu bringen. Sokrates sagt:

> Nicht aus eigener Selbstgewißheit veranlasse ich andere zum Zweifel, sondern weil ich stärker zweifle als alle übrigen, erwecke ich Zweifel in anderen. So habe ich für mein Teil jetzt nicht die geringste Ahnung, was die Tugend eigentlich sei, während du, der du es zwar vielleicht gewußt hast, ehe du mit mir in Berührung gekommen bist, jetzt ebenfalls nachgerade unwissend bist. Dennoch bin ich bereit, mich mit dir zusammen auf eine Untersuchung einzulassen und ihr Wesen zu ergründen. (*Menon*, 80c-d)[6]

5 Argumente zur Untermauerung dieser These finden sich in meinem Aufsatz »A Coherence Theory of Truth and Knowledge«.

6 [Übersetzung nach Davidsons englischer Übersetzung.] Zwei weitere Bei-

Schließlich sollten wir auch an die berühmte Stelle aus dem *Phaidros* denken, an der Sokrates erklärt, warum eine lebendige Diskussion einem schriftlichen Bericht über diese Diskussion völlig überlegen ist. Geschriebene Worte, sagt er, scheinen zwar lebendig zu sein, doch sobald man sie befragt, geben sie stets dieselbe Antwort. Ist ein Wort erst einmal aufgeschrieben, wird es von denen, die es verstehen, ebenso hin- und hergeschleudert wie von denen, die keinen Anteil daran nehmen.[7]

Damit sind also zwei maßgebliche Aspekte der sokratischen Dialektik genannt, die hinausgehen über den bloßen Versuch, jemanden, der Anspruch auf Wissen erhebt, der Widersprüchlichkeit zu überführen. Der eine Aspekt ist der, daß beide Teilnehmer davon zu profitieren hoffen können; der andere Aspekt ist der, daß diese Dialektik – im Gegensatz zur schriftlichen Abhandlung – einen Prozeß darstellt, der Veränderungen auslöst. Wenn die elenktische Diskussion ihren Zweck erfüllt, ist sie ein Ereignis, bei dem die Bedeutungen der Wörter – die Begriffe, die den Sprechern vorschweben – eine Entwicklung durchmachen und geklärt werden. In dieser Hinsicht ist sie ein Vorbild für jeden gelungenen Kommunikationsversuch.

Es kann einen großen Unterschied geben zwischen einer Auseinandersetzung, an der Personen beteiligt sind, die einander gut verstehen, und einem Gedankenaustausch, bei dem das Problem großenteils darin liegt, gegenseitiges Verständnis

spiele: Als Protagoras fragt, ob er für sich selbst antworten soll oder so, wie »die Masse« antworten würde, erwidert Sokrates: »Mir ist es egal, sofern du es bist, der die Antwort gibt. Denn was ich vor allem untersuche, ist der Satz. Doch daraus kann sich die Konsequenz ergeben, daß ich, der Fragende, und du, der Antwortende, ebenfalls untersucht werden« (*Protagoras*, 333b-c). Menon ist angetan vom Stil der Antworten Sokrates', und Sokrates erwidert: »Nun, so werde ich mir sowohl deinet- *als auch meinetwegen* [meine Hervorhebung] alle erdenkliche Mühe geben, in diesem Stil fortzufahren« (*Menon*, 77a).

7 *Phaidros*, 275e.

überhaupt erst herbeizuführen. Eine noch größere Kluft besteht aber zwischen einem Gedankenaustausch, der als Situation gesehen wird, in der die Teilnehmer über klare Begriffe verfügen – gleichgültig, ob sie zur Artikulierung dieser Begriffe dieselben Worte verwenden oder nicht –, und einem Gedankenaustausch, der als Prozeß gesehen wird, bei dem die Begriffe selbst in den Brennpunkt geraten. Bei einer geschriebenen Erörterung wird diese Unterscheidung nahezu vollkommen verschleiert. Die Schriftlichkeit vermindert die Anzahl der aktiven Interpreten auf einen einzigen, nämlich den Leser, und beseitigt damit die wechselseitige Einflußnahme der Geister, bei der Wörter neuen Verwendungsweisen gefügig gemacht und Ideen fortschreitend gestaltet werden können. Die Vorgänge des intersubjektiven Gedankenaustauschs, bei dem Bedeutungen erschaffen und gefestigt werden, vermag das Schreiben zwar abzubilden, aber nicht selbst ins Werk zu setzen. Sokrates hat recht gehabt: Lesen ist nicht genug. Wenn wir der schwierigeren Weisheit nahekommen wollen, müssen wir reden und natürlich auch zuhören.
Eben habe ich auf die Stelle angespielt, an der Platon die Überlegenheit des gesprochenen Worts gegenüber dem geschriebenen erklärt. Diese Stelle sollten wir im Lichte einer anderen interpretieren, an der Sokrates sein Gegenüber Euthyphron davon überzeugt, daß er gar nicht meinen könne, was er über das Wesen der Frömmigkeit gesagt hat. Da beklagt sich Euthyphron, Sokrates setze seine Worte in Bewegung; sie wollten einfach nicht stehenbleiben. Sokrates stimmt dem zu, das tue er, wenn auch nicht absichtlich. Ebenso wie Daidalos seinen Statuen Bewegung verliehen habe, setze Sokrates die Worte der anderen in Bewegung, obwohl es ihm lieber wäre, wenn sie stillstünden.[8] Das ist eben die Art von Bewegung, die bei einem mündlichen Gedankenaustausch am meisten zu leisten vermag. Bei einer offenen

8 *Euthyphron*, 11b-e.

Diskussion, in der die Beteiligten einander zu verstehen versuchen, verwenden sie dieselben Worte, aber ob sie mit diesen Worten dasselbe meinen oder ob sie überhaupt etwas Klares mit ihnen meinen, kann nur der Prozeß des Fragens und Antwortens ans Licht bringen.

Die Vorgänge bei einem lebendigen Gespräch werden leicht mit den Vorgängen verwechselt, auf die man bei einem geschriebenen Dialog stößt. Wenn wir lesen, daß jemand auf Befragen sagt: »Gerechtigkeit heißt, daß man seinen Freunden Gutes und seinen Feinden Böses tut«, und anschließend aufrichtig überzeugt wird, daß es nicht gerecht ist, irgend jemandem Böses zu tun, wobei er wieder ebendieses Wort »Gerechtigkeit« benutzt, sind wir beinahe sicher, daß der Sprecher seine Meinung grundlegend geändert hat. Wir sagen uns, daß die ursprüngliche Behauptung und das spätere Zugeständnis einander widersprechen. Und sie widersprechen einander tatsächlich, sofern das Wort »Gerechtigkeit« an beiden Stellen dasselbe bedeutet. Es ist nahezu sicher, daß wir ein Gleichbleiben der Bedeutung als selbstverständlich voraussetzen, weil wir als passive Leser dem Wort bei der Lektüre jedesmal dieselbe Bedeutung zuschreiben – oder zumindest setzen wir voraus, daß das Wort von Anfang bis Ende dieselbe Bedeutung hat, denn worum geht es sonst bei dieser Auseinandersetzung der Diskussionspartner? Doch in Wahrheit geschieht es oft, daß in Frage steht, wovon eigentlich die Rede ist.

Wir haben die ausgeprägte Neigung, zu glauben, daß Gedanken fast immer einen bestimmten Inhalt haben. Mag sein, daß es uns, ebenso wie Euthyphron, schwerfällt, die richtigen Worte zu finden; ein schlauer Fragesteller wie Sokrates mag imstande sein, uns ein Bein zu stellen; und gelegentlich mag es vorkommen, daß wir in Verwirrung geraten. Doch meistens glauben wir zu wissen, was wir denken und meinen. Die Sprache sei bloß das mitunter unbeholfene Werkzeug, das wir zur Äußerung unserer Gedanken verwenden. Dieses so natürlich erscheinende Bild, möchte ich meinen, gibt die wirkliche Situation falsch wieder. Ehe wir die Voraussetzung, unsere wichtigen Ideen seien klar, fallenlassen, werden wir die Leistungsfähigkeit und den Zweck der elenktischen Methode nicht einsehen. Lassen Sie mich ein zugegebenermaßen umstrittenes Beispiel anführen. Viele Menschen sind davon überzeugt, daß ihre Handlungen nicht verursacht sein können, wenn es ihnen manchmal freisteht, nach eigenem Gutdünken zu handeln, oder daß sie, sofern sie doch eine Ursache haben, durch einen Willen bewirkt werden, der seinerseits keine Ursache hat. Wer davon überzeugt ist, glaubt vielleicht auch, daß es ihm manchmal tatsächlich freisteht, nach eigenem Gutdünken zu handeln, hält aber dennoch den Determinismus für wahr. Dies scheint ein unmittelbarer Selbstwiderspruch zu sein, und vielleicht ist es wirklich einer. Wahrscheinlicher ist jedoch, daß es sich dabei um konfuse oder unklare Begriffe handelt: Sowohl die Idee der freien Handlung als auch die Idee des Determinismus sind schwierige Begriffe. Für die meisten von uns sind es Begriffe, die vor lauter Verwirrung verschwimmen. Sofern die Begriffe, die zur Formulierung »des Problems« verwendet werden, nebulös sind, kann man nicht erwarten, daß das »Problem der Willensfreiheit« durch eine Diskussion gelöst wird, denn dann ist gar kein klares Problem artikuliert worden. Was die Diskussion, wenn man Glück hat, bewirken kann, ist, daß sich der Nebel ein wenig lichtet. Die Diskussion kann immerhin erkennen lassen, daß unsere Aporie nicht auf unser Ringen mit einem tiefen metaphysischen Rätsel zurückgeht, sondern daher rührt, daß wir bessere oder andere Begriffe brauchen.

Womöglich hat es den Anschein, zur Verbesserung der Lage sei nichts weiter nötig, als daß man darauf besteht, die Schlüsselausdrücke müßten von vornherein definiert werden. Diese Strategie setzt jedoch voraus, daß wir bereits über einen Vorrat an klaren Begriffen und an Worten verfügen, durch die diese Begriffe zum Ausdruck gebracht werden können. Ist aber das Wort, dem wir eine klare Bedeutung zu verleihen versuchen, noch nicht klar, ist es unwahrscheinlich, daß uns ein angemessenes Reservoir präziser Worte und Begriffe zur Verfügung steht, aus dem wir bei der Definition schöpfen könnten. Ferner besteht die Frage, wie wir die Richtigkeit einer Definition erkennen, sofern das Wort, das wir zu definieren wünschen, für keine klare Idee steht. Daneben gibt es eine weitere, noch grundlegendere Schwierigkeit im Hinblick auf das Definitionsverfahren: Es kann sein, daß es gar keine befriedigende Definition gibt. Es ist typisch für die sokratischen Dialoge, daß sie die Form der Suche nach einer Definition haben. Sokrates pflegt zu fragen, was es denn sei, das allen Fällen von Tugend oder Schönheit gemeinsam ist, und die vorgeschlagenen Antworten haben die Form von Definitionen. Warum erweist sich die Suche immer als Fehlschlag? Der Grund ist meines Erachtens einfach. Uns liegt nichts an einer Definition, die nicht Begriffe oder Wörter verwendet, die weniger kompliziert und in höherem Maße grundlegend sind als der zu definierende Ausdruck. Aber die Wörter und Ideen, die wir in der Philosophie zu definieren trachten – also Wörter wie »Gerechtigkeit«, »Schönheit«, »Wahrheit«, »Tugend«, »Erkenntnis« – sind so grundlegend wie nur möglich. Sofern man sich nicht weiterhin im Kreis bewegen will, läßt sich nicht alles definieren. Diese Wörter und ihre Leistung mögen zwar konfus und verschwommen sein, doch sie gehören zu den Grundlagen unseres Denkens. Es ist ein Fehler, wenn man versucht, tiefer zu graben. Die Definition ist kein Verfahren zur Festigung des Fundaments.

Es kommt oft vor, daß wir Wörter gebrauchen, die wir nicht zur Gänze verstehen, aber das ist nur möglich, wenn es dort wirklich etwas zu verstehen gibt. So kann ich zum Beispiel das Wort »Quark« verwenden. Ich habe eine ungefähre Vorstellung von dem, was es bedeutet, und ich weiß, was ich unternehmen muß, um mehr herauszubekommen. (Wollte ich sehr viel mehr herausbekommen, müßte ich eine mir jetzt nicht einmal ansatzweise zugängliche Menge Physik und Mathematik lernen. Ein volles Verständnis des Wortes »Quark« würde voraussetzen, daß man weiß, welche Rolle es in bestimmten Theorien spielt.) In einem solchen Fall gibt es mehr über das Wort zu wissen, weil es von anderen Personen in einer Art und Weise zur Verständigung und zu Berechnungen verwendet wird, die ich nicht beherrsche; hier gibt es für mich etwas zu lernen. Die Fortschritte, die wir uns vom philosophischen Dialog erhoffen können, sind nicht von dieser Art. Wie Sokrates selbst betont: Er kann den Leuten nicht beibringen, was Tugend oder Gerechtigkeit ist, denn das weiß er selbst ja nicht. Damit ist vermutlich nicht gemeint, daß ein klarer Begriff zur Verfügung stünde, sondern daß der Elenchos bei angemessener Ausführung den Teilnehmern helfen kann, sich eine klarere Vorstellung zu bilden.

Um ein weiteres Beispiel zu wählen, wollen wir an Diskussionen denken, die um das Wort »Freiheit« kreisen. Sie können sich festfahren, weil die Verwendungsweise des Wortes vielleicht eine unbemerkte Mehrdeutigkeit enthält. Daß man dem Vorhandensein der Mehrdeutigkeit Beachtung schenkt und Abhilfe schafft, ist eine offensichtlich nützliche Maßnahme, die oft notwendig ist, damit das Gespräch fortschreiten kann. Aber so wichtig die Beilegung der Mehrdeutigkeit für Klarheit und Verständnis sein mag, sie setzt voraus, daß schon zwei oder mehr Begriffe zur Verfügung stehen, denen man die verschiedenen Bedeutungen des mehrdeutigen Worts zuordnen kann. Dieser Prozeß kann daher nicht derselbe sein wie der, bei dem ein neuer Begriff geschmiedet wird, indem man vielleicht einem alten Wort eine klarere oder produktivere Rolle zuteilt.

Die Definition und das Ausräumen von Mehrdeutigkeiten sind leistungsfähige Werkzeuge im Dienst besseren Denkens und verbesserter Kommunikation. Es wäre jedoch verfehlt, wollte man annehmen, wir verstünden, wie eine vollkommene Sprache beschaffen wäre. Es ist möglich, sich eine Sprache auszumalen, deren Grammatik weniger kompliziert und weniger irreführend ist als die des Englischen, des Französischen oder des Kroatischen; eine solche Sprache könnte man sogar erfinden, mithin eine Sprache, in der die logischen Beziehungen zwischen den Sätzen leicht zu erkennen sind und in der dafür gesorgt ist, daß die Regeln des deduktiven Schließens auf der Hand liegen. Eine solche Sprache könnten wir sogar zu sprechen lernen, wie es unsere Computer in gewissem Sinne bereits tun. Übrig bliebe allerdings die Aufgabe, den Elementen – dem Basisvokabular aus Substantiven, Verben und sonstigen Wörtern – Bedeutungen zuzuordnen, und diese Aufgabe könnten wir nur bewältigen, indem wir uns der vertrauten Mittel bedienen.

Wir sind geneigt, uns unter einer natürlichen Sprache so etwas wie eine klar umrissene monolithische Struktur vorzustellen. Wenn wir unsere Muttersprache lernen, kommt sie jedem von uns vor wie etwas Gegebenes, wie etwas, was jeder, so gut er kann, in sich aufnimmt, etwas, was einwandfreies wechselseitiges Verständnis gewährleisten würde, wenn man es vollständig beherrschte. Es fällt schwer, diese Sprachauffassung abzuschütteln, aber natürlich muß sie falsch sein. Die Sprachen sind der Menschheit nicht gestiftet worden; ehe die Menschen redeten, gab es keine Sprachen. Das letzte Ziel des Sprechens kann nicht sprachliche Richtigkeit sein, sondern es geht darum verstanden zu werden, denn die Sprache hat keinen Zweck, der über die gelungene Kommunikation hinausginge. Sprecher erschaffen die Sprache; Bedeutung ist etwas, was wir von Beispielen gelungenen sprachlichen Austauschs abstrahieren können. Daraus folgt, daß die Sprache kein eigenständiges Leben haben kann, kein Leben, das unabhängig wäre von denen, die sie verwenden.

Im sokratischen Elenchos sehe ich so etwas wie einen Schmelztiegel, in dem unsere wichtigsten Wörter und die von ihnen ausgedrückten Begriffe geprüft, eingeschmolzen, umgestaltet und mit neuen Konturen versehen werden. Er ist ein Mikrokosmos des laufenden Prozesses der Sprachbildung selbst, allerdings ein verfeinerter und reflektierter Mikrokosmos, der sich die bereits existierenden sprachlichen und kulturellen Einrichtungen in ihrer Fülle und Komplexität zunutze macht. Um dies zu veranschaulichen, möchte ich einen Vergleich anstellen zwischen einem Merkmal des elementaren Sprachlernens und der kooperativen Umgestaltung des Sprachgebrauchs, wie sie beim dialektischen Austausch vorkommt.

Beim Erwerb der Muttersprache müssen viele Wörter durch hinweisende Erklärungen gelernt werden, was einschließt, daß Gegenstände, Oberflächen oder Ereignisse, auf die ein Wort zutrifft, aufgewiesen oder sonstwie gezeigt werden. Den Gebrauch von Wörtern wie »grün«, »Pferd«, »Hammer« und »Regen« haben wir alle zunächst in dieser Weise gelernt. Einige dieser Wörter könnte man natürlich lernen, indem man statt dessen in einem Wörterbuch nachschlüge, aber das ginge nur dann, wenn zuerst andere Wörter hinweisend gelernt worden wären. Die hinweisende Erklärung ist in offensichtlicher Weise begrenzt: Die Anzahl der Beispiele, mit denen wir uns im Laufe des ganzen Lebens auseinandersetzen können, ist auch im besten Fall endlich. Immer besteht die Möglichkeit, daß der Lernende, sobald sich ein neuer Fall ergibt, von der Norm abweicht. Indes das neue Wort allmählich von einem immer größer werdenden Meer anderer, zum Teil mit dem neuen Wort eng zusammenhängender Wörter umgeben wird, werden die Chancen der Abweichung immer geringer, verschwinden aber nie ganz. Irgendwann ist es soweit, daß es keinen Unterschied mehr gibt zwischen dem Lernen eines neuen Worts und der im Prozeß der Diskussion erfolgenden Präzisierung des Gebrauchs eines schon bekannten Worts. Es ist ja selbst in der Lernsituation so, daß der nicht konforme Schüler nicht von einer abstrakten Regel oder Norm abweicht, sondern von dem, was der Lehrer – und vielleicht in Einklang mit ihm auch die übrige Gemeinschaft – für richtig hält. Der normale Schüler ist einfach jemand, der sich –

vielleicht gescheiterweise – hat überreden lassen, sein Vorgehen einstweilen dem einer oder mehrerer anderer Personen anzugleichen. Ein hartnäckig abweichender Schüler dagegen hat vielleicht einen Blick für eine zwischen verschiedenen Fällen bestehende tiefsitzende Ähnlichkeit, die anderen entgangen ist, und es mag sein, daß er die Gemeinschaft auf seine Seite zieht. Dies ist genau das, was Sokrates tut oder zu tun versucht, wenn er seine Gefährten zu überreden trachtet, das Wort »gerecht« nicht mehr auf Handlungen anzuwenden, bei denen jemand Böses mit Bösem vergilt, und es statt dessen auf Handlungen anzuwenden, bei denen Übel mit Wohltat vergolten wird.

Richtig in ihrem Element sind unsere Wörter, wenn sie auf vertraute Beispiele angewandt werden. Sobald wir uns Grenzen oder dem Ungewöhnlichen nähern, werden sie immer vager oder unbestimmter. Wann wird Grün zu Blau? Handelt eine Meinungsverschiedenheit hier vom Wort oder von der Farbe? Darauf kommt es kaum an, denn das Ergebnis ist das gleiche: Das, worauf wir uns einigen, formt unsere Sprache und unser Denken, und es formt auch die Art und Weise, in der wir die Welt sehen. Farbwörter sind ein triviales Beispiel. Sobald es um Wörter geht, die unsere fundamentalen Werte und Überzeugungen betreffen, also Wörter wie »Erkenntnis« und »Tugend«, »Redlichkeit« und »Person«, können sich die Veränderungen, die in unserer Sprache durch gründliches, wohlwollendes Diskutieren ausgelöst werden, ganz erheblich auf die Art und Weise unseres Zusammenlebens auswirken. Glänzend formuliert wird dieser Gedanke von Gregory Vlastos, wenn er sagt, jemand, der wie Sokrates die dialektische Methode praktiziert, akzeptiere »die Bürde der Freiheit, die aller sinnvollen Kommunikation innewohnt«.[9]

9 Vlastos, *Socrates. Ironist and Moral Philosopher*, S. 44.

18
Gadamer und Platons *Philebos*

Gadamer veröffentlichte sein erstes Buch – *Platos dialektische Ethik* – im Jahre 1931. Eine erweiterte Neuauflage erschien 1968. Die erste Auflage wurde 1982 wiederabgedruckt, und 1991 kam eine englische Übersetzung (*Plato's Dialectical Ethics*) heraus. Dieses Buch war Gadamers Habilitationsschrift, deren Abfassung von Martin Heidegger betreut worden war. Es wäre seltsam, dieses vor über sechzig Jahren geschriebene Frühwerk als Ausgangspunkt zu nehmen, um bestimmte, in Gadamers Schriften immer wieder angeschnittene Themen zu erörtern oder anzusprechen, wenn es hier nicht die folgenden beiden Faktoren gäbe: Erstens, der Umfang der Gebiete und Probleme, über die Gadamer gearbeitet hat, ist zwar gewachsen, aber die Richtung, in die sich seine Ideen entwickelt haben, war schon damals ziemlich klar. Der zweite Faktor ist persönlicher Art: Während Gadamer von Anfang an spürte, welches Ziel er verfolgen wollte und es mit glänzendem Erfolg tatsächlich angestrebt hat, war mein eigener Ansatzpunkt durch Zufall ganz ähnlich (wenn auch ohne die klare Zielsetzung), und dann bin ich auf einem, wie mir scheint, weitgehend unabsichtlich eingeschlagenen, aber »kommoden *vicus* der Rezirkulation«* in Gadamers theoretischer Nachbarschaft angekommen.

Das Buch *Platos dialektische Ethik* besteht, wie der Verfasser im Vorwort zur ersten Auflage anmerkt, eigentlich aus zwei längeren Essays. Der erste dieser Essays ist eine allgemeine Erörterung der Dialektik Platons und ihrer Grundlage im Dialog. Es ist zwar die erklärte Absicht des Buchs, uns die Möglichkeit zu geben, mit unbefangenem Blick an die Texte Platons heranzugehen, aber offenbar veranschaulicht Gada-

* [Anspielung auf den ersten Satz von *Finnegans Wake* (»commodius vicus of recirculation«), vgl. Abhandlung 10, S. 244. – Übers.]

mer nicht nur seine Vorstellung davon, wie man bei der Interpretation eines Texts verfahren sollte, sondern auch die Grundlage der Möglichkeit objektiven Denkens. Gadamer entschuldigt sich nicht für den »Abstand« zwischen den von ihm aufgeworfenen Fragen und den faktisch gegebenen Texten Platons. Im Gegenteil, er wirbt für diesen Abstand: »Je näher diese Interpretationen an dem Plato-Text haften, desto ferner sind sie von ihrer Aufgabe, den Weg zu diesem Text zu bahnen. Je ferner sie dagegen von der platonischen Sprach- und Denkwelt sind, desto näher glauben sie ihrer Aufgabe zu kommen.«[1]

Der zweite Essay handelt von jenem Text, dem der erste Essay den Weg bahnt, nämlich von Platons *Philebos*. Auf den ersten Blick scheint dieser Dialog eine seltsame Wahl zu sein. Es handelt sich um einen in vielen Hinsichten sperrigen Text. Dem Aufbau mangelt die mühelose Eleganz vieler Dialoge der frühen und der mittleren Periode: Äußerst allgemeine und abstrakte Stellen werden, wie es scheint, mit ganz praktischen Betrachtungen über die Qualität diverser Formen der Lust zusammengestoppelt. Details werden seitenlang ausgewalzt, während entscheidende Fragen übergangen werden. Es ist unklar, welche Rolle von den Ideen gespielt wird, sofern sie überhaupt eine spielen. Dennoch geht es in dieser Abhandlung um das höchste Wohl des Menschen. Beunruhigender als alles andere ist die Tatsache, daß Sokrates die elenktische Methode in einer Art und Weise anwendet, die stark an die frühen Dialoge erinnert, während er zugleich Theorien befürwortet, mit denen er in keinem anderen Dialog explizit in Verbindung gebracht wird – ja, dies sind Theorien, bei denen es schwerfällt, sie an irgendeiner anderen Stelle des Korpus Platonischer Texte dingfest zu machen. Da nimmt es vielleicht nicht wunder, daß der Text an einigen der schwierigsten Stellen anscheinend verderbt ist, beinahe so, als ob die Kopisten

1 *Platos dialektische Ethik*, S. 158 (»Anhang: Aus dem Vorwort zur ersten Auflage«).

nicht hätten glauben können, was sie lasen, und versucht hätten, krude Verbesserungen anzubringen. Man braucht nur einen Blick auf die englische *Philebos*-Übersetzung von Benjamin Jowett zu werfen, um zu erkennen, wie sehr er versucht war, in dem Bemühen, den Text auf die nach seinem Empfinden wahre Platonische Linie zu trimmen, Dinge zu verdrehen, die unverkennbar im Original stehen.

Nichts von alledem vermag Gadamer zu irritieren. Er ist ein hervorragender Altphilologe und erörtert Textprobleme, wenn sie wichtig erscheinen. Doch sein Interesse am *Philebos* ist ganz auf den philosophischen Inhalt gerichtet. Dadurch erhält Gadamers Buch seinen einzigartigen Rang. Soweit ich weiß, gibt es ansonsten nichts Ähnliches. Weder auf englisch noch auf deutsch, noch auf französisch gibt es ein anderes Buch über den *Philebos* beziehungsweise eine Edition oder eine Übersetzung, die sich auf den ethischen, methodologischen und ontologischen Gedankengehalt des Dialogs konzentriert. Gadamers Buch ist nicht nur, seiner offenkundigen Absicht entsprechend, eine lehrreiche Erklärung dessen, was bei Platon steht, und nicht nur ein beeindruckender Essay über den Ursprung der Objektivität in der gemeinschaftlichen Diskussion, sondern er führt vor, was Textinterpretation überhaupt sein kann.

Um 1938 begann ich mich für den *Philebos* zu interessieren. Ich war noch im Grundstudium an der Harvard University, wo ich Griechisch und Philosophie studierte. Genauer gesagt interessierte ich mich für Geistesgeschichte. Unter dem Einfluß der Schriften von Harold F. Cherniss und meiner Dozenten – insbesondere John Finley, Harry Levin und Theodore Spencer – ließ ich mich durch die Hinweise auf pythagoreische Ideen im *Philebos* faszinieren sowie durch den Vorschlag, in diesem Dialog sei offenbar die Bestätigung für einige von Aristoteles' Berichten über Platons späte Ansichten zu finden. Außerdem machte ich geltend, der *Philebos* könne, wenn er auch nicht wirklich der versprochene Dialog über den Philosophen ist, der auf den *Sophisten* und den *Politikos* folgen sollte, als eine Art Ersatz für diesen Dialog gesehen werden. Als es ein paar Jahre später an der Zeit war, meine Doktorarbeit zu schreiben, war es ganz natürlich, daß ich mich dem *Philebos* zuwandte. Damals stieß ich auf Gadamers Buch. Da ich ein Produkt des amerikanischen Bildungssystems bin, waren weder mein Deutsch noch mein Griechisch sonderlich gut (sie sind es bis heute nicht), und so kam es, daß ich damals leider nur sehr wenig von Gadamer gelernt habe. Unter anderem war mir der Heideggersche Hintergrund seiner Ideen völlig fremd. Was mir jedoch auffiel, war die Konzentration auf den philosophischen Inhalt um seiner selbst willen, und das hat mich beeindruckt.

Meine Fortschritte auf dem Weg zum Ph.D. wurden durch den Krieg unterbrochen. Nach dem Krieg übernahm ich erhebliche Lehrverpflichtungen, und so kam es, daß ich meinen Doktor erst 1949 machte. In der Zwischenzeit hatte sich mein Interesse weitgehend verschoben und galt jetzt nicht mehr der Philosophiegeschichte, sondern den damals aktuellen analytischen Problemen. Infolgedessen war meine Dissertation über den *Philebos* ein ziemlich bemühter Versuch, Platon nach Möglichkeit im Lichte der zeitgenössischen Methoden und Fragestellungen zu sehen, mit denen ich mich gerade befaßte.[2] Platon trat, obwohl ich von Zeit zu Zeit eine Übung oder ein Seminar über die Spätdialoge abhielt, nach und nach in den Hintergrund meiner Gedanken, bis ich 1985 eingeladen wurde, am University College, London, die einem Thema aus der griechischen Philosophie gewidmete S.J. Keeling Memorial Lecture zu halten. So begann ich mich wieder für Platon und den *Philebos* zu interessieren. Ich las einen Teil der neueren Literatur. Besonders großen Eindruck machte mir die von meinem Freund und früheren Princeton-Kollegen Gregory Vlastos vorgelegte Interpretation des Elenchos.

2 Dieses sonderbare Produkt meiner philosophischen Jugend ist 1990 unter dem Titel *Plato's Philebus* veröffentlicht worden.

Vlastos war damals damit beschäftigt, sein maßgebliches Buch über Sokrates zu schreiben.[3] Ihm ging es in der Hauptsache darum, die Ansichten von Sokrates und Platon auseinanderzuhalten und sogar einander gegenüberzustellen. Daher ist seine Darstellung des Elenchos, der nach seiner Auffassung etwas spezifisch Sokratisches ist, auf die frühen Dialoge beschränkt. Schon im *Menon*, meint er, übernimmt Platon selbst die Rolle seines Mentors. Ich für mein Teil war jedoch beeindruckt von dem Ausmaß, in dem der *Philebos* offenbar eine Rückkehr zur früheren Methodologie markiert, sowie von dem Ausmaß, in dem sein Interesse an der menschlichen Tugend auf die früheren Dialoge zurückverweist, und von der Tatsache, daß Sokrates wieder das Gespräch leitet, ohne zu unterstellen, er kenne alle Antworten im voraus. Als ich meine Keeling Lecture (»Plato's Philosopher«) schrieb, erschien es mir natürlich, meine derzeitigen philosophischen Interessen mit dem zu verbinden, was mir jetzt am *Philebos* auffiel.[4] Es gibt also eine gewisse Parallele zwischen den Erfahrungen, die Gadamer und ich mit einem der seltsamsten Dialoge Platons gemacht haben. Aber es gibt auch einen enormen Unterschied. Der Dialog hat uns beide am Beginn unserer professionellen Laufbahn tangiert, und er steht in Zusammenhang mit unseren heutigen Interessen. Der Unterschied liegt darin, daß Gadamer von vornherein erkannt hat, was ihm dieser Dialog zu bieten hatte. Seine Ansichten haben sich zwar entwickelt, und seine Platoninterpretation hat einen gewissen Wandel vollzogen, aber er hat sich weder von der These losgesagt, die freie Diskussion sei die Quelle menschlichen Verstehens, noch hat er sich von der Einsicht entfernt, daß Platon diese Wahrheit aufgezeigt und sich zunutze gemacht hat. Mir hingegen ist die Begeisterung für Platon für einige Jahrzehnte abhanden gekommen. Erst vor

3 Dieses Buch erschien erst 1991 unter dem Titel *Socrates. Ironist and Moral Philosopher.*

4 »Platons Philosoph«, Abhandlung 15 in diesem Band.

kurzem habe ich – allerdings auf einem ganz anderen Weg als Gadamer – einiges von dem erfaßt, was ich bei meiner ersten Begegnung mit Platon allenfalls vage verstanden hatte.

Der *Philebos* beginnt mit einem von Sokrates geführten Gespräch, das sowohl von der Stimmung als auch von der Methode her stärker an die frühen elenktischen Dialoge erinnert als irgendein anderes Textstück aus den Dialogen der mittleren oder späten Periode Platons. Die Frage, die beantwortet werden soll, lautet: Was ist das Vortrefflichste und Vorteilhafteste am menschlichen Leben? Spezifischer gefragt: Wodurch zeichnet sich das beste Leben aus? Sowohl Sokrates als auch Philebos haben eine Antwort parat: Philebos sagt, das Gute sei Lust, während Sokrates meint, das Gute sei Weisheit. Ebenso wie in den frühen Dialogen beansprucht Sokrates nicht, die Antwort zu kennen. Er betont, nur eine freie Diskussion biete die Chance, Licht auf dieses Thema zu werfen. Entschlossen tritt er dafür ein, sein Gesprächspartner solle nicht nur einen verbalen Sieg anstreben, sondern sagen, was er wirklich denkt. Es kann durchaus sein, daß Protarchos, wie Gadamer andeutet, die »Verteidigung« der Position von Philebos deshalb übernimmt, weil Philebos selbst nicht an einem aufrichtigen, gemeinsamen Versuch, die Wahrheit zu ermitteln, interessiert zu sein scheint. Hier ebenso wie an anderen Stellen offenbart Gadamer sein feines Gespür für menschliche Beziehungen, die den Gang des Gesprächs formen. Dabei macht er geltend, nur bei Berücksichtigung aller Aspekte des Kontexts bestehe Aussicht, die philosophischen Fragen zu verstehen. Das ist eine Erkenntnis, die er Platon sehr zugute hält. Als er seinem Buch den Titel *Platos dialektische Ethik* gab, dachte Gadamer, wie er mitteilt, vor allem an das moralische Element ernsthafter philosophischer Gespräche, nicht an das Thema des im *Philebos* geführten Gesprächs, obwohl auch das ein moralisches ist. Noch 1989 meint Gadamer, die Formel »dialektische Ethik« verweise auf eine Intention, die sein ganzes Spätwerk durchziehe.[5]

Für Platons Veranschaulichung der kreativen Aspekte der Diskussion interessiert sich Gadamer im gleichen Maße wie für Platons Äußerungen über die dialektische Methode. Das ist zumindest ein Grund, weshalb ihn der *Philebos* so reizt. Angesichts seiner (lobenswerten) Ansicht, eine befriedigende Interpretation eines Texts könne »Abstand« von diesem Text halten, ist es mehr als gerechtfertigt, wenn Gadamer eine Reihe ungewöhnlicher Merkmale der elenktischen Diskussion im *Philebos* unerwähnt läßt. Aber vielleicht ist es nützlich, auf einige dieser Merkmale hinzuweisen. Eins habe ich bereits genannt: Unter den übrigen späten Dialogen findet sich kein Beispiel, das mit dem *Philebos* vergleichbar wäre. Eigentlich gibt es unter den heute als spät geltenden Dialogen nur einen weiteren, in dem Sokrates als Diskussionsteilnehmer eine führende Rolle spielt, und das ist der *Theaitetos*. Daß Sokrates wieder auftaucht, fällt also mit der Rückkehr zur sokratischen Methode zusammen. Das läßt sich durch die Rückkehr zu einem typisch sokratischen Thema – die Frage nach dem guten Leben – einleuchtend erklären. Vielleicht gibt es einen weiteren Grund; ich werde gleich einen nennen.

Die Methode ist das Verfahren der Elenktik, aber das Muster entspricht nicht dem Üblichen. In den frühen Dialogen behauptet Sokrates zwar, er kenne die Wahrheit nicht, aber es wird nie gezeigt, daß er sich irrt. Stets sind es die Vorschläge des Gesprächspartners, denen ein Mangel nachgewiesen wird. Im *Philebos* wird sowohl der erste Vorschlag Sokrates' als auch die These Philebos' abgelehnt und zugunsten einer dritten Position fallengelassen, die dann von den wichtigsten Diskussionsteilnehmern akzeptiert wird. Das ist vielleicht das auffälligste originelle Merkmal der Methode dieses Dialogs: Die frühen Dialoge enden ohne klare Antwort auf ihre jewei-

5 Dies sagt Gadamer in einem Interview, das im Oktober 1989 in der *Frankfurter Allgemeinen Zeitung* erschien.

lige Frage; die in den mittleren wie in den übrigen späten Dialogen zu findenden Antworten auf wichtige Fragen werden nicht im Zuge des Dialogs, sondern wie »gefundene« Objekte präsentiert; im *Philebos* dagegen entwickelt sich die Antwort unmittelbar aus dem geführten Gespräch. Dem ersten Kapitel des Buchs *Platos dialektische Ethik* gibt Gadamer zwar den Titel »Das Gespräch und die Vollzugsart der Verständigung«, aber er betont nicht, wie selten es in Platons Schriften vorkommt, daß ein Gespräch erkennbar in Verständigung resultiert.

Ein weiteres und damit zusammenhängendes Merkmal des *Philebos* sind die Erörterung der »Methode des Sammelns und Teilens« und der Gebrauch, der von dieser Methode gemacht wird. Eingeführt wird die Methode im *Sophisten*, und im *Politikos* wird sie weiter angewendet. (Hier nehme ich an, daß der *Philebos* nach diesen beiden Dialogen verfaßt wurde.) Vor der Entstehung des *Sophisten* hätte die Methode nicht explizit gemacht werden können, denn sie beruht auf der »Mischung« von Ideen, von der in diesem Dialog zum ersten Mal gezeigt wird, daß sie der wesentlichen Einheit der Ideen nicht widerspricht. Das Sammeln ist der nach keiner feststehenden Methode zu vollziehende Prozeß des Ermittelns, Erspürens, Aufspürens und anschließenden Definierens des Genus, dem der betreffende Gegenstand angehört. Da das Sammeln eine Definition (beziehungsweise die Angabe eines »Kriteriums«) einschließt, kann das Resultat der Sammlung – und die Prüfung ihrer Angemessenheit – die Anwendung der Elenktik beinhalten. Doch das Sammeln kann sich in mindestens zwei Hinsichten von der Methode der frühen Dialoge unterscheiden: Während sich die früheren Dialoge im Regelfall um die Suche nach genau einer Idee drehen – nach einer Idee, die eine Tugend oder einen ultimativen Wert bestimmt –, erreicht die Sammlung das Genus oft durch einen Überblick über untergeordnete Universalien. Außerdem kann es sein, daß das Genus keinen Wert beziehungsweise kein Ziel definiert, sondern lediglich dazu beiträgt, den gerade untersuchten Gegenstand zu plazieren. Die Teilung ist der Prozeß der Ermittlung der Spezies und Subspezies und so fort bis hinunter zu den *infimae species*, die unter das jeweilige Genus fallen. Ebenso wie im Fall des Sammelns betont Platon auch hier die Tatsache, daß sich keiner dieser Aspekte der Dialektik mechanisieren läßt. In jedem Stadium ist Kunstfertigkeit vonnöten – sowohl bei der Wahrnehmung der richtigen übergeordneten Idee, unter die der Rest eingestuft werden muß, als auch bei der »Teilung an den Gelenken«.

Im *Philebos* wird die Methode des Sammelns und Teilens ganz anders eingesetzt als vorher im *Sophisten* und im *Politikos*. Das Genus, das im Sophisten unterteilt wird, ist die »Kunst«, und definiert wird der Sophist durch Benennung der Spezies, zu der er gehört, und eine Beschreibung der Weise, in der sie sich von anderen Spezies der Kunst unterscheidet. Der Staatsmann findet sich in einer Spezies der Wissenschaft. Theoretisch gesehen besteht die einzige Funktion der Methode des Sammelns und Teilens in diesen Dialogen darin, das Wesen einer dieser Unterteilungen deutlich zu machen. Im Gegensatz dazu betrachte man die Rolle, die diese Methode im *Philebos* spielt. Dort lautet die Eingangsfrage: Welches ist das gute Leben – das der Lust gewidmete oder das dem Verstand gewidmete Leben? Die elenktische Untersuchung endet mit dem übereinstimmenden Befund, daß keine dieser beiden Lebensweisen so gut ist wie ein Leben, das die Lust mit den Fähigkeiten und Tätigkeiten des Verstands verbindet. Die Erörterung, durch die wir die Kriterien zur Beurteilung der Qualität einer Lebensweise erhalten, kann man als eine Form der Sammlung betrachten, doch dabei handelt es sich bestimmt nicht um ein Genus, das anschließend geteilt wird. Vielmehr wird die Teilung zweimal angewendet – einmal, um die Unterschiede zwischen den Arten von Lust aufzudecken, und ein andermal, um die verschiedenen geistigen Fähigkeiten auseinanderzuhalten. Diese beiden Teilungen bil-

den einen großen Teil des Gesamtdialogs, und sie dienen nicht nur der Klärung, welche »Bestandteile« mit zum guten Leben gerechnet werden können, sondern auch der Hervorhebung jener Aspekte der möglichen Entscheidungen, die dafür oder dagegen sprechen, diese »Bestandteile« einzubeziehen.
An diesem Punkt wird offenkundig, daß Sammeln und Teilen schon alles zur Skizzierung des guten Lebens beigetragen haben, was in ihrer Kraft steht. Ebenso offenkundig ist, daß das gute Leben noch nicht beschrieben worden ist, denn dazu ist es erforderlich, das Urteilsvermögen einzusetzen und die beste Mischung von Lust und Verstandeselementen auszuwählen. Im *Philebos* zumindest umfaßt Platons Methode drei Teile: Sammlung, Teilung und Verbindung. Nur der dritte Teil zeigt, wie sich die ihm vorausgehende rein theoretische Tätigkeit auf die Welt – auf ein Leben – anwenden läßt. Ich bin geneigt, den dritten Teil in die Gesamtbeschreibung der ausgereiften Dialektik Platons aufzunehmen. Diese Einbeziehung wird, wie ich zugebe, nicht direkt durch den Text bestätigt. In dem Abschnitt über die Dialektik (15d-17a) erwähnt Platon nur Sammlung und Teilung. Auf diesen Abschnitt folgen allerdings sogleich zwei bekannte Beispiele der Anwendung der dialektischen Methode. Und wenn man über diese Beispiele nachdenkt, verstärkt sich der Eindruck, daß die Verbindung ein Teil der Methode Platons ist. Ein Beispiel ist die Phonetik, die »Kunst der Buchstaben«. Was sich den Sinnen darbietet, ist der aus dem menschlichen Mund hervorkommende, undifferenzierte Klang. Er ist der Gegenstand dieser Kunst. Doch zum Sammeln ist erforderlich, daß wir das »Siegel der Einheit« ermitteln, durch das dieser Gegenstand vereinigt wird. Platon sagt, es sei der Ägypter Theuth gewesen, der diesen Klang in drei Spezies – Vokale, Verschlußlaute und Sonanten – und diese wiederum in dem generischen Begriff »Buchstabe« gesammelt habe. In diesem Fall hängt die Sammlung von der anschließenden Aufteilung der Buchstaben in die drei Sorten ab. Auf diesen Vorgang folgt sodann die Tei-

lung jeder dieser Spezies in die einzelnen Buchstaben. Ist das schon alles, was es mit der Kunst der Buchstaben auf sich hat? Natürlich nicht. Diese Kunst muß auch die Fähigkeit einschließen, Buchstaben zu Wörtern und Wörter zu Sätzen und Sätze zu Erzählungen, Gedichten oder Vorlesungen zusammenzustellen. Diese Einsicht wird durch das andere Beispiel Platons bestätigt. Die Tonkunst verlangt mehr, als daß wir das (je nachdem als Note, Tonleiter oder Intervall interpretierbare) Genus und die verschiedenen Unterteilungen des Genus ermitteln. Darüber hinaus ist die Fähigkeit erforderlich, diese Elemente in angenehmer Weise zu vermischen oder miteinander zu verbinden.

Die hier in den Blick kommende Verbindung von Elementen sollte nicht mit der Vermischung der Ideen verwechselt werden, von der im *Sophisten* soviel Aufhebens gemacht wird. Diese Vermischung spürt die analytischen Beziehungen zwischen Begriffen auf. Sie nennt solche Wahrheiten wie die, daß sich zwar sowohl Zweibeinigkeit als auch Vierbeinigkeit mit dem Tier mischen, aber nicht Zweibeinigkeit mit Vierbeinigkeit. Das sind die Wahrheiten, mit denen es die Teilung zu tun hat: Wahrheiten der Logik im weiten Sinne. Die Verbindung der durch Teilung aufgezeigten Elemente ist eine völlig andere Sache und setzt eine höherstufige Fertigkeit voraus. Nach Platons Erklärung beinhalten die hinter dieser Fertigkeit stehenden Überlegungen eine vierteilige Klassifikation der Entitäten in folgende Gruppen: das Unbegrenzte, die Grenze, die Mischung und die Ursache der Mischung. Ganz grob gesprochen, können wir uns diese vier Sorten von Entitäten wie folgt denken: Etwas Unbegrenztes ist irgendeine bloß als Bestimmbares gedachte Entität. Eine Grenze ist eine bestimmende Form, Proportion oder Zahl. Eine Mischung ist irgendein bestimmter Gegenstand; metaphorisch gesprochen ist sie eine Mischung aus Unbegrenztem und Grenze. Etwas weniger metaphorisch gesprochen handelt es sich um eine Entität, deren Teile oder Aspekte im Verhältnis zueinander festgelegt sind; so ist das gute Leben eine Mischung aus Formen der Lust und Verstandeselementen. Die vierte Entität – die Ursache der Mischung – ist die rationale Handlungsinstanz, von der die Mischung erzeugt wird.

Sobald dieses neue System benutzt wird, um die Frage »Welches ist der bedeutsamere Teil des guten Lebens – Lust oder Geist?« zu beantworten, ist die Antwort überdeterminiert. Keine Ausprägung des Geistes ist unbegrenzt, aber viele Spielarten der Lust sind es. Sie beruhen auf Veränderungen, wie etwa im Fall der Schmerzlinderung. Der Geist teilt sich mit den reineren Formen der Lust einen Teil der Schlußmischung, aus der das gute Leben besteht. Sehr viel wichtiger ist jedoch das Faktum, daß der Geist die Ursache ebenjener Mischung ist, zu der er als Teil gehört.

Mit diesem Überblick über die Struktur des *Philebos* verfolge ich eine bestimmte Absicht. Bereits erwähnt habe ich, daß dieser Dialog in mancher Hinsicht eine Rückkehr zu einem Thema und einer Methode ist, die schon in Platons früheren Werken vorkommen. Das Thema ist ein menschlicher Aspekt des Guten; die Methode ist elenktisch. Symbolisiert wird die Rückkehr durch die Tatsache, daß Sokrates hier zum letzten Mal die Diskussion leitet. Jetzt möchte ich das Ausmaß betonen, in dem der *Philebos* von dem abweicht, was man hätte erwarten können, wenn sich der Autor des *Phaidros* oder des *Staats* über diese Thematik geäußert hätte.

Gerechtfertigt wird der wesentliche Gebrauch der Teilung nur durch die Erörterung im *Sophisten*, mit deren Hilfe klargestellt wird, in welchem Sinne die Ideen »geteilt« werden können. Das wiederum beseitigt eine Schwierigkeit, die im *Parmenides* aufgeworfen wurde. Die wirkliche Bedeutung dieser Entdeckung liegt jedoch nicht darin, daß es sich um die Entdeckung eines Sinnes handelt, in dem die Einheit jeder Idee mit Vielheit verträglich ist. Die wirkliche Bedeutung liegt in der Einsicht, daß die Ideen nicht gleichzeitig diesen notwendigen, analytischen oder epistemischen Zweck erfüllen und als Normen – als Muster positiven Werts – dienen können. Wenn etwa die Kunst auf der Suche nach dem Sophisten geteilt wird, gehören etliche Spezies wenig reizvollen Typen an. Einer ist der Typus dessen, der gegen Bezahlung reichen Jünglingen nachstellt; ein anderer ist der Typus dessen, der falsche Spruchweisheiten schmiedet. Die Ideen, von denen diese Spezies repräsentiert oder konstituiert werden, sind keine Normen, die positive Werte in Kraft setzen. Ebenso finden sich unter den Klassifikationen des *Philebos* viele unreine oder »gemischte« Arten der Lust. In der obersten der erwünschten Lebensweisen müssen sie alle verworfen werden. Hier erinnern wir uns auch an die Frage, mit der Parmenides den jungen Sokrates hänselt: Gibt es Ideen von Haaren, Schlamm oder Schmutz »oder irgendwelchen sonstigen banalen und unwürdigen Gegenständen«? Sokrates bestreitet die Existenz solcher Ideen. Das liegt, wie Parmenides gutmütig nahelegt, daran, daß er noch jung ist. Sobald die Philosophie ihn fester ergriffen habe, werde er solche Gegenstände nicht mehr verachten. Diesen Gedanken nimmt sich Platon zu Herzen: Er behält die erkenntnistheoretischen und semantischen Merkmale der einstigen Ideen bei, aber er trennt sie von ihrer normativen Rolle. Damit wird zugleich das folgende Problem gelöst: Wenn die Einzeldinge, indem sie an den Ideen teilhaben, auch etwas von deren Wert abbekommen, stellt sich die peinliche Frage, ob diese Ähnlichkeit zwischen Einzelding und Idee nicht eine weitere Idee voraussetzt.

Nachdem Platon die Ideen als Ursprung und Erklärung des Werts preisgegeben hat, braucht er eine neue Erklärung, und dazu dient ihm der Begriff der wohlproportionierten, rational erzeugten Mischung. Interpreten des *Philebos* haben den Versuch gemacht, die Ideen irgendwo im Bereich der vierteiligen Ontologie aus Unbegrenztem, Grenze, Mischung und Ursache ausfindig zu machen, aber es hat sich keine Konsensmeinung herausgebildet. Das kommt nicht überraschend, denn im *Philebos* haben die Ideen ihre Aufgabe erfüllt, indem sie die Methode der Sammlung und Teilung realisieren halfen. Die noch ausstehende Aufgabe, die durch Teilung aufgezeigten Elemente in der richtigen Weise zu verbinden, konnte von den Ideen nicht mehr erfüllt werden, ohne in Widersprüche zu geraten. Daneben hat die vierteilige Ontologie einen weiteren Zweck: Sie liefert einen Rahmen, in dem die Kräfte des Geistes – der Beurteilung, der Auswahl und der Verbindung der Teile oder Aspekte einer ausgewogenen, funktionierenden Mischung – verstanden werden können. Es ist ein Irrtum, wenn man damit rechnet, die Ideen in dieser praxisorientierten Klassifikation vorfinden zu können.

Im *Staat* wird der Gedanke nahegelegt, die Ideen – und vor allem die Idee des Guten – seien der Ursprung alles Wirklichen. Die Ideen sind also generativ, eine Quelle der Existenz. Im *Philebos* haben die Ideen dieses Vermögen – diese Funktion – nicht mehr. Sie sind neutrale Klassifizierer, die zwar natürlich nur dem Geist bekannt sind, aber von sich aus nicht die Fähigkeit haben, die Existenz von irgend etwas zu bewirken. Der Geist ist zum einzigen Beweger und auch zur Quelle des Werts geworden. Hier findet, ebenso wie im Fall der elenktischen Methode, eine Rückkehr zu den frühen Dialogen statt. In Dialogen wie *Euthyphron* und *Laches* sind die Ideen das, was jeden Einzelfall von Frömmigkeit zu einem frommen Akt beziehungsweise einen Akt des Muts zu einem mutigen »macht«. Es findet sich jedoch kein Hinweis darauf, daß dieses »macht« etwas Generatives an sich hat. Meistens werden zwar nur Ideen von Tugenden besprochen, aber weder werden die Ideen selbst als Quelle des Werts hingestellt, noch wird behauptet, daß sie von den Einzeldingen getrennt existieren. Meines Erachtens ist es kein Zufall, daß die im *Philebos* vollzogene Rückkehr zum frühen, rein epistemischen Gebrauch der Ideen mit der Rückkehr zur elenktischen Methode einhergeht. Platons Überlegungen zu der Frage, was gut ist beziehungsweise Wert hat, gehen in eine bestimmte Richtung. In den frühen Dialogen wird selten über die Methode debattiert. Es wird einfach vorausgesetzt, daß der Elenchos zu Wahrheiten über das Gute und Tugendhafte führen kann. Wenig später ist Platon offenbar nicht mehr zufrieden mit der Berufung auf die elenktische Methode. Die Ideenlehre wird explizit gemacht und ausgestaltet, indem die Anamnesislehre und das ganze metaphysische System des *Staats* hinzugefügt werden. In dieser Phase weicht der Gebrauch des Elenchos, wie Vlastos hervorhebt, einem unverhohlen didaktischen Stil. Wir werden dazu angehalten, das Reich der Ideen nicht nur als Ort der Wahrheit, sondern auch als Quelle jeglichen Werts und aller Realität anzusehen. Im *Parmenides* werden diverse Schwierigkeiten, die sich aus der metaphysischen Ideenlehre ergeben, zur Sprache gebracht, aber nicht beantwortet. Im *Theaitetos* verschwinden die Ideen offenbar aus dem Blickfeld, und nun wird eine glänzende Untersuchung des Begriffs der normalen empirischen Erkenntnis durchgeführt. Der *Sophist* und der *Politikos* betonen den Begriff der Teilung und verstärken dadurch die im *Parmenides* aufgekommenen Zweifel. Genau hier würde ich den *Philebos* ansiedeln, so als wäre dieser Dialog, wie ich in meiner Dissertation vorgeschlagen habe, so etwas wie ein Ersatz für den versprochenen Dialog über den Philosophen, der auf die Untersuchungen über den Sophisten und den Politiker folgen sollte. Da Platon jetzt ohne die normative und generative Ideenlehre auskommen muß, stellt er einen Zusatz zu seinem methodologischen Instrumentarium heraus, nämlich die Theorie der Mischung und ihrer Ursache – eine Theorie, die an die Stelle jener Lehre treten kann.

Durch den erneuerten und aufgefrischten Einsatz der gesprächsartigen, interpersonellen Methode des Elenchos wird der *Philebos* besonders relevant für Gadamers Erörterung der Dialektik im ersten Kapitel von *Platos dialektische Ethik*. Der *Philebos* wird im Zuge dieser Erörterung kaum erwähnt. Deren Aufgabe besteht darin, der (im zweiten Kapitel vorgelegten) Interpretation dieses Dialogs den Weg zu bereiten, indem

Beispiele aus verschiedenen anderen Dialogen herangezogen werden. So kommt es, daß die Struktur des Buchs unabsichtlich das Ausmaß verhüllt, in dem sich die Dialektik des *Philebos* von der Dialektik der frühen Dialoge und in ganz anderer Hinsicht auch von der Dialektik der mittleren Dialoge unterscheidet.

Gadamer ist sich natürlich völlig im klaren über die Merkmale, durch die der *Philebos* eine Sonderstellung einnimmt. In der Einleitung zu *Platos dialektische Ethik* schreibt er:

Daß die ontologische Position des ›Philebos‹ mit der allgemeinen platonischen, die man die Ideenlehre nennt, identisch ist, kann die eigentümliche Abstellung der Frage des ›Philebos‹ auf das ethische Problem, d.i. das Gute des *menschlichen* Lebens nicht verdecken. Aus der allgemeinen ontologischen Idee des Guten soll ja gerade das Gute des faktischen menschlichen Daseins begründet werden. In dieser sachlichen Absicht begegnet eine eingehende dialektische Analyse von ἡδονή und ἐπιστήμη, deren positiver Gehalt wie auch ihre methodische Haltung, den ›Philebos‹ zur eigentlichen Grundlage einer Deutung des spezifisch aristotelischen Problems einer Wissenschaft der Ethik macht.[6]

Wenige Seiten später sagt Gadamer, es gehe ihm darum, »die Einheit von Dialog und Dialektik, die so *nur* der ›Philebos‹ im Ganzen des literarischen Werks Platons darstellt, [...] in ihrer Herkunft und ihrem philosophischen Sinnzusammenhang nachzuweisen«.[7]

Die Auffassung der Lust als notwendiger Bestandteil des guten Lebens einer Person wird von Gadamer besonders betont. Dies zeigt eine menschliche Orientierung, die andernorts nicht so deutlich hervortritt. Das entspricht der ganz anderen Rolle, die in einer früheren Periode von der Idee des Guten gespielt wird:

Der *Philebos* fragt ja nicht, wie die Schrift vom Staate, nach der Idee des Guten und ihrer paradigmatischen Funktion für das menschliche Leben, sondern umgekehrt danach, wie das konkrete Leben des Menschen in seiner Be-

6 Gadamer, *Platos dialektische Ethik*, S. 5.
7 Ebd., S. 14.

dingtheit und Gemischtheit, seinem Bestimmtsein sowohl von Wissen und Einsicht wie von Trieb und Genuß, gleichwohl ›gut‹ sein kann, das heißt am Guten teilhaben kann.[8]

In dem oben erwähnten Interview spricht Gadamer darüber, wie sich seine Auffassung des *Philebos* im Laufe der Jahre entwickelt hat. Er betrachtet diesen Dialog als Bindeglied zwischen dem Sokrates der frühen Dialoge und der Aristotelischen Ethik. In beiden Fällen gelte das Interesse der Frage »des Guten des menschlichen Daseins«.
Die Unterschiede zwischen den frühen Dialogen, den mittleren Dialogen und dem *Philebos* werden also nicht außer acht gelassen, aber sie werden doch abgeschwächt. Diese Unterschiede – ja sogar die Unterschiede zwischen Platon und Aristoteles – werden nicht als wirkliche Inkonsistenzen gesehen, sondern als eine Sache der Betonung, der »Akzentuierung«, der Anpassung der Methode an den Gegenstand. Dies ist kein Bild des Stillstands, sondern das Bild von einem feststehenden Zentrum, um das sich die Dinge bewegen. So heißt es beispielsweise, »daß die ontologische Position des ›Philebos‹ mit der allgemeinen platonischen, die man die Ideenlehre nennt, identisch ist«. Es ist vermutlich die Frage, wie weit man eine »allgemeine Position« dehnen kann, bis sie zerbricht. Mir erscheint es jedoch schwierig, die sokratischen Dialoge, in denen von einem Reich separater, die einzige Realität und die Quelle jeglichen Werts und allen Seins bildender Ideen nicht die Rede ist, mit den mittleren Dialogen in Einklang zu bringen, in denen die Ideen genau so gedeutet werden. Ich vermag auch nicht zu erkennen, wie es möglich sein soll, die (in einem klaren Sinn des Wortes teilbaren) Ideen des *Philebos* mit den »Einen«, die Sokrates zu definieren trachtet, oder den Ideen des *Phaidros* und des *Staats* in Übereinstimmung zu bringen.
Es bedarf eines feinen Urteilsvermögens, um zu entscheiden,

8 »Idee und Wirklichkeit in Platos ›Timaios‹«, S. 268.

inwiefern man einerseits die Kontinuitäten zwischen Sokrates, den verschiedenen Perioden im Denken Platons und den verschiedenen Perioden im Denken Aristoteles' und andererseits die sie trennenden Unterschiede betonen sollte. Wenn ich hier die Unterschiede hervorgehoben habe, ist das nicht deshalb geschehen, weil ich meine persönliche Sicht der Dinge zur Sprache bringen wollte, sondern weil mir eine gewisse Diskrepanz zu bestehen scheint zwischen Gadamers eigenem Begriff von Verstehen und seinem Widerstand gegen die Feststellung einer echten Entwicklung in Platons Einstellungen und Methoden. Um es positiv auszudrücken: Ich glaube, eine Auffassung, wonach die Platonische Dialektik in höherem Maße für gravierende Korrekturen offen ist, wäre mit Gadamers eigener Vorstellung von Dialog und Gespräch eher in Einklang zu bringen.

Ich akzeptiere Gadamers Nachweis, daß der *Philebos* mehr als jedes andere Werk Platons die Art und Weise, in der wir zur Verständigung gelangen, und die Motive zur Sorge um die tatsächlichen Gegebenheiten in einer gemeinsamen Welt veranschaulicht und beschreibt. Die frühen elenktischen Dialoge enthalten viele Modelle für eine entschlossene und eifrige Suche nach dem eigentlichen Wesen dieser oder jener Tugend beziehungsweise der Tugend selbst. Zu nennen sind Sokrates' mehrfache Aufforderung, seine Gesprächspartner sollten nur sagen, was sie wirklich denken, sowie sein Anliegen, sie sollten ihm auf jedem Schritt seines Wegs folgen. Er beläßt es nicht bei der ironisierenden Fiktion, er könne die Wahrheit von seinen Gesprächspartner erfahren, sondern er gesteht das eigene Nichtwissen mit echter Bescheidenheit. Dennoch habe ich den Eindruck, daß diese Dialoge das Ideal des gemeinschaftlichen Strebens nach Verständnis in wenigstens zwei Hinsichten verfehlen. Erstens gibt es hier eine von Sokrates und seinen Freunden für selbstverständlich erachtete gewaltige Asymmetrie: Wie ahnungslos Sokrates auch sein mag, was die ultimative Wahrheit angeht, mit seinen Behauptungen hat er recht – und einige seiner Behauptungen sind wirklich verwegen. Es ist nie Sokrates, sondern immer sein Gesprächspartner, dessen Meinungen sich als widersprüchlich erweisen. Obwohl es manchmal so aussieht, als sei Sokrates tatsächlich davon überzeugt, daß er aus der Diskussion etwas lernen kann, werden uns keine Fälle vorgeführt, in denen das wirklich geschieht.

Folgendes ist die zweite Hinsicht, in der es diesen Dialogen zumindest nach meinem Dafürhalten mißlingt, das Ideal der fruchtbaren Kommunikation zu verkörpern: Die Gesprächsteilnehmer gehen von vornherein davon aus, daß es auf die tiefen moralischen Fragen, die gestellt wurden, eine feststehende, endgültige Antwort gibt. Es findet sich kein Hinweis darauf, daß nicht nur die Suche, sondern auch das Ziel den tätigen menschlichen Geistern etwas verdankt. Mit dieser Voraussetzung geht die unausgesprochene Überzeugung einher, die Bedeutung der die Diskussion ermöglichenden Wörter stünde fest. Allenfalls müssen die Gesprächsteilnehmer herausbekommen, ob sie mit denselben Wörtern dasselbe meinen. Das ist jedoch nicht etwas, was sich entwickeln kann, sondern etwas, was man herausfinden muß. Durch diese Einstellung werden Wörter zu Werkzeugen der Diskussion und nicht zu einem zentralen Aspekt dessen, was verständlich gemacht werden soll.

Was diese beiden Hinsichten betrifft, unterscheidet sich der *Philebos* sowohl in seiner Gesinnung als auch theoretisch von den frühen Dialogen. Wie bereits erwähnt, stellt sich heraus, daß Sokrates zu Beginn eine These vertritt, die preisgegeben werden muß. Die Untersuchung des guten Lebens entwickelt sich aus einem wirklich erkennbaren Austausch ursprünglich entgegengesetzter Meinungen. Das Ziel steht nicht von vornherein fest, denn es wird nicht so dargestellt, als hinge es von der Ermittlung des Wesens einer einzigen Idee ab. Vielmehr geht es um die Beherrschung der Kunst, die richtigen Elemente einer Lebensweise zu unterscheiden, zu beurteilen, auszuwählen und so zu mischen, daß Maß, Proportion und Stabilität an den Tag gelegt werden. Die Ursache dieser Mischung ist kein abstraktes, zeitloses Prinzip, sondern der Geist der Person, die dieses Leben führt. Das Ziel ist ein in jedem Sinn menschliches Ziel: ein Ziel, das von einem Menschen für diesen Menschen bestimmt worden ist. Diese humane, im Laufe eines kooperativen Dialogs erreichte Konklusion muß nach meinem Eindruck großenteils das sein, was Gadamer überhaupt zum *Philebos* hingezogen hat, und darin kommt eine Haltung zum Ausdruck, auf deren Äußerungen wir in Gadamers Werk immer wieder stoßen.

Nach Gadamer ist »zu betonen, daß die Sprache erst im Gespräch, also in der Ausübung der *Verständigung* ihr eigentliches Sein hat«.[9] Diese Äußerung geht weit über die nachdrückliche Behauptung von linguistischer Seite hinaus, das gesprochene Wort habe Vorrang vor dem geschriebenen, denn Gadamers These impliziert, daß die Sprache nur im Zusammenhang des Gesprächs Inhalt bekommt und wirklich Sprache wird. (Das ist eine Auffassung, die häufig Wittgenstein zugeschrieben wird.) Doch Gadamer vertritt eine sehr viel grundlegendere These, wonach sogar das Denken von der Sprache abhängt: »Alles Verstehen ist Auslegen, und alles Auslegen entfaltet sich im Medium einer Sprache, die den Gegenstand zu Worte kommen lassen will [...].«[10] »Die Sprache ist nicht nur eine der Ausstattungen, die dem Menschen, der in der Welt ist, zukommt, sondern auf ihr beruht, und in ihr stellt sich dar, daß die Menschen überhaupt *Welt* haben.«[11] Wenn wir diese Themen zusammenbringen, müssen wir zu dem Schluß kommen, daß Denken – ein Begreifen des Faktums einer objektiven, das heißt gemeinsamen Welt – nur in interpersoneller Kommunikation möglich ist. Es ist nicht nur so, daß »Verständigung« das Ziel des Gesprächs ist, sondern

9 *Wahrheit und Methode*, S. 404.
10 Ebd., S. 392.
11 Ebd., S. 446.

wir müssen außerdem einsehen, daß es ohne das Gemeinsame der Verständigung gar kein Verstehen gibt.
Der Grund hierfür liegt meiner Meinung nach darin, daß es keine andere Möglichkeit gibt, Wittgensteins Frage zu beantworten, worin denn der Unterschied zwischen der Regel zu folgen glauben und wirklichem Regelfolgen bestehe. Nach meiner Interpretation wird damit die Frage gestellt, wie es möglich ist, daß Wörter objektiven Bezug und Sätze unabhängig vom einzelnen Sprecher einen Wahrheitswert haben können. Unsere Gedanken und Wörter tragen uns hinaus in die Welt. Darum können wir wahre und falsche Überzeugungen haben und sowohl Falsches als auch Wahres sagen. Diese Verbindung mit der Welt kann nur durch gemeinsame Reaktionen auf eine gemeinsame Umwelt hergestellt werden. Gadamer formuliert das so: »Ursprüngliches Sprechen ist im gemeinsamen Zutunhaben mit etwas.«[12] An anderer Stelle heißt es:

Zunächst halten wir fest, daß die Sprache, in der etwas zur Sprache kommt, kein verfügbarer Besitz des einen oder des anderen der Gesprächspartner ist. Jedes Gespräch setzt eine gemeinsame Sprache voraus, oder besser: es bildet eine gemeinsame Sprache heraus. Es ist da etwas in die Mitte niedergelegt, wie die Griechen sagen, an dem die Gesprächspartner teilhaben und worüber sie sich miteinander austauschen. Die Verständigung über eine Sache, die im Gespräch zustande kommen soll, bedeutet daher notwendigerweise, daß im Gespräch eine gemeinsame Sprache erst erarbeitet wird. Das ist nicht ein äußerer Vorgang der Adjustierung von Werkzeugen, ja es ist nicht einmal richtig zu sagen, daß sich die Partner aneinander anpassen, vielmehr geraten sie beide im gelingenden Gespräch unter die Wahrheit der Sache, die sie zu einer neuen Gemeinsamkeit verbindet. Verständigung im Gespräch ist nicht ein bloßes Sichausspielen und Durchsetzen des eigenen Standpunktes, sondern eine Verwandlung ins Gemeinsame hin, in der man nicht bleibt, was man war.[13]

Mit fast allem, was Gadamer hier sagt, bin ich einverstanden. Eine andere Meinung (mit der ich vielleicht nur zeige, daß ich

12 *Platos dialektische Ethik*, S. 23.
13 *Wahrheit und Methode*, S. 384.

Gadamer nicht ganz verstanden habe) vertrete ich insofern, als ich nicht behaupten würde, daß ein Gespräch eine gemeinsame Sprache voraussetzt; ich würde nicht einmal sagen, daß eine gemeinsame Sprache erforderlich ist. Meines Erachtens ist Verstehen stets nicht nur eine Sache der Interpretation, sondern auch der Übersetzung, denn wir können nie davon ausgehen, daß wir mit unseren Wörtern dasselbe meinen wie unsere Diskussionspartner. Was im Dialog erst erschaffen wird, ist keine gemeinsame Sprache, sondern Verständnis: Jeder Beteiligte gelangt dahin, den anderen zu verstehen. Es erscheint mir auch nicht richtig zu sagen, die Übereinstimmung in bezug auf eine Sache verlange, daß zunächst eine gemeinsame Sprache erarbeitet werde. Ich würde sagen: Nur wenn gemeinsame Gegenstände vorhanden sind, kann Verständnis aufkommen. Daß man sich über eine Sache einigt und daß man die Äußerungen des jeweils anderen versteht, sind keine unabhängigen Momente, sondern Teile desselben interpersonellen Vorgangs der Triangulation der Welt.

19
Der Aristotelische Handlungsbegriff

Das Aristotelische *Organon* deckt mehrere der Gebiete ab, in die wir manchmal die Philosophie einteilen. Grob gesprochen kann man sagen, daß Sprachphilosophie und Hermeneutik in *De interpretatione* abgehandelt werden, die Logik in der *Analytica priora* und die Erkenntnistheorie in der *Analytica posteriora*. Doch wenn wir die zehn Kategorien betrachten, läßt sich nur die neunte problemlos mit einem heutigen Forschungsgebiet identifizieren, und das ist die Kategorie des Handelns.

Wenn man von der Vorstellung ausgeht, die wir uns heute von dieser Thematik machen, ist sie im Grunde von Aristoteles erfunden worden. Er fand das Thema faszinierend und ist immer wieder darauf zurückgekommen. Kein Wunder. Das Handeln ist philosophisch mit der Wahrnehmung und infolgedessen mit der Erkenntnistheorie verschwistert. Von beiden werden wir gezwungen, uns dem Problem des Verhältnisses zwischen Geist und Körper, Denken und Welt zu stellen. Die physische Welt bestürmt unsere Sinne, und das Ergebnis ist ein raffiniertes begriffliches Bild dieser Welt. Indem wir uns auf dieses Bild berufen, überlegen wir uns, wie wir durch Handlungen unsere Zwecke erreichen können. In der Wahrnehmung verursacht die physische Welt Gedanken; im Handeln bringt das Denken Veränderungen unserer physischen Umwelt hervor. Die Vorstellung, der Wille sei frei von physischer Determinierung, hat viele Autoren zu der Meinung veranlaßt, das mentale und das Physische müßten getrennte Bereiche sein. Doch wenn man diese Bereiche irgendwie entkoppelt, stellt sich die Frage, wie Erkenntnis möglich sei. Skeptizismus und Willensfreiheit sind symmetrische Probleme.

Da der Handlungsbegriff offensichtlich für viele der immerwährenden Fragen der Philosophie von zentraler Bedeutung ist, nimmt es nicht wunder, daß sich Aristoteles dafür interessiert hat und daß wir uns dafür interessieren. Verwunderlich ist vielmehr, daß das Thema in den dazwischenliegenden Jahrtausenden ziemlich vernachlässigt wurde. Der Grund ist vielleicht der, daß die Verbindung zwischen Handlung und Ethik so eng ist, daß das Interesse am Handeln um seiner selbst willen im Schatten geblieben ist. Doch was immer der Grund sein mag, die Konsequenz ist, daß das Gebiet seit Aristoteles kaum Fortschritte gemacht oder Veränderungen erfahren hat. Aristoteles meinte, wer sich einen Überblick über die Äußerungen der Vorfahren verschafft, könne frühere Irrtümer vermeiden und sich die angesammelten Kenntnisse zunutze machen. Doch im Fall des Handlungsbegriffs würde ein solcher Überblick nicht viel enthalten außer Aristoteles selbst, jedenfalls nicht vor dem zwanzigsten Jahrhundert. Unser Thema hat demnach vor allem zwei Blütezeiten erlebt: die Zeit des Aristoteles und unsere eigene. Da wir in ein neues Zeitalter eintreten, ist der Versuch angebracht vorherzusagen, wie sich das Fach im einundzwanzigsten Jahrhundert entwickeln wird oder vielleicht entwickeln sollte. Daher gliedert sich mein Text ganz natürlich in drei Hauptteile: Aristoteles, das Jahrhundert, das wir gerade hinter uns lassen, und das kommende Jahrhundert.

I. Aristoteles über Handlungen

Aristoteles interessierte sich zwar für den Zusammenhang zwischen Handeln und Ethik, aber er behandelte sie unabhängig voneinander. Hier verfährt er anders als Platon, denn obwohl beiden Philosophen viel an der Frage lag, wie man sein Leben führen sollte, richtete sich Platons Interesse am Handeln fast ausschließlich auf die normativen Anforderungen an das Verhalten. Die Aristotelische Analyse des freiwilli-

gen oder, wie wir vielleicht sagen dürfen, absichtlichen Handelns weist die folgenden Hauptmerkmale auf:
Aristoteles grenzt freiwillige Handlungen hauptsächlich durch Bezugnahme auf die Ursache ab: Die Ursache freiwilliger Handlungen ist etwas Inneres und Geistiges, während unfreiwillige Handlungen von äußeren Kräften hervorgerufen werden. In der Kategorienschrift nennt er als Beispiele für Handlungen »schneiden« und »verbrennen«; seine Beispiele für unfreiwillige Handlungen (auch Affekte, Leiden oder Leidenschaften genannt) sind »geschnitten werden« und »verbrannt werden«. Die Ursache freiwilliger Handlungen ist die Verknüpfung von Streben [*appetite*] und Denken (*De anima*, 433a). Das Streben, dessen Ziel etwas Geschätztes oder Gewünschtes ist, setzt die Kausalkette in Gang. Das Denken bestimmt sodann die Mittel, durch die der angestrebte Zweck erreicht werden kann. An diesem Punkt stellt sich die Handlung ein. Aristoteles betont, daß das Denken allein nie in einer Handlung resultieren würde. Das Denken ist, wie er sagt, immer gut. Damit meint er nicht, daß wir außerstande sind, mangelhaft zu denken oder falsche Überzeugungen zu hegen, sondern daß das Denken nicht moralisch beurteilt wird. Das Streben hingegen kann gut oder schlecht sein, je nachdem, ob die Bedingungen des Wertvollen wirklich wertvoll sind oder nicht. Bestrebungen können einander widerstreiten, und durch räumliche oder zeitliche Entfernung werden sie leicht zum Narren gehalten.
Da sich Aristoteles, wie auch sonst immer, für die Logik des rationalen Denkens interessiert, vergleicht er das Nachdenken über anstehende Handlungen mit dem reinen, syllogistischen Denken. »Wie kommt es«, fragt er, »daß aufs Denken manchmal eine Handlung folgt und manchmal nicht?« (*De motu animalum*, 701a). Der Unterschied liegt, wie Aristoteles implizit sagt, nicht in den formalen Merkmalen der Logik, sondern im Gegenstand. Im theoretischen Denken besteht die Konklusion darin, daß man glaubt, was aus den Prämissen

folgt, wie beispielsweise dann, wenn jemand, der bejaht, daß alle Menschen sterblich sind und daß Sokrates ein Mensch ist, zu der Überzeugung gelangt, daß Sokrates sterblich ist. Beim praktischen Schließen dagegen ist die Konklusion eine Handlung, wie beispielsweise dann, wenn jemand, der Schutz möchte und glaubt, durch Hausbau könne er Schutz bieten, unverzüglich ein Haus baut.

Aristoteles meint, daß die Vernunft – das, was er das »Erkenntnisvermögen« nennt – passiv ist; sie treibe uns nie zum Handeln an. Nur ein Streben oder ein Wunsch könne eine Handlung auslösen. Ein Nachhall dieser Idee findet sich bei David Hume, wenn er sagt »Die Vernunft ist bloß die Sklavin der Leidenschaften und sollte nichts anderes sein«. Hier scheint eine Schwierigkeit zu lauern, denn wie kann die Vernunft passiv sein, wenn sie eine Ursache des Handelns und für das Handeln ebenso unverzichtbar ist wie das Wünschen? Vielleicht betont Aristoteles nur, daß er anderer Ansicht ist als Platon, der gemeint hatte, die Kenntnis des Guten sei allein fürs Handeln ausreichend. Aber vielleicht möchte er auch betonen, daß Streben oder Wünschen in der zeitlichen Reihenfolge zuerst kommen.

Platon (beziehungsweise der Platonische Sokrates) hatte bestritten, daß es möglich ist, etwas Gutes zu erkennen, ohne so zu handeln, daß es verwirklicht wird. Auch in dieser Hinsicht war Aristoteles anderer Meinung. Aus seiner Sicht war es klar, daß man freiwillig dem eigenen besten Urteil zuwiderhandeln kann. Das ist *akrasia*, die manchmal so genannte Willensschwäche. Hier stand Aristoteles einem weiteren Problem gegenüber, denn er hatte gesagt: Wenn etwas offenkundig Gutes gegeben ist, das man anstrebt, und man sieht einen Weg, auf dem dieses Gute zu erreichen ist, so wird man unverzüglich handeln. Diese Sequenz könne, wie er meint, gestört werden, wenn die Wahrnehmung der Falschheit der Handlung durch das eigene Streben beeinträchtigt wird. Kein Zweifel, Fälle dieser Art sind zahlreich, aber Aristoteles' Antwort ist aus

Gründen, auf die ich zu sprechen kommen werde, nicht dazu angetan, das allgemeine Problem zu lösen.
Ein Merkmal der Handlungstheorie des Aristoteles ist besonders frappierend, denn es steht im Gegensatz zur landläufigen späteren Tradition: Er kann mit dem Begriff des Willens nichts anfangen. Die Überlegung spielt zwar eine gewisse Rolle, aber es gibt keinen eigenen Akt des Entscheidens, der in die Kausalkette eingreift. Wenn die Vernunft ein Mittel zu einem erwünschten Zweck entdeckt, trifft man anschließend keine Entscheidung zu handeln, ja, man schließt nicht einmal auf die Konklusion, Handeln sei angemessen und wünschenswert. Man handelt einfach oder »geradewegs«, wie Aristoteles es mehrmals formuliert. Es gibt keinen mentalen Akt, der der Schlußfolgerung des theoretischen Syllogismus entspräche. Im Falle des praktischen Denkens ist das Handeln mit der Schlußfolgerung identisch. Genau dieser Gegensatz ist es, der das praktische Denken vom theoretischen unterscheidet.
Aristoteles bespricht das Leib-Seele-Problem in *De anima* in aller Ausführlichkeit und kommt zu dem Schluß, das Mentale und das Physische seien im Grunde zwei Aspekte derselben Phänomene. »Es ist offensichtlich«, schreibt er, »daß die Affekte der Seele (beispielsweise Zorn, Mut, Begehren, Empfinden) materiell eingebettet sind«. Daher sollten Definitionen dieser Affekte Bewegungen des Körpers (beziehungsweise eines Teils oder eines Vermögens des Körpers) bestimmen. Der Physiker wird den Zorn als Aufwallen des Bluts definieren; der Dialektiker wird ihn als ein Bestreben definieren, Leid durch Leid zu vergelten. Wenn man diese (aufgeklärte) Ansicht voraussetzt, kann sich hinsichtlich der kausalen Beziehungen zwischen Denken und physischer Welt kein Problem einstellen.

II. Übergang zur Gegenwart

Es ist nicht so, als hätten sich die Philosophen in der Zeit zwischen Aristoteles und dem zwanzigsten Jahrhundert über den Handlungsbegriff ausgeschwiegen. Natürlich nicht. Aber meistens haben sie sich für die Rolle des Handelns im Bereich der Ethik interessiert. Generell hat man nicht gefragt, wie es mit dem Wesen des Handelns stehe, sondern: Was sollen wir tun? Dennoch sind wichtige Fragen aufgeworfen worden. Thomas von Aquin zum Beispiel erkannte, daß es Fälle von Akrasia gibt, die der Aristotelischen Beschreibung nicht genügen. Häufig geschieht es, wie Thomas meint, daß man mit einer Entscheidung zwischen zwei legitimen Werten konfrontiert ist. Soll ich etwa für den besten Kandidaten stimmen und damit wahrscheinlich meine Stimme vergeuden oder für einen weniger ansprechenden Kandidaten, der immerhin eine gute Chance hat, einen noch weniger appetitlichen Kandidaten zu besiegen. In einem solchen Fall stellt man Überlegungen an, die von verschiedenen Prinzipien ausgehen. Einige dieser Prinzipien sprechen für die eine Handlungsweise, während andere eine konträre Handlungsweise stützen. Der akratische Akteur erliegt vielleicht der Versuchung, die von dem nach dem Urteil ebendieses Akteurs weniger wertvollen Ergebnis ausgeht. Das läßt sich nicht als Versagen der Vernunft, sondern des Urteilsvermögens erklären. Thomas formuliert es so:

> Wer das Allgemeine [also die einen Wert artikulierende Oberprämisse] weiß, wird von einer Leidenschaft [einem anderen Wert] daran gehindert, im Lichte jenes Allgemeinen so zu denken, daß er den Schluß zieht [also das Richtige tut]. Aber er schließt unter Berücksichtigung eines anderen allgemeinen Satzes, der von der Tendenz dieser Leidenschaft nahegelegt wird, und zieht den Schluß [das heißt: handelt] dem entsprechend. [...] Folglich fesselt die Leidenschaft die Vernunft und hindert sie daran, gemäß der ersten Aussage zu denken und zu schlußfolgern. So kommt es, daß sich die Vernunft, während die Leidenschaft anhält, bei ihren Begründungen und Schlüssen nach dem zweiten Satz richtet. (*Summa Theologica*, Teil II, Q. 77, Art. 2)

Das ist, wie mir scheint, wirklich ein Fortschritt gegenüber Aristoteles, denn damit wird explizit anerkannt, daß Motive einander widerstreiten können. Das braucht nicht daran zu liegen, daß man von der Leidenschaft mitgerissen wird. Darüber, daß die ausgeführte Handlung nicht die beste ist, kann man sich durchaus im klaren sein und sie dennoch völlig gelassen vollziehen.

Hobbes ist ebenso wie Thomas der Meinung, es gebe viele Situationen, in denen wir konkurrierende Werte gegeneinander abwägen müssen, und diese Einsicht verbindet er mit dem von Aristoteles angestimmten Thema, es gebe kein Wollen – keinen Willensakt –, der zum Vorgang der Überlegung hinzukäme. Hobbes sagt: Wenn wir mit uns zu Rate gehen, betrachten wir die Vor- und Nachteile der verschiedenen Handlungen, und es wird einen Wunsch geben, der den Sieg davonträgt. Was wir als Wollen bezeichnen, ist lediglich das letzte Begehren, also dasjenige, wonach wir handeln. »Bei der Überlegung«, meint Hobbes, »ist die letzte Begierde oder Abneigung, an welche die Handlung oder deren Unterlassung unmittelbar anknüpft, das, was wir den Willen nennen«.[1]

Es gab auch in anderen Bereichen der Philosophie und der Wissenschaft Entwicklungen, die sich auf die Untersuchung des Handelns ausgewirkt haben. Der Materialist La Mettrie berief sich auf Descartes' Ansichten über Tiere und meinte, es sei möglich, das menschliche Denken, Streben und Handeln mechanistisch zu erklären und die Psychologie somit einer allgemeinen Theorie der Natur einzuverleiben (*L'Homme machine*, 1745). Es war jedoch der Erfolg der Newtonschen Physik, der David Hume dazu anregte, den Geist, die Ethik und das Handeln wissenschaftlich zu erklären. Während es heutzutage absurd erscheint, mit Hilfe seiner simplen, unzulänglichen Assoziationspsychologie eine allgemeine Erklä-

1 Hobbes, *Leviathan*, S. 127.

rung des Denkens geben zu wollen, klingen etliche seiner Äußerungen über das Handeln im Verhältnis zur Ethik an Aristotelische Auffassungen an und finden auch heute bei vielen Philosophen Anklang. Humes Erklärung des praktischen Schließens ist im wesentlichen die gleiche wie bei Aristoteles: Das Streben oder Begehren (das von Hume als Leidenschaft [*passion*] bezeichnet wird) bestimmt die Ziele, und die Vernunft bestimmt die Mittel. Wenn man jemanden fragt, warum er sich Bewegung verschafft, so wird er, wie Hume sagt, antworten, er tue es, um gesund zu bleiben. Wenn man ihn fragt, warum er gesund bleiben möchte, wird er antworten, daß er Schmerzen vermeiden wolle. An irgendeinem Punkt werden ihm die Gründe ausgehen, denn einige Gründe sind zumindest vorläufig die letzten.

Der offenkundige Erfolg der naturwissenschaftlichen Erklärung vieler physischer Phänomene wirft die Frage auf, ob sich die gleiche Methodologie auch auf menschliche Handlungen anwenden läßt sowie auf die geistigen Zustände und Vorgänge, die wir zur Erklärung dieser Handlungen heranziehen. In den Arbeiten von R. G. Collingwood heißt es, diese Frage sei ausschlaggebend für die Erforschung der Geschichte, insoweit sie sich darauf einläßt, Handlungen zu erklären und zu verstehen. Nach Collingwood unterscheidet sich die Methodologie der Geschichtswissenschaft (oder irgendeiner anderen Sozialwissenschaft, die sich mit menschlichem Individualverhalten befaßt) markant von der Methodologie der Naturwissenschaften. Die Naturwissenschaften suchen nach Gesetzen, die es uns ermöglichen, Einzelereignisse durch Bezugnahme auf ihre Ursachen vorherzusagen und zu erklären. Wir können aber nicht damit rechnen, strikte Gesetze für absichtliches Verhalten zu finden. Was wir im Fall des menschlichen Handelns anstreben, ist Verständnis: Wir wollen durch Bezugnahme auf die Überzeugungen, Wünsche und sonstigen Einstellungen einer Person erkennen, warum sie gehandelt hat. Einfühlung, Phantasie und allgemeines Wissen darüber, warum Menschen unter diversen Zwängen und in verschiedenen Umständen so und nicht anders handeln, sind unsere wichtigsten Hilfsmittel, um zu diesem Verständnis zu gelangen, obwohl wir manchmal natürlich auch wissen, was die Menschen zur Erklärung ihrer Handlungen gesagt oder ihrem Tagebuch anvertraut haben. In dieser Frage hat Collingwood zahlreiche Anhänger gefunden, aber es gibt andere Autoren, nach deren Meinung die Psychologie danach trachten sollte, den Naturwissenschaften nachzueifern oder sich von ihnen absorbieren zu lassen.

Etwa vier Jahrhunderte lang hat die neuzeitliche Erkenntnistheorie in ihrer cartesianischen wie in ihrer empiristischen Form das Problem der Skepsis als Grundfrage hingestellt. Die allgemeine Skepsis bezüglich der Sinne scheint sich auch auf die Kenntnis des Fremdpsychischen anwenden zu lassen und somit die Frage aufzuwerfen, wie es überhaupt möglich ist zu wissen, warum eine andere Person gehandelt hat. Die Frage, wie wir die Motive einer Person aus ihrem beobachtbaren Verhalten erschließen können (was ja wohl unumgänglich ist), ist bereits ein Problem, aber dieses Problem wird völlig unlösbar, wenn wir nicht einmal angeben können, was wir beobachten. Überraschenderweise hat jedoch eine Reihe von Philosophen – darunter auch solche, die wie Hume einen allgemeinen Skeptizismus vertreten – bereitwillig darüber spekuliert, wie es unter der Voraussetzung einer Lösung des allgemeinen Problems möglich wäre, zu gerechtfertigten Meinungen über die Gedanken, Motive und Absichten anderer Personen zu gelangen. Was diese Frage betrifft, hat die eine oder andere Form von Behaviorismus in der Philosophie des Geistes und somit auch in der Handlungstheorie eine aktive Rolle gespielt. Doch um welche Form des Behaviorismus geht es? Es kann sich nicht um die Frage handeln, ob beobachtetes Verhalten (natürlich einschließlich des Sprachverhaltens) schon alle Belege liefert, die uns im Hinblick auf das, was die anderen denken, meinen und beabsichtigen, zur Verfügung stehen. Es gibt gar keine Alternative, und insofern sind wir alle praktizierende Behavioristen. Radikalere Behavioristen haben gemeint, es sei möglich, öffentlich nicht beobachtbare Zustände (wie Überzeugungen, Absichten und Wünsche) unerwähnt zu lassen. Gilbert Ryle tendiert in seinem Buch über den Begriff des Geistes (1949) manchmal in diese Richtung; Wittgenstein ebenfalls. Aber keiner dieser beiden Philosophen hätte sich als Behavioristen bezeichnet, denn beide hatten nur Spott übrig für die Vorstellung, die Alltagspsychologie (die wir heute *folk psychology* nennen) ließe sich je in eine ernstzunehmende Naturwissenschaft verwandeln. Und der Rang der ernstzunehmenden Naturwissenschaft war es ja gerade, um den es beim Behaviorismus ging. Dennoch bleibt die Frage, wie es uns faktisch gelingt, anhand bloßer Feststellungen über das äußere Verhalten soviel über das Warum der Handlungen der Menschen herauszubekommen, eines der faszinierendsten und umstrittensten Gebiete der Philosophie.

Natürlich interessieren sich auch die Ökonomen für freiwilliges Verhalten, und zusammen mit Psychologen, Statistikern, Logikern und Philosophen haben sie raffinierte formale Modelle ausgearbeitet, die für Muster von Entscheidungen in Situationen mit ungewissem Handlungsausgang gelten sollen (und das sind genaugenommen alle Situationen). Im Regelfall gehen solche Modelle davon aus, daß die Individuen über ein idealisiertes Maß an Rationalität verfügen, aber diese Annahme ist manchmal in unterschiedlicher Weise modifiziert worden. Da Modelle der Theorie rationaler Entscheidungen interpretiert werden müssen, ehe sie getestet werden können, ist über die Frage, wie realistisch diese Modelle sind, in den letzten Jahrzehnten hitzig gestritten worden.

III. Die Gegenwart

Soviel zur zusammenfassenden Darstellung einiger das heutige Denken der Handlungstheoretiker beeinflussender nach-aristotelischer Entwicklungen, die in der Philosophie und in anderen Fächern stattgefunden haben. Bis vor recht kurzer Zeit ist nicht viel geschehen, was zu einer Modifikation der Aristotelischen Erklärung des vom Denken zum überlegten Verhalten führenden Vorgangs hätte beitragen können. Die Arbeiten von Autoren wie dem späten Wittgenstein, Ryle, Austin, Hampshire und anderen haben zwar Interesse und Diskussionen ausgelöst, aber das entscheidende Ereignis, das zu einer neuen Betrachtung das Begriffs der Handlung geführt hat, war vielleicht die Veröffentlichung des Buchs *Intention* (1957) von Elizabeth Anscombe. In dieser kurzen Schrift warf sie die Frage auf, in welchen Beziehungen verschiedene Handlungen zueinander stehen. Wenn jemand eine Rechnung bezahlt, indem er einen Scheck ausstellt, fragt es sich, wie seine Handlung des Ausstellens eines Schecks und seine Handlung des Bezahlens einer Rechnung zusammenhängen. Anscombes Antwort besagt, daß sie identisch sind: Das Ausstellen des Schecks und das Bezahlen der Rechnung seien ein und dieselbe Handlung. Diese These wirft sogleich eine Reihe von Fragen auf, und die erste lautet: Welcher Art sind diese identischen oder verschiedenen Entitäten? Wir antworten: Sie sind Handlungen. Aber was für Entitäten sind Handlungen? Wie es scheint, sind sie Ereignisse. Doch die moderne Logik hat den Ereignissen keine Rolle zugewiesen, in der sie als seriöse Elemente der Ontologie der Welt auftreten. Unklar ist auch, wie es gelingt, Ereignisse – und insbesondere Handlungen – in Sätzen wie »Artur hat einen Scheck ausgestellt« zu benennen oder durch Bezugnahme herauszugreifen. Das ist eine Art von Frage, die Aristoteles nicht mit der relativen Klarheit erörtern konnte, mit der wir sie heute im Kontext unserer Logik und Semantik stellen können. Darauf komme ich gleich zurück.

Das zweite Problem, das Anscombe betont, betrifft eine tiefe Frage hinsichtlich der allgemein akzeptierten Erklärung des praktischen Schließens, also des auf Aristoteles zurückgehenden praktischen Syllogismus. Das Problem ist, wie Anscombe deutlich macht, folgendes: Wie sollen wir die Oberprämisse auffassen, jene »allgemeine« Prämisse, in der es um den Inhalt einer Begierde, eines Wunsches oder sonst einer motivationalen Erfassung eines wahrgenommenen Werts geht? Diese Prämisse ist deshalb allgemein, weil sie zunächst auf keine spezifische Handlung verweist, sondern nur den Wunsch nach einer Handlung, die ihn befriedigen wird, zum Ausdruck bringt. Damit der praktische Syllogismus der Forderung des Aristoteles genügt und seine Konklusion mit Notwendigkeit liefert, muß die Oberprämisse so beschaffen sein, daß aus ihr, wenn man sie mit geeigneten Unterprämissen zusammennimmt, der uneingeschränkte Wert einer bestimmten Handlung folgt. Sonst gäbe es keine Rechtfertigung für die Aristotelische Behauptung, der Akteur werde, wenn die Prämissen gegeben sind, »geradewegs« handeln. Doch welches ist nun die Form der Oberprämisse? Stets war angenommen worden, daß dort ein universeller Konditionalsatz stehen muß wie zum Beispiel »Ein Versprechen muß man immer halten« oder »Ich muß tun, was ich kann, um einen Unfall zu vermeiden«. Anscombe weist jedoch darauf hin, daß es manchmal falsch ist, ein Versprechen zu halten, und daß es logisch unmöglich ist, alles zu tun, was man kann, um einen Unfall zu vermeiden. Denn einen Frontalzusammenstoß könnte man vermeiden, indem man nach rechts oder nach links abbiegt – aber beides geht nicht. Es ist unplausibel anzunehmen, in jeder Situation, die eine Handlung verlangt, gebe es genau eine Pflicht, genau eine Verpflichtung oder genau einen Wert, der in diesem Fall einschlägig wäre. Aber es gibt natürlich Moralphilosophen, die das bestreiten.

Wenn wir zu diesen beiden Problemen, die Anscombe aufgeworfen hat, das bereits vertraute Problem des Wesens der psychologischen Erklärung hinzunehmen, verfügen wir über eine ziemlich vollständige Liste der Gebiete, auf denen sich die heutige Handlungstheorie auf Positionen zubewegt hat, die, wenn sie nicht über Aristoteles hinausgehen, immerhin verschieden sind von seinem Standpunkt. Da wir nun auf eine Zeit zu sprechen kommen, der ich selbst angehöre, kann ich nicht so tun, als werde meine Darstellung neutral oder unbefangen sein. Hier werde ich mich auf Entwicklungen beschränken, die nach meinem Dafürhalten in die richtige Richtung gehen. Alternativen werde ich weniger ausführlich berücksichtigen (in manchen Fällen kommen sie gar nicht zur Sprache).[2]

1. Zunächst möchte ich mich der *Ontologie* der Handlungen zuwenden. Da ich mich seinerzeit für die Semantik (die logische Form) der Sätze natürlicher Sprachen interessierte, stellte ich die Frage, wie in normalen Sätzen auf Ereignisse und insbesondere auf Handlungen Bezug genommen wird. Anscombe hatte mehrmals von Handlungen »unter einer Beschreibung« gesprochen, womit sie uns beispielsweise an Freges Äußerungen über Alternativbeschreibungen der Venus als »der Morgenstern« und »der Abendstern« erinnerte beziehungsweise an Russells Bemerkungen über »Scott« und »der Verfasser von *Waverley*«. Ich erkannte: Wenn es Namen oder Ausdrücke gibt, von denen Ereignisse benannt oder gekennzeichnet werden, dann würden im Grunde Adverbien zu ihrer näheren Bestimmung dienen. Aber die moderne Logik verfügte nicht über die Mittel, um auf Ereignisse Bezug zu nehmen, und sie kannte daher kein Verfahren, um mit Adverbien fertigzuwerden. In den Arbeiten von Reichenbach und einigen anderen Autoren gab es zwar Hinweise, doch aus keinem von ihnen ergab sich eine systematische Erklärung der Art und Weise, in der unser Reden über Ereignisse zum Rest unserer Äußerungen paßt. Daß sich Ausdrücke wie »Arturs

2 Meine frühen Arbeiten zur Handlungstheorie liegen in dem Band *Essays on Actions and Events* gesammelt vor.

Ausstellen eines Schecks« oder »Arturs Bezahlen der Rechnung« auf Handlungen beziehen – und nach Anscombe in manchen Fällen auf ein und dieselbe Handlung –, war leicht gesagt. Das Problem bestand darin, solche Ausdrücke zu einfachen Sätzen wie »Artur stellte einen Scheck aus« in Beziehung zu setzen. Wenn sich »Arturs Ausstellen eines Schecks« auf eine Handlung bezieht, dann muß sich »Artur stellte einen Scheck aus«, wie ich meinte, ebenfalls auf eine Handlung beziehen. Aber dieser letztere Ausdruck scheint sich nur auf Artur und den Scheck zu beziehen.

Vielleicht sieht es auf den ersten Blick so aus, als sei die Lösung dieser Probleme, die ich vorgeschlagen habe, in ontologischer Hinsicht übertrieben üppig. Aber heute wird sie, wie ich annehme, von vielen Logikern, Philosophen und jenen Linguisten akzeptiert, die sich für die Semantik natürlicher Sprachen interessieren. Der Grundgedanke ist der, daß wir Ereignisse zum Mobiliar unserer Welt rechnen und in dieser Rolle ernst nehmen müssen. Insbesondere müssen wir Handlungen als eine Spielart von Ereignissen akzeptieren. Wie sich herausstellt, nimmt der Satz »Artur stellte einen Scheck aus« *nicht* in der gleichen Weise auf ein Einzelereignis Bezug, wie es ein Name oder eine Kennzeichnung täte. Vielmehr sagt der Satz, daß es mindestens ein Ereignis gab, dessen Urheber Artur war, das ein Ausstellen war und das seinerseits das eines Schecks war. Es handelt sich um eine Existenzquantifikation. Das ist sinnvoll, denn wenn wir behaupten, Artur habe einen Scheck ausgestellt, implizieren wir nicht, daß er nur einen Scheck ausgestellt hat, sondern daß er mindestens einen ausgestellt hat. Jetzt können wir sagen, daß es wenigstens ein solches Ereignis des Scheck-Ausstellens gegeben hat, das mit einem Ereignis des Bezahlens einer Rechnung durch Artur identisch war. Damit wird immer noch nicht auf eine bestimmte Handlung Bezug genommen, sondern nur über Typen von Ereignissen quantifiziert. Doch wenn wir von Arturs Ausstellen des Schecks sprechen, nehmen wir tatsächlich auf ein Einzelereignis Bezug. Adverbien und adverbiale Bestimmungen finden jetzt ebenfalls ihren Ort. Ein Satz wie »Artur stellte am Samstag in seinem Arbeitszimmer einen Scheck aus« enthält viele Bestimmungen: Eigenschaften, die wir hier einem Ereignis zuschreiben. Wir behaupten, es habe wenigstens ein Ereignis mit allen folgenden Eigenschaften gegeben: Es war ein Ausstellen, es war das eines Schecks, der Urheber war Artur, es war an einem Samstag und es war in Arturs Arbeitszimmer. (Unerwähnt lasse ich hier den weiteren Indikator, der den relevanten Samstag als ein Ereignis identifiziert, das der Äußerung des Satzes vorhergeht.) Die adverbiale Bestimmung wird mit der adjektivischen Bestimmung identisch, sobald wir Ereignisse ebenso wie Gegenstände als Elemente unserer Alltagsontologie gelten lassen.

Wenn man versteht, was es mit Äußerungen über »Handlungen unter einer Beschreibung« und folglich mit diesbezüglichen Identitätsbehauptungen auf sich hat, ist das Problem, ob irgendwelche bestimmten Beschreibungen tatsächlich dasselbe Ereignis beschreiben, noch nicht gelöst. Wenn ich eine Sache erreiche, indem ich eine andere tue – wenn ich beispielsweise ein Es mit der Absicht spiele, einen C-Moll-Akkord zu vervollständigen –, fragt es sich, ob meine Handlung des Ein-Es-Spielens mit meiner Vervollständigung des C-Moll-Akkords identisch ist. In diesem Fall dürfte die Antwort ja lauten. Aber nehmen wir einmal an, ich verursache einem Freund unabsichtlich Übelkeit, indem ich ihm etwas zu trinken gebe. Ist mein Ihm-etwas-zu-trinken-Geben identisch mit Ihm-Übelkeit-Verursachen? Hier sind wir aus einem einfachen Grund geneigt, uns gegen die Gleichsetzung dieser Handlungen zu sträuben: Die Ereignisse sind bestimmt nicht identisch, wenn eines von ihnen eine Eigenschaft hat, die dem anderen nicht zukommt. Doch hier wird die eine Handlung absichtlich vollzogen und die andere nicht. Schlimmer noch: Die Handlung des Ihm-etwas-zu-trinken-Gebens war abgeschlossen, ehe meinem ungeplanten Opfer übel zu werden begann.

Hier gibt es zwei Probleme, die gelöst werden müssen. Das erste betrifft den Begriff der Absicht. Strenggenommen sind alle Handlungen absichtliche, sofern es wenigstens eine Beschreibung gibt, die ein Merkmal der Handlung erkennen läßt, das den Akteur zu ihrer Ausführung veranlaßt hat. Aber natürlich haben alle Handlungen unbeabsichtigte oder nicht beabsichtigte Merkmale, beispielsweise ungewollte oder unerwartete Folgen. Der Begriff der Absicht dient nicht unmittelbar der Bestimmung von Handlungen, sondern von ganzen Aussagen. Sofern Artur den Scheck ausgestellt hat, war das, was Artur beabsichtigte, daß er den Scheck ausstelle. Das erklärt, warum eine Handlung unter manchen Beschreibungen absichtlich sein kann, ohne es unter anderen zu sein. Außerdem erkennen wir, daß Äußerungen über freiwillige Handlungen der gleichen semantischen Kategorie angehören wie Äußerungen über Überzeugungen, Wünsche, Erwartungen und Hoffnungen.

Das zweite Problem – die Zeit der Handlung – hängt von nichts so Subtilem wie der Intensionalität ab. Vielmehr betrifft es das Verhältnis zwischen einem Ereignis und dessen Ursachen und Wirkungen. Ständig identifizieren oder beschreiben wir Dinge, indem wir ihre kausalen Beziehungen heranziehen. Ein Stoff ist löslich, wenn er durch Eintauchen in Flüssigkeit dazu veranlaßt wird, sich aufzulösen. Ein Stein ist magmatisch, wenn sein gegenwärtiger Zustand durch einen Vulkanausbruch bewirkt worden ist. Jemand leidet nur dann an Favismus, wenn seine Krankheit durch Berührung mit bestimmten Bohnen verursacht worden ist. Ein Mann ist ein Großvater, wenn er dazu beigetragen hat, ein Kind in die Welt zu setzen, das seinerseits dazu beigetragen hat, ein anderes Kind in die Welt zu setzen. Viele Verben verkörpern diese Idee: Wenn Hans ein Fenster zerbrochen hat, hat etwas, was er getan hat, das Zerbrechen eines Fensters bewirkt. Diese naheliegende Analyse erklärt etwas, was sonst geheimnisvoll bliebe, nämlich die Beziehung zwischen der transitiven und der intransitiven Form vieler Verben. Hier zum Beispiel bedeutet »zerbrechen« soviel wie »zu zerbrechen veranlassen«. Kausalität ist eine Beziehung zwischen Ereignissen. Um zu verstehen, was es heißt zu sagen, daß Hans das Fenster zerbrochen hat, müssen wir uns auf die Existenz zweier Ereignisse berufen. Wir sagen nämlich: »Es gab zwei Ereignisse. Das eine war etwas, was Hans getan hat; das andere war ein Zerbrechen des Fensters; und das erste Ereignis hat das zweite verursacht.« Sobald man erkennt, wie leicht die Beschreibung eines Gegenstands oder eines Ereignisses insgeheim eine Ursache oder eine Wirkung ins Spiel bringen kann, liegt es auf der Hand, wie unsere Aporie bezüglich der Zeit einer Handlung erklärt und wegerklärt werden kann. Wenn zwei Ereignisse vorliegen, können ihre Zeiten verschieden sein, und wenn das eine das andere verursacht hat, muß die Zeit des ersten vor der Zeit des anderen liegen. So kann es sein, daß »Hans warf einen Stein« und »Hans hat das Fenster zerbrochen« nur eine einzige *Handlung*, aber zwei Ereignisse involvieren, denn »Hans hat das Fenster zerbrochen« heißt nur, daß Hans etwas getan (in diesem Fall: einen Stein geworfen) hat, was das Zerbrechen des Fensters verursacht hat. Wenn ich die Übelkeit einer Person hervorrufe, indem ich ihr etwas zu trinken gebe, tue ich nicht zwei Dinge (ihr etwas zu trinken geben und ihre Übelkeit hervorrufen). Ich tue nichts weiter, als daß ich einer befreundeten Person etwas zu trinken gebe. Allerdings war dieses Ereignis die Ursache dafür, daß der betreffenden Person später übel wurde; und somit gilt für meine Handlung, daß sie eine ungewollte Konsequenz hat. Die Zeit meiner Handlung wird von der Zeit ihrer Konsequenzen ebensowenig beeinflußt, wie die Lebenszeit eines Mannes davon tangiert wird, daß er Großvater wird. Natürlich sagt man auch nicht, daß ich die Übelkeit meines Freundes verursacht habe, wenn ich ihm eben erst etwas zu trinken gegeben habe, ihm aber noch nicht übel geworden ist, und man sagt es genausowenig, wie man jemanden einen Großvater nennt, wenn noch keines seiner Kinder ein Kind bekommen hat.[3]

Ich habe Aristoteles, Hobbes und Spinoza dafür gelobt, daß sie weder einer als Willen bezeichneten Instanz noch Willensakten unabhängige ontologische oder psychologische Realität zugeschrieben haben. Wie steht es jedoch mit Absichten? Es gab eine Zeit, da dachte ich, wir könnten auch ohne Absichten auskommen und statt dessen von dem Zweck-Mittel-Verhältnis reden, das durch die Behauptung zum Ausdruck gebracht wird, jemand habe einen Stein mit der Absicht geworfen, ein Fenster zu zerbrechen. Das funktioniert aber nicht, und zwar aus zwei Gründen. Der erste Grund ist der, daß wir häufig zukunftsgerichtete Absichten entwickeln; und diese Absichten sind gewiß mentale Zustände, genauso wie die Entwicklung einer Absicht ein mentaler Vorgang ist. Der andere Grund hängt mit diesem eng zusammen: Jede Handlung, deren Ausführung Zeit beansprucht – wie zum Beispiel das Bauen eines Hauses oder das Schreiben eines Romans –, verlangt einen mehr oder weniger konstanten Plan oder eine konstante Absicht, auf die wir uns beziehen, wenn wir den weiteren Verlauf des Handlungsgeschehens kontrollieren. Solche Absichten gibt es unabhängig davon, ob die Handlung abgeschlossen oder auch nur begonnen wird. (Man denke an die Absicht, einen Roman zu schreiben.) Als mentale Zustände sind solche feststehenden Pläne oder Absichten irgendwelchen Pro-Einstellungen überaus ähnlich. Sie sind genau zentriert und beruhen stets auf noch fundamentaleren Zwecken und relevanten Überzeugungen hinsichtlich der Art und Weise, in der diese Zwecke in die Tat umgesetzt werden können.

3 Angesichts der kausalen Beziehungen, die in die Beschreibungen vieler Handlungen eingebaut sind, ist es nicht verwunderlich, daß Arthur Danto vor geraumer Zeit vorgeschlagen hat, Handlungen von der Art des Armbewegens (die von Danto als »Basishandlungen« bezeichnet werden) seien Ursachen von Handlungen wie dem Zerbrechen eines Fensters. Wie meine Erörterung zeigt, kann das nicht richtig sein, denn es kommt hier nur eine einzige Handlung ins Spiel.

2. Anscombes Attacke auf eine verbreitete Theorie des *praktischen Schließens* führte zu der Notwendigkeit, das Aristotelische Modell gründlich zu modifizieren. Diese Notwendigkeit hätte klar sein sollen, sobald der Wechsel von dem Versuch anzugeben, wie man handeln soll, zu dem Versuch zu beschreiben, wie und warum wir tatsächlich handeln, vollzogen war. Es liegt nämlich auf der Hand, daß die Prinzipien und Werte, die wahrgenommenen Pflichten und Verpflichtungen, die unsere Handlungen motivieren, miteinander konkurrieren können und oft tatsächlich konkurrieren. Sofern es keine ultimativen Prinzipien gibt, die keine Ausnahme dulden, können die Oberprämissen praktischer Schlüsse keine allquantifizierten Konditionalsätze sein (wie zum Beispiel »Erzähl keine Lügen«, »Maximiere Lust«). (Die Meinung, daß es solche ausnahmslos gültigen Prinzipien gibt, ist häufig Kant zugeschrieben worden; von Richard Hare wird sie, ebenso wie von vielen Utilitaristen, mit Sicherheit vertreten.) Viele Moralphilosophen, zu denen G. E. Moore, Henry Sidgwick, H. A. Prichard, W. D. Ross und Bernard Williams gehören, verfechten eine auch von mir selbst für richtig gehaltene pluralistische Position. Wer eine pluralistische Moralphilosophie vertritt, glaubt, daß es unvereinbare, aber dennoch gültige moralische Grundsätze geben kann. Wenn Prinzipien einander widerstreiten, geben wir nicht eines dieser Prinzipien auf. Wenn wir in einem Einzelfall entscheiden, daß es besser ist zu lügen, betrachten wir das ausgeschaltete Prinzip – das Prinzip, nach dem wir nicht handeln – trotzdem als gültig und als einen den vorliegenden Fall betreffenden Grundsatz. Wir kommen einfach zu dem Urteil, daß unter diesen Umständen andere Überlegungen mehr Gewicht haben, obwohl es uns leid tut, daß wir den anderen Weg nicht eingeschlagen haben.

Mit dieser Schwierigkeit hat W. D. Ross zurechtzukommen versucht, indem er sagte, alle Pflichten (und hier hätte er alle übrigen Werte hinzufügen können) seien Pflichten *prima fa-*

cie. Das kann nicht heißen, daß solche Pflichten nur auf den ersten Blick gültig zu sein scheinen, sondern daß es denkbar ist, daß sie außer Kraft gesetzt werden. »Anfechtbar« wäre ein besserer Ausdruck gewesen als »*prima facie*«. Welches ist jedoch der logische Status der Prinzipien, die wir auf unsere Urteile über gebotenes Handeln anwenden? Es würde nichts nützen, wenn man sie nach dem folgenden Muster umformulierte: »Es ist immer anfechtbar falsch zu lügen«, denn dann gäbe es bloß zahllos viele gültige Prinzipien, aus denen wir folgern könnten, daß beinahe jede Handlung, die wir erwägen, sowohl anfechtbar richtig als auch anfechtbar falsch ist. Der Grundgedanke ist vielmehr der, daß eine Handlung *insofern, als* sie eine Lüge ist, falsch oder schlecht ist. Mit anderen Worten: Daß eine Handlung eine Lüge wäre, ist bis zu einem gewissen Grad ein guter Grund gegen diese Handlung.

Mein Lösungsvorschlag besagt, solche Prinzipien sollten nach dem Vorbild von Prämissen verstanden werden, die aussagen, etwas sei ein Beleg für oder gegen eine empirische Hypothese. (Solche Prinzipien sind von Carl Hempel ausführlich erörtert worden.) Die Details werde ich überspringen. Auf diese Lösung bin ich durch Nachdenken über den speziellen Konflikt gekommen, der in Akrasia mündet. Denn auch in diesem Fall geht der akratische Akteur, wie Thomas von Aquin anmerkt, bei seinen Überlegungen von Werten und Überzeugungen aus, die alle gültig sein können und von denen er einsieht, daß sie für oder gegen das sprechen, was er schließlich tut. Wenn der Wille des Akteurs schwach ist, handelt er zwar nicht nach seinem wohlerwogenen Urteil, aber er hat tatsächlich einen Grund für sein Tun – nur daß der Grund nicht gut genug ist. Hier bleibt ein Problem. Sofern das praktische Schließen nicht mehr liefern kann als die Feststellung, daß es Gründe für und gegen eine Handlung gibt, kann dieses praktische Denken nie angeben, was wir tun sollen. Hier fehlt ein Schritt. Sobald die Gründe gegeneinander abgewogen sind, müssen wir entscheiden, wo das Schwergewicht dieser

Überlegungen liegt. Willensschwäche, also Akrasia, stellt sich dann ein, wenn ein Akteur urteilt, alles in allem sei die eine Handlung die beste, obwohl er nach einem Grund handelt, der seinem eigenen Urteil zufolge nicht ausreicht, um diese Handlung zu rechtfertigen. Mit anderen Worten: Seine Handlung läuft seinem besten Ermessen zuwider. Aber sogar der akratische Akteur tut den zusätzlichen Schritt, den Aristoteles ausgelassen hatte: Er entscheidet, aus welchem Grund oder welchen Gründen er handeln soll. Dieser Prozeß des Abwägens der auf beiden Seiten gegebenen Überlegungen läßt sich nicht auf einen deduktiven Schluß reduzieren.

Akrasia ist nur eine von vielen Formen der Irrationalität. Zu den übrigen gehören Wunschdenken und Selbsttäuschung. Jede Form von Irrationalität ist nicht nur für den Psychologen, sondern auch für den Philosophen eine Herausforderung. Das zentrale Dilemma, dem wir uns fast immer stellen müssen, wenn wir eine Form irregulären Denkens und Handelns zu verstehen versuchen, ergibt sich einerseits aus der Notwendigkeit, einen Akteur ausfindig zu machen, der rational genug ist, damit wir sein Verhalten verstehen können, und andererseits aus der Tatsache, daß Irrationalität meistens widersprüchliche oder unvereinbare Gedanken und Wünsche beinhaltet. Wir lassen uns bei dem Versuch erwischen, das Irrationale zu rationalisieren. Verschiedene Formen der Irrationalität verlangen verschiedene Analysen, aber keine von ihnen ist leicht zu verstehen oder zu erklären – weder für den Psychologen noch für den Psychoanalytiker oder den Philosophen.[4]

3. Nun wende ich mich dem dritten Bereich von immerwährendem philosophischen Interesse zu, der aus der Untersuchung des Handlungsbegriffs hervorgeht. Über diesen Bereich – den Bereich des *Leib-Seele-Problems* – wird nach wie vor heftig debattiert. Aristoteles verdient Bewunderung da-

4 Mehrere meiner Abhandlungen über Irrationalität sind in dem Band *Problems of Rationality* abgedruckt.

für, daß er den Platonischen Dualismus der zwei Reiche abgelehnt hat. Mit dem ontologischen Dualismus Descartes' ist sein Standpunkt ebensowenig zu vereinbaren. Wie wir gesehen haben, besteht Aristoteles darauf, daß mentale Zustände verkörpert sind, und er behauptet, das Mentale und das Physische seien lediglich zwei Weisen, dieselben Phänomene zu beschreiben. Diese Idee ist von Spinoza ausgearbeitet worden. Er beharrt vielleicht noch expliziter sowohl darauf, daß es nur eine einzige Substanz gibt, als auch darauf, daß das Mentale und das Physische irreduzibel verschiedene Modi der Erfassung, Beschreibung und Erklärung des Naturgeschehens sind. Mein Beifall geht an Aristoteles und Spinoza. Nach meinem Dafürhalten liegt ihr ontologischer Monismus zusammen mit dem nicht eliminierbaren Dualismus des Begriffsapparats genau richtig. Heute sind die meisten, wenn auch nicht alle Philosophen Monisten, aber aus verschiedenen Gründen lehnen viele von ihnen die begriffliche Irreduzibilität des Mentalen auf das Physische ab. Die Angehörigen dieses Lagers haben verschiedene Meinungen. Manche glauben, die These der begrifflichen Irreduzibilität des Mentalen impliziere, daß wir nie imstande sein werden, die Einheit der Wissenschaft herzustellen. Andere glauben, diese These bedeute, daß wir den Versuch aufgeben müßten, die Psychologie in eine ernstzunehmende Naturwissenschaft zu verwandeln. Wieder andere machen geltend, der anomale Monismus (wie ich meine Spielart des Spinozismus nenne) impliziere, daß das Mentale kausal unwirksam sei. Hier ist nicht der Ort für einen Versuch, diese Ansichten zu widerlegen; deshalb werde ich mich darauf beschränken, das, was ich für die Wahrheit halte, darzulegen.

Der Hauptgrund für die Meinung, daß Begriffe wie Überzeugung, Wunsch, Absicht und absichtliches Handeln nicht in die Physik oder irgendeine andere Naturwissenschaft integriert werden können, ist der, daß diese psychologischen Begriffe es mit mentalen Zuständen und Vorgängen zu tun haben, die propositionalen Inhalt aufweisen: Sie *handeln von* einem Gegenstand. Alles, was als propositionaler Inhalt identifiziert wird, steht in logischen Beziehungen zu anderen Entitäten dieser Art, und daher unterliegt die Anwendung dieser Begriffe den Forderungen der Widerspruchsfreiheit und der Rationalität. Diese Forderungen sind normativ. Wir bedienen uns der eigenen Rationalität, wann immer wir einer Wissenschaft nachgehen, aber nur in den Wissenschaften, die es mit dem Denken zu tun haben, behandeln wir die zu untersuchenden Phänomene als etwas seinerseits Bewußtes und potentiell Rationales. Das irreduzibel Normative des Mentalen und dessen, was – wie das freiwillige Handeln – in Beziehung dazu verstanden wird, hält uns nicht davon ab, Denken und Handeln systematisch zu verstehen, aber jede daraus resultierende Wissenschaft wird zum Teil eine Wissenschaft der Rationalität sein.

IV. Die Zukunft

Für die Zukunft habe ich nicht mehr viel Platz gelassen, aber wir haben ja auch noch nicht viel von ihr gesehen. Hier werde ich einige Prognosen hinsichtlich der Richtungen wagen, in denen wir mit Fortschritten in der Handlungstheorie rechnen dürfen, und außerdem werde ich der einen oder anderen Hoffnung Ausdruck verleihen.

Untersuchungen zur Handlungstheorie werden zusammen mit anderen seismischen Verschiebungen der heutigen Zeit auch weiter zum Zusammenbruch der administrativ verordneten Grenzen zwischen den verschiedenen Gebieten der Philosophie beitragen. Platon, Aristoteles, Descartes, Spinoza, Leibniz, Hume und Kant – um nur einige Gewinner zu nennen – ließen keine Grenzen gelten zwischen Metaphysik, Erkenntnistheorie, Moralphilosophie, Psychologie, Sprachphilosophie und Philosophiegeschichte. Wir täten das auch nicht, wenn wir nicht häufig von unseren Universitäten und Akademien dazu gezwungen würden, uns selbst und unsere Kollegen als Angehörige des einen oder anderen Fachgebiets zu begreifen. De facto ignorieren die meisten von uns die Unterscheidungen zwischen den Unterabteilungen der Philosophie ebenso wie die Grenzen zwischen Philosophie und Linguistik, Altphilologie, Musikwissenschaft, Psychologie, Physik und so fort. Die Handlungstheorie ist gut dazu geeignet, den Zusammenbruch dieser Stammesgrenzen voranzutreiben.[5]

Die Entscheidungstheorie – also die Theorie über Entscheidungen in Situationen, in denen das Ergebnis ungewiß ist – wird nach meiner Überzeugung von handlungstheoretisch Interessierten sehr viel eingehender untersucht werden als bisher. Denn dies ist eine Theorie des Messens in Bereichen, wo das Messen oft irrelevant zu sein scheint. Sie beansprucht zu zeigen, wie wir auf der Grundlage geäußerter Präferenzen für die eine Handlung gegenüber einer anderen numerische Maße der (häufig als subjektive Wahrscheinlichkeit bezeichneten) Stärke des Glaubens konstruieren können sowie relative Grade der Präferenz für verschiedene mögliche Handlungsresultate (eine subjektive Nutzenskala). Ein solches Modell versucht nicht, psychologische Begriffe auf physikalische Begriffe zurückzuführen. Was es tatsächlich leistet, ist

5 Hiermit möchte ich nicht den Gedanken nahelegen, ausschließlich die Handlungstheorie nehme Anteil an einer fortwährenden interdisziplinären Bewegung. Seit den 1960er Jahren gibt es produktive Beziehungen zwischen Philosophen, Sprachwissenschaftlern, Logikern, Neurologen, Psychologen und KI-Forschern. Heute bemüht man sich immer stärker, unter anderem folgende Gruppen zusammenzubringen: Molekularbiologen und Genetiker, die sich mit den Mustern der Aktivierung der Gene in Neuronen befassen, Zellbiologen, die Synapsen zwischen Neuronen untersuchen, Forscher, die neuronale Netze und Muster des Feuerns der Nerven studieren, sowie Psychologen, die das Verhalten untersuchen. Philosophen, die sich für das Thema »Denken und Handeln« interessieren, können im Rahmen dieser Entwicklung eine Aufgabe finden.

der Nachweis, wie ein ausreichend verstandenes Muster von einfachen zu raffinierten Unterscheidungen führen kann. Als solches ist es ein überaus nützliches philosophisches Werkzeug, das für die Untersuchung des Handelns besonders geeignet ist. Einige Philosophen finden es ebenso wie manche Psychologen amüsant, die offenkundigen Mängel dieser idealisierten Theorien der Rationalität deutlich zu machen. Meine Prognose lautet jedoch, daß sie im Laufe der Zeit einsehen werden, welchen Wert dieses Fach hat.[6]

Wir leben in einer Zeit, in der das empirische Wissen über das Funktionieren des Gehirns und das Verhältnis dieser Funktionen zur Wahrnehmung und zum Handeln sprunghaft zunimmt. Mich beeindruckt zum Beispiel der kürzlich erbrachte Nachweis, daß die Wahrnehmung der Ursache eines Schmerzes und die Wahrnehmung des Schmerzes selbst in getrennten Teilen des Gehirns vor sich gehen. Das Urteil, daß etwas schmerzvoll ist, und das Urteil, daß etwas der schmerzvolle Reiz ist, scheinen vielleicht ähnlich zu sein, aber die Tatsache, daß diese Einstellungen von verschiedenen Teilen des Nervensystems verarbeitet werden, ist philosophisch anregend.[7] Noch neueren Datums ist die Bestätigung des Befunds, daß Kurzzeit- und Langzeitgedächtnis in weit auseinander liegenden Gebieten des Gehirns gespeichert werden, was erklärt, warum man die Fähigkeit verlieren kann, sich an gerade Getanes zu erinnern, während die Erinnerungen an Vergangenes lebhaft sind.[8] Viele weitere Entdeckungen dieser Art lassen sich vorhersehen. Wir fangen gerade erst an, ganz de-

6 Einige Autoren haben die philosophische Bedeutung der Entscheidungstheorie schon vor geraumer Zeit gewürdigt. Frank Plumpton Ramsey erfand eine Form der Entscheidungstheorie (»Truth and Probability«) und Richard Jeffrey eine andere (*The Logic of Decision*). Isaac Levi hat den Nutzen und die Mängel dieser Theorie in mehreren Büchern besprochen.

7 Siehe Bechara u. a., »Double Dissociation of Conditioning and Declarative Knowledge Relative to the Amygdala and Hippocampus in Humans«.

8 Fernández u. a., »Real-Time Tracking of Memory Formation in the Human Rhinal Cortex and Hippocampus«.

tailliert herauszufinden, wie das Gehirn die Handlungen umsetzenden Muskeln steuert oder wie wir die gewaltige Menge der von den Sinnen gelieferten potentiellen Informationen verarbeiten. Dieses Verständnis der Korrelationen zwischen psychologisch beziehungsweise in neurologischer Terminologie beschriebenen Ereignissen wird und sollte die Handlungstheorie beeinflussen. Andererseits prognostiziere ich weder eine weitreichende Eliminierung unserer mentalen Ausdrücke noch eine Zurückführung des psychologischen Verstehens und der psychologischen Erklärung auf die Ressourcen der Naturwissenschaften. Interaktion ist *eine* Sache, Reduktion eine andere.

Die Wissenschaft fängt gerade erst an zu ermitteln, wie die menschliche Entwicklung vonstatten geht. Ein Gebiet, das für Handlungstheoretiker besonders interessant ist, ist die Entwicklung von Denken und Sprache sowie die Beziehung zwischen den beiden. Vor einiger Zeit stellte W.V. Quine (auf der Basis rein logischer und apriorischer Gründe) Mutmaßungen über die Reihenfolge an, in der verschiedene grammatische Merkmale der Sprache gelernt werden.[9] Doch nach Auskunft des Psycholinguisten George Miller haben spätere psycholinguistische Studien gezeigt, daß die wirkliche Reihenfolge eine ganz andere ist. Andererseits kennen wir die Antwort von Elizabeth Anscombe auf die Frage, woher wir denn wüßten, wo sich unsere Körperteile befinden. Sie hat gemeint, dieses Wissen gehe im allgemeinen nicht auf Propriozeption zurück und sei daher nicht von einer Form von Wahrnehmung abhängig. Wo sich unsere Körperteile befinden, wüßten wir, weil wir sie dort hinbewegt haben. Jahre später habe ich erfahren, daß die Richtigkeit ihrer Behauptung experimentell nachgewiesen worden ist. Im Regelfall wissen wir, wo sich unsere Körperteile befinden, um Mikrosekunden schneller, als wir es durch Propriozeption hätten herausbrin-

9 Siehe vor allem Quine, *The Roots of Reference*.

gen können. Das ist philosophisch wichtig, denn das ist ein Beispiel für empirisches Wissen, das nicht auf empirischen Belegen beruht.

Die frühen Stadien der Entwicklung des Denkens und der Sprache sind für den Philosophen eine Herausforderung, weil es schwerfällt zu verstehen, wie sie genau beschrieben werden können. Einerseits verfügen wir über unsere verhaltensbezogenen, neurologischen, physikalischen, chemischen und genetischen Formen der Beschreibung und andererseits über unsere voll entwickelte Art der Zuschreibung von Überzeugungen, Wünschen und Absichten. Dagegen haben wir kein spezialisiertes Vokabular für das, was im Geist des Kleinkinds vor sich geht, ehe es eine Sprache oder die damit einhergehenden Begriffe zur Gänze erfaßt hat. Deshalb werden wir ständig dazu verlockt, das Verhalten von Neugeborenen und anderen Tieren übertrieben zu beschreiben oder einen damit zusammenhängenden Fehler zu begehen und uns ein Bild von den Frühstadien zu machen, wonach erst der eine und dann der andere Begriff gelernt wird, wobei wir vergessen, daß Begriffe in unserem Sinne nicht selbstständig vorkommen können, sondern durch ein kompliziertes Muster aus Wissen und Know-how geprägt sind. Da wir kaum eine Vorstellung davon haben, wie wir das Bedürfnis nach einem Verfahren zur Beschreibung des Übergangs von der vorpropositionalen Funktionsweise des Geistes zu einem ausgebildeten Verstand befriedigen sollen, tappen wir durch dieses faszinierende Gebiet und schreiben unkomplizierten Tieren und Kleinkindern Gedanken zu, so als wären es normale, erwachsene Menschen. Auf diesem Gebiet sind Psychologen und Pädagogen nicht besser gestellt als Philosophen.

Ein weiterer Teil des Gebiets der Psychologie, für den die Psychologen (einschließlich der Psychoanalytiker) ebenso zuständig sind wie die Philosophen, ist der Bereich der Irrationalität. Freud war ebenso wie Platon, Aristoteles, Hume und John Dewey ebensosehr Philosoph, der sich mit den Problemen des Geistes und des Handelns befaßte, wie theoretisch und praktisch arbeitender Empiriker. Nach meinem Eindruck ist es gar nicht zu vermeiden, daß die Interaktion zwischen Philosophen und Psychologen auf diesem Gebiet in den kommenden Jahren zunehmen wird.

Abschließend erwähne ich ein Gebiet, das im Mittelpunkt meines eigenen Interesses steht: das empirische und theoretische Verständnis der Art und Weise, in der eine Person dahingelangt, eine andere Person zu verstehen. Dabei geht es nicht nur darum, wie das in der Praxis gelingt, sondern auch um die Frage, was an der Struktur des Denkens, der Emotionen und der Wünsche Verstehen und Kommunikation ermöglicht. Unsere Formen des Verstehens der Welt, des Fremdpsychischen und unserer selbst sind wechselseitig voneinander abhängig, so daß die Erkenntnis dessen, was andere Personen denken, nicht bloß eine diffizile Ergänzung unseres Wissens über die gemeinsame Welt ist, sondern ein wesentlicher Teil dieses Wissens. Anders als Descartes und viele Empiristen angenommen haben, kann Erkenntnistheorie nicht das Produkt eines einzelnen Geistes sein. Über das Studium der Interpretation – die Untersuchung jenes Vorgangs, durch den wir erfahren, was andere glauben, wollen, fürchten und beabsichtigen, und durch den wir jene Aspekte einer Person begreifen, welche die Handlungen dieser Person erklären – möchte ich weniger im Sinne einer Prognose als im Sinne einer Äußerung meiner Hoffnung sagen, daß ich mir wünsche, daß dieses Untersuchungsgebiet gedeihen wird. Wenn das geschieht, wird es vielleicht für uns alle von Nutzen sein.

20
Spinozas kausale Theorie der Affekte

Unser Körper ist das wesentliche Bindeglied zwischen unserem Geist und der übrigen Natur, und die Beschaffenheit dieser Verbindung wirft einige der schwierigsten philosophischen Probleme auf. Um eine adäquate Erklärung des Handelns, der Wahrnehmung, der Erinnerung oder der empirischen Erkenntnis überhaupt zu geben, ist es nötig, die Beziehungen zwischen Geist und Körper, dem Mentalen und dem Physischen, dem Bereich der Psychologie und dem Bereich der Naturwissenschaft zu verstehen.

Es ist naheliegend, Handlungen als Ereignisse aufzufassen, deren Kausalgeschichte bei den Gedanken, Wünschen und Absichten eines Akteurs einsetzt und deren Wirkungen sich durch die Bewegungen des Körpers hindurch in die Außenwelt fortpflanzen. Wahrnehmungen und Emotionen dagegen werden nach unserer Ansicht von Ereignissen in der Welt außerhalb unseres Körpers verursacht, die nach der Vermittlung durch die Sinne in Überzeugungen und spezifischen Ängsten, Wünschen, Zuneigungen und Abneigungen resultieren. »Unser Geist«, sagt Spinoza, »bringt einiges [Handlungen] aktiv hervor, anderes erleidet er jedoch; insofern er nämlich adäquate Ideen hat, bringt er notwendigerweise einiges aktiv hervor, und insofern er inadäquate Ideen hat, erleidet er notwendigerweise anderes.«[1] Das klingt zunächst ein wenig nach dem vertrauten Gegensatz zwischen »handeln« und »Objekt des Handelns sein«. Aber das wiederholte »insofern« deutet vielmehr darauf hin, daß es eine graduelle Sache ist, inwiefern ein Ereignis als Handlung oder als Leiden angesehen werden kann – eine Sache des Ausmaßes, in dem die Ursachen be-

1 *Ethik* III, P 1. Weitere Verweise auf die *Ethik* werden im Text angeführt [P = Propositio = Lehrsatz, D = Demonstratio = Beweis, S = Scholium = Anmerkung – Übers.].

stimmter Ereignisse in uns liegen, und des Ausmaßes, in dem sie nicht in uns liegen.

Einerlei, was wir von der Idee halten mögen, Handeln und Objekt-des-Handelns-Sein seien nichts anderes als Richtungen (wie links und rechts) in einem im Grunde kontinuierlichen Raum – frappierend ist die Ähnlichkeit der Probleme, die sich beim Versuch einer Analyse der Wahrnehmung und beim Versuch der Analyse des Handelns ergeben. Im Fall der Wahrnehmung beginnen wir mit der Feststellung, daß, wenn jemand den Mond aufgehen sieht, folgende Bedingungen erfüllt sein müssen: Es muß wahr sein, daß der Mond aufgeht; der Wahrnehmende muß zu der Überzeugung gelangt sein, daß der Mond aufgeht; und das Aufgehen des Mondes muß die Überzeugung, daß der Mond aufgeht, verursacht haben. Die Schwierigkeiten betreffen den letzten Nebensatz. Offenbar artikuliert er eine notwendige Bedingung, denn man kann nicht schon deshalb sagen, jemand habe wahrgenommen, daß der Mond aufgeht, weil er zu der wahren Überzeugung gelangt ist, daß der Mond aufgeht. Das kann man glauben, weil es einem gesagt wurde oder weil man es in einem Almanach gelesen hat, in dem die Mondphasen und die Gezeiten vorhergesagt werden. Aber zusammengenommen ergeben die drei Bedingungen keine hinreichende Bedingung für Wahrnehmung, denn das wirkliche Aufgehen des Mondes könnte die Überzeugung, daß der Mond aufgeht, in einer Art und Weise hervorrufen, die nicht als Wahrnehmung des Mondaufgangs gelten würde. So könnte es beispielsweise sein, daß das Aufgehen des Mondes das Heulen eines Kojoten verursacht und daß jemand fälschlich glaubt, daß Kojoten immer und nur dann heulen, wenn der Mond aufgeht. Dann hätte das Aufgehen des Mondes den Akteur zu der Überzeugung gebracht, daß der Mond aufgeht, ohne daß der Akteur wirklich wahrgenommen hätte, daß es sich so verhält. An diesem Punkt seiner Analyse versucht der Philosoph, die Art und Weise, in der das Ereignis, von dessen Vorkommen der Betreffende überzeugt ist, diese Überzeugung hervorgerufen hat, durch zusätzliche Bedingungen einzuschränken. Es wäre zum Beispiel eine plausible Ergänzung der Erklärung, wenn man verlangte, daß die Sinnesorgane bei diesem Kausalprozeß eine bestimmte Rolle spielen. Es ist jedoch äußerst schwierig – ja meines Erachtens unmöglich –, die Bedingungen so präzise anzugeben, daß keine Gegenbeispiele angeführt werden können.

Ein verdächtig ähnliches Problem ergibt sich bei der Analyse absichtlichen Handelns. Eine absichtliche Handlung ist eine, die aus einem Grund vollzogen wird: Der Akteur hat eine sei es auch noch so absurde oder banale Antwort auf die Frage »Warum hast du das getan?«. Gründe rationalisieren eine Handlung im folgenden Sinn: Im Lichte dieser Gründe wird die Handlung für andere verständlich. Die Gründe zeigen, was es aus der Sicht des Akteurs mit der Handlung auf sich hat – welches sein Ziel oder Zweck ist. Gründe fallen unter zwei Hauptkategorien: Es gibt kognitive und konative. Diese letzteren sind die Werte, Absichten oder Ziele des Akteurs – jene fernen oder unmittelbar gegebenen Zwecke, deretwegen der Akteur den Eindruck hatte, die Handlung sei es wert, vollzogen zu werden. Die kognitiven Gründe sind die Überzeugungen, die den Akteur dazu veranlaßt haben, den Wert, den er dem Zweck zugeschrieben hatte, auf die Mittel und letztlich auf die Handlung zu übertragen, von der er glaubte, sie werde das Ziel erreichen. Es geht jedoch nicht an, das Handeln aus einem bestimmten Grund einfach als eine Art des Handelns zu definieren, die durch die eigenen Überzeugungen und Werte rationalisiert wird, denn es kann sein, daß man eine Handlung ausführt, die zwar im Hinblick auf bestimmte Überzeugungen und Werte, die man vertritt, rational ist, aber aus ganz anderen Gründen vollzogen wird. So wäre es etwa möglich, daß ich einen alten Mann unterstützen möchte und glaube, ich könnte ihm unter die Arme greifen, indem ich ihn dafür bezahle, daß er meinen Schirm repariert. Dennoch könnte es sein, daß diese Gründe nichts damit zu tun haben, daß ich ihn für die Reparatur meines Schirms bezahle – vielleicht wollte ich bloß, daß mein Schirm geflickt wird. Offenbar müssen wir der Analyse des Handelns aus einem Grund etwas hinzufügen. Wir müssen sicherstellen, daß die Gründe, die jemand für die Ausführung einer Handlung hat, ebenjene Gründe sind, die den Vollzug seiner Handlung *erklären*. Ein Vorschlag, der meines Erachtens bis zu einem bestimmten Grad zutrifft, besagt, daß die Gründe einer Person deren Handeln nur dann erklären, wenn diese Gründe die Handlung *verursachen*. Damit ist aber immer noch keine hinreichende Bedingung genannt, denn die Kausalität kann auf gewundenen Wegen wirken. Die Gründe müssen die Handlung in genau der richtigen Weise verursachen, wenn sie die Gründe sein sollen, die der Akteur beim Handeln hatte. Ich weiß nicht, wie man die Bedingungen vor Gegenbeispielen schützen kann. Ich halte eine solche Immunisierung nicht für möglich. Dieses Problem, das das Mentale und das Physische durch Kausalität zueinander in Beziehung setzt, ist das Spiegelbild des Problems der Wahrnehmung.

Wer die Schwierigkeiten kennt, die sich bei der Analyse des Erfahrungswissens ergeben, wird das Muster, das ich soeben anhand zweier Beispiele exemplifiziert habe, wiedererkennen. Die Erinnerung liefert ein eng damit zusammenhängendes Rätsel: Wenn ich mich daran erinnere, daß ich meine Brille im Büro habe liegenlassen, dann muß ich meine Brille im Büro haben liegenlassen, ich muß glauben, daß ich meine Brille im Büro habe liegenlassen, und daß ich die Brille im Büro habe liegenlassen, muß die Ursache meiner Überzeugung sein, daß ich die Brille im Büro habe liegenlassen. Aber wieder sind diese Bedingungen zwar allesamt notwendig, aber nicht hinreichend, denn die Kausalität muß von der richtigen, aber offenbar nicht spezifizierbaren Sorte sein.

Nicht alle derartigen Probleme beinhalten sowohl mentale als auch physische Faktoren – jedenfalls liegt es nicht immer auf der Hand. Betrachten wir nämlich, was *folgern* heißt. Das ist ein Vorgang, von dem man vielleicht annimmt, daß er etwas rein Mentales sei. Beim Folgern kommen einem die Propositionen nicht zufällig in den Sinn. Damit die Sequenz der erwogenen Propositionen einen Gedankengang bildet, müssen die Propositionen logisch miteinander zusammenhängen. Allerdings ist das bloße Vorkommen logisch zusammenhängender Propositionen im Geist als solches keine hinreichende Bedingung fürs Folgern. Die Betrachtung oder Bejahung bestimmter Gedanken muß weitere Gedanken hervorbringen, das heißt verursachen. Aber auch in diesem Fall wird nicht jede kausale Beziehung genügen. Wir bejahen die Konklusionen nicht allein deshalb, weil wir die Prämissen bejahen, sondern auch weil wir einsehen, daß die Prämissen die Konklusion implizieren. Das ist immer noch nicht ausreichend. Wenn man glaubt, daß *c* aus *a* und *b* folgt, und glaubt, daß *a* und daß *b*, so ist damit noch nicht gewährleistet, daß man aus dem richtigen Grund glaubt, daß *c*, es sei denn, man bringt die logische Implikation mit dem gerade vorliegenden Fall in Zusammenhang. Das ist das psychologische Analogon zu Lewis Carrolls »What the Tortoise Said to Achilles«. Was wir benötigen, ist eine richtige Erklärung, die zeigt, *wie* es beim Folgern geschieht, daß die in den Prämissen enthaltene Überzeugung die in der Konklusion enthaltene Überzeugung verursacht.

Alle diese Probleme betreffen die kausalen Beziehungen von Gedanken, von Gedanken als Handlungsursachen oder Wahrnehmungswirkungen und von Gedanken als Ursachen anderer Gedanken. Die Tatsache, daß diese Beziehungen so überaus rätselhaft sind, deutet darauf hin, daß der Begriff der Kausalität und der Begriff des Gedankens irgendwie nicht richtig zusammenpassen.

Kein Philosoph ist stärker von diesen Problemen umgetrieben worden als Spinoza, und nur wenige Philosophen haben so drastische Lösungsvorschläge gemacht wie er. Zu Beginn habe ich die Probleme so skizziert, wie sie ein heutiger Philosoph vielleicht beschreiben würde. Um zu erkennen, wie Spinoza die Vorläufer dieser (von ihren modernen Lesarten womöglich gar nicht sonderlich verschiedenen) Probleme gesehen haben mag, möchte ich einige der Voraussetzungen formulieren, von denen Spinoza ausging und die er miteinander in Einklang bringen wollte.

(1) In der Abfolge der Ereignisse der materiellen Welt – der Welt der ausgedehnten Gegenstände – geschieht alles entsprechend den Naturgesetzen. Es gibt kein Ereignis, das durch das, was vorhergeht, nicht vollständig determiniert wäre, und es gibt keinen Zustand des Universums, der vollständig determiniert, was auf ihn folgt. Dieses System ist umfassend, deterministisch und geschlossen. Wenn nichts in das Funktionieren dieses Systems eingreifen kann, dann können auch wir als menschliche Akteure nicht eingreifen. Insoweit unsere Handlungen zu diesem System gehören, können sie nicht frei sein (sofern »frei« das gleiche bedeutet wie »nicht determiniert«). Unsere Handlungen werden von dem verursacht, was vorher geschieht; und was wir durch unsere Handlungen bewirken, ist ebenfalls nur ein Teil des unabänderlichen Verlaufs der Natur. Gott kann weder in den natürlichen Gang der Ereignisse eingreifen, noch kann er ihm als unabhängiger Schöpfer vorausgehen. Da alles, was das System tangieren kann, in ihm enthalten ist, kann jeder Naturvorgang durch die Naturgesetze und einen vorgängigen Gesamtzustand des Universums vollständig erklärt werden.

(2) Sowohl Gedanken als auch ausgedehnte Körper sind real. Doch unsere Konzeption von Gedanken, Wünschen, Erinnerungen und Folgern ist eine Konzeption, in der die definierenden Eigenschaften physischer Gegenstände nicht enthalten sind (wie zum Beispiel der genaue räumliche Ort, Gestalt, materielle Beschaffenheit und chemische Zusammensetzung). Aus diesem Grund hat unser physikalisches System, das kausale Wechselwirkungen durch Bezugnahme auf solche Eigenschaften erklärt, keinen Platz für mentale Ereignisse.

Daraus scheint zu folgen: Wenn es mentale Ereignisse gibt (was Spinoza für evident hält), können sie weder durch Ereignisse in der physischen Welt verursacht werden (was für die Wahrnehmung offenbar nötig ist), noch können sie ihrerseits Ereignisse in der physischen Welt verursachen (was für das Handeln offenbar nötig ist).

(3) Abgesehen davon, daß Handlung und Wahrnehmung eine enge Beziehung zwischen dem Denken und der Welt der ausgedehnten Dinge zu verlangen scheinen, kennen wir auch noch weitere Gründe für die Überzeugung, hier gebe es einen engen Zusammenhang. Wir sind uns zum Beispiel ständig dessen bewußt, was im eigenen Körper vor sich geht. Dagegen sind wir uns nicht in der gleichen Weise dessen bewußt, was im Körper anderer Personen vor sich geht. (Der enge Zusammenhang zwischen unserem Körper und unseren Empfindungen ist, wie Edwin Curley richtig erkennt, eine Erwägung, die für Spinoza besonders wichtig ist.[2]) Unsere Gedanken werden durch die physischen Bewegungen des eigenen Körpers unmittelbar und in einer Weise zum Ausdruck gebracht, in der unsere Gedanken nicht im Körper anderer ausgedrückt werden.

Es gibt eine weitere – eine globale – Hinsicht, in der die Ordnung der Gedanken genau der Ordnung der ausgedehnten Dinge und Ereignisse entspricht. Sofern die physische Welt durch Gesetze und die Verteilung der Körper und ihrer Bewegungen in einem gegebenen Augenblick vollständig determiniert ist, wissen wir, daß es eine unendliche Menge von Aussagen über die Verteilung von Körpern und deren Bewegungen in einem gegebenen Augenblick gibt, die zusammen mit den Gesetzen einem unendlichen Geist die Möglichkeit gäbe, die gesamte Geschichte des Universums zu berechnen. Wenn wir die Welt der Gedanken als eine aus allen diesen Wahrheiten bestehende Welt begreifen, dann gibt es einen kla-

2 Curley, *Behind the Geometrical Method. A Reading of Spinoza's Ethics*, S. 82.

ren Sinn, in dem »die Ordnung und Verknüpfung von Ideen dieselbe ist wie die Ordnung und Verknüpfung von Dingen« (II, P 7). Die Verknüpfung von Ideen ist die des deduktiven Schließens: Eine Proposition, die einen Zustand des Universums beschreibt, kann unter Berufung auf die Naturgesetze aus der Beschreibung eines früheren Zustands des Universums deduziert werden. Die Ordnung, in deren Rahmen ein Zustand des Universums aus einem früheren Zustand erschlossen werden kann, ist die gleiche wie die zeitliche Abfolge der von ihr vorhergesagten und erklärten Ereignisse.

Diese drei Voraussetzungen – die Annahme eines abgeschlossenen, deterministischen Systems der physischen Natur, die Annahme einer Welt der Gedanken, die nicht mit der physischen Welt interagiert, und die Annahme einer sehr engen Verknüpfung zwischen mentaler und physischer Welt – ergeben die Problemstellung. Das Problem lautet: Wie kann der Zusammenhang zwischen dem Mentalen und dem Physischen beschaffen sein, wenn er diese Bedingungen erfüllen soll? Spinozas Antwort besagt, wie wir wissen, daß das Mentale und das Physische lediglich zwei Weisen der Betrachtung und des Verstehens ein und derselben Welt sind.

Es ist offenkundig, daß es diesem Vorschlag glänzend gelingt, eine Versöhnung zu bewirken zwischen der Existenz des Mentalen und der Existenz eines deterministischen, geschlossenen Systems des Physischen, das zwar nichts ausläßt, aber auch nicht auf das Mentale Bezug nimmt. Eine Ontologie, die nur materielle Gegenstände und Ereignisse umfaßt, kann dennoch vollständig sein, wenn die mentalen Gegenstände und Ereignisse mit den materiellen identisch sind. Daher kann eine rein physikalische Wissenschaft in einem klaren Sinn vollständig sein. Spinozas Monismus ist außerdem verträglich damit, daß es nicht gelingt zu begreifen, wie eine Wechselwirkung zwischen dem Mentalen und dem Physischen zustande kommt. Dieser Punkt ist allerdings viel schwerer zu verstehen.

Ein Grund, warum dieser Punkt schwer zu verstehen ist, liegt in einer Weise – oder scheint in einer Weise zu liegen –, in der wir uns tatsächlich einen Begriff von kausalen Beziehungen zwischen dem Physischen und dem Mentalen machen, und das ist eine Weise des Begreifens, auf die Spinoza ständig anspielt. So definiert er die Liebe als »Freude unter Begleitung der Idee einer äußeren Ursache«. Freude ist ein Affekt des Geistes, aber was hat es mit der Idee einer äußeren Ursache auf sich? Vielleicht meint Spinoza nur, daß es eine Verknüpfung von zwei geistigen Gegebenheiten gibt: Die eine wäre der Affekt der Freude, die andere die (inadäquate) Idee des Geistes von einem Vorgang im Körper. Das würde noch keine Wechselwirkung implizieren. Es erscheint jedoch vernünftiger, die zweite Sache als die *Überzeugung* anzusehen, die Ursache der Freude sei ein bestimmter äußerer Gegenstand; und das impliziert tatsächlich, daß man sich von der kausalen Wechselwirkung zwischen dem Mentalen und dem Physischen *einen Begriff macht*. Oder man betrachte die folgende Stelle: »Wenn jemand etwas getan hat, von dem er sich vorstellt, daß es andere mit Freude affiziert, wird er mit einer Freude affiziert werden, die von der Idee seiner selbst als der Ursache hierfür begleitet ist« (III, P 30). Wenn man sich vorstellen kann, daß etwas, was man getan hat, andere mit Freude affiziert, fällt es schwer zu erkennen, inwiefern man sich nicht zumindest einen Fall vorstellt, in dem ein physisches Ereignis einen mentalen Affekt verursacht.

Der offenkundigste Einwand gegen Spinozas augenscheinliche Leugnung von Wechselwirkungen ist jedoch sehr viel direkter. Wie Spinoza betont, gibt es kausale Beziehungen zwischen physischen Ereignissen, und jedes dieser physischen Ereignisse ist mit einem Gedanken identisch. Nehmen wir an, daß das Läuten einer Glocke in meinem Gehirn einen komplexen Vorgang hervorruft, und dieser Vorgang sei mit meinem Bewußtsein von diesem Geräusch identisch. Wenn das Läuten der Glocke in meinem Gehirn jenen Vorgang verursacht hat und dieser Vorgang ein Gedanke *ist* (das heißt mit dem Gedanken identisch ist), fragt es sich, wie Spinoza widerspruchsfrei bestreiten kann, daß das physische Geräusch den Gedanken hervorgerufen hat. Wie kann er, ohne unplausibel zu wirken, bestreiten, daß wir an die Existenz dieser kausalen Beziehungen glauben und uns daher einen Begriff von ihnen machen?

Marx Wartofsky macht einen Lösungsvorschlag. Zu Spinozas Identitätstheorie schreibt er:

> Aus dieser Auffassung ergibt sich die radikale Konsequenz, daß sowohl die Vorstellung von einer mechanistischen Determinierung psychischer Zustände durch körperliche Zustände [...] als auch die Vorstellung von einer psychischen Determinierung körperlicher Zustände abgelehnt werden. [...] Denn wenn man die Identität ernst nimmt, [...] ist jede Veränderung eines psychischen Zustands eine Veränderung eines körperlichen Zustands, und zwar notwendigerweise, aber nicht auf kausale Weise. Eine Veränderung der psychischen Beschaffenheit oder Intensität beziehungsweise der Qualität einer Emotion *führt* nicht zur Veränderung eines körperlichen Zustands, sondern sie *ist* eine. Wer die verfehlte Vorstellung vertritt, Spinoza vertrete eine Form von Parallelismus, die im Gegensatz zur cartesianischen Wechselwirkungstheorie stehe, hat einfach das falsche Modell gewählt. Es gibt zwar einen begrifflichen Parallelismus, insofern wir uns über Körper und Geist Gedanken machen, doch was wir unter diesen beiden Attributen denken, ist nicht parallel, sondern identisch.[3]

Der Grundgedanke ist hier der gleiche wie in großen Teilen von Spinozas Anhang zum I. Teil der *Ethik* und besagt, daß die Beziehung zwischen Geist und Körper deshalb keine kausale ist, *weil* es sich um die Beziehung der Identität handelt. Doch das ist offenbar keine Antwort auf eine Kritik, die ihrerseits auf der beanspruchten Identität *basiert*. Wenn *b* von *a* unter dem Attribut »Ausdehnung« verursacht wird und *b* mit *c* identisch ist, wobei *c* unter dem Attribut »Denken« begriffen wird, fragt es sich, wie man bestreiten kann, daß *c* von *a* verursacht wird, wobei *a* als ausgedehnt und *c* als Modifikation des Geistes begriffen wird.

3 Wartofsky, »Action and Passion«, S. 349.

So formuliert, ist die Schwierigkeit so offenkundig, daß wir davon ausgehen müssen, Spinoza in einem wesentlichen Punkt falsch interpretiert oder es versäumt zu haben, eine Unterscheidung zu treffen, die für seinen Standpunkt ausschlaggebend war. Welche Möglichkeiten gibt es hier?
Eine Interpretation wäre die, daß man das allem Anschein nach dualistische Element bei Spinoza negiert. Falls zwischen dem Mentalen und dem Physischen keine Unterscheidung zu treffen ist, hat es keinen Sinn, von Wechselwirkung zu reden. So behauptet Curley: »Die eigentliche Stoßrichtung von Spinozas System ist antidualistisch, [...] es ist eine Form von materialistischem Monismus.«[4] Wenn man annimmt, daß Spinoza die Realität des Mentalen bestreitet, kann es hinsichtlich der Wechselwirkung kein Problem geben. Doch ehe wir diese Lösung akzeptieren könnten, müßten wir Spinozas Leugnung einer Wechselwirkung und sein offenkundiges Insistieren auf der Wirklichkeit des Mentalen wegerklären. Tatsächlich macht Curley keinen Versuch, Spinozas ganz evidente Festlegung auf ein Attribut des Geistigen, das dem Attribut der Ausdehnung in jeder Hinsicht entspricht, wegzuerklären.[5] Seine Argumente für Spinozas Materialismus sind eher Argumente für eine vollständige Parallele zwischen dem Mentalen und dem Physischen. Curley weist darauf hin, wie Spinoza die Komplexität des Körpers betont, was es wiederum plausibel erscheinen läßt, daß der Körper die Komplexität des Denkens nachbilden kann, und er hebt die These hervor, alle menschliche Erkenntnis sei zunächst Erkenntnis des eigenen Körpers. Dies sind Überlegungen, die bei einem

4 Curley, *Behind the Geometrical Method*, S. 82.

5 In einer wichtigen Hinsicht ist Spinozas Attribut des Geistigen unendlich viel größer als das Attribut der Ausdehnung. Denn da der Geist eine Idee von allem Existierenden hat, hat er nicht nur eine Idee von jedem Modus der Ausdehnung, sondern auch von jedem Modus des Geistes; und das impliziert im Hinblick auf jeden ausgedehnten Gegenstand einen unendlichen Regreß der Ideen.

anderen Philosophen dazu benutzt werden könnten, eine Zurückführung des Geistigen auf das Körperliche zu verfechten, aber es gibt keine Indizien, die dafür sprechen, Spinoza habe eine solche Zurückführung im Sinn gehabt.

Alan Donagan schlägt einen Kurs ein, der nachgerade in die entgegengesetzte Richtung führt; er bestreitet beinahe, daß Spinoza Monist ist. Er schreibt: »Da jedes Attribut wirklich distinkt ist, läßt Spinoza keine Möglichkeit zu, auch das menschliche Denken auf Prozesse im menschlichen Körper zurückzuführen, was das Programm des Materialismus zu sein pflegte, als die Philosophen es noch ernst damit meinten. Wie man es auch ansieht, er war kein Materialist.«[6] Nach Donagan gibt es zwar »einen Sinn, in dem der Geist und der Körper eines gegebenen menschlichen Individuums [...] dasselbe sind und durch die wirklich distinkten Attribute des Denkens beziehungsweise der Ausgedehntheit konstituiert werden; dennoch können sie nicht in kausaler Beziehung zueinander stehen, denn diese Attribute sind wirklich distinkt«.[7] Man kann es Curley nachsehen, wenn er sagt, Donagan scheine »zu glauben, daß Spinozas Substanzmonismus nicht ernst gemeint ist«.[8] Wenn Spinoza eigentlich kein Monist ist, sind Geist und Körper bei ihm nicht wirklich identisch, und der augenscheinliche Widerspruch, auf den ich hingewiesen habe, verschwindet. Aber dann würde sich auch der augenscheinliche Gegensatz zwischen der Metaphysik Spinozas und der Metaphysik Descartes' auflösen, und Spinoza würde einen Ersatz für die Zirbeldrüse benötigen.

Nun bleibt, soweit ich sehe, nur noch ein Ausweg aus der genannten Schwierigkeit, und dabei kommen der Begriff der Kausalität und die Interpretation von Spinozas Leugnung einer Wechselwirkung ins Spiel. Was hat Spinoza gemeint, als er schrieb: »Der Körper kann den Geist nicht zum Denken be-

6 Donagan, *Spinoza*, S. 119.
7 Ebd., S. 124.
8 Curley, *Behind the Geometrical Method*, S. 158, Anm. 38.

stimmen [*determinare*] und der Geist nicht den Körper zu Bewegung [...]« (III, P 2). Hat er mit »determinare« das gleiche gemeint, was wir mit »verursachen« meinen?
Hampshire weist warnend darauf hin, daß Spinoza, obwohl er unter einer Ursache ebenso wie wir selbst etwas versteht, »was das Vorkommen oder die Eigenschaften der Wirkung *erklärt*«, einen anderen Maßstab der Erklärung kennt als die moderne Naturwissenschaft:

> Bei Spinoza [...] bedeutet »erklären«, daß eine wahre Aussage die logisch notwendige Konsequenz einer anderen ist. Erklären beinhaltet im wesentlichen, daß man notwendige Zusammenhänge aufzeigt. [...] Das Ideal der wissenschaftlichen Erklärung ist hier ein rein deduktives und mathematisches [...].[9]

Der Gedanke, daß das Vorkommen eines bestimmten Ereignisses zur Gänze erklärt werden kann, indem man sich auf die Logik beruft, scheint sowohl zu verlangen, daß die Naturgesetze als Gesetze oder Wahrheiten der Logik angesehen werden, als auch daß es eine logische Wahrheit gibt, von der ausgehend man mit Hilfe der Gesetze auf die logische Notwendigkeit der Wirkung schließen kann. Diese Ansicht, wonach alle Wahrheiten der Natur letzten Endes Wahrheiten der Logik oder doch zumindest der Vernunft sind, lasse ich hier unberücksichtigt. Was mich interessiert, ist ein Erklärungsideal, von dem man sagen kann, daß es der modernen Wissenschaft und Spinoza gemeinsam ist, nämlich die Idealvorstellung von der Entdeckung eines Systems von Gesetzen, aus dem das Vorkommen des zu erklärenden Ereignisses deduziert werden kann, wenn man von einer Beschreibung der relevanten Kausalbedingungen ausgeht. Die Verwirklichung dieses Ideals impliziert erstens, daß nichts, was das Wirken der Natur beeinflussen kann, außerhalb des Erklärungssystems liegt, und zweitens, daß es ein bevorzugtes Vokabular

9 Hampshire, *Spinoza*, S. 35.

gibt, in dessen Terminologie die Gesetze formuliert werden und in der die zu erklärenden Ereignisse sowie die relevanten Kausalbedingungen beschrieben werden können. Das ist das Vokabular der ultimativen Naturwissenschaft.

Es ist zwar zweifellos richtig, daß die Gesetze und der ultimative Ausgangspunkt, wie Hampshire sagt, nach Spinoza Vernunftwahrheiten sein sollen. Doch wenn man diesen wesentlichen Unterschied gegenüber der modernen Wissenschaft beiseite läßt, ist der Erklärungsbegriff der gleiche: Sobald die Gesetze und die Ausgangsbedingungen gegeben sind, ist der Rest Logik und Mathematik.

Die Unterscheidung, die ich betonen möchte, ist demnach nicht Hampshires Unterscheidung zwischen einer Wissenschaft, die es nur mit den Wahrheiten der Vernunft zu tun hat, und einer Wissenschaft, die experimentell und empirisch verfährt, sondern es ist eine Unterscheidung, die *im Rahmen* des Erklärungsbegriffs zur Verfügung steht, der Spinoza und der modernen Wissenschaft gemeinsam ist. Im Rahmen dieses gemeinsamen Begriffs ist es nicht schwer, die Möglichkeit von *Graden* der Adäquatheit einer Erklärung zu verstehen. Eine vollständig adäquate Erklärung ist eine, die das Vorkommen (oder die Wahrscheinlichkeit des Vorkommens) des zu erklärenden Ereignisses aus den Naturgesetzen und einer Feststellung der Ausgangsbedingungen deduziert. Sobald unsere Kenntnis der Naturgesetze oder der relevanten Kausalbedingungen abnimmt, entfernen wir uns von dieser vollständigen Adäquatheit. Nehmen wir ein Beispiel: Die Ursache eines bestimmten Ereignisses – sagen wir: des Erdbebens, das 1906 in San Francisco stattgefunden hat – ist ein anderes bestimmtes Ereignis, vielleicht die plötzliche Freisetzung von Energie, als die Pazifische Platte entlang der San-Andreas-Verwerfung nach Norden driftete. Natürlich hätten wir, selbst wenn uns richtige Gesetze gegeben gewesen wären, das Erdbeben nicht anhand dieser Beschreibung der Ursache oder der Wirkung vorhersagen können. Ehe man das Erdbeben erklären kann, braucht man Beschreibungen der Ursache und der Wirkung, durch die sie unter die Gesetze fallen – die Beschreibungen müßten die Gesetze exemplifizieren. Es ist klar, daß solche Beschreibungen sehr viel detaillierter und vollständiger sein müßten als alles, was wir angeben können. Da unsere Beschreibungen der betreffenden Ereignisse unvollständig sind, ist unsere Erklärung des Erdbebens inadäquat.

Der Kausalzusammenhang selbst wird durch die Inadäquatheit unserer Kenntnis der Ursache und der Wirkung nicht in Frage gestellt. Es kann sein, daß wir die Ursache des Erdbebens richtig ermittelt haben, obwohl unser Wissen über diese Ursache und folglich unser Verständnis des Erdbebens unvollständig sind. Es gibt also zumindest zwei Hinsichten, in denen unsere Fähigkeit zur Erklärung eines Ereignisses unzulänglich sein kann: Es kann sein, daß wir einige der kausalen Faktoren nicht kennen (und uns daher einer Formulierung wie »unter gleichbleibenden Randbedingungen« bedienen) oder daß wir nicht über das angemessene deskriptive Vokabular verfügen, um die Ursache oder die Wirkung in einer Weise zu spezifizieren, die uns die Möglichkeit gäbe, sie so zu sehen, daß sie unter ein Gesetz fallen. Diese beiden Quellen des Scheiterns oder partiellen Scheiterns konvergieren in dem Fall, in dem wir zwar über das richtige Vokabular verfügen, aber nicht wissen, wie die Ursache oder die Wirkung oder beide in dieser Terminologie zu beschreiben sind.

Die Idealvorstellung von einem umfassenden Vokabular, in dem es theoretisch möglich wäre, jedes Ereignis vollständig zu beschreiben, schließt keineswegs die Möglichkeit eines anderen, irreduzibel verschiedenen Vokabulars aus, in dem sich Alternativerklärungen genau derselben Ereignisse geben ließen. Es könnte eine Vielzahl solcher möglicher Systeme geben. Es gibt also nichts, was die Vorstellung als unverständlich ausschlösse, das Vokabular des Mentalen und das Vokabular des Physischen gehörten zu zwei verschiedenen, aber gleich vollständigen Systemen der Erklärung ein und derselben Welt. Diese eben genannte Möglichkeit ist eine Beschreibung der Metaphysik Spinozas: ontologischer Monismus plus eine Vielzahl von Begriffssystemen.

In welchem Sinn kann eine solche Metaphysik behaupten, es sei unmöglich, das eine System auf ein anderes zurückzuführen? Offenbar beruht Spinozas Metaphysik auf einer ontologischen Zurückführung: Jede materielle Entität wird mit einer mentalen Entität gleichgesetzt.[10] Das Scheitern anderer Formen der Zurückführung ist mit diesem Monismus vereinbar. Wie immer man etwa die Standards der definitorischen Zurückführung festlegen mag, vom ontologischen Monismus wird eine solche Zurückführung nicht impliziert. Es besteht kein Grund zur Annahme, daß mentale Begriffe wie »lieben«, »beabsichtigen«, »fürchten« und »entscheiden« in einer rein physikalischen Terminologie definiert werden können, und die Fehlschläge des definitorisch verfahrenden Behaviorismus deuten darauf hin, daß es für die Undurchführbarkeit dieses Unterfangens prinzipielle Gründe gibt.

Dadurch, daß jedes Einzelding, das sich mit Hilfe des physikalischen Vokabulars identifizieren läßt, auch mit Hilfe des mentalen Vokabulars identifizieren läßt, sollten wir uns nicht zu der Vorstellung verleiten lassen, deshalb sei das eine Vokabular überflüssig. Der Zweck eines Vokabulars ist die *Klassifizierung* von Einzeldingen, also deren Einordnung in Klassen; und daraus, daß jedes Einzelelement einer Menge mit Hilfe eines gegebenen Vokabulars beschrieben werden kann, folgt nicht, daß die Menge, sofern sie unendlich ist, oder eine Eigenschaft, die auf alle und ausschließlich die Elemente dieser Menge zutrifft, mit Hilfe desselben Vokabulars definiert werden kann.

Wenn es der Fall ist, daß keine Klasse von Einzeldingen, die durch das mentale Vokabular herausgegriffen wird, einer

10 Dieses reduktionistische Verfahren ist nicht symmetrisch, denn zusätzlich zu den Ideen von materiellen Gegenständen gibt es auch Ideen von Ideen und von den Modi anderer Attribute.

durch das physikalische Vokabular herausgegriffenen Klasse entspricht (mit dieser identisch ist), dann kann es keine strikten Gesetze geben, durch die in mentaler Terminologie gekennzeichnete Einzeldinge mit Einzeldingen verbunden werden, die in physikalischer Terminologie gekennzeichnet werden. Der Monismus ist also auch mit dem Scheitern der *nomologischen* Zurückführung vereinbar, das heißt mit dem Fehlen strikter psychophysikalischer Gesetze. Der Monismus impliziert, wenn man ihn mit dem Fehlschlag nomologischer Verbindungen koppelt, daß es unmöglich ist, eine vollständige oder adäquate Erklärung eines mentalen Ereignisses in physikalischer Terminologie zu geben beziehungsweise eine vollständige und adäquate Erklärung eines physischen Ereignisses in mentaler Terminologie.

Unter Voraussetzung der nomologischen Irreduzibilität ist es richtig, so vorzugehen wie Spinoza in III, P 2, und zu behaupten, daß »der Körper den Geist nicht zum Denken bestimmen kann und der Geist nicht den Körper zu Bewegung«. Das sollten wir in folgendem Sinne verstehen: Aus einer in physikalischer Terminologie beschriebenen Ursache können wir nicht erschließen, daß ein spezifisches mentales Ereignis als Wirkung folgen wird, denn dazu wären entweder psychophysikalische Kausalgesetze oder psychophysikalische Brükkengesetze nötig, und solche Gesetze werden von der nomologischen und der definitorischen Nichtzurückführbarkeit untersagt. Mentale und physikalische Begriffe gehören zu unabhängigen Erklärungssystemen. Im Beweis von III, P 2 wird das deutlich: »Alle Modi des Denkens haben Gott zur Ursache, insofern er ein denkendes Ding ist, nicht aber insofern er von einem anderen Attribut her erklärt wird (nach Lehrsatz 6 des 2. Teils). Was also den Geist zum Denken bestimmt, ist ein Modus des Denkens und nicht ein Modus von Ausdehnung, das heißt [...] es ist nicht der Körper.« Der Beweis fürs Umgekehrte geht parallel. Dieser Beweis führt uns zurück zu II, P 6, wo es heißt: »Die Modi eines jeden Attributes haben Gott nur insofern zu ihrer Ursache, als er unter dem Aspekt des Attributes angesehen wird, dessen Modi sie sind, und nicht insofern er unter dem Aspekt irgendeines anderen Attributes angesehen wird.« Im Beweis heißt es sodann: »Jedes Attribut wird nämlich durch sich selbst, also ohne ein anderes, begriffen.« Wenn wir die Betonung auf der Art, in der die Dinge »begriffen« oder »angesehen« werden, akzeptieren und bedenken, daß eine Ursache nach Spinoza in erster Linie etwas ist, was seine Wirkung erklärt, ja vollständig erklärt, können wir III, P 2 so verstehen, daß damit nur bestritten wird, es sei möglich, eine vollständige und adäquate Erklärung eines unter einem Attribut beschriebenen Ereignisses zu geben, indem man sich auf eine unter einem anderen Attribut beschriebene Ursache beruft. Nach Spinoza hat es keinen Sinn, von der Erklärung oder dem Verstehen der Existenz oder Modifikation einer Sache zu sprechen, außer man verfügt über das eine oder andere Beschreibungssystem, das heißt außer man sieht die Sache unter diesem oder jenem Attribut.

In III, P 2 geht es also nicht darum, zu bestreiten, daß mentale Ereignisse physische Ereignisse *verursachen* können, sondern darum, zu bestreiten, daß sie diese *erklären* können (und umgekehrt natürlich). Nichts an diesem Bild der Beziehungen zwischen Geist und Körper, dem Mentalen und dem Physischen, schließt aus, was wir die kausale Wechselwirkung zwischen physischen Einzelereignissen und mentalen Einzelereignissen nennen würden. Darum brauchen wir Spinoza nicht die logische Ungereimtheit aufzuhalsen, die sich aus der Ansicht ergäbe, das physische Ereignis des Läutens einer Glocke könne kein mentales Bewußtsein von diesem Läuten verursachen, obwohl dieses mentale Bewußtsein mit einem durch das Läuten verursachten physischen Ereignis im Gehirn identisch ist. Meiner Ansicht nach bestreitet Spinoza nicht, daß wir durch das Läuten der Glocke dazu veranlaßt werden können, uns des Läutens bewußt zu werden. Was er bestreitet, ist die Möglichkeit, das Vorkommen dieser Überzeugung völlig adäquat zu erklären, indem man sich auf die Naturgesetze und die in physikalischer Terminologie beschriebene Ursache beruft. Ich sehe nicht einmal ein, warum er bestreiten sollte, daß es nützlich ist zu wissen, daß ein physisches Ereignis bestimmter Art wahrscheinlich ein mentales Ereignis bestimmter Art verursacht. Spinoza würde das keine Erklärung nennen, weil die Beschreibung der Ursache und die Beschreibung der Wirkung nicht demselben Erklärungssystem angehören, weshalb die Wirkung nicht, wie er es zu formulieren pflegt, »klar und deutlich durch die Ursache wahrgenommen werden kann«, was natürlich heißt: durch die in einer bestimmten Weise begriffene oder beschriebene Ursache. Denjenigen, deren Erklärungsstandards weniger euklidisch geprägt sind, steht es frei zu sagen, die Beschreibung der Ursache eines mentalistisch beschriebenen Ereignisses in physikalischer Terminologie könne dennoch eine Form von Erklärung sein, und natürlich steht es ihnen frei, das gleiche über die Beschreibung der Ursache eines physikalisch beschriebenen Ereignisses in mentaler Terminologie zu sagen. Um innerhalb der Grenzen von Spinozas Metaphysik zu bleiben, müßten sie jedoch die Ansicht vertreten, daß daraus keine völlig adäquaten Erklärungen werden können, denn adäquate Erklärungen bleiben notwendig im Rahmen ein und desselben Attributs. Curley spricht von Spinozas »Tendenz, *causa* und *ratio* gleichzusetzen«.[11] Dieser Begriff der Ursache, der eng mit der Erklärung verknüpft ist und daher auf die Art der Beschreibung von Ursache und Wirkung reagiert, unterscheidet sich offenbar grundlegend von dem Begriff der Ursache, den wir bei der Beschreibung einer in der Natur vorkommenden Beziehung zwischen Ereignissen anwenden. In der Natur vorkommenden kausalen Beziehungen ist es egal, wie wir sie beschreiben.

11 In *The Collected Works of Spinoza*, S. 628. Als Beleg nennt Curley I, P 11, D 2: »Von jedem Ding muß sich eine Ursache *oder* ein Grund angeben lassen, weshalb es existiert, wie auch weshalb es nicht existiert.«

Am Anfang des vorliegenden Artikels habe ich eine Reihe von Grundproblemen skizziert, die sich ergeben, wenn man eine vollständige Analyse oder Definition solcher Begriffe wie »Wahrnehmung«, »Erinnerung« und »Handlung« zu geben versucht. In jedem dieser Fälle schien es einen Punkt zu geben, an dem der Übergang vom Physischen zum Mentalen (wie im Fall der Wahrnehmung und der Erinnerung) oder der Übergang vom Mentalen zum Physischen (wie im Fall des Handelns) nicht vollständig erklärt werden konnte. Die Frage lautete: *Wie* sollen die Überzeugungen und Wünsche, die eine Handlung rationalisieren und daher erklären, im einzelnen die Handlung verursachen? Wir können die *logischen* Beziehungen zwischen den propositionalen *Inhalten* der richtigen Überzeugungen und Wünsche angeben sowie die Beschreibung der Handlung, unter der sie diese rationalisieren. Was wir offenbar nicht können, ist, klar und detailliert angeben, wie die mentalen Einstellungen die Handlung verursachen. Eine ähnliche Aporie plagte uns, als wir uns mit der Frage befaßten, wie es genau geschieht, daß ein Ereignis die Überzeugung hervorbringt, es habe stattgefunden, wenn zu Recht gesagt wird, man erinnere sich daran. Und die Analyse der Wahrnehmung hat in eine ähnliche Sackgasse geführt.

Die hier vorgeschlagene Interpretation von Spinozas Auffassung der Beziehung zwischen der mentalen und der physikalischen Art der Erklärung sowie seiner Auffassung der Verursachung steht nicht nur in Einklang mit dem Vorhandensein unvollständiger Analysen oder Erklärungen, sondern dieser Interpretation zufolge ist die Unvollständigkeit unvermeidlich, und sie bietet eine Erläuterung dafür, warum sie unvermeidlich ist. Gelänge der Versuch, das Handeln, die Erinnerung oder die Wahrnehmung durch Bezugnahme auf kausale Beziehungen zwischen dem Mentalen und dem Physischen zu analysieren, stünde vollständigen Erklärungen, die sich zwischen den Attributen hin- und herbewegen, nichts im Wege. Insbesondere müßte es psychophysikalische Gesetze geben, die ebenso präzise wären wie die physikalischen Gesetze. Doch wenn (der von mir interpretierte) Spinoza recht hat, gibt es keine solchen präzisen Gesetze. Die Erklärungssysteme, zu denen das Mentale und das Physische gehören, sind irreduzibel verschieden, obwohl das Mentale und das Physische nur zwei verschiedene Weisen sind, dieselben Einzeldinge zu begreifen und folglich auch zu klassifizieren.

Wenn wir einen Philosophen zu verstehen versuchen, den wir insgesamt bewundernswert, aber dennoch schwierig und unklar finden, kann es vermutlich nicht ausbleiben, daß wir uns zu einer Interpretation hingezogen fühlen, die wir so widerspruchsfrei und so kongenial finden, wie es unsere Nachsichtigkeit nahelegt und unsere Redlichkeit erlaubt. Daher macht es mich nicht verlegen einzuräumen, daß die mir plausibel erscheinende Deutung von Spinozas ontologischem Monismus und dem damit gekoppelten dualistischen (oder multiplen) Erklärungsinstrumentarium meiner eigenen Auffassung des Verhältnisses zwischen dem Mentalen und dem Physischen ähnlich ist. Ich bezeichne diesen Standpunkt als *anomalen Monismus*, und die Verwandtschaft mit Spinozas Ansichten habe ich von Anfang an anerkannt.[12] Folgendes sind die Ähnlichkeiten, die bestehen: (1) Ontologischer Monismus: Es gibt keine Einzeldinge (zu denen ich nicht nur Gegenstände, sondern auch Ereignisse rechne), die nicht eindeutig durch definite Kennzeichnungen identifiziert werden können, die ausschließlich in der Sprache der Physik formuliert sind, sowie durch definite Kennzeichnungen, die »mental« formuliert sind. (Dabei ist zugelassen, daß die mentalen Kennzeichnungen physikalische Begriffe enthalten, solange ein mentaler Ausdruck »wesentlich« vorkommt, das heißt, solange es unmöglich ist, den mentalen Ausdruck aus der Kennzeichnung

12 In »Mental Events«, abgedruckt in: *Essays on Actions and Events*, S. 212 [Übers., S. 297].

zu entfernen, während der Bezug unverändert bleibt.) (2) Begrifflicher Dualismus: Das mentale Vokabular und das physikalische Vokabular können weder in der einen noch in der anderen Richtung definitorisch oder nomologisch aufeinander zurückgeführt werden. (3) Erklärungsdualismus: Die Naturwissenschaften können zwar an den Punkt gelangen, an dem sie jedes Ereignis vollständig erklären und es, zumindest theoretisch, folglich auch vorhersagen können, aber sie sind nicht einmal grundsätzlich dazu imstande, ein unter einer mentalen Beschreibung gegebenes Ereignis vorherzusagen oder vollständig zu erklären. Noch offenkundiger ist, daß keine wissenschaftlich zur Vollkommenheit gebrachte psychologische Theorie ein unter einer physikalischen Beschreibung gegebenes Ereignis vollständig erklären oder vorhersagen könnte. (4) Daraus folgt, daß es keine strikten, deterministischen Gesetze gibt, die das Mentale und das Physische miteinander verbinden. (5) Letztens ist zu sagen, daß diese Punkte nicht der Einsicht widersprechen, daß es zwischen dem Mentalen und dem Physischen kausale Beziehungen gibt. Kausale Beziehungen bestehen nach meiner Auffassung zwischen beliebig beschriebenen Ereignissen, wogegen kausale Erklärungen von dem Vokabular oder den Begriffen abhängig sind, die zur Beschreibung der Ereignisse und zur Formulierung der Gesetze verwendet werden.

Nun habe ich Spinozas Theorie über das Verhältnis zwischen dem Mentalen und dem Physischen in einer Weise beschrieben, durch die sie widerspruchsfrei präsentiert wird und sich, wenn man von einem Restzweifel absieht, nach meiner Ansicht als richtig erweist. Dieser Zweifel betrifft das Wesen des Parallelismus zwischen dem Mentalen und dem Physischen. Es ist *eine* Sache, zwei irreduzibel verschiedene Systeme zur Erklärung ein und derselben Welt zu postulieren, aber es geht darüber hinaus, wenn man behauptet: »Die Ordnung und Verknüpfung von Ideen ist dieselbe wie die Ordnung und Verknüpfung von Dingen.« Worauf läuft diese zusätzliche These hinaus? Oben habe ich folgende Möglichkeit vorgeschlagen: Es gibt eine Sequenz von Aussagen, die in einer natürlichen deduktiven Ordnung zusammengestellt ist, die der zeitlichen Ordnung von Ursache und Wirkung in der Welt der ausgedehnten Dinge entspricht. Dann ist die deduktive Ordnung die gleiche wie die zeitliche Ordnung, und die Verknüpfung der Ideen ist die gleiche wie die kausale Verknüpfung der Dinge. Diese Sequenz von Ideen kann jedoch nicht in einem endlichen menschlichen Geist sein, sondern nur im Geist Gottes. Einzelne Teile aus dieser Sequenz können im Geist der Menschen vorkommen, aber dort sind sie verstreut und wirr und bilden eine erbärmlich zusammengestückelte Auswahl.

Die Humanpsychologie dient nicht der Erforschung von Gottes Geist, sondern der Erforschung dessen, was im Geist der Menschen vor sich geht. Es kann kein Zweifel daran bestehen, daß sich Spinoza für die Psychologie der Menschen interessierte und ernsthafte Schritte unternahm, um die Möglichkeiten dieser Psychologie nachzuweisen. An einer berühmten Stelle des Vorworts zum III. Teil erklärt er:

> Also folgen die Affekte des Hasses, des Zorns, des Neides usw., in sich betrachtet, aus derselben Notwendigkeit und internen Beschaffenheit der Natur wie andere Einzeldinge auch. Somit unterliegen sie bestimmten Ursachen, durch die sie sich verstehen lassen, und haben bestimmte Eigenschaften, die unserer Erkenntnis so würdig sind wie die Eigenschaften jedes beliebigen anderen Dinges [...].

Sodann verspricht er, die wissenschaftliche Erforschung dieser Gegenstände einzuleiten, indem er »die Natur und die Kräfte der Affekte« sowie die »menschlichen Handlungen und Triebe« genauso behandelt, als wären sie »Linien, Flächen oder Körper«. Um dieses Vorhaben voranzubringen, hat er zwei Strategien.

Die eine besteht in der Beseitigung scheinbarer Hindernisse. Spinoza erklärt die illusorische Vorstellung von einem autonomen Willen, indem er dartut, daß wir zwar unserer Willensregungen und Triebe gewahr sind, aber generell keine Ahnung von ihren Ursachen haben und deshalb annehmen, sie hätten keine Ursachen. Die menschliche Neigung anzunehmen, Gott habe die Dinge so eingerichtet, daß sie menschlichen oder sonstigen Zwecken dienen, erklärt er mit Hilfe der einleuchtenden These, daß wir Gott nach unserem eigenen Bild ersinnen, da wir es versäumen, uns einen Willen vorzustellen, der von unserem eigenen verschieden ist. Den Einwand gegen die Auffassung, die Komplexität der Gedanken entspreche etwas Körperlichem, versucht er zu entkräften, indem er auf die enorme Komplexität unseres Körpers hinweist sowie auf unsere fast totale Unkenntnis der Einzelheiten der Struktur und Funktionsweise des Körpers.

Auf der positiven Seite führt Spinoza Analysen des Wollens, der Wahrnehmung und der Emotionen vor, die seinem kompromißlosen Naturalismus und Determinismus konsequent entsprechen. Das vielleicht frappierendste Merkmal seines Handlungsbegriffs ist die Ansicht, das Handeln unterscheide sich nur insoweit vom Objekt-des-Handelns-Sein, als die Ursachen und Wirkungen nicht außerhalb, sondern innerhalb unserer selbst liegen, was wiederum vom Ausmaß und Charakter unseres Wissens abhänge. Die Vorstellung, daß Handeln und Gegenstand-des-Handelns-Sein sich nur graduell unterscheiden, folgt, wie wir erkennen, unmittelbar aus einer objektiven Betrachtungsweise des Menschen, der als integraler Bestandteil der Kausalkette natürlicher Ereignisse gesehen wird. Aber das ist sogar für uns, die wir mit dieser Einstellung vielleicht leichter zurechtkommen als Spinozas Zeitgenossen, eine ernüchternde Perspektive.

Spinozas Behandlung einzelner Emotionen ist auch aus methodologischer Sicht von Interesse. Die »Ursachen« von Freude und Traurigkeit, Lust und Leid, Zunahme oder Abnahme der Denkfähigkeit des Geistes oder des Handlungsvermögens des Körpers werden von Spinoza manchmal als »Dinge«, häufig aber auch als »Vorstellungsbilder« bezeichnet. So wird das, was wir in unserer Sprache »Stolz«* nennen (*superbia*), als eine »Freude« definiert, »die dem entspringt, daß ein Mensch von sich selbst mehr hält als recht ist« (III, P 26 S). Hier scheint klar zu sein, daß es ein propositionaler Gedanke – wie zum Beispiel »Ich bin schneller als mein Nachbar« – ist, der die Freude verursacht. Was Spinoza »Selbstzufriedenheit« nennt, ergibt eine bessere Kennzeichnung des Stolzes, denn Stolz kann schließlich das Ergebnis einer richtigen Einschätzung des eigenen Werts sein. Die Selbstzufriedenheit ist, wie Spinoza sagt, eine Freude, die sich aus dem Nachdenken über unser Handlungsvermögen und unsere Handlungen ergibt (III, P 55 S). Hier kommt Spinoza offenbar überraschend nahe an Hume heran, der den Stolz ganz ähnlich analysiert. Weder Hume noch Spinoza läßt ein separates Urteil zu, wonach das Verfügen über eine bestimmte Kraft als schätzenswert gilt. Vielmehr gilt: Daß die Überzeugung, über eine bestimmte Fähigkeit oder Kraft zu verfügen, Vergnügen (Billigung) hervorruft, ist dasselbe wie die Hochschätzung dieser Fähigkeit oder Kraft.

Diese kausalen Analysen sind nach meiner Überzeugung in einer überaus wichtigen Hinsicht korrekt: Solche psychologischen Begriffe haben etwas irreduzibel Kausales an sich. Eine Handlung ist mit Notwendigkeit eine von Gedanken und Wünschen verursachte Handlung; Stolz ist mit Notwendigkeit eine positive Einstellung, die von einer Überzeugung, daß man eine hochgeschätzte Eigenschaft besitze, verursacht wird; ein Wunsch ist mit Notwendigkeit etwas, was unter den angemessenen Umständen Handlungen verursacht.

Diese Tatsache deutet auf eine Schwierigkeit hin, die der Bejahung von Spinozas Theorie der Affekte im Wege steht. Es stimmt zwar, daß viele unserer wichtigsten psychologischen Begriffe Kausalbegriffe sind, aber ebendieses Merkmal macht sie für die vollständigste Art der Erklärung ungeeignet. Daß

* [In der zitierten deutschen Übersetzung wohl zutreffender »Hochmut« – Übers.]

wir uns auf die den natürlichen Gegenständen innewohnenden kausalen Kräfte berufen müssen, geschieht gerade dann, wenn wir den eigentlichen Kausalmechanismus nicht kennen, wie etwa im Fall der Zerbrechlichkeit (der Gegenstand wird leicht zum Zerspringen gebracht), der Elastizität (der Gegenstand wird durch ein inneres Merkmal dazu gebracht, bei Verformung zu seiner ursprünglichen Form zurückzukehren) oder des Alpenglühens (ein glühendes Licht am Himmel, das von der Sonne hervorgerufen wird, nachdem sie untergegangen ist). Aber eine vollständig adäquate Wissenschaft bedient sich keiner Kausalbegriffe, sondern sie verläßt sich auf die Kenntnis der Struktur, die erklärt, warum der zerbrechliche Gegenstand zu gegebener Zeit zerspringt, oder die es uns gestattet vorherzusagen, wann und in welchem Grad ein Gegenstand zu seiner ursprünglichen Gestalt zurückkehren wird, nachdem es genau angegebenen Kräften ausgesetzt gewesen ist. Eine Wissenschaft, die nicht ohne Kausalbegriffe auskommen kann, wäre außerstande, jene umfassenden und detaillierten Erklärungen zu liefern, die von der Physik angestrebt werden und die Spinozas Ideal einer adäquaten Erklärung ausmachen.

Selbst wenn wir den Gedanken, daß Kausalbegriffe in einer avancierten Wissenschaft fehl am Platze sind, bei der Anwendung auf Spinoza als anachronistisch verwerfen,[13] bleibt rätselhaft, wie eine wissenschaftliche Psychologie hoffen kann, in puncto Präzision und Reichweite an die Physik heranzukommen. Wenn Gott allwissend ist, dann ist es, wie wir gesehen haben, durchaus vernünftig anzunehmen, seine Kenntnis der ausgedehnten Welt bestehe aus Ideen, die ebenso »geordnet und verknüpft« sind wie die Modi der Extension. Gottes

13 Allerdings hat bereits Molière erkannt, daß Kausalbegriffe nur bedingt zur Erklärung taugen. Es ist eine oberflächliche Erklärung zu sagen, eine Substanz habe jemanden deshalb eingeschläfert, weil sie schlaffördernd sei, denn »*x* ist schlaffördernd« bedeutet das gleiche wie »*x* hat die Tendenz, Schlaf auszulösen«.

Kenntnis der Psychologie – seine Kenntnis der Gesamtheit der, wie wir wohl sagen dürfen, erststufigen Ideen – gehört vermutlich einer anderen, einer zweitstufigen Ebene von Ideen an. Damit haben wir drei Ebenen von Entitäten: ausgedehnte Gegenstände sowie Ideen erster und zweiter Stufe. Im Rahmen jeder Ebene muß die »Ordnung und Verknüpfung« die gleiche sein. Die erst- und zweitstufigen Ideen bilden zwei Gesamtsysteme der Welt. Das eine System handelt unter dem Attribut der Ausdehnung von der Welt, das andere unter dem Attribut des Denkens.

Folgt daraus jedoch, daß es vernünftig ist, wenn die Menschen den Aufbau einer Psychologie anstreben, die ebenso umfassend sein soll wie die Physik, deren Aufbau sie sich ganz vernünftigerweise zum Ziel gesetzt haben? Mir scheint, daß den Menschen keine wissenschaftliche Psychologie dieser Art möglich ist. Der menschliche Geist kann zwar nicht wirklich hoffen, alle Einzelheiten des natürlichen Universums zu kennen, aber er kann sich von dieser Gesamtheit immerhin einen Begriff machen und sich der Erwartung hingeben, ihre Gesetze in Erfahrung zu bringen. Dazu ist nicht erforderlich, daß der menschliche Geist beginnt, Ideen zu hegen, die allen physischen Phänomenen entsprechen. Eine menschliche Wissenschaft der Psychologie hingegen muß extrem unvollständig bleiben: Die von ihr untersuchten Entitäten – also die menschlichen Gedanken – entsprechen einem so geringen Teil der materiellen Welt, daß es unmöglich ist, eine selbständige Wissenschaft ausschließlich auf sie zu gründen. Zu viele Ursachen und Wirkungen der menschlichen Gedanken sind dem menschlichen Denken unbekannt.

Ich gebe also zu, daß ich keine Möglichkeit sehe, wie selbst das vollständigste Verständnis der Psychologie des Menschen umhinkönnen soll, wesentlich auf die materiellen Kräfte Bezug zu nehmen, die auf uns einwirken. Ebensowenig sehe ich, wie es möglich sein soll, die Psychologie, solange sie es mit Begriffen wie »Handlung«, »Absicht«, »Glauben« und

»Wunsch« zu tun hat, auf die Naturwissenschaften zurückzuführen oder so exakt und in sich geschlossen zu formulieren wie die Physik. Wir können, wie bereits angedeutet, sogar annehmen, Spinoza habe gezeigt, warum eine solche Psychologie unmöglich ist. Man kann die nomologische Nichtzurückführbarkeit des Mentalen auf das Physische so auffassen, daß sie in diese Richtung weist.

Spinoza ist diesem Hinweis nicht gefolgt. Ihm zu folgen hätte schließlich bedeutet, seine Vorstellung von einer symmetrischen Beziehung zwischen erststufigen Ideen und dem Physischen aufzugeben, also die Vorstellung, daß diese beiden Aspekte der Realität vollständig systematisiert werden können und daß es möglich ist, jedes unter dem einen oder dem anderen Attribut begriffene Ereignis im Rahmen einer Wissenschaft von diesem Attribut vollständig zu erklären. Das ist eine visionäre Betrachtungsweise, und vielleicht sollten wir uns nicht allzu leicht dazu überreden lassen, daß sie illusorisch ist. Denken wir an die zu Anfang genannten Probleme: Wie verursachen Überzeugungen und Wünsche eine Handlung, wenn sie den Grund für ihren Vollzug liefern? Wie kommt es, daß äußere Ereignisse bei der Wahrnehmung und beim Erinnern Empfindungen und Überzeugungen verursachen? Wie geschieht es, daß eine Überzeugung beim Folgern eine andere Überzeugung hervorruft? – Kann es sein, daß es »Lösungen« dieser Probleme gibt, obwohl wir aus irgendeinem Grund außerstande sind, zu ihnen vorzudringen?

Anhang
Erwiderungen auf Rorty, Stroud, McDowell und Pereda

Diese Aufsätze haben mir viel Freude bereitet.[1] Sie wurden von Freunden verfaßt, denen mein Wohlergehen am Herzen liegt; sie zeigen die ausgewogene Aufmerksamkeit und das Verständnis, das man sich insgeheim stets erhofft; und sie sind voller fürsorglicher Ratschläge, die liebenswürdig verabreicht werden. Die Autoren sind mit mir und miteinander befreundet; sie sind Freunde der Philosophie; und wenn sie wählen müssen, beweisen sie, daß sie nicht so gute Freunde wären, wenn sie die Philosophie nicht noch mehr liebten. Damit ist praktisch gewährleistet, daß sie weder untereinander noch mit mir immer einig sind, und wenn dieser Freund mir zustimmt, ist jener anderer Meinung. Es wird dieser erfreulichen Sachlage keinen Abbruch tun, wenn ich mich bemühe, Übereinstimmung zu erzielen, denn weitere Diskussionen werden (zumindest nach meiner stets vertretenen These) um so verständlicher und lohnender sein, je mehr Übereinstimmung herrscht.

Richard Rorty meint, daß einige meiner Ansichten seinen wittgensteinianischen Zielsetzungen förderlich sind. Das ist, sofern ich es verdient habe, ein schmeichelhaftes Urteil. Was Rorty weniger freut, ist mein fortwährendes Interesse an semantischen Theorien à la Tarski. Nach Rorty, ebenso wie nach der Meinung vieler anderer Autoren, gehen diese Tendenzen in entgegengesetzte Richtungen, und er fordert mich dringend dazu auf, mir die zweite Tendenz abzugewöhnen. Dazu bin ich jedoch nicht imstande, denn was Rorty für antithetische Formen des Philosophierens hält, sind aus meiner Sicht wechselseitig abhängige Aspekte ein und desselben Un-

1 Dieser Hinweis bezieht sich auf Aufsätze, die 1998 in der Zeitschrift *Crítica* erschienen sind.

terfangens. Insoweit ich zu wittgensteinianischen Gedanken gelangt bin oder mich solcher Gedanken erinnert habe, liegt das großenteils daran, daß ich aus einer Perspektive der dritten Person an die Probleme der Intentionalität herangegangen bin, und das ist ein Ansatz, der nach meiner seit langem gehegten Meinung (neben vielem anderen) ebenjenen Rahmen voraussetzt, den die Strukturen der formalen Semantik und der Entscheidungstheorie bereitstellen. Rorty deutet an, man könne meine Argumente für die These, die Interpretation eines Sprechers setze ein gewisses Sich-in-der-Welt-Auskennen voraus, auch dann erfassen, wenn man sich gar nicht für eine systematische Sprachtheorie interessiert. Ich habe aber nicht behauptet, daß das Sich-in-der-Welt-Auskennen nicht Fertigkeiten einschließt, die nur beschrieben werden können, indem man sich auf eine formale Theorie beruft. Auf diese Fragen komme ich gleich zurück. Doch jetzt möchte ich mich dem ersten Vorschlag Rortys zuwenden. Er meint, ich solle aufhören, mich zu Quines These der Übersetzungsunbestimmtheit zu bekennen (also zu der These der Unbestimmtheit der Interpretation, wie sie in meiner Übersetzung heißt).

Rorty befürchtet, diese These könne implizieren, daß dem Mentalen etwas Geheimnisvolles, Zweitrangiges oder sogar Unwirkliches anhafte – daß es im Hinblick auf gemeinte Bedeutungen oder propositionale Einstellungen keine »Tatbestände« gebe. In dieser Hinsicht möchte ich ihn beruhigen. Meiner Ansicht nach ist das Mentale nicht geheimnisvoller als die Molekularbiologie oder die Kosmologie. Unsere mentalen Begriffe sind für unser Verständnis der Welt nicht weniger wesentlich als andere. Ohne sie könnten wir gar nicht auskommen. Die propositionalen Einstellungen – beispielsweise Absichten, Wünsche, Überzeugungen, Hoffnungen und Befürchtungen – sind genauso real wie Atome und Baseballschläger, und die diesbezüglichen Fakten sind genauso real wie die Tatsachen, die irgendwelche anderen Dinge betreffen. Wie sollen denn Zweifel an der *Ontologie* mentaler Entitäten möglich sein, wenn man wie ich der Meinung ist, daß sie mit Entitäten identisch sind, die wir in den Naturwissenschaften – in anderer Terminologie – ebenfalls beschreiben und erklären?

Zum Teil beruhen Rortys Befürchtungen auf einem Fehler, den ich vor langer Zeit gemacht habe. In dem Aufsatz »Mental Events« habe ich tatsächlich behauptet, die Nichtzurückführbarkeit mentaler Begriffe liege unter anderem an der Unbestimmtheit der Interpretation. Das war, wie ich unterdessen eingeräumt habe, ein Fehler. Der Irrtum liegt auf der Hand, denn wenn man die Unbestimmtheit so auffaßt wie ich, ist sie in allen Fächern verbreitet. Unbestimmtheit ist nichts anderes als die Kehrseite der Invarianz. Unbestimmtheit kommt überall dort vor, wo ein Vokabular reichhaltig genug ist, um ein Phänomen auf mehr als nur eine einzige Weise zu beschreiben. Es kommt nicht darauf an, ob man sagt, Hans befinde sich links von Anna, oder ob man sagt, Anna befinde sich rechts von Hans. Wenn man die Axiome kennt, die ein Meßsystem definieren, kann man die so definierten Strukturen in zahllos vielen Weisen durch Zahlen darstellen – einerlei, ob es sich um Gewichte, Temperaturen oder subjektive Wahrscheinlichkeiten handelt. Das *Invariante* ist das, worauf es ankommt. Im Fall des Gewichts wird einem bestimmten Gegenstand eine willkürlich gewählte positive Zahl zugeordnet. Relativ zu dieser Zuordnung stehen die Maßzahlen für das Gewicht aller übrigen Gegenstände fest. Über Gewichte kann man sich also genauso gut informieren, indem man die ursprünglichen Zahlen mit irgendeiner positiven Konstante multipliziert. Es sind die *Verhältnisse*, die unverändert bleiben. Nur Invarianzen sind »Tatbestände«.

Das ist meine Auffassung von der Unbestimmtheit der Übersetzung und der Interpretation. Angesichts der Reichhaltigkeit aller natürlichen Sprachen wäre es überraschend, wenn es nicht immer möglich wäre, die Fakten eines Fachgebiets in vielerlei Weise zu beschreiben. Durch diese Art der Unbestimmtheit wird die Realität des Beschriebenen nicht gefährdet. Natürlich entsteht Verwirrung, wenn man nicht berücksichtigt, daß eine Art, die Dinge zu beschreiben, zu der entsprechenden Skala oder Beschreibungsform relativ ist. Es spielt eine Rolle, ob die Zahlenangaben in Fahrenheit oder in Grad Celsius gemacht werden, ob Gewichte in Pfund oder Kilo gemessen werden, ob man Entfernungen in Meilen oder in Kilometern angibt. Der Vergleich mit Sätzen oder dem Inhalt propositionaler Einstellungen läuft auf folgendes hinaus: Wie sich jeder von uns vorstellen kann, gleichen seine eigenen Sätze (oder deren Inhalt) den Zahlen; sie stehen in vielfältigen Beziehungen zueinander und zur Welt. Wenn wir diese Beziehungen gleich halten, können wir unsere Sätze in verschiedenen Weisen auf die Sätze und die Einstellungen eines Sprechers abstimmen, ohne unsere Ansichten über das, was dieser Sprecher glaubt und meint, zu ändern. Genauso wie zahllos viele Mengen von Zahlen es uns erlauben, dieselben komplexen Strukturen der Welt im Auge zu behalten, so können unsere Sätze in zahllos vielen verschiedenen Weisen benutzt werden, um den Einstellungen anderer Personen und den Bedeutungen ihrer Sätze auf der Fährte zu bleiben. Von Quine ist dieser Gedanke betont worden, weil er hervorheben wollte, daß es mit der Identifizierung von Bedeutungen nicht mehr auf sich hat, als im Erfassen dieser komplexen empirischen Beziehungen enthalten ist. Das kann nach einer negativen These klingen, und so verhält es sich auch. Es handelt sich um einen Angriff auf die Vorstellung, Bedeutungen ließen sich auf genau *eine* Weise erfassen, indem man platonische Bedeutungen an Ausdrücken festmacht. Aus dieser negativen These folgt aber nicht, daß es keine Tatbestände gibt. Die Tatsachen sind die empirischen Beziehungen zwischen einem Sprecher, seinen Sätzen und seiner Umwelt. Dieses Muster ist invariant.

Wäre es in Wirklichkeit so, daß wir uns einer größeren Zahl der verschiedenen möglichen Weisen des Berichtens über das, was jemand meint und glaubt, bedienten, hätten wir den Wunsch, das jeweils gebrauchte System explizit zu machen. In der Praxis halten wir uns weitgehend an eine einzige Weise. Das ist so, als drückte sich jeder in Grad Celsius, Meilen oder Kilogramm aus. Aus theoretischen Gründen ist es jedoch hilfreich zu wissen, in welcher Hinsicht unsere Zuordnungen relativ sind. Sie sind relativ zu einer Sprache. Das ist natürlich nicht unsere eigene Sprache, sondern die Sprache des betreffenden Sprechers oder Akteurs. Wenn wir im normalen Umgang mit anderen Personen kleine Anpassungen an unseren Berichten über das, was jemand gemeint oder geglaubt hat, vornehmen, verändern wir stillschweigend die Sprache, von der wir annehmen, sie werde von dieser Person gesprochen. Quine redet hier von einer Veränderung des Übersetzungsmanuals, doch damit wird der Anschein erweckt, es gebe etwas zu der üblichen Sprachrelativität einer Bedeutungstheorie Hinzukommendes, während in Wirklichkeit nur eine einzige Relativierung erforderlich ist – und diese ist uns vertraut.

Rorty sagt, er könne keinen Unterschied zwischen der Unterbestimmtheit einer Theorie und der Unbestimmtheit erkennen. Ich sehe einen. Theorien sind hauptsächlich deshalb interessant und wertvoll, weil sie implizieren, was noch nicht beobachtet worden ist, insbesondere – aber nicht nur – das, was in der Zukunft beobachtet werden wird. Ob eine solche Theorie für die nicht beobachteten Fälle gilt, ist eine empirische Frage – eine Frage, die wir nie werden beantworten können. Wie wir von Hume und Nelson Goodman erfahren haben, gibt es eine Unzahl von Dingen, die als nächstes passieren können und in vielen Fällen Theorien bestätigen würden, die mit unseren jetzigen Theorien unverträglich wären. Das ist Unterbestimmtheit. Mit der Unbestimmtheit verhält es sich anders: Weder eine endliche noch eine unendliche Zahl von Belegen gäbe den Ausschlag dafür, ob wir Flächen in Hektar oder in Morgen messen sollen.

Wie John McDowell deutlich sagt, habe ich nichts behauptet, wodurch das Mentale geheimnisvoller oder weniger real würde als der Gegenstandsbereich der Naturwissenschaften. Er stimmt mir auch darin zu, daß es einen Grund dafür gibt, die Nichtzurückführbarkeit des Mentalen zu betonen. Diesen Grund gibt es allerdings nur deshalb, weil diese Nichtzurückführbarkeit auf etwas Interessanteres zurückgeht als die Unbestimmtheit der Übersetzung und der Interpretation. Zu Recht betont er die konstitutive Rolle, welche die Normativität für alle mentalen oder psychologischen Begriffe spielt. Das habe ich in der Abhandlung »Geistige Ereignisse« hervorgehoben und später auch in dem Artikel »Drei Spielarten des Wissens«, in dem ich die Behauptung, die Nichtzurückführbarkeit mentaler Begriffe folge aus der Unbestimmtheit der Interpretation, zurückgenommen habe. Das mentale Vokabular ist nicht (wie ich nach Rortys Ansicht glaube) »privilegiert«, *weil* es nicht zurückführbar ist, sondern es ist nicht zurückführbar, weil es normativ ist.

Für das Mentale ist Normativität deshalb konstitutiv, weil dieses Mentale auf einem Rahmen von Einstellungen mit propositionalem Inhalt aufbaut und weil Propositionen zueinander in logischen Beziehungen stehen. Einerlei, wie simpel und ungekünstelt das Schließen ist, es ist darauf angewiesen, daß Gedanken so zusammengesetzt werden, daß ihre Vernünftigkeit von dem Akteur selbst ebenso wie von anderen Personen beurteilt werden kann. Jede Handlung läßt sich durch Bezugnahme auf Absichten beschreiben; und Absichten beruhen auf Gründen, die ebenfalls von dem Akteur und anderen Personen als rational oder nicht rational beurteilt werden. Alles wirkliche Sprechen ist intentional und kann nur von Interpreten verstanden werden, die über das nötige Rüstzeug verfügen, um die zentralen Absichten der Sprecher zu begreifen. Die Normen, um die es mir in erster Linie geht, sind keine Normen wie Verantwortlichkeit, Zuverlässigkeit oder Moralität. Die grundlegende »Tugend«, durch die sich mentale Begriffe von naturwissenschaftlichen Begriffen unterscheiden, ist jene spezielle Art von Nachsichtigkeit, die nötig ist, um die Gedanken, Äußerungen und sonstigen Handlungen von Akteuren zu verstehen. Diese Nachsichtigkeit ist eigentlich keine Tugend, sondern schlicht eine Bedingung dafür, daß man andere überhaupt verstehen kann. (Insofern ist sie natürlich eine notwendige Vorbedingung dafür, daß man andere als moralische Akteure behandelt.)[2]

Nachsichtigkeit setzt voraus, daß wir an denen, die wir verstehen möchten, genügend Rationalität ausfindig machen, um ihre Äußerungen und Handlungen zu begreifen, denn nur wenn uns das gelingt, können wir den Inhalt ihrer Worte und Gedanken ermitteln. Daß man die Rationalität der anderen erkennt, ist davon abhängig, daß wir unsere eigenen Rationalitätsnormen in ihren Äußerungen und in ihrem Verhalten wiedererkennen. Zu diesen Normen gehören: logische Widerspruchsfreiheit, ein einigermaßen mit den wesentlichen oder grundlegenden Interessen übereinstimmendes Handeln und das Akzeptieren von Ansichten, die unter Berücksichtigung der gegebenen Belege vernünftig wirken. Diese verschiedenen Normen können unvereinbare Weisen der Interpretation eines Akteurs nahelegen (wenn es zum Beispiel verschiedene Dinge gibt, die ein Akteur mit seinen Äußerungen meinen kann), und vielleicht gibt es keine offenkundigen Gründe dafür, eine dieser Interpretationsweisen den anderen vorzuziehen. Durch das Abwägen der Ansprüche konkurrierender Interpretationsnormen kommt also eine Form der Unbestimmtheit ins Spiel, die im Rahmen der Unbestimmtheit, die bei physikalischen Messungen immer wieder auftritt,

2 Es kommt mir gelegen, daß mich McDowell in diesem Zusammenhang an die Abhandlung »Empiricism and the Philosophy of Mind« von Wilfrid Sellars erinnert. Diesen Text habe ich vor vielen Jahren gelesen, und er hat bleibenden Einfluß auf mich gehabt. Was ich nach meiner Erinnerung daraus gelernt habe, betrifft allerdings den Angriff auf den Mythos des Gegebenen.

keine Rolle spielt. Das ist der Zusammenhang zwischen der Unbestimmtheit und der Nichtzurückführbarkeit des Mentalen, der mir in »Mental Events« vorgeschwebt hatte. An der Stelle, die McDowell am Anfang seines Aufsatzes aus meinem Artikel zitiert, habe ich den Zusammenhang schlecht formuliert. Es handelt sich um einen besonderen Drall, den die Normen der Rationalität der Interpretation verleihen.

Durch diese Unbestimmtheit wird das Mentale weder geheimnisvoll noch unwirklich, noch wird dadurch nahegelegt, es gebe keine Tatbestände, die das betreffen, was die Leute glauben und meinen. Sie ist eine harmlose Konsequenz der Tatsache, daß es mehr als eine Möglichkeit der Beschreibung von Invarianten gibt. Aber einerlei, ob man die These der Unbestimmtheit akzeptiert oder nicht – hier stoßen wir auf etwas, was einem bestimmten Regreß Einhalt gebietet. Denn wenn wir fragen, woher die Normen kommen, an die sich jeder von uns beim Verstehen anderer Menschen hält, lautet die Antwort, daß sie nicht aus einer Quelle abgeleitet werden können, die außerhalb unserer selbst liegt, denn jeder Versuch, bei anderen nachzufragen, wirft uns auf jenen Interpretationsprozeß zurück, bei dem wir notwendig unsere eigenen Normen zum Einsatz bringen. Das ist der Schritt, den Rorty, wie er sagt, begriffen hat, als er sich von Bjørn Rambergs aufgeschlossenem Artikel hat überreden lassen. Rorty formuliert diese Einsicht so: »Die Unentrinnbarkeit der Normen besteht darin, daß sowohl die Beschreibenden als auch die Akteure nicht umhinkönnen zu triangulieren.«

Offenbar haben McDowell und ich die gleiche Unterscheidung zwischen mentalen und naturwissenschaftlichen Begriffen im Sinn, und wir sind uns darüber einig, daß es die Rationalität des propositionalen Denkens ist, die das Mentale auszeichnet.[3] Außerdem sieht es so aus, als gebe es einen

3 Es überrascht mich, daß Rorty, der sich gegen eine Unterscheidung zwischen dem mentalen und dem naturwissenschaftlichen Vokabular ausspricht, die alte positivistische Unterscheidung zwischen dem »deskripti-

leichten Unterschied hinsichtlich der Art und Weise, in der wir diese Unterscheidung kennzeichnen wollen. McDowell schreibt:

Die Trennung der logischen Räume oder konstitutiven Ideale, von denen die Nichtzurückführbarkeitsthese gestützt wird, reflektiert eine Unterscheidung zwischen zwei Möglichkeiten, die Dinge verständlich zu finden. Beide beinhalten, daß die Dinge in einem Muster plaziert werden. Doch im ersten Fall wird das Muster von Regelmäßigkeiten konstituiert, in Einklang mit denen sich die Phänomene der relevanten Art entfalten; im zweiten Fall handelt es sich um das Muster eines Lebens, das von einem Akteur geführt wird, der sein Handeln und Denken im Lichte eines Rationalitätsideals gestalten kann.

Es ist nur der letzte Satz, der mir zu denken gibt. Ich bin auch meinerseits der Ansicht, daß die Normen der Rationalität das »Muster eines Lebens« bestimmen, »das von einem Akteur geführt wird, der sein Handeln und Denken im Lichte eines Rationalitätsideals gestalten kann«. Das ist aber nur *ein* Merkmal des »Raums der Gründe«. Einerlei, ob ein Akteur sein Handeln und Denken im Lichte eines Ideals »gestaltet«, und einerlei, ob er gut oder schlecht handelt oder denkt, wenn wir uns seine Gedanken und Handlungen als Gedanken und Handlungen vorführen – wir haben ihn im Raum der Gründe plaziert. Dem würde McDowell vielleicht zustimmen. Gravierender ist mein Bedenken hinsichtlich der impliziten Behauptung, daß mentale Begriffe im Gegensatz zu naturwissenschaftlichen Begriffen keine »Regelmäßigkeiten« betreffen (an anderer Stelle spricht McDowell von Gesetzen). Der Witz von Begriffen liegt darin, daß sie Dinge klassifizieren helfen; und überleben werden Begriffe nur dann, wenn man

ven Vokabular der Intentionalität« und dem »präskriptiven Vokabular der Normativität« gelten läßt. Mag sein, daß es eine respektable Möglichkeit gibt, die manchmal durch Wörter wie »Verpflichtung«, »Pflicht«, »richtig« und »gut« ausgedrückten Begriffe von den mentalen Begriffen zu unterscheiden, aber ich möchte behaupten, daß beide Arten von Begriffen auf Normen basieren und daß es sich in beiden Fällen um deskriptive Begriffe handelt.

sie nützlich findet. »Nützlich« heißt hier, daß sie zu brauchbaren Verallgemeinerungen führen. Ich selbst habe ja darauf bestanden, daß die Verallgemeinerungen, zu denen mentale Begriffe taugen, weniger strikt sind als jene Verallgemeinerungen, auf die es die Physik abgesehen hat, aber es sind dennoch Verallgemeinerungen, ohne die wir gar nicht leben könnten. Viele mentale Merkmale sind – oder beinhalten zumindest – Dispositionen, und Dispositionen sind natürlich gesetzesartig. Wenn man weiß, was jemand wünscht, weiß man eine Menge über die Umstände, unter denen er wahrscheinlich handeln wird. Ähnliches gilt für Überzeugungen, bedingte Absichten und eine Fülle von Persönlichkeitsmerkmalen wie Stolz, Großzügigkeit, Ehrgeiz, Mut, Lüsternheit und so weiter.

Nicht sekundieren kann ich McDowell, wenn er sagt, daß der von mir so genannte Mythos des Subjektiven der Vorstellung zuwiderläuft, daß »mentale Akte zuinnerst dadurch gekennzeichnet sind, daß sie zu Elementen des außermentalen Bereichs in semantischen Beziehungen stehen«. Mir gefällt McDowells gegen Sellars und Rorty gerichtete Verteidigung der »relationalen« Auffassung der Semantik und die Bedeutung, die er ihr zubilligt. Aber was bei mir der »Mythos des Subjektiven« heißt, ist die Auffassung, es gebe geheimnisvolle, »dem Geist vorschwebende« Entitäten, die zwischen unsere Gedanken über die Welt und die Welt selbst treten. Diese Entitäten habe ich als »erkenntnistheoretische Vermittlungsinstanzen« bezeichnet. Ich bestreite weder, daß wir oft wahrnehmen, wie die Welt beschaffen ist, noch daß Wahrnehmen eine »Erfahrung« ist (obwohl die Anführungszeichen andeuten, wie wenig ich Analysen zutraue, die davon ausgehen, daß die Bedeutung des Wortes klar genug ist, um das Wesen der Wahrnehmung zu erklären).

McDowell verfolgt ein Ziel, das in seinem Text nicht ganz zum Ausdruck kommt. Rorty macht es deutlich, wenn er sagt, nach meiner Auffassung könne »der empirische Inhalt verständlich ins Bild kommen, obwohl wir auf der Hut sind und festsetzen, daß die Auswirkungen der Welt auf unsere Sinne nichts mit Rechtfertigung zu tun haben«. Er hat recht mit seiner Feststellung, daß Sinnesdaten, uninterpretierte Erlebnisse und Empfindungen unsere Überzeugungen nicht rechtfertigen; und in dieser Hinsicht sind wir drei uns einig. Verschiedener Meinung sind wir in folgendem: Rorty und ich glauben, daß die Schnittstelle zwischen unserem Körper und der Welt kausaler Art und nichts darüber hinaus ist, während McDowell meint, daß uns die Welt unmittelbar propositionale Inhalte schenkt. McDowell sieht keine Schwierigkeit darin, den Inhalt der Wahrnehmung zu erklären, denn die Natur liefere diesen Inhalt. Ich hingegen stehe vor einem Problem, von dem ich glaube, daß es durch eine Form von Externalismus wenigstens teilweise gelöst wird. Dieses Problem betrifft die Erklärung der Art und Weise, in der externe Merkmale der Welt es bewirken, daß wir durch das Medium der Sinne weitgehend richtige Überzeugungen ausbilden. Das ist eine Diskussion, an der ich mich bei künftigen Gelegenheiten gern weiter beteiligen werde.

Rorty meint, daß ich um den Begriff der Wahrheit zuviel Wind mache. Inzwischen bin ich ebenso wie Rorty der Ansicht, daß es keinen Sinn hat, die Wahrheit als Norm oder Ziel zu bezeichnen. Zweifellos ist es oft wünschenswert, Wahres zu glauben oder zu sagen, denn dann ist es wahrscheinlicher, daß wir bekommen, was wir wollen. Es gibt aber keine Gewähr dafür, daß das Wahre und das Gute zusammenfallen werden. Das Ziel ist ja schließlich nicht die Wahrheit, sondern das gewünschte Ergebnis. Wenn wir nach Wahrheit streben, überprüfen wir unsere Quellen, fragen die Fachleute, wiederholen unsere Experimente unter verschärften Kontrollbedingungen und so weiter. Es gibt keine weitere Aktivität, der wir nachgehen können und die beweisen wird, daß wir zur Wahrheit gelangt sind. Es wäre also besser zu sagen, daß Rechtfertigung unser Ziel (und eine legitime Norm) ist. Aber natürlich

können wir eine Rechtfertigung haben und uns dennoch irren.
Die Bedeutung des Wahrheitsbegriffs liegt vielmehr in der Rolle, die er beim Verstehen, Beschreiben und Erklären der Gedanken und Äußerungen rationaler Lebewesen spielt. Die beste Möglichkeit, einen wichtigen Teil dessen zu kennzeichnen, was jemand weiß, der eine Sprache versteht und spricht, besteht darin, daß man die Wahrheitsbedingungen der Sätze dieser Sprache systematisch erläutert. Den Begriff der Überzeugung versteht man nur dann, wenn man weiß, daß eine Überzeugung wahr oder falsch sein kann; und man weiß nur, wovon jemand überzeugt ist, wenn man weiß, unter welchen Bedingungen es wahr wäre. Über einen Begriff verfügt man nur dann, wenn man weiß, was es hieße, daß er auf einige Dinge zutrifft und auf andere nicht (daß es also wahr ist oder nicht, wenn er von diesen Dingen ausgesagt wird). Vermutlich ist Rorty bereit einzuräumen, daß der Wahrheitsbegriff diese Verwendungsmöglichkeiten hat, aber er ruft uns ins Gedächtnis, daß er noch viele weitere Verwendungen hat und daß es andere Begriffe gibt, die in unserem geistigen Haushalt eine ebenso zentrale Rolle spielen. Beiden Thesen stimme ich gern zu – unter der Bedingung allerdings, daß viele der von Rorty genannten Verwendungen des Wortes »wahr« kaum verständlich wären, wenn wir den von mir für grundlegend gehaltenen Gebrauch nicht erfaßt hätten.
Freilich kann sich ein Philosoph für viele Dinge interessieren, ohne sich im mindesten um formale oder halbformale semantische Theorien über natürliche Sprachen zu kümmern. Aber warum macht es Rorty etwas aus, wenn ich selbst, wenn Barry Stroud, John McDowell und Carlos Pereda formale Semantik nützlich, interessant und dazu angetan finden, Licht auf eine Reihe von Begriffen zu werfen (wie zum Beispiel: Wahrheit, die Gültigkeit logischer Schlüsse und die Erlernbarkeit natürlicher Sprachen) sowie auf Beziehungen zwischen einem Sprecher und der sprachlich vermittelten Welt?

Darüber sagt er nichts, aber vermutlich rührt seine Abneigung zum Teil von der Befürchtung her, daß die normale Semantik durch eine Formulierung dieses Verhältnisses Gefahr läuft, der verabscheuten Vorstellung zuzuarbeiten, daß Sprache und Denken die Welt *repräsentieren*, also widerspiegeln. Diese Gefahr besteht aber gar nicht. Eine semantische Theorie à la Tarski bringt keine Entitäten ins Spiel, die Sätzen entsprechen sollen; und nur wenn man solche Entitäten einführt, kann man sich ernsthaft einen Reim auf die Behauptung machen, die Sprache sei etwas, wovon Merkmale der Welt widergespiegelt, zutreffend wiedergegeben oder repräsentiert werden. Die schlichte These, wonach sich Namen und Kennzeichnungen oft auf Dinge beziehen und wonach Prädikate oft eine Extension in der Welt der Dinge haben, ist, wie McDowell sagt, einleuchtend und unentbehrlich für die elementarste Einsicht in das Wesen der Sprache und der Gedanken, die wir durch den Gebrauch der Sprache zum Ausdruck bringen. Sellars hatte unrecht, als er diese These bestritt, und Rorty liegt ebenfalls falsch, wenn er sie beargwöhnt.

Sowohl Stroud als auch Rorty finden Gefallen an meinem Aufsatz »Eine hübsche Unordnung von Epitaphen«, aber ihre Gründe sind verschieden. Rorty mag diesen Text, weil er die Unterscheidung zwischen der von der formalen Semantik behandelten Art von Bedeutung und unserer übrigen Weltkenntnis zu demolieren scheint. Stroud schätzt diesen Text, weil er zwar die Rolle anerkennt, welche die formale Semantik im Hinblick auf unser Verständnis der Sprache spielt, aber dennoch bestreitet, daß die Kenntnis einer solchen Theorie eine notwendige oder eine (was noch wichtiger wäre) hinreichende Bedingung dafür ist, einen Sprecher zu verstehen. Da der Punkt, den Stroud an meiner Abhandlung hervorhebt, etwas Wittgensteinianisches hat, legt seine Position eine Möglichkeit nahe, wie man Rorty dazu überreden könnte, sich mit meinem verbohrten Interesse an semantischen Theorien à la Tarski abzufinden.

Ehe ich auf dieses Thema zu sprechen komme, möchte ich zwei irreführende Merkmale der Abhandlung »Eine hübsche Unordnung von Epitaphen« richtigstellen. Das erste ist folgendes: Ich habe es versäumt, deutlich genug zwischen zwei Thesen zu unterscheiden, die ich vertreten wollte: erstens, daß die Menschen nicht dieselbe Sprache sprechen müssen, um einander zu verstehen, und zweitens, daß dieselbe Person nicht so weitersprechen muß wie in der Vergangenheit, um verstanden werden zu können. Einige Beispiele veranschaulichen beide Thesen, aber die Fragestellungen lassen sich auseinanderhalten. Ein Beispiel der ersten Art wäre der Fall einer Person, die fließend Spanisch spricht, und einer Person, die fließend Portugiesisch spricht; hier sprechen beide ihre eigene Sprache, werden aber dennoch ohne weiteres von der jeweils anderen Person verstanden. Diese beiden Sprachen weisen viele Gemeinsamkeiten auf, aber offensichtlich könnte es eine ähnliche Situation geben, an der Sprecher grundverschiedener Sprachen beteiligt sind. Für Fälle der zweiten Art habe ich in meiner Abhandlung mehrere Beispiele genannt. Solche Beispiele zeigen, daß es dem interpretierenden Hörer oft gar nicht schwerfällt, Worte zu verstehen, die er noch nie gehört hat, ja sogar Worte, die vorher noch nie gesprochen worden sind. Fälle dieser beiden Arten zeigen, daß es mit dem Verstehen (und deshalb auch mit dem verständlichen Sprechen) mehr auf sich hat, als gegeben ist, wenn Sprecher und Hörer mit den gleichen Regelwerken ausgerüstet sind.
Die zweite Hinsicht, in der ich die Leser irregeführt habe, ist die, daß ich mich manchmal so ausgedrückt habe, als glaubte ich, daß Sprecher und Interpreten Bedeutungstheorien kennen und aufstellen, auf deren Basis sie beim Sprechen und Interpretieren vorgehen. Stroud wirft die Frage auf, warum ich im Fall von Frau Malaprop überhaupt von einer Theorie sprechen möchte, und Rorty bekrittelt die Vorstellung, daß die Menschen je Bedeutungstheorien zum Einsatz bringen. Er macht folgenden Vorschlag:

Warum sollte man die Arbeit von Grammatikern und Lexikologen (bzw. ihrer idealen Pendants, der Erfinder von Wahrheitsdefinitionen à la Tarski [...]) nicht so auffassen, als stünde sie im gleichen Verhältnis zum Durchschnittssprecher wie die Arbeit der Physiker zum Durchschnittsradfahrer?

Diesen Rat habe ich mir, schon lange ehe er gegeben wurde, zu Herzen genommen. Fast von Anfang an habe ich die Meinung vertreten, daß diejenigen, die eine Sprache verwenden, im Normalfall nicht über eine Theorie verfügen. Von einer befriedigenden Theorie habe ich in dieser Hinsicht nichts weiter verlangt, als daß sie, sofern jemand zu einer bestimmten Zeit eine solche Theorie für einen Sprecher kennt, ausreichen würde, um zu dieser Zeit eine beliebige Äußerung dieses Sprechers zu verstehen (siehe beispielsweise den ersten Absatz meiner 1973 veröffentlichten Abhandlung »Radikale Interpretation«). In etwas neuerer Zeit bin ich dazu übergegangen zu betonen, daß der Philosoph, der das Verstehen zu verstehen versucht, derjenige ist, der die Theorie benötigt, um anzugeben, was der Interpret weiß, wenn er einen Sprecher versteht. Nach meiner Meinung ist der fehlerfreie Interpret dazu bereit, alles, was der Sprecher sagt, zu interpretieren, also potentiell unendlich viele Äußerungen. Der Interpret weiß demnach, was jeder von einer Wahrheitstheorie für die Sprache des Sprechers implizierte W-Satz ausdrückt; und nur eine Theorie ist dazu imstande, diese Gesamtheit mit Hilfe endlicher Begriffe zu spezifizieren. Damit ist, wie ich immer schon deutlich gesagt habe, keineswegs angedeutet, daß der fehlerlose Interpret wirklich eine solche Theorie kennt.
Etliche Leser haben das Gefühl, es gebe einen Konflikt zwischen der Bedeutung, die ich Theorien der formalen Semantik beimesse, und der Einstellung von »Eine hübsche Unordnung von Epitaphen«, wonach »es so etwas wie eine Sprache gar nicht gibt«. Zu diesen Lesern gehören auch Pereda und Rorty. Pereda hat den klugen Einfall, man könne die wittgensteinianische und die tarskianische Seite miteinander zu versöhnen versuchen, indem man betont, wie wichtig der allgemeine, in-

stitutionalisierte Sprachhintergrund ist, vor dem abweichendes Verhalten verstanden wird, während Rorty nur wünscht, ich solle das Theoretisieren lassen. Aus meiner Sicht ist an Peredas Auffassung nichts auszusetzen, solange man sie in dem Sinne deutet, daß den Angehörigen einer »Sprachgemeinschaft« eine Unmenge einander überschneidender, nichtidentischer Sprachgewohnheiten gemeinsam ist und solange sie entsprechende Erwartungen im Hinblick darauf haben, was die übrigen Angehörigen dieser Gemeinschaft mit ihren Äußerungen meinen. (Eine solche Menge von Erwartungen wird in meinem Text durch die sogenannte »Ausgangstheorie« gekennzeichnet.) Es wäre möglich, daß jeder Sprecher über eine völlig andere Sprache verfügt; dann müßte jeder Hörer eine Interpretation improvisieren. In der Praxis könnte man damit nicht zurechtkommen; vielleicht wäre es für Menschen unmöglich. Daher rührt der Überlebenswert angepaßten Verhaltens.

Ist es jedoch wirklich sinnvoll, im Fall der Frau Malaprop von einer Theorie zu sprechen? Der Gedanke, der mir vorschwebte, war simpel: Ein Interpret ist in einer bestimmten Gesprächssituation mit einer umfassenden Menge von Erwartungen ausgestattet. (Diese Erwartungen werden von der »Ausgangstheorie« beschrieben.) Wird eine Erwartung enttäuscht, wird das Neue (normalerweise automatisch) untergebracht (lies »Anordnung« statt »Unordnung«, »Epitheton« statt »Epitaph«). Wenn der Sprecher so weitermacht, ergeben diese Einsetzungen in alle möglichen Kontexte eine neue Sprache, die sich mit Hilfe einer »Übergangstheorie« skizzieren läßt. In der »Ausgangstheorie« vorgesehene Lücken sind auf neue Weise ausgefüllt worden. Die ganze Maschinerie mit »Ausgangstheorie« und »Übergangstheorie« war eine unnötig umständliche Art, diesen Gedanken zum Ausdruck zu bringen.

Die Kenntnis einer Sprache ähnelt in manchen Hinsichten der Fähigkeit des Fahrradfahrens. In beiden Fällen sprechen wir, wie Rorty anmerkt, von einem Können, und in keinem der beiden Fälle ist es nötig oder normal, daß man eine Theorie kennt, die unser Tun erklärt. Aber es bestehen auch auffällige Unterschiede. Es gibt zahllose Dinge, die der Sprecher oder Interpret wissen muß: die Wahrheitsbedingungen, von denen der Hörer wahrscheinlich glaubt, daß sie seinen Äußerungen zukommen; die Wahrheitsbedingungen, die den meisten Sätzen, die er hört, tatsächlich zukommen; Folgerungsbeziehungen und Widersprüche zwischen Sätzen oder gegenseitige Stützung durch Belege. Und das ist, wie ich in »Eine hübsche Unordnung von Epitaphen« geltend gemacht habe, bloß ein Anfang. Das Fahrradfahren setzt gar kein propositionales Wissen voraus. Auch sprachlosen Tieren kann man beibringen, wie man Fahrrad fährt.

Meine Einstellung zu vielen dieser Fragen wird von Barry Stroud ganz richtig erfaßt. Er hat recht: Ich bestreite keineswegs, daß die Menschen eine oder mehrere Sprachen zu sprechen lernen, weshalb sie »von vornherein« imstande sind, vieles von dem, was sie hören, zu verstehen. Das liegt, wie er sagt, daran, daß die Art und Weise, in der die Menschen reden, viele Regelmäßigkeiten aufweist: »Es gibt ansonsten gar nichts, was eine Bedeutungstheorie für eine bestimmte Sprache zu erfassen hätte.« Außerdem hat Stroud bestimmt recht mit seiner Feststellung, daß ich gegen die Vorstellung bin, wir verstünden Sprecher durch die Berufung auf (oder die Anwendung von) Regeln, Konventionen oder Theorien. Im Gegensatz zu Stroud scheue ich jedoch vor dem Gebrauch von Wörtern wie »Regel« oder »Konvention« zurück, wenn es darum geht zu beschreiben, was den Sprechern der, wie man so sagt, gleichen Sprache gemeinsam ist. Mein Grund ist der, daß ich den Eindruck habe, wir hätten schon alles gesagt, sobald wir festgestellt haben, daß einige Sprecher weitgehend gleich reden und daß Sprecher und Hörer deshalb natürliche Erwartungen hegen, die das Verständnis ihrer Worte sowie das von anderen Sprechern mit ihren Äußerungen Gemeinte betreffen. Gegen die Angleichung von Regelmäßigkeiten an Regeln oder Konventionen habe ich dies einzuwenden, daß diese letzteren Wörter nach Normen klingen, während die Sprache als solche nach meiner Überzeugung keine Normen enthält. Natürlich gibt es viele Normen, die betreffen, was wir wann sagen. Ich bestreite keineswegs, daß es tugendhaft ist, wenn man versucht, wertvolle Unterscheidungen zu bewahren, daß es klug ist, wenn wir in einer Weise reden, die von anderen verstanden wird, oder daß man sich bemühen sollte, das Baskische vor dem Aussterben zu bewahren. Das sind jedoch Normen, die nicht der Sprache selbst innewohnen, sondern die zur Gänze von anderen Werten abhängen. Im Normalfall ist es falsch, einer Konvention zuwiderzuhandeln. Wenn wir die Sprache nach Belieben hin- und herdrehen, ist daran nichts an und für sich Verkehrtes.

Es gibt viele Hinsichten, in denen unsere Absichten beim Sprechen enttäuscht werden, und sie werden manchmal miteinander verwechselt. Es kann sein, daß man etwas Wahres zu sagen glaubt, wenn das Gesagte gar nicht wahr ist. In diesem Fall ist der Irrtum kein sprachlicher, sondern er liegt darin, daß man etwas Falsches sagt und glaubt. (Natürlich hat diese Unterscheidung, wenn man ein neues Wort lernt, gar keinen Sinn. Irrtümer sprachlicher oder sonstiger Art sind noch gar nicht auf der Bildfläche erschienen.) Es kann auch vorkommen, daß man glaubt, ein Wort oder ein Ausdruck, den man normalerweise (oder in der besten Gesellschaft beziehungsweise in einem guten Wörterbuch) verwendet, bedeute etwas, was er gar nicht bedeutet. Dieser Irrtum betrifft unsere Überzeugungen über die Sprechgewohnheiten anderer oder der Lexikographen, aber es wäre kein Kommunikationsfehler, solange unsere Absicht, verstanden zu werden, nicht fehlschlägt. W-Sätze sind nach meiner Überzeugung nicht von sich aus normativ. Sie geben beispielsweise nicht an, welche Wahrheitsbedingungen wir einem Satz zuschreiben sollten, und sie sagen auch nicht, wann es »richtig« wäre, den betreffenden Satz zu behaupten, es sei denn, »richtig« heißt hier nichts weiter als »wahr«. W-Sätze sind deskriptiv. Nach meinem Dafürhalten beschreiben sie eine Praxis. Wird ein W-Satz gebraucht, um einen Sprecher zu interpretieren, dessen derzeitige Praxis dadurch richtig beschrieben wird, so ergibt sich eine richtige Interpretation – das ist jedenfalls die Ansicht, die ich seit langem vertreten habe und die ich auch heute noch vertrete.

Warum sagt Stroud dann, als ob er mir zustimmte: »Eine Bedeutungstheorie als solche genügt nicht, um die gesprochene Sprache zu interpretieren, und zwar nicht einmal in dem normalen Fall, in dem eine einzige, vielen Sprechern gemeinsame Sprache richtig verwendet wird«? Er sagt es, weil er tatsächlich meiner Meinung ist und das Hauptthema von »Eine hübsche Unordnung von Epitaphen« richtig verstanden hat. Es geht, wie Stroud sagt, um folgendes: Selbst wenn man über eine »Ausgangstheorie« verfügt, die nicht nur eine vielen Sprechern gemeinsame Sprachpraxis richtig beschreibt, sondern die auch richtig auf den gerade vorliegenden Fall zutrifft, muß man diese Theorie erst noch auf den gerade vorliegenden Fall anwenden (oder die gegebene Äußerung eben in Einklang mit der Theorie interpretieren), und das ist etwas, was uns von keiner Theorie vorgeschrieben wird. Nach Wittgenstein muß es, wie Stroud uns ins Gedächtnis ruft, einen Weg des Interpretierens oder Verstehens geben, der seinerseits nicht davon abhängt, daß man Anweisungen folgt oder sich bei der Interpretation leiten läßt. Der Grund ist einfach. Die von einer Bedeutungstheorie beschriebene Art des Wissens ist nicht irrelevant. Aber sie kann uns niemals vorschreiben, wann sie anzuwenden ist. Das Wissen, auf das wir uns sei's auch überaus intuitiv verlassen, ist praktisch alles, was wir wissen. Darum habe ich geschrieben, daß es keine Regeln dafür gibt, wie man zu Übergangstheorien gelangt – jedenfalls keine Regeln im strengen Sinn, im Gegensatz zu ungefähren Richtlinien und methodologischen Allgemeinheiten. Eine

Übergangstheorie gleicht zumindest insofern einer Theorie, als sie durch Intelligenz, Glück und Klugheit gewonnen wird; und hergeleitet wird sie aus einem privaten Vokabular und einer privaten Grammatik, aus einer Kenntnis der Art und Weise, in der die Menschen das Gemeinte rüberbringen, und aus Faustregeln, die erschließen helfen, welche Abweichungen vom Wörterbuch besonders wahrscheinlich sind. Daß es gelingt, diesen Vorgang zu regeln oder zu lehren, ist genauso unwahrscheinlich wie das Glücken des Versuchs, den Prozeß des Ersinnens neuer Theorien zur Bewältigung der Daten irgendeines Gebiets zu regeln oder zu lehren.

Literatur

Anscombe, G. E. M.: *Causality and Determination*, Cambridge University Press 1971

Austin, J. L.: *How to Do Things with Words*, Oxford University Press 1962, übers. von Eike v. Savigny: *Zur Theorie der Sprechakte*, Stuttgart: Reclam 1972

Baynes, Kenneth, James Bohman u. Thomas McCarthy (Hg.): *After Philosophy. End or Transformation*, Cambridge, MA: MIT Press 1987

Bechara, A., u. a.: »Double Dissociation of Conditioning and Declarative Knowledge Relative to the Amygdala and Hippocampus in Humans«, in: *Science* 269 (1995)

Bennett, Jonathan: *Linguistic Behavior*, Cambridge University Press 1976, übers. von Georg Meggle u. Maria Ulkan: *Sprachverhalten*, Frankfurt/M.: Suhrkamp 1982

Berger, Maurice: *Labyrinths. Robert Morris, Minimalism, and the 1960s*, New York: Harper & Row 1989

Binyon, T. J.: Rezension von Jimmy Breslin, *Damon Runyon. A Life* in: *Times Literary Supplement*, 20. März 1992

Burge, Tyler: »Philosophy of Language and Mind: 1950-1990«, in: *Philosophical Review* 101 (1992)

Campbell, Joseph u. Henry M. Robinson: *A Skeleton Key to Finnegans Wake*, New York: Harcourt, Brace 1944

Carroll, Lewis: »What the Tortoise said to Achilles«, in: *Mind*, New Series 4 (1895), S. 278-280

Chatwin, Bruce: *What am I Doing Here?*, New York: Viking 1989

Chomsky, Noam: *Rules and Representations*, New York: Columbia University Press 1980; übers. von Helen Leuninger: *Regeln und Repräsentationen*, Frankfurt/M.: Suhrkamp 1981

Cummins, Robert: »States, Causes, and the Law of Intertia«, in: *Philosophical Studies* 29 (1976)

Curley, Edwin: *Behind the Geometrical Method. A Reading of Spinoza's Ethics*, Princeton University Press 1988

Dasenbrock, Reed Way (Hg.): *Literary Theory after Davidson*, University Park, PA: Pennsylvania State University Press 1993

Davidson, Donald: *Essays on Actions and Events*, Oxford University Press 1980; übers. von J. Schulte: *Handlung und Ereignis*, Frankfurt/M.: Suhrkamp 1985

–: *Inquiries into Truth and Interpretation*, Oxford University Press 1984, übers. von J. Schulte: *Wahrheit und Interpretation*, Frankfurt/M.: Suhrkamp 1986

–: *Subjective, Intersubjective, Objective*, Oxford University Press 2001, übers. von J. Schulte: *Subjektiv, intersubjektiv, objektiv*, Frankfurt/M.: Suhrkamp 2004
–: *Problems of Rationality*, Oxford University Press 2004, übers. von J. Schulte: *Probleme der Rationalität*, Frankfurt/M.: Suhrkamp 2006
–: »Actions, Reasons, and Causes« (1963), in: *Essays on Actions and Events*, Übers. »Handlungen, Gründe und Ursachen«
–: »Causal Relations«, in: *Journal of Philosophy* 64 (1967), abgedr. in: *Essays on Actions and Events*, Übers. »Kausale Beziehungen«
–: »True to the Facts« (1969), in: *Inquiries into Truth and Interpretation*, Übers. »Getreu den Tatsachen«
–: »Mental Events«, in: L. Foster u. J. W. Swanson (Hg.), *Experience and Theory*, University of Massachusetts Press 1970, abgedr. in: *Essays on Actions and Events*, Übers. »Geistige Ereignisse«
–: »On the Very Idea of a Conceptual Scheme« (1974), abgedr. in: *Truth and Interpretation*, Übers. »Was ist eigentlich ein Begriffsschema?«
–: »What Metaphors Mean« (1978), in: *Inquiries into Truth and Interpretation*, Übers. »Was Metaphern bedeuten«
–: »Rational Animals«, in: *Dialectica* 36 (1982), in: *Subjective, Intersubjective, Objective*, Übers. »Vernünftige Tiere«
–: »Communication and Convention« (1982), in: *Inquiries into Truth and Interpretation*, Übers. »Kommunikation und Konvention«
–: »A Coherence Theory of Truth and Knowledge«, in: D. Henrich (Hg.), *Kant oder Hegel*, Stuttgart: Klett-Cotta 1983, abgedr. in: *Subjective, Intersubjective, Objective*, Übers. »Eine Kohärenztheorie der Wahrheit und der Erkenntnis«
–: »Expressing Evaluations«, The Lindley Lecture, University of Kansas Press 1984, in: *Problems of Rationality*, Übers. »Der Ausdruck von Wertungen«
–: »Replies to Essays X-XII«, in: B. Vermazen u. M. B. Hintikka (Hg.), *Essays on Davidson. Actions and Events*, Oxford University Press 1985
–: »Problems in the Explanation of Action«, P. Pettit, R. Sylvan u. J. Norman (Hg.), Metaphysics and Morality, Oxford: Blackwell 1987, abgedr. in: *Problems of Rationality*, Übers. »Probleme der Handlungserklärung«
–: »Afterthoughts, 1987«, in: A. Malichowski (Hg.), *Reading Rorty*, Oxford: Blackwell 1990, abgedr. in: *Subjective, Intersubjective, Objective*, Übers. »Nachtrag« zu »Eine Kohärenztheorie der Wahrheit und der Erkenntnis«
–: *Plato's Philebus*, New York: Garland 1990
–: »The Structure and Content of Truth«, in: *Journal of Philosophy* (1990), S. 279-328, übers. von J. Schulte: »Struktur und Gehalt des Wahrheitsbegriffs«, in: M. Sandbothe (Hg.), *Wozu Wahrheit?*, Frankfurt/M.: Suhrkamp 2005, S. 140-209

–: »Epistemology Externalized«, in: *Dialectica* 45 (1991), abgedr. in: *Subjective, Intersubjective, Objective*, Übers. »Externalisierte Erkenntnistheorie«
–: »Three Varieties of Knowledge«, in: A.P. Griffiths (Hg.), *A. J. Ayer Memorial Essays*, Cambridge University Press 1991, abgedr. in: *Subjective, Intersubjective, Objective*, Übers. »Drei Spielarten des Wissens«
Donagan, Alan: *Spinoza*, University of Chicago Press 1988
Donnellan, Keith: »Putting Humpty Dumpty Together Again«, in: *Philosophical Review* 77 (1968)
Ducasse, C.J.: *Nature, Mind, and Death*, La Salle, IL: Open Court 1951
Dummett, Michael: »What is a Theory of Meaning? (II)«, in: G. Evans u.J. McDowell (Hg.), *Truth and Meaning*, Oxford University Press 1976
–: *Truth and Other Enigmas*, London: Duckworth 1978
–: »The Social Character of Meaning«, in: *Truth and Other Enigmas*
–: *The Interpretation of Frege's Philosophy*, London: Duckworth 1981
–: »A Nice Derangement of Epitaphs: Some Comments on Davidson and Hacking«, in: E. Lepore u.B. McLaughlin (Hg.), *Truth and Interpretation*, Oxford: Blackwell 1985
Ellmann, Richard: *James Joyce*, New York: Oxford University Press 1959
Fernández, G., u.a.: »Real-Time Tracking of Memory Formation in the Human Rhinal Cortex and Hippocampus«, in: *Science* 285 (1999)
Flam, Faye: »Galaxies Keep Going with the Flow«, in: *Science* 259 (1993)
Fodor, J.A.: *Psychosemantics*, Cambridge, MA: MIT Press 1987
–: »Making Mind Matter More«, in: *Philosophical Studies* 17 (1989)
Føllesdal, Dagfinn: »Causation and Explanation. A Problem in Davidson's View on Action and Mind«, in: E. Lepore u. B. McLaughlin (Hg.), *Actions and Events. Perspectives on the Philosophy of Donald Davidson*, Oxford: Blackwell 1985
Frede, Dorothea: »Beyond Realism and Anti-realism. Rorty on Heidegger and Davidson«, in: *Review of Metaphysics* 40 (1987)
Fried, Michael: »Art and Objecthood«, in: *Artforum* 5 (Sommer 1967)
Freud, Sigmund: *Die Traumdeutung*, in: Gesammelte Werke, Band II/III (1942), Frankfurt/M.: Fischer 1999
Gadamer, Hans-Georg: *Platos dialektische Ethik* (1931), in: *Gesammelte Werke 6: Griechische Philosophie I*, S. 3-163, übers. von Robert M. Wallace: *Plato's Dialectical Ethics*, New Haven: Yale University Press 1991
–: *Wahrheit und Methode* (1960), Tübingen: J.C.B. Mohr (Paul Siebeck) 1990
–: »Idee und Wirklichkeit in Platos ›Timaios‹« (1974), in: *Gesammelte Werke 6: Griechische Philosophie II*, Tübingen: J.C.B. Mohr (Paul Siebeck) 1985, S. 242-270
–. *Dialogue and Dialectic. Eight Hermeneutical Studies on Plato*, übers. u.

eingeleitet von P. Christopher Smith, New Haven: Yale University Press 1980
Goldfarb, Warren: »Kripke and Wittgenstein on Rules«, in: *Journal of Philosophy* 82 (1985)
Goodman, Nelson: *Fact, Fiction, and Forecast* (1955), 4. Aufl. Cambridge, MA: Harvard University Press 1983, übers. von H. Vetter: *Tatsache, Fiktion, Voraussage*, Frankfurt/M.: Suhrkamp 1975
Gosling, J. C. B.: *Plato. Philebus*, Oxford University Press 1975
Grice, Paul: »The Causal Theory of Perception«, in: *Proceedings of the Aristotelian Society*, Suppl. Vol. 35 (1961)
Hahn, Lewis E. u. P. A. Schilpp (Hg.): *The Philosophy of W. V. Quine*, Library of Living Philosophers, La Salle, IL: Open Court 1986
Hall, N. John: *Trollope. A Biography*, Oxford University Press 1991
Halper, Nathan: »James Joyce and the Russian General«, in: *Partisan Review* 18 (1951)
Hampshire, Stuart: *Spinoza*, Harmondsworth: Penguin Books 1951
Hare, R. M.: »Supervenience«, in: *Proceedings of the Aristotelian Society*, Suppl. Vol. 58 (1984)
Hart, H. L. A.: »A Logician's Fairy Tale«, in: *Philosophical Review* 60 (1951)
Henrich, Dieter (Hg.): *Kant oder Hegel?*, Stuttgart: Klett-Cotta 1983
Hobbes, Thomas: *Leviathan*, hg. von C. B. Macpherson, Harmondsworth: Penguin Books 1968, übers. von Walter Euchner: *Leviathan*, Frankfurt/M.: Suhrkamp 1984
Hornsby, Jennifer: »Which Mental Events are Physical Events?«, in: *Proceedings of the Aristotelian Society* 35 (1980/81)
Horwich, Paul: *Truth*, Oxford: Blackwell 1990
Irwin, Terence: *Plato's Moral Theory*, Oxford University Press 1977
Jeffrey, Richard: *The Logic of Decision*, University of Chicago Press 1965, 2. Aufl. 1983
Joyce, James: *A Portrait of the Artist as a Young Man*, New York: Random House 1928, übers. von Klaus Reichert: *Ein Porträt des Künstlers als junger Mann*, in: Band 2 der Frankfurter Ausgabe: Frankfurt/M.: Suhrkamp 1987, S. 251-533
–: *Finnegans Wake*, New York: Viking Press 1939
–: *Ulysses*, New York: Vintage Books 1986, übers. von Hans Wollschläger: *Ulysses*, Frankfurt/M.: Suhrkamp 1982
Kim, Jaegwon: »Ephiphenomenal and Supervenient Causation«, in: *Midwest Studies in Philosophy*, Band 9, Minneapolis: University of Minnesota Press 1984
–: »Psychophysical Laws«, in: E. Lepore u. B. McLaughlin (Hg.), *Actions and Events. Perspectives on the Philosophy of Donald Davidson*, Oxford: Blackwell 1985

–: »The Myth of Nonreductive Materialism«, in: *Proceedings and Addresses of the American Philosophical Association* 63 (1989)
Kripke, Saul: »Is there a Problem about Substitutional Quantification?«, in: G. Evans u. J. McDowell (Hg.), *Truth and Meaning*, Oxford University Press 1976
Lepore, E. (Hg.): *Truth and Interpretation*, Oxford: Blackwell 1986
– u. B. McLaughlin (Hg.): *Actions and Events. Perspectives on the Philosophy of Donald Davidson*, Oxford: Blackwell 1985
– u. B. Loewer: »Mind Matters«, in: *Journal of Philosophy* 84 (1984)
Levin, Harry: *The Essential James Joyce*, Harmondsworth: Penguin Books 1963
Lewis, David: »Languages and Language«, in: *Minnesota Studies in the Philosophy of Science*, Band 7, Minneapolis: Minnesota University Press 1975
Locke, John L.: *The Child's Path to Spoken Language*, Cambridge, MA: Harvard University Press 1993
Lombard, Lawrence: »Events and their Subjects«, in: *Pacific Philosophical Quarterly* 62 (1981)
MacKay, Alfred: »Mr Donnellan and Humpty Dumpty on Referring«, in: *Philosophical Review* 77 (1968)
Margenau, Henry: »Meaning and Scientific Status of Causality«, in: *Philosophy of Science* 1 (1934)
McCawley, James: »Some Ideas Not to Live By«, in: *Die Neueren Sprachen* 75 (1976)
McDowell, John: »Functionalism and Anomalous Monism«, in: E. Lepore u. B. McLaughlin (Hg.), *Actions and Events. Perspectives on the Philosophy of Donald Davidson*, Oxford: Blackwell 1985
–: *Mind and World*, Cambridge, MA: Harvard University Press 1994, übers. von Thomas Blume, Holm Bräuer u. Gregory Klass: *Geist und Welt*, Frankfurt/M.: Suhrkamp 2001
Michelson, Annette: »Robert Morris – An Aesthetics of Transgression«, in: *Robert Morris*, Ausstellungskatalog, Corcoran Gallery of Art and Detroit Institute of Arts, Washington DC und Detroit, November 1969 bis Februar 1970
Morris, Robert: »Some Notes on the Phenomenology of Making. The Search for the Motivation«, in: *Artforum* 8 (1970)
Neale, Stephen: »The Philosophical Significance of Gödel's Slingshot«, in: *Mind* 104 (1995), S. 761-825
Novitz, David: »Metaphor, Derrida, and Davidson«, in: *Journal of Aesthetics and Art Criticism* 44 (Winter 1985)
Nussbaum, Martha: »Saving Aristotle's Appearances«, in: M. Schofield u. M. Nussbaum (Hg.), *Language and Logos*, Cambridge University Press 1982
Pinker, Steven: *The Language Instinct*, New York: Harper Collins 1995

Preyer, G. u. a. (Hg.): *Language, Mind and Epistemology*, Dordrecht: Kluwer 1994
Putnam, Hilary: *Meaning and the Moral Sciences*, London: Routledge & Kegan Paul 1978
Quine, W. V.: *Mathematical Logic*, New York: Norton 1940
–: »On an Application of Tarski's Theory of Truth« (1952), abgedruckt in: *Selected Logic Papers*, New York: Random House 1966
–: »Variables Explained Away«, in: *Proceedings of the American Philosophical Society 104* (1960)
–: *From a Logical Point of View* (1953), 2. Auflage Cambridge, MA: Harvard University Press 1961
–: *Word and Object*, Cambridge, MA: MIT Press 1960, S. 24; übers. von J. Schulte u. D. Birnbacher: *Wort und Gegenstand*, Stuttgart: Reclam 1980
–: *Selected Logic Papers*, New York: Random House 1966
–: *Ontological Relativity and Other Essays*, New York: Columbia University Press 1969, übers. von W. Spohn: *Ontologische Relativität*, Stuttgart: Reclam 1975
–: »Natural Kinds«, in: *Ontological Relativity*
–: »On the Reasons for Indeterminacy of Translation«, in: *Journal of Philosophy* 67 (1970)
–: *Philosophy of Logic*, Englewood: Prentice-Hall 1970
–: *The Roots of Reference*, La Salle, IL: Open Court 1974, übers. von H. Vetter: *Die Wurzeln der Referenz*, Frankfurt/M.: Suhrkamp 1976
–: »Truth and Disquotation«, in: *Proceedings of the 1971 Tarski Symposium*, Providence, RI: American Mathematical Society 1974
–: »Mind and Verbal Dispositions«, in: S. Guttenplan (Hg.), *Mind and Language*, Oxford University Press 1975
–: »The Nature of Natural Knowledge«, in: S. Guttenplan (Hg.), *Mind and Language*
–: *The Ways of Paradox*, Cambridge, MA: Harvard University Press 1976
–: »Truth by Convention« (1936), abgedr. in: *The Ways of Paradox*
–: *Algebraic Logic and Predicate Functors*, Indianapolis: Bobbs-Merrill 1976
–: »Facts of the Matter«, in: R. W. Shahan u. K. R. Merrill (Hg.), *American Philosophy from Edwards to Quine*, Norman, OK: University of Oklahoma Press 1977
–: Rezension von Evans u. McDowell (Hg.), *Truth and Meaning*, in: *Journal of Philosophy* 74 (1977)
–: *Theories and Things*, Cambridge, MA: Harvard University Press 1981, übers. von J. Schulte: *Theorien und Dinge*, Frankfurt am Main: Suhrkamp 1985
–: »On the Very Idea of a Third Dogma«, in: Quine, *Theories and Things*, übers. von J. Schulte: »Der Kerngedanke eines dritten Dogmas«

–: »Replies to Eleven Essays«, in: Theories and Things, übers. von J. Schulte: »Repliken«
–: »Reply to Stroud«, in: P. A. French, T. E. Uehling u. H. K. Wettstein (Hg.), *The Foundations of Analytic Philosophy*, Midwest Studies in Philosophy, Band 6, Minneapolis: University of Minnesota Press 1981
–: »Ontology and Ideology Revisited«, in: *Journal of Philosophy* 80 (1983)
–: »Meaning, Truth, and Reference« (Vortrag, gehalten 1985 in Palermo bei einer Veranstaltung des Institut International de Philosophie)
–: »Indeterminacy of Translation Again«, in: *Journal of Philosophy* 84 (1987)
–: *Pursuit of Truth*, Cambridge, MA: Harvard University Press 1990, S. 93; übers. von M. Gebauer: *Unterwegs zur Wahrheit*, Paderborn: Ferdinand Schöningh 1995
–: *From Stimulus to Science*, Cambridge, MA: Harvard University Press 1995
Rajchman, John u. Cornel West (Hg.): *Post-Analytic Philosophy*, New York: Columbia University Press 1985
Ramsey, Frank Plumpton: »Facts and Propositions« (1927), in: *Philosophical Papers*, hg. von D. H. Mellor, Cambridge University Press 1990, S. 34-51
–: »Truth and Probability« (1926), in: *Philosophical Papers*, S. 52-94
Rohrlich, Fritz: »Facing Quantum Mechanical Reality«, in: *Science* 221 (1983)
Rorty, Richard: »Is Truth a Goal of Inquiry? Davidson vs. Wright«, in: *Philosophical Quarterly* 45 (1980), übers. von Joachim Schulte: »Ist Wahrheit ein Ziel der Forschung? Donald Davidson kontra Crispin Wright«, in: Rorty: *Wahrheit und Fortschritt*, Frankfurt/M.: Suhrkamp 2000
–: »Something to Steer by«, in: *London Review of Books*, 20. Juni 1996, S. 7f.
Ryan, Alan: *John Dewey and the High Tide of American Liberalism*, New York: Norton 1996
Ryle, Gilbert: *The Concept of Mind*, New York: Barnes & Noble 1949, übers. von K. Baier: *Der Begriff des Geistes*, Stuttgart: Reclam 1969
Saffran, Jenny R., Richard N. Aslin u. Elissa L. Newport: »Statistical Learning by 8-Month-Old Infants«, in: *Science* 274 (13. Dezember 1996)
Sayre, Kenneth: *Plato's Late Ontology. A Riddle Resolved*, Princeton University Press 1983
Sellars, Wilfrid: »Empiricism and the Philosophy of Mind«, in: H. Feigl u. M. Scriven (Hg.), *Minnesota Studies in the Philosophy of Science*, Minneapolis: University of Minnesota Press 1956
Smidt, Kristian: *James Joyce and the Cultic Use of Fiction*, Oslo: Oslo University Press 1959
Soames, Scott: »What Is a Theory of Truth?«, in: *Journal of Philosophy* 81 (1984), S. 411-429
Sosa, Ernest: »Mind-Body Interaction and Supervenient Causation«, in: *Midwest Studies in Philosophy*, Band 9, Minneapolis: University of Minnesota Press 1984

Spinoza, Baruch de: *Ethik in geometrischer Ordnung dargestellt*, übers. von Wolfgang Bartuschat, Hamburg: Meiner 2007
–: *The Collected Works of Spinoza*, Band 1, hg. u. übers. von Edwin Curley, Princeton University Press 1988
Tarski, Alfred: »Der Wahrheitsbegriff in den formalisierten Sprachen« (1933/1935), in: Karel Berka u. Lothar Kreiser (Hg.), *Logik-Texte*, Berlin: Akademie-Verlag 1983, S. 445-546
–: »Grundlegung der wissenschaftlichen Semantik« (1935), in: Berka u. Kreiser, *Logik-Texte*, S. 396-402
–: »The Semantic Conception of Truth«, in: *Philosophy and Phenomenological Research* 4 (1944), S. 342-360
–: »On the Concept of Logical Consequence«, in: Tarski, *Logic, Semantics, Metamathematics*, hg. von J.H. Woodger, Oxford: Oxford University Press 1956
–: »Truth and Proof«, in: *Scientific American* CCXX (1969), S. 63-77
Vlastos, Gregory: »The Paradox of Socrates«, in: G. Vlastos (Hg.), *The Philosophy of Socrates*, New York: Doubleday 1971
–: »The Socratic Elenchus«, in: *Oxford Studies in Ancient Philosophy*, Oxford University Press 1983
–: »Afterthoughts on the Socratic Elenchus«, in: *Oxford Studies in Ancient Philosophy*, Oxford University Press 1983
–: »Socratic Irony«, in: *Classical Quarterly* 37 (1987)
–: Socrates. *Ironist and Moral Philosopher*, Cambridge University Press 1991
Wartofsky, Marx: »Action and Passion«, in: Marjorie Grene (Hg.), *Spinoza. A Collection of Critical Essays*, Garden City, NY: Anchor Books 1973
Wheeler, Samuel: »Indeterminacy of French Interpretation. Derrida and Davidson«, in: E. Lepore (Hg.), *Truth and Interpretation*, Oxford: Blackwell 1986
Wilson, Edmund: *Axel's Castle*, New York: Scribner's 1948
Wittgenstein: Ludwig: *Philosophische Untersuchungen* (1953), Frankfurt/M.: Suhrkamp 1960 u. ö.

Textnachweise

1. »Truth Rehabilitated« ist der Text eines Vortrags, der im Oktober 1997 gehalten wurde, als Davidson an der University of Minnesota in Minneapolis als Hill Visiting Professor tätig war. Erstveröffentlichung dieses (vielleicht überarbeiteten Texts) in: R.B. Brandom (Hg.), *Rorty and His Critics*, Oxford: Blackwell 2000.

2. »The Folly of Trying to Define Truth« ist der Text eines am 7. Oktober 1995 vor der Akademie der Wissenschaften in Warschau gehaltenen Vortrags. Erstveröffentlichung in: *Dialogue and Universalism* 6 (1996), S. 39-53; außerdem in: *Journal of Philosophy* 94 (1997), S. 263-278.

3. »Method and Metaphysics« – Erstveröffentlichung in: *Deucalion* 11 (1993), S. 239-248.

4. »Meaning, Truth and Evidence« ist der Text eines Vortrags, der im April 1988 bei einer Tagung über Quine in St. Louis gehalten wurde. Erstveröffentlichung in: R. Barrett u. R. Gibson (Hg.), *Perspectives on Quine*, Oxford: Blackwell 1990.

5. »Pursuit of the Concept of Truth« – Erstveröffentlichung in: P. Leonardi u. M. Santambrogio (Hg.), *On Quine*, Cambridge University Press 1995.

6. »What is Quine's View of Truth?« – Erstveröffentlichung in: *Inquiry* 37 (1994), hg. von D. Føllesdal u. A. Hannay, S. 437-440.

7. »A Nice Derangement of Epitaphs« ist der Text eines Vortrags, der im September 1984 am Philosophischen Institut des Queen's College, Kingston (Ontario) gehalten wurde. Erstveröffentlichung in: R. Grandy u. R. Warner (Hg.), *Philosophical Grounds of Rationality*, Oxford University Press 1986.

8. »The Social Aspect of Language« ist der Text eines Vortrags, der bei einer Tagung zu Ehren von Michael Dummett im September 1991 auf Sizilien gehalten wurde. Erstveröffentlichung in: B. McGuinness u. G. Oliveri (Hg.), *The Philosophy of Michael Dummett*, Dordrecht: Kluwer 1994.

9. »Seeing Through Language« ist der Text eines Vortrags, der im September 1996 bei einer Tagung des Royal Institute of Philosophy in Reading gehalten wurde. Erstveröffentlichung in: J. M. Preston (Hg.), *Thought and Language*, Cambridge University Press 1997.

10. »James Joyce and Humpty Dumpty« ist der Text eines Vortrags, der am 10. März 1988 vor der Norwegischen Akademie der Wissenschaften gehalten wurde. Erstveröffentlichung in: *Proceedings of the Norwegian Academy of Science and Letters* (1989), S. 54-66.

11. »The Third Man« wurde 1992 für die Ausstellung *Robert Morris. Blind Time Drawings with Davidson* geschrieben (The Frank Martin Gallery, Mühlenberg College, Allentown, Pennsylvania). Erstveröffentlichung in: *Critical Inquiry* 19 (Sommer 1993).

12. »Locating Literary Language« – Erstveröffentlichung in: R.W. Dasenbrock (Hg.), *Literary Theory after Davidson*, University Park, PA: Pennsylvania State University Press 1993.

13. »Thinking Causes« ist der Text eines Vortrags, der am 5. Februar 1991 in London am Philosophischen Seminar des Birkbeck College gehalten wurde. Erstveröffentlichung in: J. Heil u. A. Mele (Hg.), *Mental Causation*, Oxford University Press 1993.

14. »Laws and Cause« ist der Text eines Vortrags, der am 24. Februar 1995 am Philosophischen Seminar der Stanford University gehalten wurde. Erstveröffentlichung in: *Dialectica* 49 (1995), S. 263-279.

15. »Plato's Philosopher« ist der Text der im März 1985 in London am University College gehaltenen S.V. Keeling Memorial Lecture in Greek Philosophy. Erstveröffentlichung in: *The London Review of Books* 7, Nr. 14 (1985), S. 15-17.

16. »The Socratic Concept of Truth« – Erstveröffentlichung in: K.J. Boudouris (Hg.), *The Philosophy of Socrates. Elenchus, Ethics and Truth*, Band II, Athen: The International Center for Greek Philosophy and Culture 1992.

17. »Dialectic and Dialogue« ist der Text der Rede, die 1992 anläßlich der Verleihung des Hegel-Preises in Stuttgart gehalten wurde. Erstveröffentlichung der Übersetzung von J. Schulte in: *Dialektik und Dialog*, Frankfurt/M.: Suhrkamp 1993. Erstveröffentlichung des englischen Originals in: G. Preyer, F. Siebelt u. A. Ulfig (Hg.), *Language, Mind and Epistemology. On Donald Davidson's Philosophy*, Dordrecht: Kluwer 1994.

18. »Gadamer and Plato's *Philebus*« – Erstveröffentlichung in: L. Hahn (Hg.), *The Philosophy of Hans-Georg Gadamer*, Chicago: Open Court 1997.

19. »Aristotle's Action« – Erstveröffentlichung auf französisch in: *Quelle Philosophie pour le XXIe Siècle*, Paris: Gallimard/Centre Pompidou 2001. Erstveröffentlichung auf englisch in: *Truth, Language, and History.*

20. »Spinoza's Causal Theory of the Affects« ist der Text eines Vortrags, der am 20. Januar 1993 am Philosophischen Seminar der Universität Jerusalem gehalten wurde. Erstveröffentlichung in: Y. Yovel (Hg.), *Desire and Affect. Spinoza as Psychologist*, New York: Libble Room Press 1999.

Anhang: »Replies to Rorty, Stroud, McDowell, and Pereda« – Erstveröffentlichung unter dem Titel »Replies« in: *Crítica* 30, Nr. 90 (1998).

Register